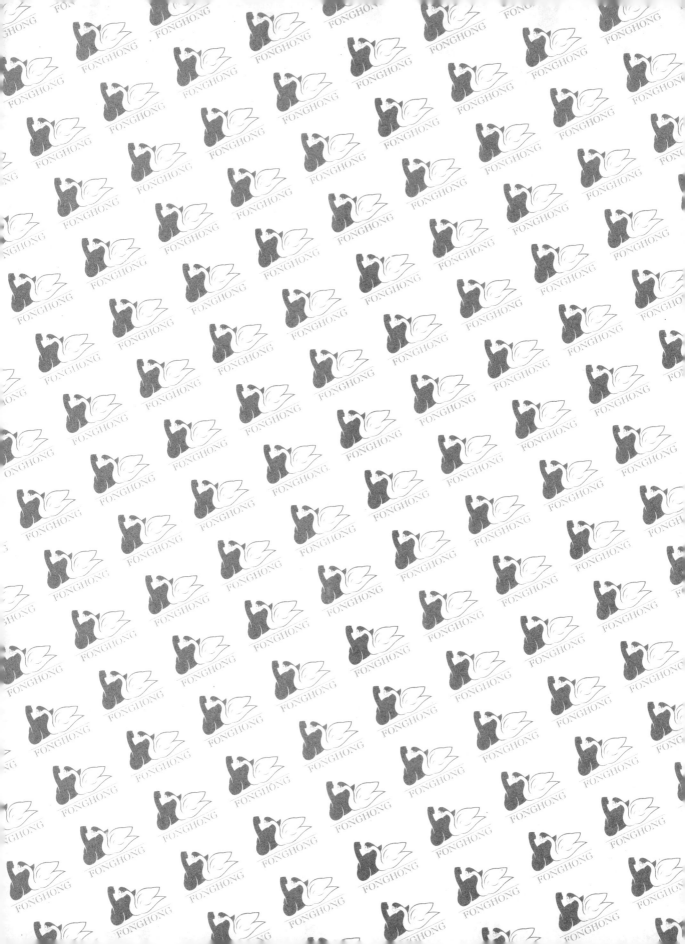

《几何原本》是一部上帝安排空间秩序的方案之书

是一部建立起我们现有活动秩序的书

是一部寻找宇宙"本基"的书

是一部高度展示人类的逻辑理性、逻辑思维能力的体系教本

它是数学，却更多地提供了希腊数学的精神

它是宇宙为自己设计的一份精美图纸

建立空间秩序最久远最权威的逻辑推演语系

Euclid's Elements

几何原本

［古希腊］　欧几里得　著

燕晓东　译

凤凰出版传媒集团　｜　凤凰联动　　凤凰决定
江苏人民出版社　　　FONGHONG　　DECISION

图书在版编目（CIP）数据

几何原本/（古希腊）欧几里得 著；燕晓东 译. —南京：
江苏人民出版社，2011.3
（决定经典书库）
ISBN 978-7-214-06759-3

Ⅰ.①几… Ⅱ.①欧…②燕… Ⅲ.①欧氏几何
Ⅳ.①0184

中国版本图书馆CIP数据核字（2011）第000274号

- -

书　　名	几何原本	
著　　者	〔古希腊〕欧几里得	
译　　者	燕晓东	
责任编辑	王　楠	
出版发行	江苏人民出版社（南京湖南路1号A楼　邮编：210009）	
网　　址	http://www.book-wind.com	
集团网址	http://www.ppm.cn	
经　　销	江苏省新华发行集团有限公司	
印　　刷	北京同文印刷有限公司	
开　　本	820毫米×1060毫米　1/16	
印　　张	36.75	
字　　数	528千	
版　　次	2011年3月第1版　2011年3月第1次印刷	
标准书号	ISBN 978-7-214-06759-3	
定　　价	58.00元	

（江苏人民出版社图书凡印装错误可向本社调换）

回望历史深处，每一代学人都会深切地感到有一些书籍具有决定性的影响力，这些著作成为塑造历史的关键力量，改变了历史进程，也改变了人类社会。可以说，正是这些决定性的经典著作决定了我们今日的世界是这个样子，而不是另一个样子。人类之所以能够进步到如今这个全球一体化的文明时代，正是靠了一代代思想伟人奉献的各种类型的经典著作才实现的，正是靠了这些经典著作的荣光，才照亮了人类走出野蛮、步入文明的道路。

我们编选这套"决定经典·图释书系"，就是要让一代代思想伟人的经典著作达到更为普及的程度。我们希望这些经典著作像它们曾经在历史中发挥过的巨大作用一样，在读者的个人生活中也产生深刻影响。就像这些经典著作曾改变历史进程一样，它们同样也可以改变读者的个人命运，我们对此深信不疑。

我们对"决定经典"的定义是：每一代读者怀着先期的热情在人生的某个阶段总会找来认真研读的经典著作；这些著作都毫无例外地对人类历史、人类社会和人类思想产生过决定性的影响。因此，这套书系注定是开放式的，也注定是规模宏大的。举凡人类社会中具有里程碑意义的各种类别的经典著作都在我们的编选视野中，这套书将展现人类文明的相对全面的进步阶梯。我们希望单是这套设计精美的书摆在书架上的样子，就可以让读者产生深厚的历史感觉，为自己能够与思想伟人们朝夕相伴而自豪。

我们编选"决定经典"的信念中，自然包含了关于经典的诸多必不可少的普遍性描述。首先，经典在内容上一定是具有丰富性的，理所当然地将涵盖人类社会、文化、人生、科学、自然、历史和宇宙等方面的重大发现和观念更新，它们无一例外地参与了人类传统的形成，完善了社会生活，推进了人类历史。其次，经典当然是富于创造性的，其思想在产生之初必然是全新而动人的。再次，经典当然经得起岁月的淘洗，几乎不受时空限制，其活跃的思想不仅仅适用于过去，也必然适用于今日，也必然适用于未来，也就是说，任何时候都可以影响人生。还有一点，经典必然是具有可读性的，经得起任何人的反复阅读，并能使读者变得更加成熟，也变得富有思想。

我们深知要让这些经典著作达到更为普及的程度，需要付出很多的心血，需要做很多更为细致的编辑工作。因为这些经典著作，都是一代代思想伟人呕心沥血的思想结晶，其篇幅都是宏大的，从行文逻辑到思想点滴都是尖端的，永远富于创造性，无论经过多少岁月的打磨，都不会缺失初生时的那种勃勃生机。几乎任何时候，对这些经典著作的阅读，都可以丰富读者的大脑，启迪读者自己也变得思想生动而睿智。但是，这些思想伟人的观念和思维方式，都因其独创性而显得高妙异常，在很多方面都是一般读者难以望其项背的，这对一般读者亲近这些经典著作产生了微妙的心理影响，在普及方面造成了一定的障碍。

我们深知如何克服这些阅读心理的影响，而这正是使这些经典著作达到更为普及的程度的关键。这是我们采用"图释"的编辑方式来出版这些经典著作的根本原因。我们在相关专家的指导下，做了两方面的具体编辑工作：一是在文字上力求精确、简练和传神，使全书体系更为完善。二是精选相关图例。凡是有助于理解该书思想的图例，我们尽量列入，按有机的历史顺序加以编排，使该书图文并茂、相得益彰，并辅以精准的图片说明，让该书中的深奥思想变得晓畅易懂。这些深奥思想的历史演变、人物体系和实质影响都以简明百科全书式的解读得以清晰呈现，使读者能够在相对轻松的阅读中更容易地把握伟人们的思想要点。

我们深信，经过辛苦努力编选的这套"决定经典·图释书系"，可以实现一个对读者而言非常现实的目的，那就是：一切尖端的思想都可以轻松理解，一切深奥的经典都可以改善读者的生活。这也是我们所梦想的。

决定经典书系编委会
2011 年 3 月

"在这里，皇帝没有特权。"

这里是一个高贵的世界，与具体在时间中速朽的一切物质相比，它是一种永恒的规律。

古希腊数学直接脱胎于哲学。它使用各种描述的可能，解析我们的宇宙，使它不至于混沌、分离；它建立物质和精神世界的确定体系，以使人这渺小的生物取得些微的自信。

古希腊天才欧几里得所著的《几何原本》是哲学意义上的几何，它完全有别于起源并应用于世俗计算的中国数学及古埃及数学。

在本书里，欧几里得建立了人类历史第一座宏伟的演绎推理大厦，利用很少的自明公理、定义，推演出四百余个命题，成为人类理性的丰碑。欧几里得坚信质、宇宙、空间、人的精神间存在着一种超然于一切的形式美感，他设定"点、线、面、角"为一切存在的始基，因为没有空间之物是不存在的。万物的根本关系是数量关系。找到这些数量关系，就找到了现实世界通往神的道路，神就是数神。神按照数理设计这个世界。

欧几里得在哲学上信任原子论。以德谟克里特为代表的原子论学派认为，线段、面积和立体是由许多不可再分的原子所构成。计算面积和体积等于将这些原子集合起来。所以根据欧几里得本人的动机，他的《几何原本》与其说是数学叙述，不如说是他寻找宇宙始基的哲学叙述。汉语"几何"为"多少"的数量关系，与"万物之始基"这一意义相去甚远。明代翻译家徐光启将希腊文的 Ευκλειδη 译成"几何"，这有点舍本逐末，失掉了原汁，或许，该译为"宇宙基本元素的数量关系"更为妥帖。

欧几里得把距离、角度转换成任意数维的坐标系，描绘出一幅有限维、实和内积空间的图景，欧氏空间也被理解为线性流形。

赫拉克利特和亚里士多德开启了逻辑理论以后，欧几里得建造了逻辑演绎的标本。多数的哲学家几乎都相信，在逻辑里可以看到神的踪迹。柏拉图就直接把有理性思考的精神当成天国的制品。一个有理性思考的人，他的思考就是神性的；另一说是，理性是上帝与大地的中介材料。这种理性是指对事物抽象性质判断与推理；也指思想、概念、理论、言辞、规律性。它们被黑格尔称为绝对精神的掌握，并以此揭示事物的本质属性。正因如此，《几何原本》从它诞生时起就被视为人类锻炼和培养逻辑理性、逻辑思维的最杰出甚至唯一的课本。它是世上最美丽的逻辑剧本。

我还想对《几何原本》作以下描述：

它是一部关于事物秩序之书；空间理性的黑夜之书；一部想探索上帝存在的形式之书；一部想建立生活秩序的书；一部描述原子形态的书；一部想找到宇宙的"本基"之书；一部为了研究上帝的本性和行为以及上帝安排宇宙的方案的书。它是物质世界（甚至精神世界——根据柏拉图《理想国》）的表述方式，是对宇宙的一种解释。这正是支持欧几里得创作《原本》的精神。

我始终没将它作为某个意义上的数学来读，却引为歌剧、诗、哲学、宇宙之舞来欣赏。对优雅事物的欣赏，以抵抗单向度的混乱生景是那么的必要；物质世界的协调，文化、精神的和谐是那么的必要。希腊数学，是伟大的希腊人向宇宙秩序射出的光芒。希腊数学的精神，不同于美索不达米亚平原的数学，也不同于古埃及及中国数学，它对世俗的计算几乎不感兴趣，而是在探索上帝的存在，寻找上帝存在的形式，寻找宇宙的基本形式和数量关系，故开创了通过自明的简单公理进行演绎推理得出结论的方法。也正因为如此，其气质华美高贵是其他民族的数学难以媲美的。希腊数学其实是世上最热情洋溢的诗篇。

我们已无法考察欧几里得的生世，只知道他给这个世界留下过一本书和两句话。第一句在本文开头说了，现在转述他的第二句。当欧几里得面对一位青年的质问"你的几何学有何用处？"的时候，他的回答简洁而确定，他对身边的侍从说："请给这个小伙子三个硬币，因为他想从几何学里得到实际利益。"

导 读

如果欧几里得未能激发起你少年时代的科学热情，那么你肯定不会是一个天才的科学家。

——爱因斯坦

一、欧几里得生平

欧几里得大约生活在公元前330—前275年之间。除《几何原本》外，还有不少著作，如《已知数》、《纠错集》、《园锥曲线论》、《曲面轨迹》、《观测天文学》等。遗憾的是，除了《几何原本》以外，这些都没有留存下来，消失在时空的黑暗之中了。从某个意义上说，这增加了人类的黑暗。仅留世的《几何原本》，已让我们震撼了两千余年。

欧几里得的生平也已失传，据后世推断，他早年在雅典受教育，熟知柏拉图的学说。公元前300年左右，受托勒密王（前364—前283年）之邀，他前往埃及统治下的亚历山大城工作，长期从事教学、研究和著述，涉猎数学、天文、光学和音乐等诸多领域。所著《几何原本》，共有13卷，希腊文原稿也已失传，现存的是公元4世纪末西翁的修订本和18世纪在梵蒂冈图书馆发现的希腊文手抄原本。这部西方世界现存最古老的科学著作，为两千余年来用公理法建立演绎

欧几里得

欧几里得（约前330—前275年）古希腊数学家，著有《几何原本》13卷，这是世界上最早公理化的数学著作。他在这部书中，总结了前人的研究成果，从定义、公理和公设出发，用演绎法建立几何命题；书中还包括整数论的许多成果，如求两整数最大公约数的"辗转相除法"。此书传世不衰，对人类文明的影响，非他书所能及。

利玛窦与徐光启

　　西方科学技术最初是通过基督教会的传教士们传入中国的。1582年，明万历年间，意大利人利玛窦（1552—1610年）与徐光启（1562—1633年）合作翻译了《几何原本》前六卷，这是传教士来中国翻译的第一部科学著作。

的数学体系找到了源头。德摩根曾说，除了《圣经》，再没有任何一种书像《原本》这样拥有如此众多的读者，被译成如此多种的语言。从1482年到19世纪末，《原本》的各种版本竟用各种语言出了1000版以上。明朝万历年间（1607年），徐光启和意大利传教士利玛窦把前六卷译成中文出版，定名为《几何原本》。"几何"这个数学名词就是这样来的。《几何原本》同时也是中国近代翻译的第一部西方数学著作。康熙皇帝将这

个仅有前六卷的版本书当成智力玩具把玩了一生，但估计其理解也十分有限。

　　古籍中记载了两则故事：托勒密国王问欧几里得，有没有学习几何学的捷径。欧几里得答道："几何无王者之道。"意思是，在几何学里没有专门为国王铺设的大路。这句话成为千古传诵的箴言。另一个故事说：一个学生才开始学习第一个命题，就问学了几何之后将得到些什么。欧几里得对身边的侍从说："给他三个钱币，因为他想在学习中获取实利。"这两则故事，与他的光辉著作一样，具有高深的含义。

二、《几何原本》的贡献

　　《几何原本》从少量"自明的"定义、公理出发，利用逻辑推理的方法，推演出整个几何体系，选取少量的原始概念和不需证明的命题，作为定义、公设和公理，使它们成为整个体系的出发点和逻辑依据，然后运用逻辑推理证明其他命题。它成为人类文明的一块极至瑰宝，创造了人类认识宇宙空间、认识宇宙数量关系的源头，是一部人类历史上的科学杰作。逻辑并不是欧几里得开创的，而是以另一个希腊天才亚里士多德为代表，他的著名的三段论，开创了逻辑的基本面貌，提出了逻辑的基本建构。欧几里得是第一个将三段论应用于实际知识体系构建的人，他铸造了一部完整的逻辑演绎体系。他构成了希腊理性最完美的纪念碑。

　　两千余年来，所有初等几何教科书以及19世纪以前一切有关初等几何的论著，都以

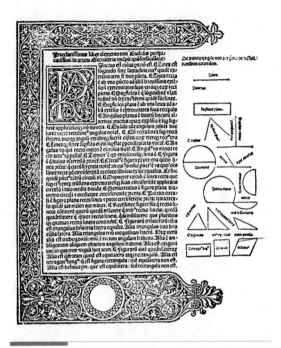

最早的印刷本

9世纪以后，大量的希腊著作被译成阿拉伯文，约1255年，坎帕努斯（？—1296年)参考数种阿拉伯文本及早期的拉丁文本重新将《原本》译成拉丁文，并于1482年以印刷本的形式在威尼斯出版。图为坎帕努斯译本的第一页。

《几何原本》作为依据。"欧几里得"成为几何学的代名词，并且人们把这种体系的几何学叫做欧几里得几何学。

《几何原本》对世界数学的贡献主要是：确立了数学的基本方法学。①建立了公理演绎体系，即用公理、公设和定义的推证方法。②将逻辑证明系统地引入数学中，确立了逻辑学的基本方法。③创造了几何证明的方法：分析法、综合法及归谬法。

相对《原本》中的几何知识而言，它所蕴含的方法论意义更重大。事实上，欧几里得本人对它的几何学的实际应用并不关心，他关心的是他的几何体系内在逻辑上的严密

性。《原本》作为文化丰碑还在于，它为人类知识的整理、系统阐述提供了一种模式。从此，人类的知识建构找到了一个有效的方法。整理为从基本概念、公理或定律出发的严密的演绎体系成为人类的梦想。斯宾诺莎的伦理学就是按这种模式阐述的，牛顿的《自然哲学的数学原理》同样如此。

三、《几何原本》介绍

在《几何原本》中，欧几里得首先给出了点、线、面、角、垂直、平行等定义，接

拉丁语版《几何原本》

图为发现于阿拉伯的中世纪《几何原本》拉丁语版的一文。这通常被认为是巴斯的阿德拉德（约12世纪）所写，也可能是最早的版本。这里的命题是仅借助于圆形给出的，这一版本的第一卷中有关于证明的注释。中世纪，人们对几何的学习仅局限于《几何原本》中最简单的部分。

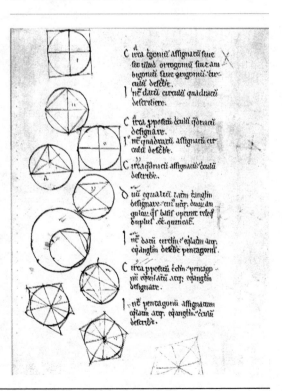

着给出了关于几何和关于量的十条公理，如"凡直角都相等""整体大于部分"以及后来引起许多纷争的"平行线公理"等等。公理后面是一个一个的命题及其证明，内容丰富多彩。比如有平面作图、勾股定理、余弦定理、圆的各种性质、空间中平面和直线的垂直、平行和相交等关系，平行六面体、棱锥、棱柱、圆锥、圆柱、球等问题，此外还有比例的理论、正整数的性质与分类、无理量等等。公理化结构是近代数学的主要特征，而《几何原本》则是公理化结构的最早典范。欧几里得创造性地总结了他以前的古希腊人的数学，将零散的、不连贯的数学知识整理起来，加上自己的大量创造，构建出彼此有内在联系的有机的宏伟大厦。

本书共分 13 卷，有 5 条公设、5 条公理、119 个定义和 465 个命题，构成历史上第一个数学公理体系。

关于重要命题 《几何原本》中涉及到诸多重要命题，比如命题 I.47 就是著名的"勾股定理"。传说这一定理最早是由毕达哥拉斯证明出的，但他的证明方法却没有流传下来。而《几何原本》中的证明，则可以算是现存西方最早证明勾股定理的记载。

关于命题的逻辑关系 《几何原本》中命题间的逻辑关系甚至比现代教科书还高。为

逻辑之父

亚里士多德最重要的贡献是将前人使用的数学推理规律规范化和系统化，从而创立了独立的逻辑学，其中的基本逻辑原理、矛盾律和排中律成为数学间接证明的核心。而在整个中世纪及以后的历史时期，亚里士多德逻辑成了基督教高等教育的核心内容。在这幅画中，描绘了亚里士多德的逻辑学、西赛罗的修辞学以及图巴的音乐。

了清晰地表明这一关系，千余年来的各种语文版本多附有数学们对逻辑关系的注解。

关于公理和公设 演绎法，它的基本精神是由简单现象去证明较复杂的现象，在数学中同样也遵循这一原理。这一理论里，逻辑推理虽然至关重要，但更重要的是，我们必须接受一些简单的现象作为我们的"起点"，是明显的"自明"的道理，而欧几里得将这些"起点"命名为"公设"和"公理"。

虽然以公理为起点演绎几何的方法并非为欧几里得首创，首创的应该是他之前的泰勒斯，但是《几何原本》中的公设和公理，却全部都由欧几里得所创造和筛选。这一天才的智力令人叹为观止！

关于第 5 公设及非欧几何学 欧几里得的不完美催生了新的几何学，这是从第 5 公设开始的。第5公设不同于其他 9 条，言语迟钝，仿佛有些力不从心的样子。形式上也不像公设，倒像一个命题。因此，自《几何原本》诞生后，就有无数的数学家研究这条公设，并试图找出证明这条公设的方法。可惜，一直以来，他们的尝试都归于失败！到了19世纪，匈牙利数学家波尔约和俄国数学家罗巴切夫斯基分别发表了一套与第 5 公设相反的几何体系，从而证明了第 5 公设确实是一条"公设"，不能被证明或否定。与此同时，这两位数学家亦为我们带来一个全新的数学世界 —— 非欧几何学。

关于圆面积及球体体积公式 《几何原本》中并没有圆面积或球体体积的计算公式，但在第12卷中，可以找到一些相关命题。在欧几里得之后，另一个希腊天才阿基米得提出球体体积公式。阿基米得应用了一种近乎于现代微积分的计算手法，推算出有关的算式，并成功地计算出圆周率小数后两位的数值。

四、希腊数学背景

希腊人重视数学在美学上的意义，认为数学是一种美，是和谐、简单、明确以及有秩序的艺术。在数学中可以看到关于宇宙结

柏拉图

雅典学术在柏拉图时走向系统化，公元前387年，柏拉图（约前427—前347年）在雅典西北部开设了学园，以期促进哲学的发展。在柏拉图的哲学中，追求纯粹的理想是一大特色，而在诸多自然事物中，数学的对象更具有理念。在柏拉图看来，数学是通向理念世界的准备工具。柏拉图对数学演绎方法的建立和完善起了重要作用，而且他已经知道正多面体最多只能有五种，即正四面体、正立方体、正八面体、正十二面体和正二十面体。此外，他最重要的发现是圆锥曲线，他利用直角、锐角和钝角圆锥，再用垂直于锥面一母线的平面来割每个锥面，这样依次得出了抛物线、椭圆及双曲线的一支。

构和设计的最终真理，认为宇宙是按数学规律设计的，并且能被人们所认识。

古希腊的地理范围，除了现在的希腊半岛以外，还包括整个爱琴海区域和北面的马其顿和色雷斯、意大利半岛和小亚细亚等地。公元前五六世纪，特别是希波战争以后，雅典取得希腊城邦的领导地位，经济生活高度繁荣，生产力显著提高，在这个基础上滋生了光辉灿烂的希腊文化。

希腊数学的发展历史可以分为三个时期。第一时期从伊奥尼亚学派到柏拉图学派为止，约公元前7世纪中叶到公元前3世纪；第二时期是亚历山大前期，从欧几里得起到公元前146年希腊陷于罗马为止；第三时期是亚历山大后期，是罗马人统治下的时期，结束于641年亚历山大被阿拉伯人占领。

伊奥尼亚学派 从古代埃及、巴比伦的衰亡，到希腊文化的昌盛，这段过渡时期留下来的数学史料很少。不过希腊数学的兴起和希腊商人通过旅行交往接触到古代东方的文化有密切关系。伊奥尼亚位于小亚细亚西岸，它比希腊其他地区更容易吸收巴比伦、埃及等古国积累下来的经验和文化。在伊奥尼亚，氏族贵族政治为商人的统治所代替，商人具有强烈的活动性，有利于思想自由而大胆地发展。城邦内部的斗争，帮助摆脱传统信念。在希腊没有特殊的祭司阶层，也没有必须遵守的教条，因此有相当程度的思想自由。这大大有助于科学和哲学从宗教中分离开来。

米利都是伊奥尼亚的最大城市，也是泰勒斯的故乡。泰勒斯是公认的希腊哲学鼻祖。他早年是一个商人，曾游访巴比伦、埃及等地，很快就学会古代流传下来的知识，并加以发扬。这以后他创立了伊奥尼亚哲学学派，摆脱了宗教，从自然现象中去寻找真理，以水为万物的根源。

当时天文、数学和哲学是不可分的，泰勒斯同时也研究天文和数学。他曾预测到一次日食，促使米太（在今黑海、里海之南）、吕底亚（今土耳其西部）两国停止战争。多数学者认为该次日食发生在公元前585

第一个自然哲学家

　　泰勒斯（约前624—546年），西方历史上第一个自然哲学家，同时他还是一名伟大的科学家。泰勒斯第一个把埃及的测地术引进希腊，并将之发展成为比较一般性的几何。以下几何定理被认为是泰勒斯提出的：圆角被直径等分；等腰三角形的两底角相等；两直线相交时，对顶角相等；两三角形中两角及其所夹之边相等，则两三角形全等；内接半圆的三角形是直角三角形。

年5月28日。他在埃及时曾利用日影及比例关系算出金字塔的高度，使法老大为惊讶。泰勒斯在数学方面的贡献主要在于开了命题证明的先河，它标志着人们对客观事物的认识从感性上升到理性，这在数学史上是一个不寻常的飞跃。伊奥尼亚学派的著名学者还有阿纳克西曼德和阿纳克西米尼等。他们对后来的毕达哥拉斯有很大的影响。

毕达哥拉斯学派 毕达哥拉斯，公元前580年左右出生于萨摩斯（今希腊东部小岛）。为了摆脱暴政，他移居到意大利半岛南部的克罗顿。在那里他组织了一个政治、宗教、哲学、数学合一的秘密团体。后来这个集体在政治斗争中遭到破坏，毕达哥拉斯被杀害，但他的学派还继续存在了两个世纪（约公元前500—前300年）之久。这个学派企图用数来解释一切，不仅仅认为万物都包含数，而且说万物都是数。他们以发现勾股定理（西方叫做毕达哥拉斯定理）闻名于世，又由此导致不可通约量的发现。这个学派还有一个特点，就是将算术和几何紧密联系起来。他们找到用三个正整数表示直角三角形三边长的一种公式，又注意到从1开始连续奇数的和必为平方数等等，这既是算术问题，又和几何有关。他们还发现五种正多面体。在天文方面，他首创地圆说，认为日、月、五星都是球体，并浮悬在太空中。毕达哥拉斯还是音乐理论的始祖。

伊奥尼亚学派和毕达哥拉斯学派有显著的不同。前者研习数学并不单纯为了哲学的兴趣，同时也为了实用。而后者却不注重实

德谟克里特

德谟克里特（约前460—约前370年），古希腊哲学家，原子论的创造者，自然科学家，希腊第一个百科全书式学者。他认为一切事物的本原是原子与虚空，运动为原子所固有。不同形状、不同体积的原子在旋涡运动中以不同的排列次序与位置结合起来，产生物体与物体的性质。原子分离，物体消灭。在数学上，他首次提出圆锥体的容量等于同底同高的圆柱体的容量三分之一的定理。

际应用，将数学和宗教联系起来，想通过数学去探索永恒的真理。

智人学派 诞生于公元前5世纪，此时正值雅典的黄金时代，文人荟萃，辩论会遍布大街小巷，于是"智人学派"应运而生。他们以教授文法、逻辑、数学、天文、修辞、雄辩等科目为业。在数学上，他们提出"三大问题"：三等分任意角；倍立方，求作一立方体，使其体积是已知立方体的二倍；化圆为方，求作一正方形，使其面积等于一已

知圆。这些问题的难处，是作图只许用直尺（没有刻度的尺）和圆规。

希腊人的兴趣并不在于图形的实际作出，而是在尺规的限制下从理论上去解决这些问题，这是几何学从实际应用向系统理论过渡所迈出的重要一步。

这个学派的安提丰提出用"穷竭法"去解决化圆为方问题，这是近代极限理论的雏形。先作圆内接正方形，以后每次边数加倍，得8、16、32……边形。安提丰深信"最后"的多边形与圆的"差"必会"穷竭"。这提供了求圆面积的近似方法。这和中国的刘徽（约263年前后）的割圆术思想不谋而合。

柏拉图（约前427—前347年）在雅典建立学派，创办学园。他非常重视数学，主张通过几何的学习培养逻辑思维能力，因为几何能给人以强烈的直观印象，将抽象的逻辑规律体现在具体的图形之中。这个学派培养出不少数学家，如欧多克索斯就曾就学于柏拉图学园，他创立的比例论对欧几里得影响巨大。柏拉图的学生亚里士多德也是古代的大哲学家，是形式逻辑的奠基者。他的逻辑思想为日后将几何学整理在严密的逻辑体系之中开辟了道路。

埃利亚学派 这个时期的希腊数学中心还有以芝诺（约前496—前430年）为代表的埃利亚学派。芝诺提出四个悖论，这给思想界带来极大的震动。这四个悖论是：①二分说，一物从甲地到乙地，永远不能到达。因为想从甲到乙，首先要通过道路的一半，但要通过这一半，必须先通过一半的一半，这样分下去，永无止境。结论是此物的运动被道路的无限分割阻碍着，根本不能前进一步。②阿喀琉斯（善跑英雄）追龟说，阿喀

古希腊文明

在世界创立的历程中，古希腊人发挥了尤为关键的作用。那些名垂史册的诗人和哲学家，他们在思想上的成就在古典希腊文明中得到了默认。图为公元前15世纪的绘画，描绘了两位古风时代的伟大诗人萨福和阿尔凯奥斯，他们有关爱情和政治的诗作经常在伴有古希腊弦乐器的公共集会上吟咏。

琉斯追乌龟，永远追不上。因为当他追到乌龟的出发点时，龟已向前爬行了一段，他再追完这一段，龟又向前爬了一小段。这样永远重复下去，总也追不上。③飞箭静止说，每一瞬间箭总在一个确定的位置上，因此它是不动的。④运动场问题，芝诺论证了时间和它的一半相等。

原子论学派 以德谟克里特为代表的原子论学派认为，线段、面积和立体是由许多不可再分的原子所构成。计算面积和体积，等于将这些原子集合起来。这种不甚严格的推理方法却是古代数学家发现新结果的重要线索。

公元前4世纪以后的希腊数学，逐渐脱离哲学和天文学，成为独立的学科。数学的历史于是进入到一个新阶段——初等数学时期。这个时期的特点是数学（主要是几何学）已建立起自己的理论体系，从以实验和观察为依据的经验科学过渡到演绎的科学。由少数几个原始命题（公理）出发，通过逻辑推理得到一系列的定理。这是希腊数学的基本精神。在这一时期里，初等几何、算术、初等代数大体已成为独立的科目。和17世纪出现的解析几何学、微积分学相比，这

雅典学园

画面中央神采奕奕走来的是柏拉图（左）和亚里士多德（右），一个手指上方，一个手伸向前面。以他们为中心，是激动人心的辩论场面。图中出现的学者还有亚历山大、苏格拉底、第欧根尼、毕达哥拉斯、欧几里得、伊壁鸠鲁、赫拉克利特、托勒密等。拉斐尔在画中集中描绘了不同时期重要的数学家、哲学家、艺术家和科学家的形象。

智者的对话

　　雅典时期，数学的演绎化倾向有了实质性的进展，这主要归功于柏拉图、亚里士多德和他们的学派。柏拉图认为数学是一切学问的基础，分析法与归谬法即被认为是他的思想。他给出了许多几何定义，并坚持对数学知识作演绎整理。柏拉图的思想在他的学生亚里士多德那里得到极大的发展和完善。亚里士多德对定义作了精密的讨论，并深入研究了作为数学推理出发点的基本原理。这幅彩陶画画的正是哲学大师柏拉图和亚里士多德之间的对话。

苏格拉底

　　苏格拉底（前469—前399年）古希腊哲学家，在欧洲哲学史上最早提出唯心主义的目的论，认为一切都是由神创造与安排，一切都是神的智慧的体现。他提出"自知自己无知"的命题，即承认自己无知的人才是聪明的人。他非常重视伦理学，提出"美德即知识"的命题，善出于知，恶出于无知。在逻辑学方面，他最早提出归纳论证和一般定义的方法。

　　一时期的研究内容可以用"初等数学"来概括，因此叫做初等数学时期。

　　埃及的亚历山大城是东西海陆交通的枢纽，又由于经过托勒密王的精心经营，这里逐渐成为新的希腊文化中心，而希腊本土这时已经退居次要地位。几何学最初萌芽于埃及，后来移植于伊奥尼亚，再后来繁盛于意大利和雅典，最后又回到发源地埃及。经过这一番培植，它已达到丰茂成林的境地。

　　亚历山大前期　从公元前4世纪到公元前146年古希腊灭亡，罗马成为地中海区域的统治者为止，希腊数学以亚历山大为中心，并达到它的全盛时期。这里有巨大的图书馆和浓厚的学术氛围，各地学者云集在此进行教学和研究。其中成就最大的是亚历山大前期三大数学家欧几里得、阿基米得和阿波罗尼奥斯。阿基米得是物理学家兼数学家，他善于将抽象的理论和工程技术的具体应用结合起来，又在实践中洞察事物的本质，通过严格的论证，使经验事实上升为理论。他根据力学原理去探求解决面积和体积问题，已经包含积分学的初步思想。阿波罗尼奥斯的主要贡献是对圆锥曲线的深入研究。

　　除了三大数学家以外，埃拉托斯特尼（约前276—前195年）的大地测量和以他为名的"素数筛子"也很出名。天文学家喜帕恰斯（约前190—前125年）制作了"弦表"，这是三角学的先导。

　　亚历山大后期　公元前146年以后，在罗马统治下的亚历山大学者仍能继承前人的工作，且各种发明层出不穷。这一时期的门纳劳斯（约公元100年前后）、帕普斯（约300—350年）等人都有重要贡献。天文学家托勒密（约85—165年）将喜帕恰斯的工作加以整理发挥，这奠定了三角学的基础。

晚期的希腊学者在算术和代数方面也颇有建树，代表人物有尼科马霍斯（约公元100年）和丢番图（约公元250年）。尼科马霍斯著有《算术入门》，丢番图著有《算术》，其主要内容是数的理论，而大部分内容可以归入代数的范畴。它完全脱离了几何的形式，在希腊数学中独树一帜，对后世影响之大仅次于《几何原本》。

325年，罗马帝国的君士坦丁大帝开始利用宗教作为统治的工具，他把一切学术都置于基督教神学的控制之下。529年，东罗马帝国皇帝查士·丁尼下令关闭雅典的柏拉图学园以及其他学校，严禁传授数学。许多希腊学者逃到叙利亚和波斯等地。数学研究受到沉重的打击。641年，亚历山大被阿拉伯人占领，图书馆再次被毁。公元415年，女数学家、新柏拉图学派的领袖希帕提娅遭到基督徒的野蛮杀害。她的死标志着希腊文明的衰弱，亚历山大里亚大学极富创造力的日子也随之一去不复返了。希腊数学至此告一段落。

五、欧几里得的宗教情怀

对于欧几里得来说，几何是近神的，这与我们通常的理解刚好相反。所以与其把《几何原本》当数学阅读，不如将其视为诗歌或哲学，这更接近欧几里得的动机。

在欧几里得生活的时代较早前的几百年，是希腊思想鼎盛的时代，人们研究人自

壁画中的数学家

几乎可以确定传奇性的数学家毕达哥拉斯和释迦牟尼、孔子、老子及琐罗亚斯德是同一时代的人物。他的数学和神秘主义相结合的思想在公元前3世纪得到高度发展，形成了新柏拉图主义。毕达哥拉斯及其信徒的贡献是他们的数学思想体系。毕达哥拉斯的"数为万物本原"的思想为对西方诞生及发展新柏拉图主义奠定了基础。图为16世纪罗马尼亚修道院的壁画，图中毕达哥拉斯与哲学家柏拉图以及雅典伟大的改革家梭伦在一起。

亚里士多德

　　柏拉图所创建的雅典学园培养出了亚里士多德（前384—前322年）。他是一位伟大的资料分类者和收集者。亚里士多德的作品成为两千年来生物学、物理学、数学、逻辑学、文学批评、美学、心理学、伦理学和政治学的讨论构架。亚里士多德为这些科学提供了灵活而包容的思想方式和研究途径。亚里士多德还创立了一门科学——演绎逻辑学。

身的问题以及人所面对的宇宙问题，这成为整个希腊的精神气质，构成了远古时代知识分子的日常生活和基本话语。苏格拉底年轻时常常站在大街上拉着过路的行人就要求辩论一番，以企图寻找人、人群、物质、精神等等存在的本来意义。众哲学家在思考着这些问题：人所寄居的宇宙到底是什么？人到底是什么？要干什么？

　　为阐释宇宙的本质，灿若群星的哲学思想繁衍旺盛，哲学家们要寻找世界的始基、构成宇宙的基本元素以及万千复杂世界所依的根本。他们将整体的复杂还原为要素，而要素的变化、过程、次序、排列、关系成为

寻找对象。

　　巴门尼德则把元素抽象为"唯一的、不动的、永恒的"东西，按照他的描述，"存在着一条最后的边界，它在各方面都是完全的，好像一个滚圆的球体，从中心到每一个方面的距离都相等"。黑格尔讽刺说，巴门尼德弄出来的是"一片简单的阴影"。但也有后人讽刺黑格尔说，他弄出来的"不过是个上帝的身体"；德谟克里特也不相信，他提出了自己的原子论，他坚信宇宙的本质是原子与虚空的结合，它们作为最小的存在构成了万物，只要找到原子的面貌，世界的本质就昭然若揭了。他提出人的灵魂也是另一类原子的运动；赫拉克利特则不同意这一观点，他认为本质是火，万物皆流，无物常住，那变动不居的火就是世界的本质，流变就是世界的本质，那团不生不灭、永恒存在的"活火"主宰了我们的世界；阿那克西米尼却不同意他的观点，他认为本质是"气"；阿那克西曼德又不同意这一观点，他认为那基本元素虽然存在，但却不具有任何定性，永远不能定名，也不能描述，它是不可知的一个元素。集哲学家、预言者、科学家和江湖术士为一身的恩培多克勒则发现了"气"。在倒着把瓶子放入水中而水不能进入瓶子时，他发现空气是一种存在的物质。于是他认为土、气、火、水是世界的基本元素。这是早期的自然哲学。

　　苏格拉底并不同意这样的解释，他在方法上另辟蹊径，用苏格拉底法，即通过辩论问题中的矛盾清晰事物的结论获得真理，真

理的累加最后通达整个宇宙。苏格拉底的进步在于他已不把那"元素"或"始基"视为一种经验中的物质，而是抽象出他称为"真理""规律""理性法则"的东西。

柏拉图从他的《理想国》里提出"理念世界"一词，并宣布，现实世界是个假象，是个影子，是理念世界的投影，攀登上理念世界的人必须借着理性的绳索。他对几何学抱着虔诚的敬神式的热情，因为他看到既能满足于一切物质和空间，又不受时间腐蚀的点、线、面、角的规律之舞，"其品性接近于理念世界之物"，他相信，几何学可以修建通往理念世界的天梯。也就是说，柏拉图的元素或始基，是他描述的"理念世界"。柏拉图在他创办的雅典学园传播这些理论的时候，出现了一位杰出的学生——亚里士多德。这位跟着他20年的学生更是青出于蓝胜于蓝，集古希腊哲学之大成，他把宇宙的实质定义为"本体"，放弃了自然哲学中的那种宇宙本原的寻求。并由此发明出范畴、分类、逻辑、属性、一般与个别、本质与现象、思维与存在、理性与感性、可能性与现实、不变与变等矛盾关系。

另一条线对欧几里得来说有些特别，这条线得从泰勒斯开始。泰勒斯生活在公元前600年左右，首先，他认为世界的本质元素是"水"，水开万物，水是万物的本原。当希腊神话成为大众思想生活和精神生活的主流时，他却反希腊神话。他不能忍受用杜撰的故事来阐释造化天工，于是转而观察自然界的各种法则，希望从自然界内部找到他的

毕达哥拉斯

每一个学生都知道毕达哥拉斯（约前580—前500年）的名字，这位公元前6世纪中叶的数学家据说创立了演绎法，他通过研究一根颤动的琴弦，发现了谐波的数学基础。他后来对数学和几何学的关系尤为感兴趣。他领导的伊奥尼亚学派首开希腊命题证明之先河，而且他自己也证明了不少定理，其中包括众所周知的勾股定理和泰勒斯定理的命题"半圆上的圆周角是直角"。

神，于是他首创了在自然元素中寻找宇宙答案的方法。人类最早的"证明命题"方法应归功于他。

毕达哥拉斯是一位数学天才，由于超常的数学智力，他受到希腊公民的尊重，创建了宗教的哲学派别——毕达哥拉斯学派。他认为万物皆数，数是宇宙的根本，找到数就找到了宇宙的本原。这显然意味着，认识世界就要从数开始。只要运用定量方法来认识世界，就可以解开宇宙的终极秘密。但实际

上当他发现无理数的存在时，他发现自己的思想基础已经崩溃，只是由于恐惧于群众的力量而不敢宣布。毕达哥拉斯学派把数学从那些显然的具体应用中抽象出来，企图解释这个宇宙。他们发现勾股定理时的那种惊喜无异于基督教徒找到上帝存在的一个证据时的惊喜。他们还发现了不可公约量，以及五种正多面体的存在，并把算数和几何图形结合起来。这些都为欧几里得的《几何原本》奠定了坚实的基础。

的确，在空间面前我们瑟瑟发抖。无论是在遥远的古希腊欧几里得时代，还是今天，我们对空间的认识，对宇宙的理解，仅仅迈出了很小的一步。我引用科学家、数学家、物理学家出身却反科学理性的法国思想家帕斯卡的一句话："在这永恒沉默的空间面前，我瑟瑟发抖。"

这弥漫物质的空间，它的紧迫，它的压制，它的盲目流动，它的到来和去向……

苏格拉底、柏拉图师徒俩怀着深厚的几何学情结，这是因为他们想借这一工具找到上帝。苏格拉底看到，物质的速朽性和无常性使他自然联想到身体，再进一步联想到人的精神属性，这时他看到了几何学的特别属性：不受时空的腐蚀，它是永恒的、绝对的。这吻合了柏拉图的绝对理念，只有上帝是绝对的，于是，几何学可以修筑通往上帝的天梯。数世纪以后，有人修建巴别塔，企图通往天国。毕达哥拉斯学派同样抱着借数字之梯通向神的理想情怀。

欧几里得本人同样把几何学视为近神

埃及金字塔

埃及的金字塔是沙漠里的奇迹，它们以建筑定向方面的精确性为埃及几何学家赢得了高度的赞誉。在金字塔的建筑过程中，保持斜面坡度的均匀性十分重要，古埃及人引进了相当于角的正切概念。他们用一个专门的术语来表示倾斜直线升高一个单位时相对于垂直轴线的水平偏离。金字塔的赛克特相当于平移与升高之比，亦即底边的一半与高之比。这是初等三角学的萌芽。

器物，这就产生了一个青年追问他几何学的用处时他叫身边的侍从给他三个硬币的著名故事。汉语翻译的"几何"一词其实并不贴切，这不是圆满的译法，它失去了神性。"几何"意为事物数字意义上的多少，用于反问句中。而希腊语是指"元素""原理"，意即我们这个世界的基本元素，宇宙的基本元素以及构建这个宇宙的基本元素。这就是哲学中所说的"元素""始基"。点、线、面、距离、长度、角度出发描述的刚性空间是宇宙的本样，甚至可能是神的本样；换句话说，从空间中抽离出来的点、线、面是一切事物的元素，所以也是宇宙的元素。

欧几里得没有想到的是，两千余年以后，靠几何学寻找上帝依旧渺茫，而世俗性的应用却大规模地建造了人类的物质文明。对于工业革命后兴盛的人造物质来说，几何学起到了支撑性作用。按照欧几里得批评他那位世俗的学生的理想主义思路，近现代社会从几何学角度来看，是一个失败的社会。

从这个角度讲，《原本》与其说是数学，不如说是描述宇宙的诗歌之舞，是一种宗教情怀，一种哲学。

六、毕达哥拉斯的狂醉

虽然欧几里得不能考证他是否属于毕达哥拉斯学派，但他对数学的虔诚却与这个学派一脉相通。

毕达哥拉斯，这个宣布万物皆数的人，简直是历史上最有趣味而又最难理解的人物之一。混和了一堆真理与荒诞，他的数学天分成为他理解世界秩序却又恨铁不成钢的手段。他建立的巨大宗教社团成为最早的共产主义形式，其权力大到控制了整个国家。这也说明古希腊民众对天才精英们的虔诚，因为他们希望在天才的带领下找到生命的意义、宇宙的秩序。毕达哥拉斯学派的根本教义是灵魂轮回，以及吃豆子的罪恶性。"首先，灵魂是个不朽的东西，它可以转变成别种生物；其次，凡是存在的事物，都要在某种循环里再生，没有什么东西是绝对新的；一切生来具有生命的东西都应该认为是亲属。"据说，毕达哥拉斯曾向动物不停地说话。

天球的运转

古代科学家把有关圆和球的一些观念用于构造得以解释空中行星、恒星运动的数学模型。柏拉图把时间概念的产生与天体和行星联系起来，凭借太阳定义白昼和黑夜，命名了"年"；凭借月亮在周围轨道上再次赶上太阳的时间命名了"月"，这些行星、天空概念后来发展成天体运动理论，形成16世纪天文学的基础。

基本元素

在米利都学派，阿那克西曼德继泰勒斯之后提出了对世界本原的解释。阿那克西曼德认为，万物的始祖是一种没有固定形态和确定性质的原始物质，即"无限"。当"无限"受到冷热作用时，就会形成水、土、气、火四种元素，土最重，形成大地，其次为水，水盖住大地，再次为气，气包裹着水和大地，火是最轻的元素，处于最外层。阿那克西曼德不仅说明了世界来自混沌，而且还包含着最古老的层次论思想。

毕达哥拉斯教派的教规如下：

1. 禁食豆子。

2. 东西落下了，不要拣起来。

3. 不要去碰白公鸡。

4. 不要擘开面包。

5. 不要用铁拨火。

6. 不要吃整个面包。

7. 不要戴花环。

8. 不要坐在斗上。

9. 不要在大路上行走。

10. 房里不许有燕子。

11. 锅从火上拿下来的时候，不要把锅的印迹留在灰上，而要把它抹掉。

12. 不要在光亮的旁边照镜子。

13. 当你脱下睡衣的时候，要把它卷起，把身上的印迹抚平。

毕达哥拉斯把数夸张到世人难以理解的神秘境地，他甚至把数与某些意义直接联系起来，比如，规定"二"表示意见，"四"是正义，"五"是结婚，"十"是完满，如此等等，这的确让今人匪夷所思。

他所建立的团体不分男女都可以参加。财产是公有的，过着一种共同的生活，即使是科学和数学的发现也认为是集体的，而且，在一种神秘的意义上，都得归功于毕达哥拉斯，甚至于在他死后也还是如此。他们赞美沉思生活的道德，由此数学的秩序便受到同于神的敬仰。他把这些荒诞的秩序同数学秩序结合在一起，当成钥匙，用以解开世界之门。

在这个世界上，我们都是异乡人，身体乃灵魂之坟墓，然而我们决不可以自杀以求逃避；因为我们是上帝的所有物，上帝是我们的牧人，没有他的命令我们就没有权利逃避。在现实生活里有三种人，正像到奥林匹克运动会的也有三种人一样。那些来做买卖的人都属于最低的一等，比他们高一等的是那些来竞赛的人。然而，最高的一种乃是那些只是来观看竞赛的人们。因此，一切最伟大的净化便是无所为而为的科学，唯有献身于这种事业的人，亦即真正的哲学家，才能

真正使自己摆脱生之巨轮。

被毕达哥拉斯所鼓舞的人们，一直保存着一种狂醉式的启示成分。这一点，对于那些在学校里无可奈何地学过一些数学的人们来说，好像是很奇怪的；然而，对于那些时时经历着由于数学上的豁然贯通而感到沉醉欢欣的人们以及那些喜爱数学的人们来说，毕达哥拉斯的观点则似乎是十分自然的，纵使它并不真实。仿佛经验的哲学家只是材料的奴隶，而纯粹的数学家正像音乐家一样，他们是那秩序井然、美丽世界的自由创造者。

欧几里得有着同样的狂醉，他不关心豆子和白公鸡，却对物质的物理数性结构痴迷。在他看来，找到这个数性结构，就找到了宇宙的基本"元素"和"始基"。万物基始于点、线、面、角以及它们的滋生繁衍、它们的相互构成与转换，宇宙的舞蹈就是它们的数字舞蹈。所以，我坚信数学起源于实际应用的观点是不正确的，它更起源于人的精神困惑，起源于对浩渺宇宙的描述欲望。

希腊数学产生了数学精神，即数学证明的演绎推理方法。数学的抽象化以及自然

民主政治

雅典民主政治根植于公元前6世纪用地区组织原则取代血亲组织原则的宪法变化中。将民主政治置于地方化的基础之上，这是希腊各地普遍的一种发展。在民主社会特有的唯理主义气氛中，经验的算术和几何方法便逐步加工升华为具有初步逻辑结构的论证数学体系。图为雅典的一次民主投票过程，戴着标志性头盔的雅典娜主持投票，四周是即将投票的公民。

阿拉伯教科书中的毕达哥拉斯定理

有一个数学定理是每一个人在学校都要学习的，这个定理就是毕达哥拉斯定理，但是远在毕达哥拉斯出生前，这一定理就早已广为人知。这一定理的存在使得我们可以比较不同文化背景下的古代数学家的数学模式及他们关注的问题。

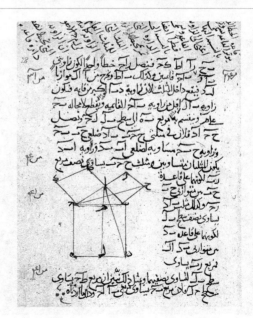

界依数学方式设计的信念，为数学乃至科学的发展起了至关重要的作用。而由这一精神所产生的理性、确定性、永恒的不可抗拒的规律性等一系列思想，则在人类文化发展史上占据了重要的地位。所以伽利略就直接说"数学是上帝的语言"。毕达哥拉斯将数学和宗教联系起来，想通过数学去探索永恒的真理。

七、芝诺的狂醉

一开始，在哲学上就有人反欧几里得方向。先于欧几里得百年的芝诺发出了巨

上帝的想法

1915年，经过一连串的运算，爱因斯坦发表了他的万有引力论，即广义相对论。爱因斯坦的相对论取代了牛顿的引力理论，它复杂的数学公式更成为有史以来人类最完美的智慧结晶之一。爱因斯坦将牛顿的宇宙静止论转化成充满动感的宇宙论：空间与时间可以延长，也可以缩短。此外，引力可使空间弯曲。爱因斯坦从现代物理学的角度解释宇宙，他认为月球沿椭圆形轨道运行是受地球引力的影响。相对论是当今最能解释宇宙的理论，它揭示了上帝创造世界的想法。

大的嘲讽声。按罗素的说法，迄今人们还不能真正懂得这其中的哲学意义。虽然亚里士多德批判了他，但罗素却对他的批判进行了批判。

芝诺是巴门尼德的学生兼朋友，他不满于赫拉克利特万物皆流的理论，创造出一套悖论（可惜他的著作没有流传下来），后人知道的仅有8个，比如如下4个悖论：二分说、阿喀琉斯追龟说、飞箭静止说、运动场悖论，还没有哪一个哲学家敢轻易对此下结论。

芝诺生于意大利半岛南部的埃利亚城邦，据说他在母邦度过了一生，仅在成名之后到过雅典。据传说，芝诺因蓄谋反对埃利亚的君主而被处死。关于他的生平，缺乏可靠的文字记载。柏拉图在他的对话《巴门尼德篇》中，记载了芝诺和巴门尼德于公元前5世纪中叶去雅典的一次访问。其中有这样的文字："巴门尼德年事已高，约65岁；头

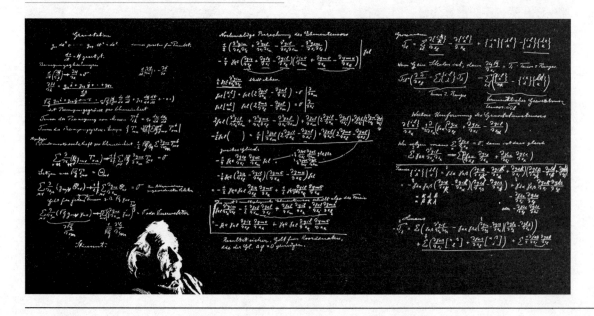

发很白，但仪表堂堂。那时的芝诺约40岁，他身材魁梧、相貌堂堂，大家说他已经变成巴门尼德所钟爱的了。"在以后的希腊著作家看来，这次访问是柏拉图虚构的。但柏拉图有关芝诺观点的记叙，却被普遍认为是准确的。在柏拉图的《巴门尼德篇》中，当芝诺谈到自己的著作《论自然》时，他这样说道："由于年轻时的好胜完成此部著作，著成后即有人将它窃去，以致我不能决断是否应当让它问世。"芝诺不像他的老师那样试图从正面去证明是一不是多，是静不是动，他常常从反面即归谬法来为"存在论"辩护。公元5世纪的评论家普罗克洛斯说过，芝诺从"多"和"运动"的假设出发，一共推出了40个各不相同的悖论。现存的芝诺悖论至少有8个，其中关于运动的4个悖论最为著名。芝诺的著作早已失传，亚里士多德的物理学和辛普里西奥斯为物理学作的注解是了解芝诺悖论的主要途径，此外只有少量零散的文献可作参考。

亚里士多德批判"二分说"：他主张一个事物不可能在有限的时间里通过无限的事物，或者分别地和无限的事物相接触。要知道，事物在有限的时间里不能和数量上无限的事物相接触，但却能和分开的无限的事物相接触，因为时间本身分开的也是无限的。批判"追龟说"认为，在运动中领先的东西不能被追上的这个想法是错误的。因为在它领先的时间内是不能被赶上的，但是，如果芝诺允许它能越过所规定的有限距离，那么它也是可以被赶上的。批判"飞箭静止说"

（我国的庄子，也提出过相同的思想，在《天下篇》中有："飞鸟之景，未尝动也。"）认为，他的这个说法是错误的，因为时间不是由不可分的"现在"组成的，正如别的任何量都不是由不可分的部分组合成的那样。这个结论是因为把时间当做是由"现在"组合成而引起的，如果不肯定这个前提，这个结论是不会出现的。批判"运动场悖论"认为，这里错误在于他把一个运动物体经过另一运动物体所花的时间，看作等同于以相同速度经过相同大小的静止物体所花的时间，事实上这两者是不相等的。

但罗素又反批判亚里士多德，他说道："直到19世纪中叶，亚里士多德关于芝诺悖论的引述及批评几乎是权威的，人们普遍认为芝诺悖论不过是一些诡辩。在这个变化无常的世界上，没有什么比死后的声誉更变化

魔鬼的柱桩

柏拉图重视数学，强调数学在训练智力方面的作用，主张通过几何的学习培养逻辑思维能力，将抽象的逻辑规律体现于几何图形之中。他说："上帝永远在进行几何化。"图为玄武岩墩组成的火山岩石龟裂图景，它们是一些规则的几何图形。

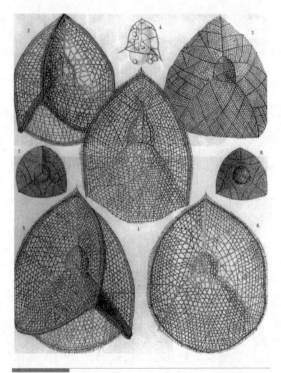

美冠虫的骨架

　　上帝将最完美的智慧和数学思维赋予人类，同时也分一部分给一些无智慧的动物和植物，使它们有维持生命的本能。比如蜂房中的六棱柱形以及各种植物的叶片和花形。图中为冠虫的骨架，其形状类似于六片平直肥皂膜及其所托起的一个肥皂泡的组合，并由一个四面体构架悬挂着。

无常了。死后得不到应有的评价的最典型例子莫过于埃利亚的芝诺了。他虽然发明了四个无限微妙而深邃的悖论，但是后世的大批哲学家却宣称他只不过是个聪明的骗子，而他的悖论只不过是一些诡辩。遭到两千多年的连续驳斥之后这些诡辩才得以正名。19世纪下半叶以来，学者们开始重新研究芝诺。他们推测芝诺的理论在古代就没能得到完整的、正确的报道，而是被诡辩家们用来倡导怀疑主义和否定知识，亚里士多德正是按照被诡辩家们歪曲过的形象来引述芝诺悖论

的。目前，学者们对芝诺提出这些悖论的目的还不清楚，但大家一致认为，芝诺关于运动的悖论不是简单地否认运动，这些悖论后面有着更深的内涵。亚里士多德的著作保存了芝诺悖论的大意，从这个意义上来说，他功不可没，但他对芝诺悖论的分析和批评是否成功，还不可以下定论。"

　　其他评论还有：毕达哥拉斯学派发现的不可公约量对芝诺悖论的提出产生了深刻的影响。芝诺是对古代数学的发展起决定影响的人物。他们试图证明，毕达哥拉斯学派曾假定存在无限小的基本线段，想以此来克服因发现不可公约量而引起的矛盾，而芝诺的悖论反对了这种不准确的做法。美国数学家贝尔说，"芝诺以非数学的语言记录下了最早同连续性和无限性斗争的人们所遭遇到的困难"。芝诺的功绩在于提出动和静的关系、无限和有限的关系以及连续和离散的关系，并进行了辩证的考察。

　　前三个悖论揭示的是事物内部的稠密性和连续性之间的区别，是无限可分和有限长度之间的矛盾。他并不是简单地否认运动，而是反对那种认为空间是点的总和、时间是瞬刻的概念，他想证明在空间作为点的总和的概念下，运动是不可能的。第四个悖论是古代文献中第一个涉及相对运动的问题。

　　按照芝诺的这些理论，欧几里得的理论从根本上就失效了。

八、关于空间的哲学

　　一切哲学问题归根到底是空间和时间的

问题。

柏拉图的观点是，"形"是"物"的基本存在条件，亚里士多德则认为"质料"依靠"形式"而存在，牛顿则进一步认为时空是绝对存在的，独立于一切存在的存在，康德则认为这种绝对存在是一种先验假设，黑格尔则认为一切存在都是绝对精神的表现形式。

亚里士多德认为，空间是事物的场所，是完全包围的形式，物质虽可以在空间中移动，但不能脱离空间，不存在没有空间的物质。

在牛顿认为的空间里，许多"点"构成空间，许多"瞬刻"构成时间，空间和时间不受占据它们的物体及事件影响，独立存在。

康德认为，空间和时间不是概念的，而是"直观"的。据康德的意见，外部世界只造成感觉的素材，但是我们自己的精神装置把这种素材整列在空间和时间中，并且供给我们借以理解经验的种种概念。物自体为我们感觉的原因是不可认识的；物自体不在空间或时间中，它不是实。空间和时间是主观的，是我们感觉器官的一部分。但是正因为如此，我们可以确信，凡是我们所经验的东西都要表现几何学与时间科学所讲的那些特性。由于你在精神上老是戴着一副空间眼镜，所以你一定总是看到一切东西都存在于空间中。因此，按几何学必定适用于经验的一切东西这个意义来讲，几何学是先天的，但是我们没有理由设想与几何学类似的什么学适用于我们没经验到的物自体。

他对欧几里得的几何学评价为：关于空间的先验论点来自于几何学。康德认为欧几里得几何虽然是综合的（也就是说仅由逻辑推演不出来），但却是先天认识到的。他以为，几何学上的证明依赖图形。例如，我们能够看出，设有两条彼此成直角的相交直线，通过其交点只能作一条与这两条直线都成直角的直线。他认为，这种知识不是由经验来的。但是，我能直观预见在对象中会发现什么的唯一方法，就是预见在我的主观中一切现实印象之前，该对象是否只含有我的感性的形式。感觉的对象必须服从几何学，因为几何学讲的是我们感知的方式，所以我们用其他方法是不能感知的。这说明为什么几何学虽然是综合的，但却是先天的和必然的。

九、古希腊理性的纪念碑

古希腊的智者由于坚信这个世界是可以理解的，物质世界甚至延及精神世界的终极答案是可以获得的，并可以用永恒的法则来表述它，于是发展了数学精神，也强化了用演绎的形式进行严密推理的逻辑方法，这就保证了数学成为一门确定可靠的知识。在纷繁的物质世界背后，潜藏着数学法则，不同的空间结构形式构成了不同的物质。

西方科学发展的历史，就是与宗教抗争的历史，就是反蒙昧、反专制的历史。在这中间，数学以它的确实和完美起到了主要的作用，并最终逐出了在自然科学领域同样居于统治地位的上帝，解放了思想。从这个意义上讲，一个没有发达数学文化的民族注定会衰落。

古希腊是奴隶制国家，当时希腊的雅典城邦实行奴隶主的民主政治（奴隶不能享受这种民主）。男性奴隶主举行全体大会选举执政官，并对一些战争、财政大事实行民主表决。这种政治文明包含着某些合理因素。奴隶主之间讲民主往往需要用理由说服对方，从而使学术上的辩论风气浓厚。为了证明自己坚持的是真理，也就需要证明。先设一些人人皆同意的"公理"，规定一些名词的意义，然后把要陈述的命题称为公理的逻辑推论。

在这一背景下，游学回到雅典的柏拉图开创了柏拉图学园。柏拉图学园的大门上挂着这样一个牌子"不懂几何学者，请勿入内"。人们普遍猜测，欧几里得曾经在该学园接受过教诲，但无史料考证，故不可断言。从这个角度看，任何人类事物是否发达，不是种族的智力差异，不是所谓的经济发达，而是社会制度恶与优的直接产物。

欧几里得几何学是鄙视实用价值的，这一点早就被柏拉图所谆谆教诲过。在希腊时代没有一个人会想象到圆锥曲线是有任何用处的，最后到了17世纪伽利略才发现抛物体是沿着抛物线而运动的，而开普勒则发现行星是以椭圆轨迹而运动的。于是，希腊人由于纯粹爱好理论所做的工作，一下子变成了解决天文学的一把金钥匙。

欧几里得的《几何原本》毫无疑义是古往今来最伟大的著作之一。罗马人的头脑太过于实际而不能欣赏欧几里得的著作。第一个提到欧几里得的罗马人是西赛罗，那时候《几何原本》或许还没有拉丁文的译本，并且在鲍依修斯（约公元480年）以前，确乎是并没有任何关于拉丁文译本的记载。阿拉伯人却更能欣赏欧几里得的《几何原本》。大约在公元760年，拜占庭皇帝曾送给回教哈里发一部《几何原本》；大约在公元800年，当哈伦·阿尔·拉西德在位的时候，《几何原本》就有了阿拉伯文的译文了。现在最早的拉丁文译本是巴斯的阿戴拉德于公元1120年从阿拉伯文译过来的。从这以后，对几何学的研究就逐渐在西方复活起来，但是一直到文艺复兴晚期，几何学才迈出了极为重要的一步。

通过以上的这些介绍，我殷切希望能对读者阅读理解这部巨著有所帮助，同时希望对《几何原本》不感兴趣的人能重新拥有数学情怀而有所帮助。

目录 ■ ■ ■
CONTENTS

第二卷 几何与代数

第五卷 比 例

第四卷 圆与正多边形

第十卷　无理量

第十一卷 立体几何

第十二卷 立体的测量

第十三卷 建正多面体

第一卷　几何基础

　　毕达哥拉斯学派试图用数来解释一切。他们把数学从具体事物中抽象出来，建立自己的理论体系。他们提出了勾股定理、不可公约量以及五种正多面体，所有这些都成了本书的重要内容。希波战争后，雅典的巧辩学派提出了几何作图的三大问题：①三等分任意角；②倍立方——求作一个立方体，使其体积等于一直立方体的两倍；③化方为圆——求作一个正方形，使其面积等于已知圆。问题的难处在于，作图只允许用没有刻度的直尺和圆规。

　　本卷确立了基本定义、公设和公理，还包括一些关于全等形、平行线和直线形的熟知的定理。

三十

　　康定斯基在1926年出版了抽象构成的理论著作《点、线到面》，全面地阐述了抽象构成的规律。这幅名为《三十》的构图通过三十幅几何抽象图，黑白相间地有机组合成一个整体，给人一种极强的视觉冲击力。

本卷提要

※定义I.23，定义了平行线。

※公设I.5，平行线公设。

※本卷公理，只涉及量。

※命题I.1，怎么建一个等边三角形。

※三角形全等理论。三角形全等的几个条件：边－角－边相等（命题I.4）；边－边－边相等（命题I.8）；角－边－角相等（命题I.26）。

※等腰三角形。等角意味着等边（命题

I.5）；反之，等边意味着等角（命题I.6）。

※命题I.9、I.10，等分角及线段的建立。

※命题I.11、I.12，给一条直线作垂线。

※命题I.16，三角形的外角大于内对角。

※命题I.29，一条线穿过两条平行线时构成的三角形。

※命题I.20，三角形两边之和大于第三边。

※命题I.22，用已知边建三角形。

※命题I.32，三角形的外角等于两内对角之和；三内角之和等于两个直角。

※命题I.42，面的使用。建一个平行四边形等于已知三角形。

※命题I.45，建一个平行四边形等于已知多边形。

※命题I.47、I.48，毕达哥拉斯定理及其逆定理。

人体比例图

　　列昂纳多·达·芬奇（1452—1519年）的人体比例图，现珍藏于威尼斯艺术学院。达·芬奇认为，把完善的人体造型包含在一个圆形和正方体中是最成功的设想，而且人的体长是头长的八倍最为匀称恰当。达·芬奇，这位文艺复兴时期百科全书式的人物，他的天赋在工程、解剖、建筑、数学和光学等领域中都表现得淋漓尽致，他在历史上留下了一个任何后人都无法企及的高度。

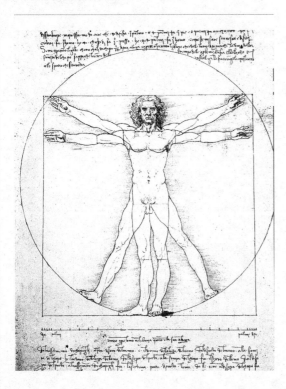

定 义

定义I.1 点：点不可以再分割成部分。

定义I.2 线：线是无宽度的长度。

定义I.3 线的两端是点。

定义I.4 直线：直线是点沿着一定方向及其相反方向无限平铺。

定义I.5 面：面只有长度和宽度。

定义I.6 一个面的边是线。

定义I.7 平面：平面是直线自身的均匀分布。

定义I.8 平面角：平面角是两条线在一个平面内相交所形成的倾斜度。

定义I.9 直线角：含有角的两条线成

一条直线时，其角成为直线角（现代称为平角）。

定义I.10 直角与垂线：一条直线与另一条直线相交所形成的两邻角相等，两角皆称为直角，其中一条称为另一条的垂线。

定义I.11 钝角：大于直角的角。

定义I.12 锐角：小于直角的角。

定义I.13 边界：边界是物体的边缘。

定义I.14 图形：是一个边界或几个边界所围成的。

定义I.15 圆：由一条线包围着的平面图形，其内有一点与这条线上任何一个点所连成的线段都相等。

定义I.16 这个点叫做圆心。

定义I.17 直径是穿过圆心、端点在圆上的任意线段，该线段将圆分成两等分。

定义I.18 半圆：是直径与被它切割的圆弧围成的图形。半圆的圆心与原圆心相同。

定义I.19 直线图形是由线段首尾顺次相接围成的。三角形是由三条线段围成的，四边形是由四条线段围成的，多边形是由四条以上的线段围成的。

定义I.20 三角形中，三条边相等的称等边三角形，两条边相等的称等腰三角形，各边都不相等的称不等边三角形。

定义I.21 三角形中，有一个角为直角的是直角三角形；有一个钝角的称钝角三角形；三个角都为锐角的为锐角三角形。

定义I.22 四边形中，四条边相等并四个角为直角的称为正方形；四角为直角，但边不完全相等的为长方形（也叫矩形）；四边相等，角不是直角的为菱形；两组对边、两组对角分别相等的为平行四边形；一组对边

天体图

克劳迪亚斯·托勒密留下的著名文稿是《数学论集》，后被改为《天文学大成》。《天文学大成》从三角学和弦的预备知识开始，然后是关于太阳运行的详细理论。在这一理论中，他为太阳指定了一个圆形轨道，但把地球放在稍微偏轨道圆心的位置，该体系直到16世纪没受到质疑。这是根据托勒密学说勾勒出的天体图，地球处于画的中心，与托勒密体系稍有出入。此图依照太阳、地球、月亮的相对位置，显示地球上所见月亮的面貌。图的右下角，是阳光照耀之下，处于各种位置的半边月亮。左下则是中心图像更细的描绘，表示一个月里，每一天月亮面貌的变化。

平行，另一组对边不平行的称为梯形。

定义I.23 平行直线：在同一个平面内向两端无限延长不能相交的直线。

公 设

I.1 过现点可以作一条直线。

I.2 直线可以向两端无限延伸。

I.3 以定点为圆心及定长的线段为半径可以作圆。

I.4 凡直角都相等。

I.5 同平面内一条直线和另外两条直线相交，若在直线同侧的两个内角之和小于180°，则这两条直线经无限延长后在这一侧一定相交。

半球仪

早期数学大部分是由于贸易及农业的需要而发展起来的，但也与宗教仪式及天体运行有关联。历法的设计基本上是天文学家和牧师的工作，而天体学则需要特殊的数学。在不同的文明社会，人们记录天体的运动并制造出各种仪器来观察星空。图为17世纪丹麦天文学家制作的半球仪。

公理

I.1 等于同量的量彼此相等。

I.2 等量加等量，其和仍相等。

I.3 等量减等量，其差仍相等。

I.4 彼此能够重合的物体是全等的。

I.5 整体大于部分。

关于定义：

《几何原本》开始于一系列定义，这些定义分为三类，第一类指明某些概念，比如定义I.1、I.2、I.5，指派了术语点、线、面（注意：欧几里得的线的概念也包含曲线）。第二类是由原概念衍生的新概念。第三类，是非实质性定义，从表面上看，这些定义是实质性的，其实不然，比如定义I.4所表述的直线为"点沿着一定方向及其相反方向无限平铺"，这一定义几乎是不可用的，最多指出将要讨论的线是直线。

有可能有些定义不是欧几里得所著，而是编著的后人加上去的，另一种可能是来源于其他著作，有可能更古老。

关于公设：

紧接定义之后是几个公设。公设是自明的，意即无需证明的显在事实，尤其表现在平面几何中。公设内容多为作图。

关于量与公理：

公理也是自明的，涉及各种不同类型的大小。线段的量出现得最频繁，另一些量是直线的角和面（平面图形），也包含其他类型。在命题III.16中直线角与曲线角相比较，以示直线角是平面角的一特殊类。这吻合欧几里得在定义I.9和定义I.8中的定义。

在卷三中，出现圆上的弓形的量，仅相等圆的弓形可以比较与相加，所以，相等圆上的弓形组成量，同不相等圆上的弓形是另一类不同的量。这些量皆不同于线段量。无论图形的哪个区域进行比较，不同的曲线不被讨论。

卷五讨论比例理论，并不涉及特殊类

型的量。比例并不来自特殊类型的量，它们可以相比，但不能相加。卷七至卷十讨论数论。可以认为是讨论亚里士多德提出的数理。从第十一章开始讨论立体，这是本书讨论的最后一个类型。

命题I.1

已知一条线段可作一个等边三角形。

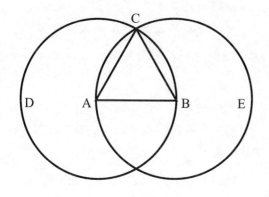

设：AB为已知的线段。

要求：以线段AB为边建立一个等边三角形，以A为圆心、AB为半径作圆BCD；再以B为圆心、以BA为半径作圆ACE；两圆相交于C点，连接CA、CB。

因为：A点是圆CDB的圆心，故AC等于AB（定义I.15）。

又，点B是圆CAE的圆心，故BC等于BA（定义I.15），CA等于AB；所以：线段CA等于CB等于AB。

因为：等于同量的量互相相等（公理I.1）；所以：CA等于CB。所以：三条线段CA、AB、BC相等。

所以：三角形ABC是建立在线段AB上的等边三角形。

证完

注解

将这一命题作为《原本》的第一命题是令人愉快的，三角形结构清晰，对等边三角形的证明过程，也条理清晰，当然对C点可以有两个选择，任意一个皆可。或许，欧几里得应将命题I.4作为《原本》的第一命题，因为该命题逻辑上不依赖于前三个命题；但是，欧几里得的第一命题的选择，也自有他的理由，首先，本书接触五个正立体，从一个正三角形开始，有其美学意义。另外，命题I.2、I.3皆需要命题I.1，命题I.2和命题I.3给出了移动线的结构，命题I.4虽然在逻辑上不依赖于命题I.2和命题I.3，但却引用了叠合的概念，某种意义上讲，是移动的点和线。

欧几里得在某个命题结束时，用了"证完"一词。这是几何学命题证明结束的一个标准。尽管两千多年来这部天才的巨著受到了历代数学批评家们的挑剔，并且他们也指出了不少漏洞，但是它的光辉却丝毫未损。本命题是两千余年来受到批评最多的一个命题，批评者指出，如此简洁明了的命题，却充满了漏洞，这是陈述不够充分的逻辑裂缝。为什么生成C点？证明一开始，点C就被设定为圆的相交点，但它的存在却没有证明。欧几里得虽然在平行公设里说到点的生成，但那一公设却与该命题无关。所以点C的存在不能获得保证。事实上，在几何学模式中，不相交的圆自然是存在的，所以，在这里还要求欧几里得尚未定义的公设出现。在第三卷中，欧几里得小心谨慎地分析圆相交的可能情况，但无论他怎么小心，还是得

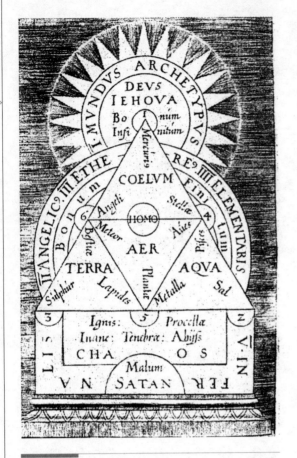

炼金术示意图

炼金术工作者从方法上再现大宇宙的创造。这样就要确定，或者预先假定宇宙起源论和宇宙论的概念。这幅指导炼金术工作的示意图揭示了宇宙论概念和炼金术学说的神秘十分相似。它指出，炼金术工作反映出宇宙感应的几何图与渐增图相同，由此上升到神圣的地位。从此观点来看，炼金术好像是"实验数学"。

出了错误的定理。

为什么ABC是一个平面图形？在总结了线段AC、AB和BC相等以后，就确定ABC是平面图形，三条线段并未表明在一个平面内，却构成了平面图形，缺乏逻辑链。命题X.1中声明了"三角形在一个平面内"，从逻辑上讲，这两个命题应该被置于第一卷的第一命题。然而二者却没有

被置于第一命题，这显然是因为第十卷中的命题属于立体几何，而《原本》中，立体几何从平面几何发展而来。从历史观点的考察来看，无疑是这样的。

不能排除这种可能性：边可以构成多次多区域的相交，就像泡沫链一样。这里需要证明（或者设立公设）：两条无限延伸的直线至少能在一点相交。

命题的应用

这一命题直接应用在本卷的命题I.2、I.9、I.10、I.11及命题X.11、X.12中。

命题I.2

从一个给定的点可以引一条线段等于已知的线段。

设：A为给定的点，BC为给定的线段。

求作：以A为端点的一条线段等于BC。

连接A、B两点成线段AB（公设I.1）；并以此作一个等边三角形DAB（命题I.1）。

作DA的延长线AE，DB的延长线BF（公设I.2）；以B为圆心、BC为半径，作圆CGH（公设I.3），再以D为圆心、以DG为半径，

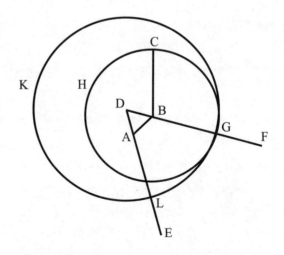

作圆GKL（公设I.3）。

那么因为，B点是圆CGH的圆心，故BC等于BG。

又，因为D点是圆GKL的圆心，故DL等于DG。

因为DA等于DB，那么其余下部分AL等于BG（公理I.3）。

同理可证：BC等于BG；于是线段AL等于BC等于BG。

等量减等量，差相等（公理I.1）。

所以：AL等于BC。

所以：从给定的点A作出的线段AL等于给定的线段BC。

证完

注解

这是一个聪明的作图法，用以解决看似简单的问题，滑动线段BC，以使其末端与A点重叠。但是在欧几里得的几何里，运动是并未涉及的领域。命题I.4仿佛也涉及到运动，但实际上并没有什么真正移动过。在公设I.1、I.2、I.3中描述过基础的作图法。

命题的应用

这一命题仅应用在命题I.3的作图中。本图假定了所有的A点和线段BC位于一个平面内。

命题I.3

给定两条不等线段，可以在较长的线段上切取一条线段等于较短的线段。

设：AB和c是给定的两条不等线段。AB较长。

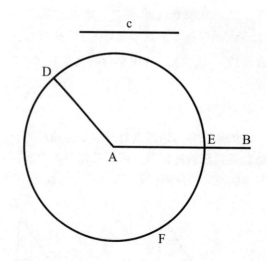

现在要求，从较长线段AB上切取一条线段等于较短线段c。

在点A上取AD等于c，又，以A为圆心、以AD为半径建圆DEF（公设I.3）。

因为：点A是圆DEF的圆心，所以：AE=AD（定义I.5）。

又，c也等于AD，所以：线段AE和c都等于AD，所以：AE也等于c（公理I.1）。

所以：给定两条不等线段AB和c，从较长线段AB上作出了AE等于短线段c。

证完

注解

很显然，命题I.2在本命题中发挥了作用，根据普鲁库鲁斯（410—485年）的记载，《几何原本》首先由希波克拉底写成，另外，里昂和赛奥底留斯也著过不同的版本，但欧几里得的版本出现以后，它们就消隐失传了，后者取而代之。命题I.2可能出现在希波克拉底时代。这一命题开始了线的几何代数，允许相减、相加计算，用以比较线段的大于、小于或等于性质。

这一命题在《原本》中被大量使用，比其他命题都多。从本卷命题5开始以后，在卷IV、VI、XI、XIII中均有大量利用。

命题I.4

如果三角形的两条对应边及夹角相等，那么其第三边亦相等，两个三角形亦全等，其余的两对应角亦相等。

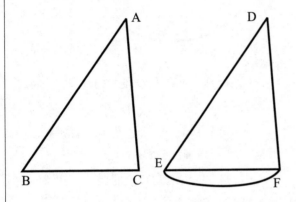

设：作三角形 ABC、三角形DEF，使其AB=DE、AC=DF，AB是 DE的对应边，AC是 DF的对应边，角BAC等于角EDF。

那么我说：边BC等于边EF，三角形ABC全等于三角形DEF， 相应的角亦相等，即角ABC等于角DEF，角ACB等于角DFE。

因为AB=DE，假定三角形ABC与三角形DEF不全等，置A点于D点上， AB线于DE线上，B点就同E点重合；

又，因为角BAC等于角EDF，于是AB与DE相等，AC与DF相等；于是点C与点F必然重合，因为AC也等于DF。

另外：B与E重合；于是底边BC与底边EF相等。

假定：当B替换 E、C替换F时，底边BC不等于底边EF，两条线段就要形成一个空间，这是不可能的。所以底边BC与底边EF重合并相等（公理I.4）。

所以：三角形ABC与三角形DEF重合并全等，其余对应角重合并相等，角ABC对应角DEF，角ACB对应角DFE。

所以：如果三角形的两条对应边及夹角相等，那么其第三边亦相等，两个三角形亦全等，其余的两对应角亦相等。

证完

注 解

本命题涉及三角形的叠合，欧几里得没有明确地使用叠合的概念。在讨论立体几何时，欧几里得使用了"相似且相等"这一概念，以表述"叠合"，这一概念出现在卷VI中，它理应放在书的开始部分。

本命题的全等定理应用在本卷的下两个命题中，同时也高频率地应用在从一卷开始的各卷中，在卷II、 III、IV、VI、XI、XII、XIII中皆不时地出现。

命题I.5

等腰三角形的两底角相等，将腰延长，与底边形成的两个补角亦相等。

设：作等腰三角形ABC，使AB=AC；作AB的延长线BD、AC的延长线CE（公设I.2）。

求证：角ABC等于角ACB，角CBD等于角BCE。

令：在BD上任取一点F。在AE上截取线段AG等于AF；连接FC、GB（公设I.1）。

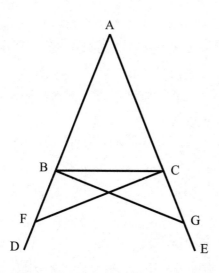

明等于角ACF，角CBG等于角BCF，余下的角ABC等于角ACB；它们在三角形ABC的底边上，角FBC也就等于角GCB。

所以：等腰三角形的两底角相等，将腰延长，与底边形成的两个补角亦相等。

证完

注 解

这一命题有两个结论，一是内底角ABC和角ACB相等，二是外底角FBC和角GCB相等。从图上看，仿佛证明第二个结论是容易的，根据第一个结论，简单地从两个角ABF和角ACG中分别减去相等角

既然AF等于AG，AB等于AC，那么FA、AC两边就等于对应边GA、AB，且它们有一个公用角角FAG。

于是：FC等于GB，

于是：三角形 AFC全等于三角形AGB，于是：其余对应角亦相等，即角ACF等于角ABG，角AFC等于角AGB。

又：因为AF等于AG，AB等于AC，那么其余下的部分BF等于CG。

又可得FC等于GB；

所以：BF、FC两边等于对应边CG、GB；角BFC等于角CGB，BC为公共边，于是三角形BFC也全等于三角形CGB，其余对应角相等，即角FBC等于角GCB，角BCF等于角CBG。

又：因为角ABG被证

四个规则多面体

古希腊数学家很早就知道，只有五种可能的正多面体，即正四面体、正六面体、正八面体、正十二面体和正二十面体，并且这些正多面体只能由三种形状构成，即等边三角形、正方形和正五边形。由于柏拉图把这五种正多边形同他的宇宙构成论联系起来，因此又被称为柏拉图立体。这幅作品即由柏拉图立体中的四种均匀地交叉构成，埃舍尔用红、黄、白、黑四种颜色把它们描绘成半透明状使其得以辨认。

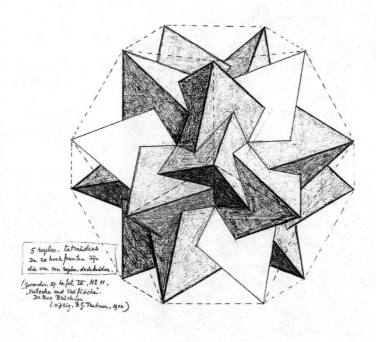

ABC和角ACB即可。但是欧几里得不接受直角，即使他接受，也并未证明所有的直角皆相等。命题I.13其实是个足够的证明，因为它意味着角ABC与角FBC之和等于两个直角的和，同时角ACB与角GCB之和也等于两个直角的和，于是，二者之和相等，这便是所说的所有的直角皆相等。

不幸的是，这一论据是循环的，命题I.13依赖于命题I.11，命题I.11依赖于命题I.8，命题I.8依赖于命题I.7，而命题I.7依赖于命题I.5。于是命题I.13不能应用在命题I.5的证明中。

四分仪

从欧几里得的时代起，人们就知道存在五个正立方体和六个行星，对于每个正方体都可以构造出一个外接球和内切球，如果能正确地排列这些正方体，那么球的表面就对应着行星的轨迹。这种把数学与天体和谐而完善地结合的想法催生出许多观测星辰的仪器，如图中的四分仪。

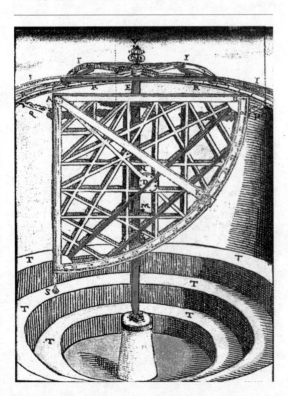

这一命题被称为"庞斯命题"，也称为"驴桥"，这一命名到底是因为它的证明困难呢，还是在形式上有桥的特征？难以知道。在欧几里得的《原本》中，命题很少被命名。

这一命题应用在本卷的I.7开始的几个命题中，也高频率地用在卷II、III、IV、VI、XIII中。

命题I.6

如果在一个三角形里，有两个角相等，那么也有两条边相等。

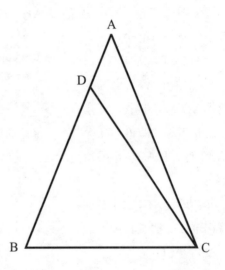

设：在三角形ABC中，角ACB等于角ABC。

求证：边AB等于AC。

如果AB不等于AC，一条比另一条长，假定AB长于AC，在较长边上取一点D，使DB等于AC，连接DC。

既然DB等于AC，而BC是公共边，那么DB、BC的对应边AC、CB应相等；角DBC就等于角ACB；于是底边DC便等于底边AB，三角形DBC便全等于三角形ACB，小三角形全等于大三角形，这是不成立的。

因此AB不能不等于AC；所以AB等于AC。

所以：如果在一个三角形里，有两个角相等，那么也有两条边相等。

证完

注 解
逆命题

这一命题是命题I.5的逆命题（部分的）。欧几里得在证明了命题后，接着证明逆命题，这一实践一直延续到今天。一个命题和它的逆命题，并不是逻辑上的相等，举例说"如果P，那么Q"是有效的，并不是"如果Q，那么P"就有效。欧几里得的这一例子出现在命题III.5中，该命题陈述"如两个圆相交，那么它们没有相同的圆心"，逆命题是"两圆如没有相同的圆心，那么它们相交"，这当然是错误的。因为一个圆完全可以在另一个圆外或者圆内，它们自然也没有相同的圆心。

矛盾证法

这是使用矛盾证法的第一命题。在本命题中，为了证明AB等于AC，欧几里得假定它们不相等，由此引出矛盾结论。即三角形ACB等于它自身的一部分，即三角形DCB，于是与公理I.5的整体大于部分的定义形成矛盾。矛盾是三角形ACB既等于三角形DBC同时又不等于三角形DBC。

欧几里得常用矛盾法，使用此法，他并不为推断新的几何目标的存在而用来进行建设，而是用来证明他已经证明的几何目标的正确性。

这一命题在本卷中再也未被利用，但在卷II、III、IV、VI、XIII中被调用。

命题I.7
过线段两端点引出两条线段交于一点，那么，在同一侧，不可能有相交于另一点的另两条线段，分别等于前两条线段，即每个交点到相同端点的线段相等。

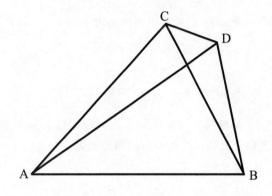

假设可能，过A、B两点作两条线段AC、CB，相交于C点。作另两条线段AD、DB，在AB同一边相交于D点。

如果与前两条分别对应，那么CA等于DA，并共有末端A；CB等于DB，共有一个末端B；连接CD。

那么，既然AC等于AD，角ACD便等于角ADC（公设I.5）；

于是：角ADC大于角DCB；于是角CDB远远大于角DCB。

同样，既然CB等于DB，角CDB便等于角DCB；同样可证CDB大于DCB。

所以：假设不能成立。

所以：过线段两端点引出两条线段交于一点，那么，在同一侧，不可能有相交于另一点的另两条线段，分别等于前两条线段，即每个交点到相同端点的线段相等。

证完

注 解
隐证

此句"角ACD等于角ADC，于是：角ADC大于角DCB，于是角CDB远远大于角DCB"，应用了量的性质。

如果x < y，y = z，那么x < z。

这一性质并未出现在公理中。

本命题被利用在下一命题中。

命题I.8

如果两个三角形有三边对应相等，那么这两个三角形的所有对应角亦相等。

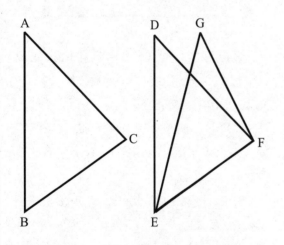

设：在三角形ABC、三角形DEF中，AB等于DE，AC等于DF，即AB是DE的对应边，AC是DF的对应边。BC等于EF。

那么我说：角BAC等于角EDF。

如果三角形ABC全等于三角形DEF，点B能替换点E，线段BC能替换EF，点C与点F

重合，因为BC等于EF。

那么BC与EF重合，BA、AC分别与ED、DF重合。

如果底边BC与底边EF重合，而BA、AC两边与ED、DF两边不重合，形成了新的两边如EG、GF，那么从一条线段的两个末端引出的两条线段相交于一点，同一线段的两个末端引出的另两条线段相交于另一点，两组对应的线段不能相等（命题I.7）。所以：假设不能成立。

所以：如果边BC等于边EF，边BA、AC不等于ED、DF不成立。

所以：角BAC重合角EDF，并相等。

所以：如果两个三角形有三边对应相等，那么这两个三角形的所有对应角亦相等。

证完

注 解

这是三角形全等的第二个定理。

本命题被利用在本卷从下一命题开始的几个命题中，在卷 III、IV、XI、XIII中也多次被利用。

命题I.9

一个角可以切分成两个相等的角。

设：已知角BAC，要求二等分这个角。

在AB边上任取一点D，在AC边上取一点E，使AE=AD（命题I.3），连接DE，以DE为一边建等边三角形DEF，连接AF。

那么我说：角BAC被射线 AF平分。

因为：AD等于AE，AF为公共边，那么：DA、AF对应EA、AF并相等。

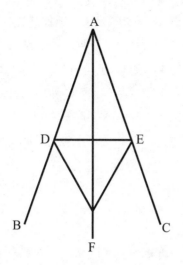

得之前的数学家们，为此使用了各种各样的方法，但未成功；欧几里得以后的阿基米得创造了螺旋线，才能将角划分成任意部分，三等分角也就成为可能。人们相信使用欧几里得工具根本就不可能三等分角，但直到1833年，这一疑惑才被数学家旺泽尔所证明。

命题的应用

这一命题被利用在下一命题中，也用在卷IV、VI、XIII的数个命题中。

边DF等于边EF；于是角DAF等于角EAF（命题I.8）。

所以：角BAC被射线AF平分。

所以：一个角可以切分成两个相等的角。

证完

注 解

构图步骤

当用圆规和直尺构造这一图形时，要求作出三个圆和一个最后的切分线。其中一个圆以A点为圆心、AD为半径，以决定点E。另外的两个圆分别以D和E为圆心并以DE为公共半径。等边三角形在这里实际上是不需要的。

角的三等分

使用欧几里得的直尺和圆规，二等分一个角是容易的，二等分线段也是容易的（参见命题I.10），将线段分成任意数量的相等部分也不那么困难（参见命题I.9），但是将一个角分成相等的奇数部分，就不容易了。事实上，使用欧几里得的工具，就不可能把一个60°的角三等分。欧几里

命题I.10

一条线段可以被分成两条相等的线段。

设：AB为一线段。

四面体小行星

这颗小行星是一个正四面体，呈现在我们眼前的是它的其中两个表面。可以看到几乎每一寸土地都得到利用，上面密布了房屋、高塔、桥梁、台阶、花木、人工湖泊和小船；除了形状不同外，其余的情况和地球几乎毫无二致。在作此画时，埃舍尔将两幅草稿拼贴在一起，在面与面的结合处尽量画成直角，以反映四面体的棱线。埃舍尔从事物的数学特性中发掘美，创造出空前绝后的奇妙之作。

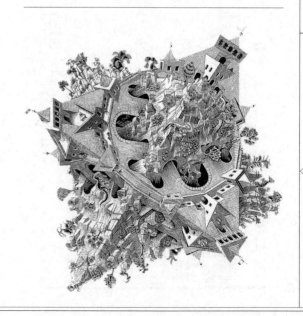

几何原本

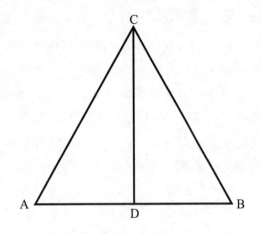

要求平分为两条相等的线段。

作等边三角形ABC（命题I.1），使其角ACB被CD线平分（命题I.9）。

那么我说：D点就是线段AB的平分点。

《几何原本》译稿

从古到今，《几何原本》都是最具影响力的一本教科书，该书多次再版，在再版过程中又不断有新的评注加入，同时，它被翻译、编译成适合各种文化的版本。欧几里得的这一巨作流传至今，并使它之前的所有几何著作黯然失色。图为伟烈亚力、李善兰的《几何原本》译稿。

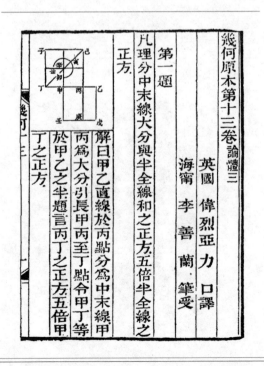

既然AC等于CB，CD是公共边，AC、CD两条边与BC、CD两条边对应相等，角ACD等于角BCD；于是边AD等于边BD（命题I.4）。

所以：线段AB被D点平分。

所以：一条线段可以被分成两条相等的线段。

证完

注 解

本命题陈述将线段分成两个相等的部分。

它被利用在本卷的I.12、I.16、I.42中，也被利用在卷II、III、IV、X、XIII的数个命题中。

命题I.11

过一条直线上的一个点，可以作该直线的垂线。

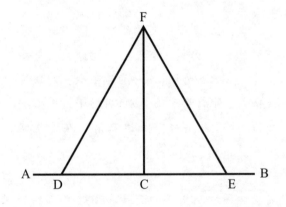

设：AB是已知直线，C为直线上的点。

要求从C点作一条直线垂直于AB。

令：在AC上任取一点D，CB上任取一点E，并让CD等于CE（命题I.3）。

在DE上建等边三角形FDE（命题I.1）。连接FC。

那么我说：FC就是直线AB在C点上的垂线。

因为DC等于CE，CF是公共边，边DC、CF与边EC、CF是对应边；底边DF与底边FE相等；故三角形DCF全等于三角形ECF（命题I.8），角DCF与角ECF互为邻角。

如果一条线段在另一条线段所形成的邻角相等，那么两角皆为直角（定义I.10）。所以：角DCF、FCE皆为直角。

所以：线段CF垂直于线段AB，并在C点上平分。

所以：过一条直线上的一个点，可以作该直线的垂线。

证完

注 解

这一命题和下一命题陈述垂线，一个给定的（已知的）点向给定的线作垂线。在本命题中，给定的点在直线上，而在下一命题中，是不同的情形。

本命题被利用在本卷的I.13、I.46、I.48中，也用在卷II、III、VI、VI、XI、XII、XIII的数个命题中。

命题I.12

经过直线外的一点可以向直线作垂线。

设：AB为已知直线，C点为给定的点。

那么要求作的是：C点可以向AB作垂线。

在直线的另一边任取一点D，以C为圆心，CD为半径作圆EFG（公设I.3）。

AB与圆C交于G、E，作GE的中点H（命题I.10），连接CG、CH、CE（公设I.1）。

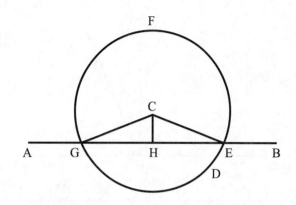

那么我说：CH便是C点向线段AB作的垂线。

因为：GH等于HE，HC是公共边，GH、HC分别等于对应边EH、HC；底边CG等于CE。

所以：角CHG等于角EHC（命题I.8）。且它们为相邻角。

当一条线与另一条线相交形成邻角时，两角相等，皆为直角。这条线被称为另一条线的垂线（定义I.10）。

所以：CH是从C点向AB线引的垂线。

所以：经过直线外的一点可以向直线作垂线。

证完

命题I.13

两条直线相交，邻角是两个直角或者相加等于180°。

设：在直线CD上的任意一条射线BA，形成角CBA及角ABD。

那么我说：角CBA、角ABD要么是两个直角，要么互补。

如果角CBA等于角ABD，那么它们一定是两个直角（定义I.10）。

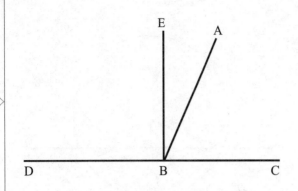

如果不是，从B点作BE，使之垂直于CD（命题I.11），那么角CBE、角EBD是两个直角。

那么既然角CBE等于角CBA加角ABE的和，那么角CBE、角EBD的和也等于角CBA、角ABE、角EBD的和（公理I.2）。

又：既然角DBA等于角DBE、角EBA的和。

那么：角DBA、角ABC的和等于三个角DBE、EBA、ABC的和（公理I.2）。

同理可证：角CBE、角EBD的和也等于同样三个角，等于同量的量彼此相等（公理I.1）。

所以：角CBE、角EBD的和也等于角DBA、角ABC的和。

且角CBE、角EBD的和为两直角，所以角DBA、角ABC的和亦为180°。

所以：两条直线相交，邻角是两个直角或者相加等于180°。

证完

注 解

本命题讨论几何量的相加。

本命题被利用在以后的几个命题中，并应用在卷IV和卷VI。

命题I.14

两条不在一边的射线过任意直线上的一点，所构成的邻角若等于两个直角的和（平角），那么这两条射线构成一条直线。

设：AB为任意射线，B是射线的端点，两条射线BC、BD不在一边，构成邻角ABC、角ABD，其和为两个直角（平角）。

那么我说：BD与CB在同一条直线上。

假设：BD与BC不在同一直线上，而BE才与CB在同一直线上。

因为：射线AB位于直线CBE上。

那么：角ABC、角ABE的和就等于两个直角（命题I.13），而角ABC、角ABD的和也等于两个直角；于是角CBA、角ABE的和也就等于角CBA、角ABD的和（公设I.4及公理I.1）。

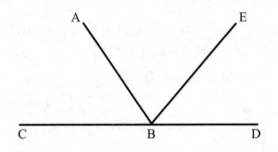

设：从各角中减去角CBA。

那么：剩余角ABE等于剩余角ABD（公理I.3），小角等于大角。

所以：假设不能成立。BE与CB不在同一条直线上。

同理可证：除了BD以外，也没有别的线。

所以：CB与BD在同一直线上。

所以：两条不在一边的射线过任意直线上的一点，所构成的邻角若等于两个直角的和（平角），那么这两条射线构成一条直线。

证完

注 解

本命题是上一命题的逆命题。仅适用在平面几何中，如果A、B、C、D不在同一平面，那么CBD就不能为直线。

本命题被利用在本卷的I.45、I.47中，在卷VI、XI的几个命题中也有应用。

命题I.15

两条直线相交，对顶角相等。

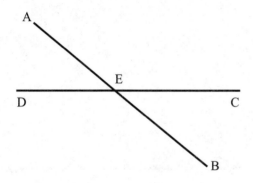

设：AB、CD两条直线相交于E点。

那么我说：角AEC等于角DEB，角CEB等于角AED。

因为：射线AE立在直线CD上，构成角CEA、AED，角CEA、AED的和等于两个直角（命题I.13）。

又：线段DE立在线段AB上，构成角AED、DEB，角AED、DEB的和等于两个直角（命题I.13）。又：角CEA、AED的和也能证明出等于两个直角。

所以：角CEA、AED的和等于角AED、

阿基米得被害

公元前212年，罗马人攻入叙拉古城时，阿基米得并不知情，他正在全神贯注地研究一个数学问题，罗马士兵命令他立刻去见首领马塞勒塞，这位75岁的老人令士兵别碰沙盘上的几何图形，恼羞成怒的罗马士兵举刀砍死了一代天才阿基米得。为了纪念他，阿基米得的墓碑上被刻上了一个圆柱内切球的图形，用以肯定他对基础科学作出的重大贡献和他最引以自豪的著作《论球和圆柱》。

雪花曲线

从一个等边三角形出发，将每条边三等分，然后在各边三等分后的中段向外作一个新的等边三角形，但要去掉与原三角形重合的部分，接着对这个新图形的每条边重复上述过程，如此不断继续下去，所得到的曲线就是雪花曲线，它实际上是一个无限逼近序列的曲线。雪花曲线具有令人惊异的性质：它的内部面积有限，但曲线本身长度无限。

罗素

罗素（1872—1970年），英国哲学家、数学家、逻辑学家。18岁入剑桥大学三一学院学习数学和哲学。1911年写成三卷本的《数学原理》，提出著名的"罗素悖论"，引起"第三次数学危机"。罗素的学术活动涉及范围广泛，他企图建立逻辑主义数学体系，把整个数学归结于逻辑学。他是20世纪最有影响的哲学家、数学家之一。

DEB的和（公设I.4、公理I.1）。

令：从各角中减去角AED。

于是：剩余角CEA等于剩余角BED（公理I.3）。

同理可证：角CEB、DEA也相等。

所以：两条直线相交，对顶角相等。

证完

推 论

此命题也表明：两条直线相交，在相交点形成的角等于四个直角的和（360°）。

注 解

虽然欧几里得并未定义"直角"，但其意义却明确地应用在本命题中。关于"推论"有这样一种说法：这可能是后人的插入。因为如果它是欧几里得所作，那么它应该被绑定在命题本身里，或者干脆成为另一命题。

本命题被利用在以后的几个命题中，并在II.10及IV.15中被利用。

命题I.16

任意三角形，其任意一边的延长线所形成的外角大于任意不相邻的内角。

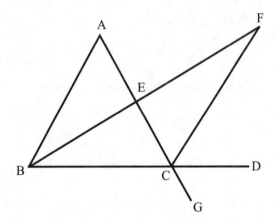

设：ABC为任意三角形，延长BC边至D。

那么我说：外角ACD大于内对角CBA或角BAC。

在AC上取E点，使之平分AC（命题I.10），连接BE，并延长至F；使EF等于BE（命题I.3），连接FC（公设I.1），延长AC至G（公设I.2）。

因为：AE等于EC，BE等于EF；AE、

EB等于对应边CE、EF；角AEB等于角FEC，因为它们为对顶角（命题I.15）。

所以：边AB等于边FC，三角形ABE全等于三角形CFE，其对应的余角与对应边也相等（命题I.4），于是角BAE等于角ECF。

又：角ECD大于角ECF（公理I.5），于是角ACD大于角BAE。

同理：如果BC被平分，可证角BCG，也就是角ACD也大于角ABC（命题I.15）。

所以：任意三角形，其任意一边的延长线所形成的外角大于任意不相邻的内角。

证完

注 解

在后面的命题I.32中，欧几里得调用平行公设（公设I.5），再次证明，三角形的外角等于内对角之和。

本命题应用在下两个命题的证明中，也用在卷Ⅲ中。

命题I.17

任意一个三角形，其两内角的和总小于两个直角（180°）。

设：ABC为任意三角形。

那么我说：三角形ABC中任意两内角的和总小于两个直角（180°）。

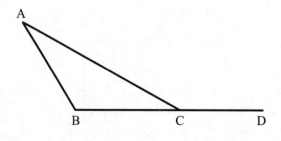

令：延长BC至D（公设I.2）。

因为：角ACD是三角形ABC的外角。那么：它大于内对角ABC（命题I.16）。

令：角ACB与各角相加。于是：角ACD、角ACB的和大于角ABC、角BCA的和。

可是角ACD、角ACB的和等于两个直角（命题I.13）。所以：角ABC、角BCA的和小于两个直角。

同理可证：角BAC、角ACB的和也小于两个直角，角CAB、角ABC亦同理。

所以：任意一个三角形，其两内角的和总小于两个直角（180°）。

证完

注 解

本命题陈述外角ACD大于内对角ABC。如果每个角加上角ACB，那么角ACD与角ACB之和大于角ABC与角BCA之和。

其量值关系为：

如果x＞y，那么x＋z＞y＋z。

这一关系式并未列入公理之中。这一命题在命题I.32再次得以强调，命题I.32陈述，在一个三角形中三个角之和等于两个直角。

本命题应用在Ⅲ.16中，也应用在卷Ⅲ、Ⅵ、Ⅺ的一些命题中。

命题I.18

在任何三角形中，大边一定对大角。

设：ABC为任意三角形，AC边大于AB边。

那么我说：角ABC大于角BCA。

因为：AC大于AB，作AD等于AB（命题I.3）。

连接BD。

于是：因为角ADB是三角形BCD的一个外角。

那么：它大于内对角ＤＣＢ（命题I.16）。又：因为AB=AD，角ADB等于角ABD；所以角ABD也大于角ACB；所以角

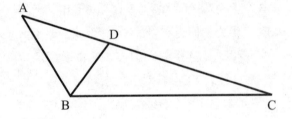

ABC比角ACB更大。

所以：在任何三角形中，大边一定对大角。

证完

古法七乘方图

构造一个数的三角形排列如下：顶上放1，下面放两个1，再下一行将两个1重复一遍，使得这一行的末尾也都是1，而第三行是1、2、1。每一次将两个数相加，得数放在下方，于是得出第四行1、3、3、1。这就是朱世杰在《四元宝鉴》中展示的帕斯卡三角形的模样，该书写于帕斯卡出生前三个世纪。

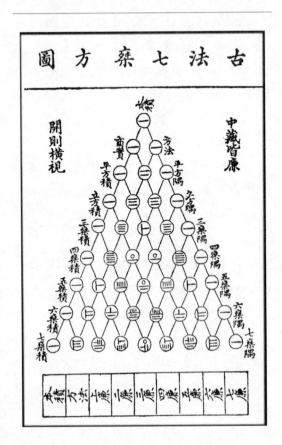

注 解

从表面上看，命题I.18和I.19一样，但实际上却不然，本命题说的是"如果边AC>边AB，那么角ABC>角BCA"（但这并不表明在别的情况下，角ABC不能更大），命题I.19陈述的是"如果角ABC >角BCA，那么边AC >边AB"。

本命题应用在下一命题中。

命题I.19

在任何三角形中，大角总是对大边。

设：三角形ABC中角ABC大于角BCA。

那么我说：AC边也大于AB边。

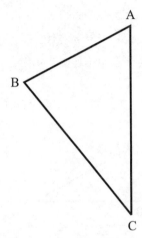

假设不是，那么AC就小于或等于AB。

现在我们假设AC等于AB；那么角ABC就将会等于角ACB（命题I.5）。

但事实并非如此。于是AC不等于AB。

同理，AC不能小于AB，因为如果这样角ABC也就会小于角ACB（命题I.18）。

但事实也并非如此。所以：AC不小于AB。同时已被证明AC不小于AB。

所以：AC大于AB。

所以：在任何三角形中，大角总是对大边。

证完

注解

这一命题是前一命题的伪装逆命题。

本命题应用在I.20、I.24中，也应用在卷III的部分命题中。

命题I.20

在任何三角形中，任意两条边的和大于第三边。

设：ABC为任意三角形。

那么：在三角形ABC中，任意两边的和大于剩余的一边。即BA、AC的和大于BC，AB、BC的和大于AC，BC、CA的和大于

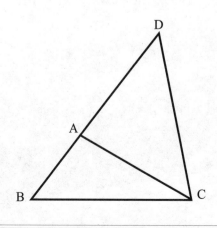

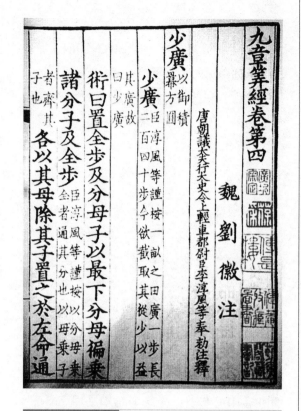

宋刻《九章算术》书影

《九章算术》约成书于公元前1世纪，其中有些数学内容可追溯到周代，《周礼》记载西周贵族子弟必学的六门课程中就有一门"九数"。刘徽称《九章算术》就是从"九数"发展而来。《九章算术》采用问题集的编纂方式，全书共246个问题，分为九章，依次为：方田、粟米、分、少广、商功、均输、盈不足、方程、勾股。

AB。

令：延长BA至D，使DA等于CA，连接DC。

既然：DA等于AC，角ADC等于角ACD（命题I.5）；那么：角BCD大于角ADC（公理I.5）；

又：在三角形DCB中，角BCD大于角BDC，大角对大边（命题I.19）；所以：DB大于BC。

又：DA等于AC；所以BA、AC的和大

于BC。

同理：可以证明AB、BC的和也大于AC，BC、CA的和大于AB。

所以：在任何三角形中，任意两条边的和大于第三边。

证完

注 解

本命题为"三角形不等式"，部分的陈述表明，在两点间，最短的路径是线段。这一命题与命题I.15一起，允许我们解决最小距离的问题。假定两个点A和B位于线段CD的同一边，现在要求出A到线段CD的最短距离，假定为某个点P，然后再求出P到B的最小距离。

本命题应用在以下两个命题中，并应用在卷III的几个命题及命题XI.20中。

命题I.21

以三角形一边的两个端点向三角形以内引两条相交线，那么交点到这两个端点的这两条线段的和小于三角形余下的两条边的和，所形成的角大于三角形同侧的内角。

设：BC为三角形ABC的一条边，从端点B、C，作线段BD、DC。

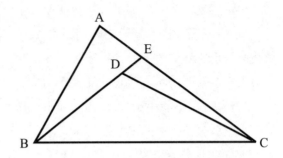

那么我说：BD、DC的和小于三角形的另两条边BA、AC的和，所夹的角BDC大于角BAC。

延长BD和AC交于E点。

因为：在三角形中任意两边的和大于剩余的一条边（命题I.20）；那么：在三角形ABE中，边AB、AE的和大于BE。

令：分别相加EC；于是BA、AC之和大于BE、EC之和。

又：在三角形CED中，CE、ED两边的和大于CD，令分别相加DB；于是，CE、EB的和大于CD、DB的和。

而BA、AC的和已证明大于BE、EC的和；

所以：BA、AC 的和大于 BD、DC 的和。

又：因为在三角形中任意外角大于内对角（命题I.16）；

于是：在三角形CDE中，外角BDC大于

计算器

这种金属计算器由法国数学家、物理学家、作家以及神学家布莱斯·帕斯卡（1623—1662年）于1642年发明，并于1647年获得专利。他发明这台机器旨在方便其父亲的会计工作。这种早期的计算器通过旋转带有指针的轮子来进行加运算，但是其他操作相当麻烦。

角CED。

同理可证：在三角形ABE中，其外角CEB大于角BAC。角BDC已被证明大于角CEB；

所以：角BDC大于角BAC。

所以：以三角形一边的两个端点向三角形以内引两条相交线，那么交点到这两个端点的这两条线段的和小于三角形余下的两条边的和，所形成的角大于三角形同侧的内角。

证完

注 解

在欧几里得以前，派帕尔斯及其他数学家已经注意到，在一个三角形中，如果直线不是从一条边的末点作出，那么所作直线之和可能大于余下的两边之和。事实上，其和可以大到三角形最长边的两倍。

本命题应用在III.8中。

命题I.22

用三条线段建立三角形，那么这三条线段必须满足于任意两条的和大于第三条的条件。

设：给定线段a、b、c，任意两条的和大于第三条，即a、b的和大于c，a、c的和大于b，b、c的和大于a。要求用a、b、c三条线段建一个三角形。

作直线DE，起于D，向E方向无限延长。

令：DF等于a，FG等于b，GH等于c（命题I.3）。

以F为圆心、FD为半径作圆DKL；又以G为圆心、以GH为半径作圆KLH；连接KF、KG。

那么我说：三角形KFG的三条边等于a、b、c三条线段。

因为：F是DKL的圆心，故FD=KF，而FD等于a。所以：KF也就等于a。

又：因为G是圆LKH的圆心，故GH=GK。

所以：GH也就等于c。所以：KG也就等于c，FG也就等于b。

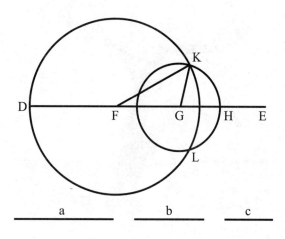

所以：三条线段KF、FG、GK也就等于a、b、c三条线段。

于是：三角形KFG是以a、b、c三条线段为边的三角形。

所以：用三条线段建立三角形，那么这三条线段必须满足于任意两条的和大于第三条的条件。

证完

注 解

这一命题的限定语句"于是，任意两条直线之和应该大于余下的一个"引用了三角形不等式（命题I.20），这一条件是必要的，也能满足证明，但欧几里得对此的证明却是失败的。

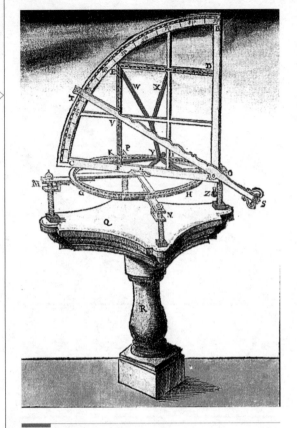

象限仪

丹麦的卓越天文学家第谷·布拉赫是一位注重理论与实践相符的学者。为了证明哥白尼的日心说，他倾心于它的"美丽的几何构造"，曾自制了包括图中象限仪在内的许多天文观测仪，用于进行黄赤交角变化、月球运行的二均差以及岁差的测定等，第谷被后世誉为"星学之王"。

这一命题事实上是本卷第一命题的归纳，第一命题表明，三条线段全等。同样，欧几里得证明两圆相交也是失败的。

本命题应用在命题I.23、XI.22中。

命题I.23

给定一条直线和一个其上的点，可以作一个角等于已知角。

设：AB为已知直线，A为其上的一个给定点，角DCE为给定的角。

那么要求：在直线AB的A点上作角，使之等于给定的角DCE。

令：在直线CD、CE上各取一点D或E，连接DE，以CD、DE、CE三条相等线段建三角形AFG，使CD=AF，CE=AG，DE等于FG（命题I.22）。

因为：DC、CE分别等于对应边FA、AG，底边DE等于底边FG，角DCE等于角FAG（命题I.8）。

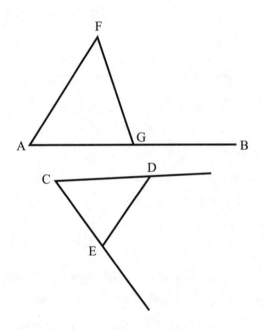

于是：在给定的直线AB和点A上建立角FAG，该角也等于角DCE。

所以：给定一条直线和一个其上的点，可以作一个角等于已知角。

证完

注 解

在命题I.22中，三角形并未在线段的一端；在本命题中，三角形的顶点需要置放在线段的尾点A上。

本命题应用在下一命题中，在其后的数卷中也频繁出现，卷Ⅲ、Ⅵ、Ⅳ、Ⅺ也不时出现。三角形在同一平面的条件似乎是不必要的，因为在命题Ⅺ.31中就用来建不同的平面。

命题I.24

两个三角形有两条对应边相等，其中一个三角形的对应的夹角大于另一个三角形的夹角，那么，这一个三角形的第三边也大于另一个的第三边。

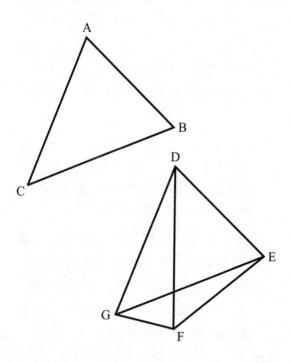

设：ABC、DEF为两个三角形，其中AB、AC分别等于对应边DE、DF，则AB等于DE，AC等于DF。令角A大于角D。

那么我说：BC也大于EF。

因为：角BAC大于角EDF，在DE线段的D点上建角EDG，使之等于角BAC（命题I.23）。

令：DG既等于AC又等于DF，连接EG、FG。

那么：AB等于DE，AC等于DG，BA、AC分别等于对应边ED、DG；角BAC等于角EDG。所以：BC等于EG（命题I.4）。

又：因为DF等于DG，角DGF也就等于角DFG（命题I.5）；所以：角DFG大于角EGF。

贾宪三角

由二项系数构成的数学三角形因其有许多奇妙的性质而被广泛应用于各个领域，所以，在不同的年代，它被人们从不同的角度构造出来。这种算术三角形的构造方法是，先画1个方块，在下面紧接着画2个方块，再下面画3个……就像砌墙的砖一样。在最上面的方块中填上1，其余方块中的数等于它上面相邻方块中的数之和，这种构造最早明确地发表出来并得到承认的是中国的贾宪和中亚细亚的凯拉吉，在中国这被称为"贾宪三角"。

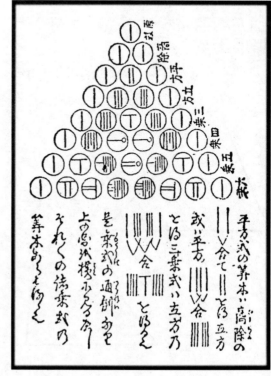

所以：角EFG大于角EGF。

因为：EFG是个包含有角EFG的三角形，且角EFG大于角EGF。较大的角所对应的边也较大（命题I.19）；所以：边EG就大于EF。又：EG等于BC。

所以：BC也大于EF。

所以：两个三角形有两条对应边相等，其中一个三角形的对应的夹角大于另一个三角形的夹角，那么，这一个三角形的第三边也大于另一个的第三边。

证完

注 解

本命题应用在下一命题中，同时也应用在卷III的少数命题以及命题XI.22中。

命题I.25

三角形中如果有两条对应边相等，其中一个的第三边比另一个大，那么也同时有一个角比另一个大。

设：三角形ABC、三角形DEF有两条对

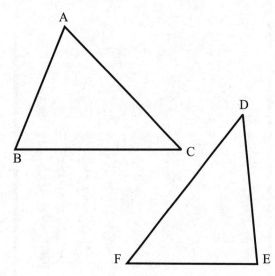

应边相等，AB、AC分别等于DE、DF，AB对应DE，AC对应DF；令BC大于EF。

那么我说：角BAC也大于角EDF。

事实上，如果不是这样，则角BAC等于或者小于角EDF。

现在，先设角BAC等于角EDF；那么底边BC就会等于EF（命题I.4）；但事实不是这样。

所以：角BAC不等于角EDF。

又设角BAC小于角EDF；于是：BC也就会小于EF（命题I.24）；但事实不是这样。

所以：角BAC不小于角EDF。又它们被证明为不相等；所以：角BAC大于角EDF。

所以：三角形中如果有两条对应边相等，其中一个的第三边比另一个大，那么也同时有一个角比另一个大。

证完

命题I.26

两个三角形如有两个角和一条边对应相等，那么其余的对应边和角都相等。

设：三角形ABC、DEF有两个角和一条边相等，角ABC、BCA分别与角DEF、EFD对应相等。一条对应边相等，即BC等于EF。

那么我要说：其余的对应边和角都相等，即AB等于DE，AC等于DF，角BAC等于角EDF。

假设：AB不等于DE，其中一个比另一个大。假定AB大于DE，BG等于DE；连接GC。

那么：既然BG等于DE，BC等于EF，GB、BC两边分别等于对应的两边DE、EF；

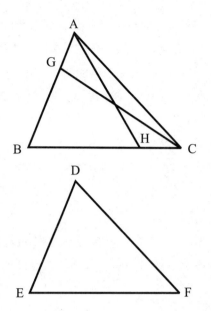

角GBC等于角DEF；于是：底边GC等于底边DF，三角形GBC全等于三角形DEF，剩余的角亦相等，即与等边对应的角相等（命题I.4）；

于是：角GCB等于角DFE。而角DFE被假设等于角BCA；

所以：角BCG等于角BCA，即大角等于小角，故不能成立。

所以：AB与底DE是相等的。

又：BC也等于EF。所以：AB、BC两边分别等于对应边DE、EF，角ABC等于角DEF。

所以：AC等于DF，余角BAC等于余角EDF（命题I.4）。

又：斜边相等角相等，如AB等于DE。那么我说：余下的边也对应相等，即AC等于DF，BC等于EF，余下的角BAC等于余下的角EDF。

假定：如果BC不等于EF，其中一个比

另一个大。

设：BC更大，如果可能，使BH等于EF；连接AH；

那么：既然BH等于EF，AB等于DE，AB、BH两边于是等于对应边DE、EF，并包含相等的角；于是：AH便等于DF，三角形ABH便全等于三角形DEF，余下的对应边所对应的角便互相相等（命题I.4）；所以：角BHA等于角EFD。

而角EFD等于角BCA；所以：在三角形AHC中，外角BHA等于内对角BCA，而这是

最伟大的博学之士

最先用数学方法研究逻辑问题，成为数理逻辑先驱的当属德国哲学家、数学家、自然科学家莱布尼茨（1646—1716年）。数理逻辑用一套特指的表意符号来表示概念、命题和推理，这表明了它们的逻辑形式和结构。数理逻辑的发展极大丰富、充实和改进了形式逻辑的内容。在数学领域里，莱布尼茨与牛顿被并称为微积分的创始人。

不可能的（命题I.16）。所以：BC等于EF，而AB也等于DE；所以：AB、BC两边等于对应的两边DE、EF，并包含相等的角；

所以：底边AC等于底边DF，三角形ABC全等于三角形DEF，余角BAC等于余角EDF（命题I.4）。

所以：两个三角形如有两个角和一条边对应相等，那么其余的对应边和角都相等。

证完

注 解

本命题是三角形全等定理的最后一个定理，命题I.4陈述了边—角—边相等，命题I.8陈述了边—边—边相等，本命题陈述边—两角相等定理。

本命题应用在命题I.34中，也用在卷III、IV、XI、XII、XIII的部分命题中。

命题I.27

如果一条直线与另两条直线相交，所形成的内错角相等，那么这两条直线平行。

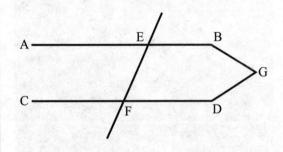

设：直线EF与直线AB、CD相交，形成内错角AEF、EFD相等。

那么我说：AB平行于CD。

假定：AB、CD是不平行的，那么它们一定在B、D的方向或A、C的方向相交。

假定：它们在B、D的方向相交于G点。

那么：在三角形GEF中，外角AEF等于其内对角EFG。这是不可能的（命题I.16）。

所以：AB、CD在B、D方向的延长线不相交。

同理可证：在A、C方向上也不能相交。

而两条在两个方向上都不相交的直线是平行线（定义I.23）；

所以：AB平行于CD。

所以：如果一条直线与另两条直线相交，所形成的内错角相等，那么这两条直线平行。

证完

注 解

这里潜假设了在同一平面，如果所有的线不在一个平面内，术语"内错角"就失去了其意义。

欧几里得忽略了另两种可能性，即线可以相交，即在A、D两个方向上，或者朝向B、C。

虽然这是平行线的第一命题，但并未应用公设I.5。

本命题中，平行线建立，在命题I.31中，使用了本命题来论证平行线的建立，本命题也应用在下一命题及命题I.33中。

命题I.28

一条直线与两条直线相交，如果所形成的同位角相等，那么这两条直线是平行线；如果同旁内角互补，两条直线也平行。

设：直线EF与直线AB、CD相交，所形成的角EGB等于角GHD，或者在同旁的内角

BGH、GHD互补；

那么我说：AB与CD平行。

因为：角EGB等于角GHD，同时角EGB等于角AGH（命题I.15）。角AGH也等于角GHD；且它们是内错角，所以：AB平行于CD（命题I.27）。

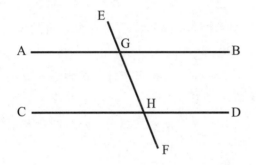

又：因为角BGH、GHD的和等于两个直角，角AGH、BGH的和也等于两个直角（命题I.13），角AGH、BGH的和等于角BGH、GHD的和。

从各角中减去角BGH；于是：余角AGH

等于余角 GHD；且它们是内错角。

所以：AB平行于CD（命题I.27）。

所以：一条直线与两条直线相交，如果所形成的同位角相等，那么这两条直线是平行线；如果同旁内角互补，两条直线也平行。

证完

注解

本命题陈述的是前一命题的两个次要变量。

本命题应用在命题IV.7、VI.4中，在卷XI中也有两次应用。

命题I.29

一条直线与两条平行线相交，所形成的内错角相等，同位角相等，同旁内角互补。

设：直线EF相交于平行线AB、CD。

布莱斯·帕斯卡

法国数学家布莱斯·帕斯卡16岁时就对几何学作出了新的发现，这就是今天人所共知的帕斯卡定理。后来，他又发现了帕斯卡定律，说明流体均衡地向各个方向传递压力。在众多领域里，他对流体的研究使人们对大气压力的了解有了重大进展，并使他发明了水压机和注射器，帕斯卡21岁时与数学家费马一起提出了概率论。今天，该理论常被用来预测遗传学、保险学等众多学科知识。

那么我说：内错角AGH与GHD相等，同位角EGB和角GHD相等，同旁内角BGH和角GHD互补。

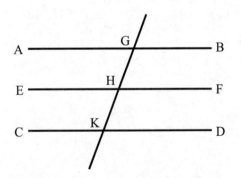

假设：角AGH不等于角GHD，其中一个较大；设角AGH是较大的角。用角BGH与各角相加；于是角AGH、角BGH的和大于角BGH、角GHD的和。

而角AGH、角BGH互补（命题I.13）；

所以：角BGH、角GHD的和小于两个直角的和。

而同平面内一条直线和另外两条直线相交，若在直线某一侧的两个内角之和小于二直角，则这两条直线经无限延长后在这一侧相交（公设I.5）。

所以：AB、CD如果延长便会相交，因为它们是假定平行的；所以：角AGH不能不等于角GHD，即它们相等。

又：角AGH等于角EGB（命题I.15）；

所以：角EGB等于角GHD（公理I.1）。

令：角BGH与各角相加；于是：角EGB、角BGH的和等于角BGH、角GHD的和（公理I.2）。

而角EGB、角BGH互补（命题I.13）；

所以：角BGH、角GHD互补。

所以：一条直线与两条平行线相交，所

形成的内错角相等，同位角相等，同旁内角互补。

证完

注 解

本命题的陈述包含三个部分，其一是命题I.27的逆命题，另两个是命题I.28的逆命题。本命题假定了平面包含所有的三条直线。

本命题是依赖于平行公设的第一命题，但是在双曲线几何中，这一定理将失效。

本命题频繁地被应用在以后的命题中。

命题I.30

平行于同一直线的两条直线相互平行。

设：线段AB、CD平行于EF。

那么我说：AB也平行于CD。

令：直线GK与它们相交；因为：GK与平行线AB、EF相交，角AGK等于角GHF（命题I.29）；

又因为，直线GK和平行线EF、CD相交，角GHF等于角GKD（命题I.29）。

而角AGK也被证明等于角GHF；所以：角AGK也等于角GKD（公理I.1）；且它们是内错角，所以：AB平行于CD。

所以：平行于同一直线的两条直线相互平行。

证完

注 解

本命题假设了三条线段位于同一平面内，命题XI.9则是三条线不在一个平面内。

现代综合几何学中，普勒菲尔公理代替了欧几里得的平行公设，该公理陈述，过已知点的一条已知直线至多有一条平行线。

欧几里得的《几何原本》是人类历史上最优美的科学著作之一。刺激我们兴趣的不是那些图形，而是概念——那些相互连接的概念，以及欧几里得所呈现的这些概念及它们的连接方式。《几何原本》的数学优雅，还在于它的简洁与清晰品性，使读者阅读容易、轻松。

对欧几里得批评最多的是平行公设，即I.5公设，其定义含混，没有简洁的品性。本命题也是简洁的，普勒菲尔公理则更为简洁，可以替代I.5公设。

本命题应用在I.45和IV.7中。

命题I.31

通过直线外一点可以作一条直线的平行线。

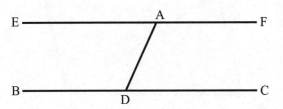

设：A为给定的点，BC为给定的平行线；现在要求通过点A作一条平行线平行于BC。在BC上任取一点D，连接AD；在直线AD上，通过A点建角，使角DAE等于角ADC（命题I.23）；令线段AF延长与EA相连。

因为：直线AD与直线BC、EF相交形成的内错角EAD、角ADC彼此相等；

所以：EAF平行于BC（命题I.27）。

所以：通过给定的点A，作成了一条线段EAF，平行于BC。

所以：通过直线外一点可以作一条直线的平行线。

证完

算本集成

《算本集成》是文艺复兴时期意大利著名数学家帕奇欧里（1445—1514年）的代表作。他出版了一批普及的算术书，内容多是用于商业、税收、测量等方面的实用算术，特别是阿拉伯数字的使用使算术运算日趋标准化。《算本集成》是一部综合性数学百科全书，内容几乎包括当时算术、代数和三角学的所有知识。

注 解

所建的平行线EF是过A点的唯一平行线，如果还存在另外的平行线，那么一边上的内角或AD与BC构成的内角将小于两个直角，于是根据平行公设（I.5公设），它将与BC相交，这是矛盾的。

本命题高频率地出现在本卷从此命题开始的命题中，也高频率地出现在卷II、IV、VI、XI、XII、XIII中。

命题I.32

延长三角形的任意一边所形成的外角，等于不相邻两个内对角的和，三个内角的和等于180°。

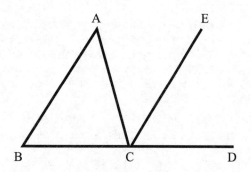

设：延长三角形ABC的BC边至D。

那么我说：外角ACD等于两个内对角CAB与角ABC的和，且三个内角ABC、角BCA、角CAB的和等于180°。

令：通过C点作线段CE，使之平行于AB（命题I.31）；

因为：AB平行于CE，且与AC相交，形成内错角BAC、角ACE，两角相等（命题I.29）。

又：因为AB平行于CE，线段BD与之相交，形成外角ECD，角ECD等于内对角ABC（命题I.29）；

而角ACE也能被证明等于角BAC。所以：大角ACD等于两个内对角BAC与ABC的和。

令：角ACB与各角相加；于是：角ACD、ACB的和等于三个角ABC、BCA、CAB的和。

而角ACD、ACB的和等于180°（命题I.13）；

所以：角ABC、BCA、CAB的和也等于180°。

所以：延长三角形的任意一边所形成的外角，等于不相邻两个内对角的和，三个内角的和等于180°。

证完

注 解

本命题虽然在本卷中再没有得以利用，但在II、III、IV、VI、XI、XII、XIII中却高频率地应用，而推论没有再被利用。

命题I.33

一组对边平行且相等的四边形的另一组对边也平行且相等。

设：AB等于CD，并且平行，连接两条线段的端点AC、BD；

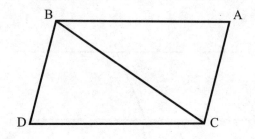

那么我说：AC与BD也相等并平行。

令：连接BC。因为：AB平行于CD；BC与它们相交形成的内错角ABC、BCD相互相等（命题I.29）；

因为：AB等于CD；而BC是公共边，AB、BC两边等于DC、CB两边，角ABC等于角BCD；

所以：底边AC等于底边BD，三角形ABC全等于三角形DCB，且各边所对应的余角也相等（命题I.4）；所以：角ACB等于角CBD。

又：因为直线BC与两条直线AC、BD相交，所形成的内错角亦互相相等。

所以：AC平行于BD（命题I.27）。

所以：一组对边平行且相等的四边形的另一组对边也平行且相等。

证完

注 解

在这里应该加上"在同一方向"的限定语句，因为如果没有这个限定，AD和BC可能在平行线的尾点相交。

本命题应用在I.36、I.45中，卷XI到卷XIII也有部分应用。

命题I.34

平行四边形中，对边相等，对角相等，对角线平分该四边形。

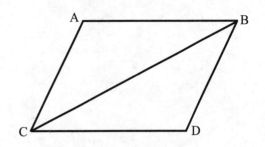

设：平行四边形ACDB，BC为对角线。

那么我说：平行四边形ACDB的对边相等，对角相等，对角线互相平分。

因为，AB平行于CD，线段BC与AB相交，形成的内错角ABC、BCD相等（命题I.29）。

又：因为AC平行于BD，线段BC与AC

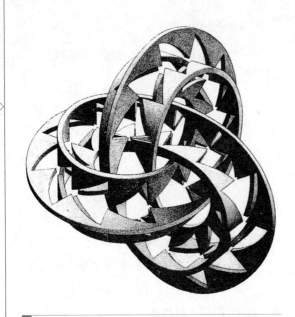

结

埃舍尔的数学兴趣在这件作品中表现得尤为突出，除了数学家，普通人很难对这个结构产生兴趣，它被称为三叶纽结，是最简单的纽结形式。所有的纽结都是针对三维空间曲线，在二维平面上不可能打成一个真正的纽结，埃舍尔的做法是赋予这条曲线复杂的外形，然后在平面上用严格的透视法再现这个结构。

相交形成的内错角ACB，与角CBD相等（命题I.29）。

所以：ABC、DCB是有两个角ABC、BCD分别等于对应角DCB、CBD的三角形；所以：余下的边与角对应相等（命题I.26）。

所以：AB等于CD，AC等于BD，且角BAC等于角CDB。

又：因为角ABC等于角BCD，角CBD等于角ACB，大角ABD等于大角ACD（公理2）；又：角BAC也能被证明等于角CDB；

所以：平行四边形对应边与对应角相等。

另外我说：对角线平分。

因为：AB等于CD，BC是公共边，

AB、BC分别等于对应边DC、CB，且角ABC等于角BCD；

所以：AC也等于DB；三角形ABC全等于三角形DCB（命题I.4）。所以：对角线BC平分平行四边形ACDB。（这里就该证明AD、BC互相平分）。

所以：平行四边形中，对边相等，对角相等，对角线平分该四边形。

证完

注 解

普鲁克劳斯指出，"平行四边形"是欧几里得创造的，不过在希腊早期的数学中却并未出现过。

本命题应用在接下来的四个命题中，也应用在卷II、IV、VI、X、XI、XII中。

命题I.35

同底且在相同的二平行线之间的平行四边形面积相等。

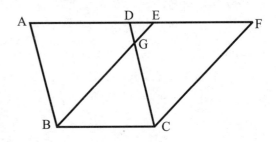

设：平行四边形ABCD、EBCF有共同的底边BC且在两平行线AF、BC之间；

那么我说：ABCD的面积等于平行四边形EBCF的面积。

因为：ABCD是平行四边形，所以AD等于BC（命题I.34）。

同理可得：EF等于BC。

所以：AD 也就等于 EF（公理I.1），又：DE 是共用边。所以：AE 等于 DF（公理I.2）。

而AB也等于DC（命题I.34）；

所以：EA、AB分别等于对应边FD、DC，角FDC等于角EAB，同位角相等（命题I.29）；所以：底边EB等于底边FC，三角形EAB全等于三角形FDC（命题I.4）。

令：两三角形减去三角形DGE；于是：余下的梯形ABGD面积等于余下的梯形EGCF（公理I.3）；

令：加上三角形GBC；所以：平行四边形ABCD的面积等于EBCF的面积（公理I.2）。

所以：同底且在相同的二平行线之间的平行四边形面积相等。

证完

注 解

本命题应用在接下来的两个命题以及命题XI.31中。

命题I.36

等底且在相同的二平行线之间的平行四边形面积相等。

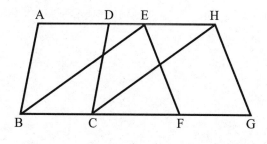

设：平行四边形ABCD、EFGH的底边BC等于FG，并在同一线段上。AH平行于BG；

那么我说：平行四边形ABCD与EFGH的面积相等。

令：连接BE、CH。因为：BC等于FG，同时FG等于EH、BC也等于EH（公理I.1）。

又：它们是平行的。

EB、HC与它们相连；而末端相连的线段对应相等并平行（命题I.33）；所以：EBCH是平行四边形（命题I.34）。

又：因为BC是共用边，BC、AH在同一平行线上，所以EBCH等于ABCD（命题I.35）；

同理：EFGH等于四边形EBCH的面积（命题I.35）；

所以：平行四边形ABCD也等于EFGH的面积（公理I.1）。

所以：等底且在相同的二平行线之间的平行四边形面积相等。

证完

注 解

本命题是前一命题的归纳，事实上此二命题可以绑定为一个命题，在首先证明了它的特殊情况后，接着证明其通常情况。

本命题应用在命题I.38中，其他的一些证明应用在卷II、VI和命题XI.29中。

命题I.37

同底等高的三角形面积相等。

设：三角形ABC、DBC有同底边BC，并有相同平行线段AD、BC。

那么我说：三角形ABC与三角形DBC面

积相等。

令：在两个方向上延长AD至E和F；过B作BE平行于CA（命题I.31）。

过C作CF平行于BD。

因为：图形EBCA、DBCF有共同的边BC及EF（命题I.35）；所以：EBCA、DBCF是平行四边形，并相等。

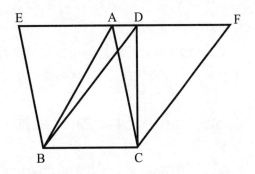

又：因为AB是对角线，故：三角形ABC是平行四边形EBCA的一半（命题I.34）。

又：DC是对角线，故：三角形DBC是平行四边形DBCF的一半（命题I.34）。

（等量的一半相等）。

所以：三角形ABC的面积等于三角形DBC的面积。

所以：同底等高的三角形面积相等。

证完

注 解

本命题中三角形底边相同，在下一个命题中底边相等。证明是一样的，只是本命题依赖于命题I.35，而下一个命题依赖于命题I.36，下一个命题是更为通用的情况。最后的结论有些疏漏，根据命题的证明，应该是两个量的两倍相等。

本命题应用在命题I.39、I.41、VI中。

命题I.38

等底等高的三角形面积相等。

设：三角形ABC和DEF，有相等的底边BC和EF，并在同一线段BF及AD上；

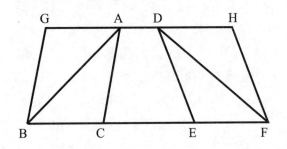

那么我说：三角形ABC的面积等于三角形DEF的面积。

令：在两个方向上延长AD至G和H；通过B作BG平行于CA（命题I.31）；通过F作FH平行于DE；

因为：BC等于EF，且在同一线段BF、GH上（命题I.36）；所以：图形GBCA、DEFH是平行四边形，且两者相等；

又：因为AB是对角线（命题I.34）；所以：三角形ABC是平行四边形GBCA的一半；

同理：DF是DEFH的对角线，所以三角形DEF是平行四边形DEFH的一半（命题I.34）；所以：三角形ABC的面积等于三角形DEF的面积。

所以：等底等高的三角形面积相等。

证完

注 解

本命题的结论是清晰的，根据命题I.36，底相等且在同一对平行线上的平行四边形相等，又根据命题I.34，三角形是平行四边形的一半，于是，三角形也相等。

本命题应用在命题I.40、I.42、VI.1中。

命题I.39

有共同底边位于同侧面积相等的三角形的另两点的连线平行于底边。

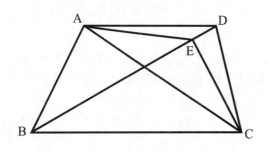

设：ABC、DBC是以BC为底边在BC同侧面积相等的三角形。

那么我说：它们在两平行线间。

连接AD；那么我说：AD平行于BC。

假定：AD不平行于BC，过A点作AE平行于BC（命题I.31）。

连接EC。

因为：BC是共用边，它们同底等高（命题I.37）；那么：三角形ABC的面积等于三角形EBC的面积；

而：ABC的面积等于DBC的面积；所以：DBC的面积也等于EBC的面积（公理I.1），那么大等于小，这是不可能的。

所以：AE不是BC的平行线。

同理：我们能证明除AD以外的其他线段不是BC的平行线；

所以：AD是BC的平行线。

所以：有共同底边位于同侧面积相等的三角形的另两点的连线平行于底边。

证完

注 解

本命题部分地是命题I.37的逆命题，仅仅是部分，因为两个三角形ABC和DBC有相同的边，即线段BC上的边。如果它们不是，那么AD将不能与BC平行，而是穿过其中点。

本命题应用在命题VI.2中。

命题I.40

等底并在同一边的面积相等的三角形，顶点的连线与底边平行。

伊斯兰数学

在世界文明史上，阿拉伯人在保存、传播、融合并发展古代希腊、印度和中国的文化，并最终为欧洲文艺复兴准备学术前提方面，作出了巨大贡献。阿拔斯王朝的首都巴格达是当时的科学文化中心，那里设立的"智慧宫"吸引了大批学者。本图描绘了当时阿拉伯天文学家和数学家工作时的情景。

设：ABC、CDE是面积相等的三角形，并有相等底边BC和CE，且在同一侧。

那么我说：两三角形顶点的连线与底边平行。

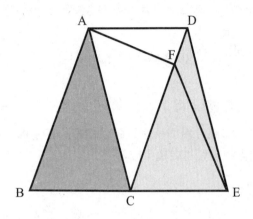

连接AD；那么我说：AD平行于BE。

因为，如果不是，令：过A作AF平行于BE（命题I. 31），再连接FE。

于是：三角形ABC等于三角形FCE的面积；因为，它们在相等底边BC、CE上，且在相同平行线BE、AF之间（命题I.38）。

又，三角形ABC等于三角形DCE的面积；所以：三角形DCE也等于三角形FCE的面积，大等于小。这是不可能的。所以：AF不平行于BE。

类似的，我们可以证明，除了AD以外的任何线段也不可能平行于BE；所以：AD平行于BE。

所以：等底并在同一边的面积相等的三角形，顶点的连线与底边平行。

证完

注 解

本命题不同于本卷中的其他命题，在《原本》中再也没有被应用过。

四柱式庭院

罗素说过"数学不仅拥有真理，而且拥有至高无上的美"。他所说的是一种形式高度抽象的美，即逻辑形式与结构的完美。这种以简单结构以及逻辑形式完美为目标的追求，使数学成为人类艺术发展的文化激素。数学对艺术的影响遍及绘画、音乐、建筑、文学等各个方面，仅就建筑而言，就涉及对称、黄金分割、各种曲线和曲面等。图中的四柱式庭院就是一个简单却极富表现力的木制品，它展现了以数学为基础的构成要素。

命题I.41

如果一个平行四边形与一个三角形同底边，并于同一顶点连线平行于底边，那么，平行四边形的面积是三角形的两倍。

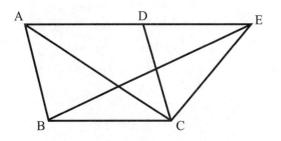

设：平行四边形ABCD与三角形EBC有同底边BC，并在两平行线BC、AE之间。

那么我说：平行四边形ABCD的面积是三角形BEC的两倍。

连接AC（公设I.1）。

于是：三角形ABC的面积等于三角形EBC的面积，因为，它们有同底边BC并BC平行于AE（命题I.37）。

又，平行四边形ABCD的面积是三角形ABC的两倍，因为，对角线AC平分ABCD，于是：平行四边形ABCD的面积是三角形EBC的两倍（命题I.34）。

所以：如果一个平行四边形与一个三角形同底边，并同一顶点连线平行于底边，那么平行四边形的面积是三角形的两倍。

证完

注 解

本命题的部分是对命题I.34的归纳，平行四边形的面积是其对角线与两边所围成的三角形的面积的两倍，可以陈述为，如果一个平行四边形与一个三角形同底，且在同一对平行线上，那么该平行四边形的面积是三角形面积的两倍。

本命题应用于下一命题及命题I.47、VI.1、X.38中。

命题I.42

可以建一个平行四边形使其面积等于一个给定角的给定三角形的面积。

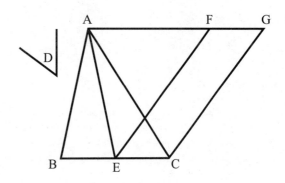

设：ABC为给定三角形，D为给定角。

现在要求：根据给定角D，建一个平行四边形的面积等于三角形ABC的面积。

在E点平分BC，连接AE。在线段EC及点E上建角CEF等于定角D。过A作AG平行于EC，再过C作CG平行于EF（命题I.10，公设I.1、I.23、I.31）。

因此：FECG是平行四边形。

因为：BE等于EC，所以：三角形ABE的面积也等于三角形AEC的面积，因为，它们在相等底边BE和EC上，并在相同二平行线BC、AG之间。所以：三角形ABC的面积是三角形AEC的面积的两倍（命题I.38）。

又，平行四边形FECG的面积也是三角形AEC的两倍，因为，两者有相等的底边，并顶点连线与底边平行，所以：平行四边形

FECG的面积也等于三角形ABC的面积。

又，角CEF等于给定角D。

所以：平行四边形FECG被建成，等于给定的三角形ABC的面积，并在等于D的角CEF上。

所以：可以建一个平行四边形使其面积等于一个给定角的给定三角形的面积。

证完

注 解
本命题应用在下面两个命题中。

时间和空间的形态

在牛顿的理论中，时间独立于其他万物而存在，它仿佛是在两个方向上都无限延伸的铁轨。1915年，爱因斯坦提出了一种崭新的数学模型：广义相对论。这个理论是时间和空间模型的基础。广义相对论把时间维和空间的三维合并形成时空，宇宙中物质和能量的分布引起时空弯曲和畸变，这个时空中的物体企图沿着直线运动，但时空是弯曲的，它们的轨迹显得被弯折了，这样，时间就有了形态。然而，它只能往一个方向前进。

命题I.43

在任何平行四边形中，对角线上两边的平行四边形的补形面积相等。

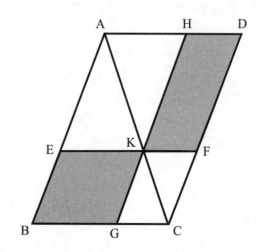

设：ABCD是平行四边形，且AC是对角线，建EH和FG两个平行四边形，BK和KD被称为补形。

那么我说：补形BK的面积等于补形KD的面积。

因为：ABCD是平行四边形，AC是对角线，所以：三角形ABC的面积等于三角形ACD（命题I.34）。

又，因为：EH是一个平行四边形，且AK是其对角线，所以：三角形AEK的面积等于三角形AHK。

同理，三角形KFC的面积等于三角形KGC（命题I.34）。

现在，因为：三角形AEK的面积等于三角形AHK，且KFC的面积等于KGC，所以：三角形AEK的面积与三角形KGC的面积相加等于三角形AHK的面积与KFC的面积相加。

又，整体三角形ABC的面积也等于整体三角形ADC的面积，所以：补形BK的面积等于补形KD的面积。

所以：在任何平行四边形中，对角线上两边的平行四边形的补形的面积相互相等。

证完

注 解

本命题应用在下一个命题中。也用在卷II、VI的几个命题中。

命题I.44

给定一条线段，给定一个角，可建一个平行四边形使其面积等于给定的三角形。

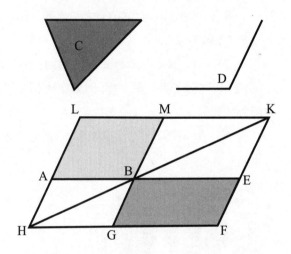

设：AB为给定的线段，D为给定的角，C为给定的三角形。

现在要求：在AB上建一个平行四边形等于给定的三角形C的面积，并使其一个内角等于给定的角D。

设：要建的等于三角形C的平行四边形是BEFG，其中角EBG等于角D，移动线段EB，使之与AB重合（命题I.42）。

延长FG至H，过A作AH平行于BG，也平行于EF。连接HB（公设I.2、命题I.31、公

设I.1）。

因为：线段HF与AH和EF相交，所以：角AHF和HFE之和等于两个直角。

所以：角BHG和GFE之和小于两个直角。

且将直线无限延长后，在小于两直角的一侧相交，所以：当延长HB和FE时，它们将相交（命题I.29、公设I.5）。

令：延长它们并相交于K，再过K作KL平行于EA或者FH。

延长HA和GB至点L、M（命题I.31）。

于是：HLKF是平行四边形，HK是它的对角线，且AG和ME是平行四边形，LB和BF是HK上的补形。

所以：LB等于BF的面积（命题I.43）。

又，BF的面积等于三角形C的面积，所以：LB也等于C的面积（公理I.1）。

因为：角GBE等于角ABM，同时，角GBE等于角D，所以：角ABM也等于角D（命题I.15）。

所以：用给定线段AB建成的平行四边形LB的面积，等于给定的三角形C的面积，且其中角ABM等于角D。

所以：给定一条线段，给定一个角，可建一个平行四边形使其面积等于给定的三角形。

证完

注 解

本命题的证明分为两步，第一步是利用命题I.42建立平行四边形，使其角等于给定的三角形的某一角；第二步是调用命题I.43，改变其长度，使之等于合适的长度。

本命题除了应用在下一命题中以外，也用在命题VI.25中建一个图形，使之相似但不等于给定的直线图形。

命题I.45

建一平行四边形使其内角等于一给定角，面积等于给定的多边形的面积。

设：ABCD为给定的多边形，E为给定的角。

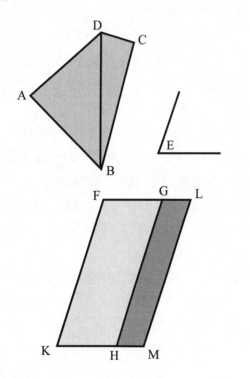

现在要求：建一平行四边形，使其面积等于多边形ABCD的面积，并满足角E。

连接DB，设要建的等于三角形ABD的面积的平行四边形是FH，其中角HKF等于角E（公设I.1，命题 I.42 、I.44）。

因为：角E等于角HKF，也等于角GHM。

所以：角 HKF 也等于角 GHM（公理 I.1）。

每个角加上角KHG，于是：角FKH与角KHG之和等于角KHG与角GHM之和（公理I.2）。

又，角FKH与角KHG之和等于两个直角的和，所以：角KHG与角GHM之和也等于两个直角（公理I.1）。

于是：用一条线段GH及它上面的一点H，不在它同侧的两线段KH、HM作成相邻的两角的和等于二直角（命题I.14）。

因为：直线HG与平行线KM和FG相交，

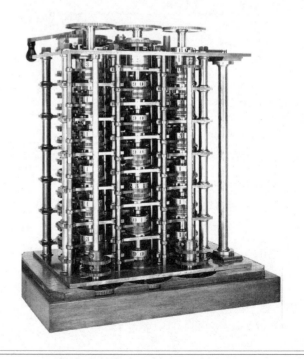

差分机

1819年，英国科学家巴贝奇设计了"差分机"，并于1822年制造出可动原型。巴贝奇希望这台机器能够提高乘法速度和改进对数表等数字表的精确度。后来，巴贝奇将注意力转移到"分析机"的设计。"分析机"实际上是现代计算机的前身。其最主要的特征是把存储器和运算器分离开来，存储器在计算过程中存放数字，运算器进行算术运算，通过在穿孔卡片上编码进行输入和输出操作，而控制器控制着程序。1991年，为纪念巴贝奇诞辰200周年，伦敦科学博物馆制作了图中的完整的差分机。它包含4000多个零件，重2.5吨。

所以：两内错角MHG与角HGF相等（命题I.29）。

角HGL与每个角相加，于是：角MHG与角HGL之和等于角HGF与角HGL之和（公理I.2）。

又，角MHG与角HGL之和等于两个直角，所以：角HGF与角HGL之和等于两个直角，所以：FG与GL在同一直线上（命题I.29、I.14）。

因为：FK等于且平行于HG，而HG等于且平行于ML，所以：KF也等于且平行于ML，又，线段KM和FL连接了它们的端点，所以：KM与FL也相等且平行。

所以：KFLM是一个平行四边形（命题I.34、I.30、I.33）。

因为：三角形ABD的面积等于平行四边形FH的面积，且三角形DBC的面积等于GM的面积，所以：总多边形ABCD等于总平行四边形KFLM的面积（公理I.2）。

所以：平行四边形KFLM被建成，它等于给定的多边形ABCD的面积，且角FKM等于给定角E。

所以：建一平行四边形使其内角等于一给定角，面积等于给定的多边形的面积。

证完

海王星的发现

图为法国报刊上的漫画——"海王星的发现"。画面上英国人亚当斯通过望远镜看见了法国天文学家勒维烈的计算，而勒维烈真正看见了海王星。1846年，海王星的发现是观测天文学中最为激励人心的事件之一。它并不是观测天文学家偶然的发现，而是数学家"笔尖上的发现"。

注 解

本命题很好地解决了什么是直线图形的面的问题。但什么是圆的面呢？在《原本》中未得到解决。

本命题应用在II.14、VI.25、XI.32中，在命题XI.32中，用来建不同平面。

命题I.46

给出一条线段，可以作一个正方形。

设：AB为给定的线段。

现在要求的是：在AB上建一个正方形。

过点A作AC垂直于AB，使AD等于AB，再过点D作DE平行于AB，过点B作BE平行于AD（命题I.11、I.3、I.31）。

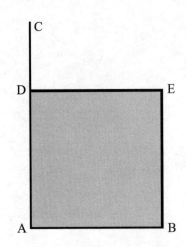

于是：ADEB是平行四边形。

所以：AB等于DE，AD等于BE（命题I.34）。

又，AB等于AD，所以：四条线段BA、AD、DE、EB相互相等，所以：平行四边形ADEB是等边的。

那么我说：它也是直角形。

因为：线段AD与平行线AB和DE相交，所以：角BAD与角ADE之和等于两个直角（命题I.29）。

又，角BAD是直角，所以：角ADE也是直角。

又，在平行四边形中，对边和对角相互相等，所以：对角ABE和角BED也是直角，所以：ADBE是直角图形（命题I.34）。

又，它也被证明是等边的。

所以：给出一条线段，可以建一个正方形。

证完

注 解

本命题是第二个关于正多边形的，第一个是命题I.1的正三角形。正五、六和十五边形出现在卷IV中。

本命题应用在下一命题中，在卷II、VI、XII、XIII中都有大量应用。

命题I.47

在直角三角形中，以斜边为边的正方形面积等于以两直角边为边的正方形面积之和（两直角边的平方和等于斜边的平方）。

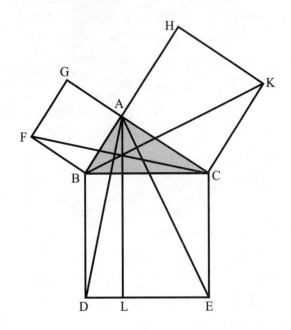

设：ABC是直角三角形，其中角BAC是直角。

那么我说：BC为边的正方形等于以BA和AC为边的正方形之和。

建BC为边的正方形BDEC，且建BA和AC为边的正方形GB和HC。过A作AL平行于BD，也平行于CE，连接AD和FC（命题I.46、I.31）。

因为：角BAC和BAG皆是直角，在一条直线BA上的一个点A有两条直线AC、AG不在它的同一侧所成的两邻角的和等于两直角，于是CA与AG在同一直线上（定义I.22、命题I.14）。

同理，BA也与AH在一条直线上。

因为：角DBC等于角FBA，因为：它们是直角。每个角加上角ABC，于是：总角DBA等于总角FBC（定义I.22、公设I.4、公理I.2）。

因为：DB等于BC，FB等于BA，两边AB和BD分别等于两边FB和BC，且角ABD等于角FBC，所以：底边AD等于底边FC，且三角形ABD的面积等于三角形FBC的面积（定义I.22、命题I.4）。

现在，因为：平行四边形BL的面积是三角形ABD的两倍，因为，它们有同底边BD，且在相同平行线BD和AL之间。

又，GB上的正方形是三角形FBC的面积的两倍，因为它们有同底FB，且在相同平行线FB和GC之间（命题I.41）。

所以：平行四边形BL也等于正方形GB的面积。

类似地，如果连接AE和BK，平行四边形CL也能被证明等于正方形HC的面积。

所以：总正方形BDEC的面积，等于GB和HC两个正方形的面积之和（公理I.2）。

又，BDEC正方形是建在BC上的，且正方形GB和HC是建在BA和AC上的。

所以：BC为边的正方形的面积等于BA和AC为边的正方形的面积之和。

所以：在直角三角形中，以斜边为边的正方形的面积等于两直角边为边的正方形的面积之和。

证完

注 解

这就是著名的毕达哥拉斯定理（又名勾股定理）的证明。

本命题应用在下两个命题中，其逆命题用在第二卷命题II.9到命题II.14中，其余各卷中也有应用。

彭加勒

朱尔·昂利·彭加勒（1854—1912年），法国数学家。他的研究涉及了几何学、数论、代数学以及拓扑学等诸多领域，成功解决了地球、太阳及月亮之间相互运动的三体问题。从1899年开始，他潜心研究电子理论，并最先认识到洛伦茨变换构成群。在科学哲学方面，他提出了"约定论"，这是对人类理性认识的基本法则的深入探讨。对于经典物理学，彭加勒投入大量精力对其进行了深入研究。他是量子力学和相对论的思想先驱。另外，在狭义相对论的创立方面，彭加勒也作了极大的贡献。

命题I.48

在一个三角形中，如果一边为边的正方形等于另两边为边的正方形之和，那么，后两边的夹角是直角。

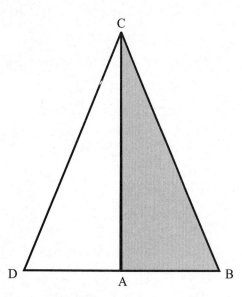

设：在三角形ABC中，BC为边的正方形等于BA和AC为边的正方形的面积之和。

那么我说：角BAC是直角。

过A作AD垂直于AC，使AD等于BA，连接DC（命题I.11、I.3，公设I.1）。

因为：DA等于AB，所以：DA为边的正方形的面积也等于AB为边的正方形的面积。

用AC为边的正方形的面积与每个相加，于是：DA和AC为边的正方形的面积之和等于BA和AC为边的正方形的面积之和（公理I.2）。

又，DC为边的正方形的面积等于DA和

构成第八号

《构成第八号》非常准确地反映了康定斯基关于点线面的抽象绘画理论，圆形、不规则方形以及直线的有机组合构成了欢快而浪漫的基调。

AC为边的正方形的面积之和，因为角DAC
是直角。且BC为边的正方形的面积等于BA
和AC为边的正方形的面积之和，因为，这
是假设。

所以：DC为边的正方形的面积等于BC
为边的正方形的面积，于是：DC边也等于
BC（命题I.47、公理I.1）。

因为：DA等于AB，AC是公共边，DA
和AC两边等于BA和AC两边，且DC边等于
BC边，所以：角DAC等于角BAC。

而角DAC是直角，所以：角BAC也是直
角（命题I.8）。

所以：在一个三角形中，如果一边为边
的正方形等于另两边为边的正方形之和，那
么，后两边的夹角是直角。

证完

注 解
这一命题是前一命题的逆命题。
本命题应用在命题XI.35中。

霍华德·艾肯

　　霍华德·艾肯（1900—1973年），美国数学家，大型自
动数字计算机MARK-I的创造者，他因此而成为首批获得计算
机先驱奖的数学家之一。

第二卷　几何与代数

公元前387年，柏拉图在雅典创立了哲学学园。他非常重视数学，在教学科目中开设了代数与几何课程。但他片面强调数学在训练思维中的作用，忽视其使用价值。他希望通过学习几何来培养逻辑思维能力，利用几何给人的强烈印象来将抽象的逻辑规律体现在具体的图形之中。他在学园门口立了一个牌子，牌子上面有一行字：不懂几何者免进。

该卷主要讨论的是毕达哥拉斯学派的几何代数学。

最后的晚餐

达利发现了特别适合于他超现实主义艺术的新几何。他把第四维空间与非现实或潜意识的更高维结合起来。《最后的晚餐》发生在柏拉图学派用来象征整个宇宙的一个十二面体之中。

本卷提要

※命题II.1，如果$y = y_1 + y_2 + \cdots + y_n$，那么$xy = x\,y_1 + x\,y_2 + \cdots + x\,y_n$，也可以用单一恒等式表示为：$x(y_1 + y_2 + \cdots + y_n) = x\,y_1 + x\,y_2 + \cdots + x\,y_n$。

※命题II.2，如果$x = y + z$，那么$x^2 = xy + xz$，用等式表示这两个变量有多种方式，比如：$(y + z)^2 = (y + z)\,y + (y + z)\,z$，或者$x^2 = xy + x(x - y)$。

※命题II.3，如果$x = y + z$，那么$xy = yz + y^2$，也可以表示为：$(y + z)\,y = yz + y^2$和$xy = y(x - y) + y^2$。

※命题II.4，如果$x = y + z$，那么$x^2 = y^2 + z^2 + 2yz$。等式表示为：$(y + z)^2 = y^2 + z^2 + 2yz$。

浮力定律

浮力定律的发现是阿基米得广为世人熟知的故事之一。有一天他从澡盆里跳出来，跑到大街上大喊："我找到了！"产生这一怪异举动的原因在于，当他坐进澡盆时，看见水从盆沿溢流出来，于是想出了计算制作国王皇冠用了多少黄金的方法——把皇冠放入注满水的容器中，溢出水的体积相当于皇冠的体积。这就是著名的浮力定律。

※命题II.5、II.6，等式可表示为：$(y + z)(y - z) + z^2 = y^2$。

※命题II.7，如果$x = y + z$，那么$x^2 + z^2 = 2xz + y^2$。等式可表示为：$x^2 + z^2 = 2xz + (x - z)^2$。

※命题II.8，如果$x = y + z$，那么$4xy + z^2 = (x + y)^2$。等式表示为：$4xy + (x - y)^2 = (x + y)^2$。

※命题II.9、II.10，等式可表示为：$(y + z)^2 + (y - z)^2 = 2(y^2 + z^2)$。

※命题II.12、II.13，余弦定理的几何模型。

※命题II.14，建一个正方形等于已知直线图形。完成从卷一开始的关于面的理论的建设。

定 义

II.1 有一个直角的平行四边形称为矩形。

II.2 在任何平行四边形中，以此形的对角线为对角线的小平行四边形与两个相应的补形构成的图形称为折尺形。

命题II.1

两条线段，其中一条被截分成许多段，那么以这两条线段为边构成的矩形的面积等于各截线段与未截的那条线段为边所构成的矩形面积的和。

设：a和BC为两条线段，BC被任意点D及E切割。

那么我说：a与BC的积等于a与BD、a与DE、a与EC之积的和。

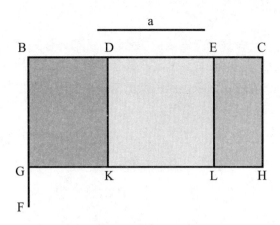

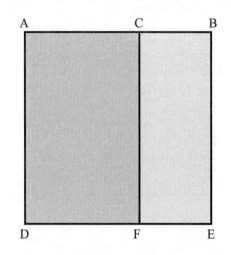

命题II.2

一条线段被任意分成两部分，这两部分与原线段为边所构成的矩形面积之和，等于以原线段为边构成的正方形的面积。

令：从B点引出BF线垂直于BC（命题I.11）；在BF线上选G点，使BG等于a（命题I.3）；

过G点引出GH线平行于BC（命题I.31）；通过D、E、C三点作DK、EL、CH平行于BG。

那么：BH等于BK、DL、EH之和。

又因为：BG等于a，BH是GB、BC构成的矩形；

所以：BH是线a与BC之积；

又因为：BG等于a，BK包含GB、BD；

所以：BK是线a与BD的积；

又因为：GB等于a，GB等于DK（命题I.34）；

所以：DL等于线a与DE的积；

同理：EH等于线a与EC的积。

因此：a与BC的积等于a与BD、a与DE、a与EC之积的和。

所以：两条线段，其中一条被截分成许多段，那么以这两条线段为边构成的矩形的面积等于各截线段与未截的那条线段为边所构成的矩形面积的和。

证完

设：线段AB被一任意点C所切割，

那么我说：AB、AC构成的矩形与AB、BC构成的矩形面积之和等于AB上的正方形面积；

令：过C点作CF平行于AD或BE；

那么：AE等于AF加CE（命题I.46、I.31）。

既然：AD等于AB，BE等于AB；

那么：AE是AB上的正方形；AF是由AB、AC构成的矩形，CE是AB、BC构成的矩形（定义II.1）。

所以：AB、AC构成的矩形加AB、BC构成的矩形等于AB上的正方形。

所以：如果一条线段被任意分成两部分，这两部分与原线段构成的矩形之和，等于原线段所构成的正方形。

证完

命题II. 3

如果一条线段被任意分成两段，那么该线段与两条小线段之一所构成的矩形，等于两条小线段所构成的矩形与前面小线段上的正方形的面积之和。

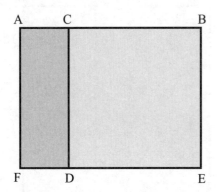

设：线段AB在C点被切割。

那么我说：AB、BC构成的矩形等于AC、CB构成的矩形与BC上的正方形相加。

令：以CB为边作正方形CDEB，延伸ED至F，通过A点作AF平行于CD或BE（命题I.46、I.31）；

那么：AE等于AD加CE。

因为：BE等于BC；AE是由AB、BE为边构成的；CD等于CB，DB是CB上的正方形。

所以：AE是AB、BC为边构成的矩形；AD是AC、CB为边构成的矩形。

所以：AB、BC所构成的矩形等于AC、BC构成的矩形与BC上的正方形之和。

所以：如果一条线段被任意分成两段，那么该线段与两条小线段之一所构成的矩形，等于两条小线段所构成的矩形与前面小线段上的正方形的面积之和。

证完

命题II. 4

如果一条线段被任意切分为二，以该线段为边的正方形的面积等于两条小线段上的正方形的面积之和再加上两条小线段所构成的矩形面积的两倍。

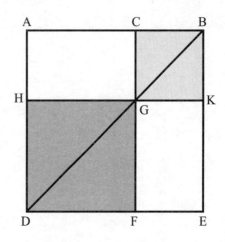

设：线段AB在C点被切割。

那么我说：AB上的正方形等于AC上的正方形加CB上的正方形再加AC、CB构成的矩形的两倍。

令：作AB上的正方形ADEB，连接BD，过C点作CF平行于AD或EB，过G点作HK使之平行于AB或DE（命题I.46、I.31）；

那么因为：CF平行于AD，BD与它们相交，同位角CGB等于ADB（命题I.29）；

又因为：BA也等于AD；因此：角ADB等于角ABD；

所以：角CGB也等于角GBC；

所以：BC边也等于CG边（命题I.5、I.6）；

而CB等于GK，CG等于KB；

所以：GK也等于KB；

所以：CGKB是菱形（命题I.34）。

我进一步说：它们也是直角。

因为：CG平行于BK；角KBC加上角GCB等于两个直角的和（命题I.29）；

而角KBC为直角；所以：角BCG也是直角，所以：对角CGK、角GKB也为直角（命题I.34）；所以：CGKB是直角的，并证明是各边相等的；

所以：CGKB为正方形。是以CB为边建立的。

同理可证：HF也是正方形，建立在HG线上；也就是AC线上；

所以：正方形HF、KC就是AC上与CB上的正方形（命题I.34）；

那么现在，因为GC等于CB，故：AG等于GE，AG是AC、CB构成的矩形；

所以：GE也等于AC、CB构成的矩形；

所以：AG加GE就等于AC、CB构成的矩形的两倍（命题I.43）。

又：正方形HF和CK的和也等于AC、CB上的正方形的和；

所以：HF、CK、AG和GE四个图形相互加就等于AC上的正方形的面积加CB上的正方形的面积再加AC、CB构成的矩形的两倍。

又：HF、CK、AG与GE的和等于ADEB，也就是AB上的正方形；

所以：AB上的正方形等于AC上的正方形加CB上的正方形再加AC、CB构成的矩形的两倍。

因此：若一条线段被任意点切分为二，以线段为边的正方形等于两条小线段的正方形之和，再加上两条小线段所构成的矩形的两倍。

证完

命题II. 5

如果把一条线段先分成两条相等的线段，再分成两条不相等的线段，那么，不相等的两条线段构成的矩形，与两个分点之间的距离形成的正方形的和，等于原线段一半上的正方形。

令：线段AB在C点被等分，在D点不被等分。

那么我说：AD线与DB线构成的矩形加上CD线为边的正方形等于CB线为边的正方形。

令：作CB上的正方形CEFB，连接BE，

托里切利与水银气压计

托里切利（1608—1647年），意大利数学家、物理学家。他发现了气压计的原理。他将一个充满水银的长玻璃管倒置在一杯水银里，杯子中水银表面的气压使玻璃管内的水银柱保持在760毫米的高度，这时候水银的重量和气压的重量是相等的，于是，水银气压计就这样发明了。

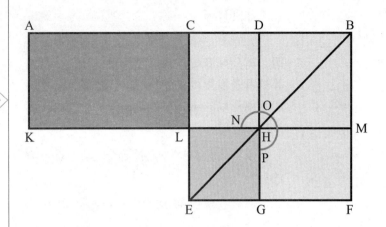

通过D点作DG平行于CE或BF，再过H作KM平行于AB或EF，再过A点作AK平行于CL或

六分仪

六分仪为手持的轻便光学测角仪器，因其分度弧的长度约为圆周长的六分之一而得名，适用于在船上观测陆上目标的水平角和天体高度的垂直角。

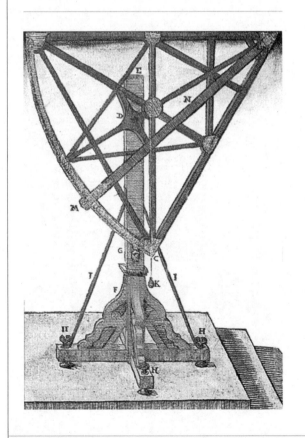

BM（命题I.46、I.31）；

那么因为：CH等于HF，令每个加上DM；于是：CM等于DF（命题I.43）；

又因为：CM等于AL，而AC又等于CB；

所以：AL 也等于DF。令每个加上CH；

于是：AH就等于折尺形NOP（命题I.36、定义II.2）；

又因为：DH等于DB；于是：AH是AD、DB构成的矩形；

所以：折尺形NOP也等于AD、DB构成的矩形。

又：LG等于CD上的正方形，将LG加在以上各边；

于是：折尺形NOP加上LG等于AD、DB构成的矩形加上CD上的正方形。

又：折尺形NOP加LG等于CB上的正方形CEFB；

所以：AD与DB上的矩形加上CD上的正方形等于CB上的正方形。

所以：如果把一条线段先分成两条相等的线段，再分成两条不相等的线段，那么，不相等的两条线段构成的矩形，与两个分点之间的距离形成的正方形的和，等于原线段一半上的正方形。

证完

命题II. 6

若一条线段被平分，在其尾端再增加一条线段，那么总线段与增加线段所构成的矩形的面积与原线段一半上的正方形的面积，等于原线段一半加上增加线所构成的正方形的面积。

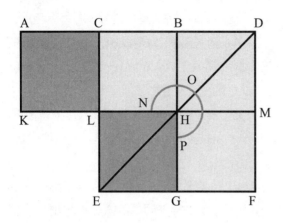

设：线段AB被C点平分，BD是附加的线段；

那么我说：AD、DB为边构成的矩形加上CB为边构成的正方形等于CD为边构成的正方形的面积。

令：以CD为边作正方形CEFD（命题I.46）。

连接DE，过B点作BG使之平行于EC或者DF；

过H点作KM使之平行于AB或EF，再通过A点作AK使之平行于CL或DM（命题I.31）；那么：既然AC等于CB，AL也就等于CH（命题I.36）；

而CH等于HF（命题I.43）；所以：AL也等于HF。

令：CM与每个相加；于是整个AM等于折尺形NOP。又因为：DM等于DB，因此AM是AD、DB为边构成的矩形；

所以：折尺形NOP也等于AD、DB构成的矩形。

令：BC为边的正方形LG与每个相加；

那么：AD、DB构成的矩形加CB上的正方形等于折尺形NOP加LG。

又：折尺形NOP加上LG又是CD上的正方形CEFD；

所以AD、DB构成的矩形加CB线为边的正方形等于CD为边的正方形。

所以：若一条线段被平分，在其尾端再增加一条线段，那么总线段与增加线段所构成的矩形的面积与原线段一半上的正方形的面积，等于原线段一半加上增加线所构成的正方形的面积。

证完

命题II. 7

一条线段被任意的一点切分，以这条线段为边的正方形的面积和其中一条小线段上的正方形的面积之和，等于以总线与分线为边的矩形的面积的两倍与余下的小线段上的正方形的面积之和。

设：线段AB被任意点C所切分；

那么我说：以AB、BC线为边的正方形之和等于以AB、BC线为边的矩形的两倍与

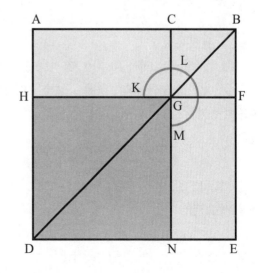

折尺形KLM与正方形CF之和等于AB、BC为边的矩形的两倍。

令：AC线为边的正方形DG与每个相加；

于是折尺形KLM与以BG、GD线为边的正方形之和等于以AB、BC为边的矩形的两倍与AC上的正方形之和。

又：折尺形KLM与正方形BG、GD之和等于ADEB与CF的和，它们是AB、BC为边的正方形。

所以：正方形AB、BC之和等于AB、BC为边构成的矩形的两倍与以AC线为边的正方形的和。

所以：一条线段被任意的一点切分，以总线为边的正方形和以其中一条小线段为边的正方形之和，等于总线与小线段之二构成的矩形面积的两倍与余线上的正方形面积之和。

证完

命题II. 8

任意两分一个线段，用原线段和一个小线段构成的矩形的四倍与另一小线段上的正

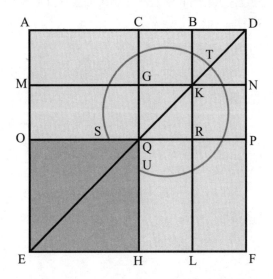

《周髀算经》

中国有关勾股定理的证明最早记载在《周髀算经》的赵君卿注中，《周髀算经》是中国现存的几部最古老的天文、数学著作之一，成书年代大约是公元前1世纪，图为《周髀算经》中的一页，是南宋嘉定六年（公元1213年）版本的影印。

CA线为边的正方形之和。

令：作AB线为边的正方形ADEB（命题I. 46）；连接各点。

那么：由于AG等于GE（命题I. 43）；

令：CF与各个相加；于是：整个AF便等于整个CE；所以：AF、CE的和是AF的两倍。

又：AF、CE的和等于折尺形KLM加正方形CF。所以，折尺形KLM与正方形CF的和是AF的两倍；

但是：以AB、BC线为边的矩形的两倍也等于AF的两倍；因为BF等于BC；于是：

方形面积的和，等于原线段与前一个小线段之和上的正方形的面积。

设：线段AB被任意一点C所切分；

那么我说：AB与BC构成的矩形的四倍与AC线为边的正方形的和等于AB与BC之和上的正方形。

令：延长AB线至D，使BD等于CB；建AD为边的正方形AEFD，连接该图形的各点。

那么：因为CB等于BD，同时CB等于GK，BD等于KN，所以：GK也等于KN。

同理可证：QR也等于RP。

又：因为BC等于BD，GK等于KN；所以：CK也等于KD，GR也等于RN（命题I. 36）。

又：CK与RN皆为平行四边形CP的补形；故：CK等于RN（命题I.43）；所以：KD也等于GR；

所以：四个区DK、CK、GR、RN 相互相等，所以其和是CK的四倍。

又：因为CB等于BD，同时BD等于BK（以及CG），CB等于GK（以及GQ）；所以

数理逻辑的鼻祖

莱布尼茨的数理逻辑著作如果发表的话，将具有重大意义，这将使他在数理逻辑真正创立的整整一个半世纪之前，就成为数理逻辑的鼻祖。这位罕见的博学之士，独立发明了微积分，并先于牛顿将其发表。尽管牛顿发明微积分的时间更早，但数学家们如今使用的是莱布尼茨的微积分法，而不是牛顿的微积分法。图为莱布尼茨与普鲁士女王索菲娅·夏洛特在一起，在热衷于学术研究的女王的支持下，1700年7月，德国科学院在柏林建立。

CG也等于GQ。

又：因为CG等于GQ，QR等于RP；故：AG也等于MQ，QL也等于RF（命题I.36）。

又：因为MQ与QL是平行四边形ML的补形，所以MQ等于QL（命题I.43）；所以AG也等于RF；所以：四个区AG、MQ、QL、RF相互相等。所以：其和是AG的四倍。

又：四个区CK、KD、GR、RN也可以被证明是CK的四倍；所以：包含折尺形STU的八个区是AK的四倍。

又：因为BK等于BD，所以AK是AB、BD为边的矩形。所以：以AB、BD为边的矩形的四倍是AK的四倍。

又：折尺形STU也能被证明为AK的四倍；所以：以AB、BD为边的矩形的四倍等于折尺形STU。

令：OH（等于AC为边的正方形）与各个相加；于是：AK的四倍与以AC为边的正方形之和等于折尺形STU与OH之和。

又：折尺形STU与OH之和等于正方形AEFD（AD为边的正方形），所以以AB、BD为边的矩形的四倍与以AC为边的正方形之和等于AD为边的正方形。

又：BD等于BC；所以：AB、BC围成的矩形的四倍与AC上的正方形之和等于AD上的正方形——也是AB、BC之和上的正方形。

所以：任意两分一个线段，用原线段和一个小线段构成的矩形的4倍与另一小线段上的正方形面积的和，等于原线段与前一个小线段之和上的正方形的面积。

证完

命题II. 9

如果一条线段先后被分成相等和不相等的线段，那么，不相等线段上的各正方形的面积之和，等于原线段一半上的正方形与两个分点之间一段上正方形的面积之和的两倍。

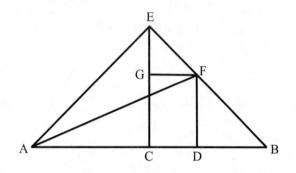

设：线段AB在C点等分，在D点不等分。

那么我说：AD、DB为边的正方形面积之和是AC、CD上的正方形的面积之和的两倍。

从C点作CE与AB垂直，且使CE等于AC。连接EA和EB。过D点作DF平行于EC，再过F作FG平行于AB。连接AF（命题I.11、I.3、I.31）。

因为：AC等于CE，角EAC也等于角AEC（命题I.5）。

又，因为：在C点的角是直角，角EAC、角AEC之和等于一个直角（命题I.32）。又，它们相等，所以：角CEA和角CAE各是一个直角的一半。

同理，角CEB和角EBC也皆是一个直角的一半。所以：总角AEB是直角。

又，因为：角GEF是一个直角的一半，

且角EGF是直角，因为，它与角ECB是同位角，其余角（这里并非现代数学中的互余的角，下同）EFG是一个直角的一半。所以：角GEF等于角EFG，于是：EG也等于GF（命题I.29、I.32、I.6）。

又，因为：在B点的角是一个直角的一半，且角FDB是直角，因为：它也等于同位角ECB，其余角BFD是一个直角的一半。

所以：在B点的角等于角DFB。

于是：FD也等于DB（命题I.29、I.32、I.6）。

因为：AC等于CE，AC上的正方形的面积也等于CE上的正方形的面积。

所以：AC、CE为边的正方形的面积之和是AC为边的正方形的面积的两倍。

又，EA为边的正方形的面积等于AC、CE为边的正方形的面积之和，因为：角ACE是直角。

所以：EA为边的正方形的面积是AC为边的正方形的面积的两倍（命题I.47）。

又，因为：EG等于GF，EG为边的正方形也等于GF为边的正方形。

所以：EG、GF为边的正方形之和是GF为边的正方形的两倍。

又，EF为边的正方形的面积等于EG、GF为边的正方形的面积之和；

所以：EF为边的正方形的面积是GF为边的正方形的面积的两倍（命题I.47）。

而，GF等于CD，所以：EF为边的正方形的面积是CD为边的正方形的面积的两倍（命题I.34）。

又，EA为边的正方形的面积也是AC为边的正方形的面积的两倍。

阿基米得

古希腊数学家、力学家阿基米得（约前287—前212年）一生的贡献是多方面的，他确立了杠杆定律，并留给后世"给我一个支点，我将移动地球"这样的名言；他还发现了流体静力学的基本原理；在天文学方面，他认为地球是绕着太阳转的。他的著述甚丰，有《论球和圆柱》《抛物线求积》《论螺线》等，后人称他是"理论天才与实验天才合二为一的理想化身"。

所以：AE、EF为边的正方形的面积之和是AC、CD为边的正方形的面积之和的两倍（命题I.47）。

且AF上的正方形等于AE、EF上的正方形之和，因为角AEF是直角。从而AF上的正方形是AC、CD上的正方形的两倍。

又，AD、DF为边的正方形的面积之和等于AF为边的正方形的面积，因为：在D点的角是直角。所以：AD、DF为边的正方形的面积之和是AC、CD为边的正方形的面积之和（命题I.47）。

又：DF等于DB。所以：AD、DB为边的正方形的面积之和是AC、CD为边的正方形的面积之和的两倍。

所以：如果一条线段先后被分成相等和不相等的两段，那么，不相等线段为边的正方形的面积之和等于原线段上一半的正方形与两个分点之间一段上正方形之和的两倍。

证完

命题II.10

在一条被二等分的线段的一端按原直线方向加上一条线段，那么，总线段上的正方形的面积与加线段上的正方形的面积之和，等于原线段一半为边的正方形的面积与另一半加上加线段之和为边的正方形面积的和的两倍。

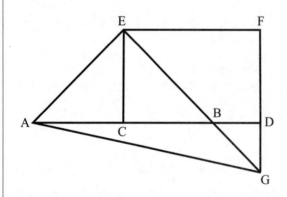

设：线段AB在C点被等分，线段BD是条加线。

那么我说：AD、DB为边的正方形的面积之和是AC、CD为边的正方形的面积之和的两倍。

从C点作CE垂直于AB，且等于AC，也等于CB。连接EA、EB。过E作EF平行于AD，过D作FD平行于CE（命题I.11、I.3、I.31）。

那么因为：线段EF相交于平行线EC和FD，角CEF、角EFD之和等于两个直角的和。

所以：角FEB、角EFD之和小于两个直角的和（命题I.29）。

又，从小于两个直角的角作的延长线必相交，所以：EB、FD，如果在B和D两个方向延长，它们将相交（公设I.5）。

令：延长EB、FD，并相交于G点，连接AG。

那么，因为：AC等于CE，角EAC也等于角AEC。在C点的角是直角。

所以：角EAC、角AEC是一个直角的一半（命题I.5、I.32）。

同理，角CEB、EBC皆是直角的一半，所以：角AEB是直角。

又，因为：角EBC是直角的一半，角DBG也是直角的一半。又，角BDG也是直角，因为：它等于角DCE，因为，它们是内错角。

所以：余角DGB是直角的一半。所以：角DGB等于角DBG，所以：边BD也等于边GD（命题I.15、I.29、I.32、I.6）。

又，因为：角EGF是直角的一半，且在F点的角是直角，因为：它等于在C点的对角。

所以：余角FEG是直角的一半。角EGF等于角FEG，于是：边GF也等于边EF（命题I.34、I.32、I.6）。

现在，因为：EC为边的正方形的面积等于CA为边的正方形的面积，EC、CA为边的正方形面积之和是CA为边的正方形面积的两倍。

又，EA为边的正方形的面积等于EC、CA为边的正方形的面积之和。

所以：EA为边的正方形面积是AC为边的正方形的面积的两倍（命题I.47）。

又因为：FG等于EF，FG为边的正方形面积也等于FE为边的正方形的面积。

所以：GF、FE为边的正方形面积之和是EF为边的正方形面积的两倍。

又，EG为边的正方形面积等于GF、FE为边的正方形面积之和。

所以：EG为边的正方形的面积是EF为边的正方形面积的两倍（命题I.47）。

又，EF等于CD，所以：EG为边的正方形的面积是CD为边的正方形的面积的两倍。且EA为边的正方形的面积也被证明是AC为边的正方形的面积的两倍。

所以：AE、EG为边的正方形的面积之和是AC、CD为边的正方形的面积之和的两倍（命题I.34）。

又，AG为边的正方形的面积等于AE、EG为边的正方形的面积之和。

所以：AG上的正方形是AC、CD为边的正方形的面积的之和的两倍。

且AD、DG为边的正方形的面积之和等于AG为边的正方形的面积，所以：AD、DG为边的正方形的面积之和等于AC、CD为边的正方形的面积之和的两倍（命题I.47）。

又，DG等于DB；

所以：AD、DB为边的正方形的面积之和等于AC、CD为边的正方形面积之和的两倍。

所以：在一条被二等分的线段的一端按原直线方向加上一条线段，那么，总线段上的正方形的面积与加线段上的正方形的面积之和，等于原线段一半为边的正方形的面积与另一半加上加线段之和为边的正方形面积的和的两倍。

证完

命题II.11

可以切分已知线段，使它与一条小线段构成的矩形面积等于余下线段为边的正方形的面积。

设：AB为给定线段。

现在要求的是：切分AB，使总线与其中小线段构成的矩形等于以余线为边的正方形的面积。

在AB上建正方形ABDC，在E点平分AC，连接BE。延长CA到F，使EF等于BE，在AF上建正方形FH，延长GH至K（命题I.46 、I.10 、I.3 、I.46）。

那么我说：AB被H点所分，AB、BH构

成的矩形等于AH为边的正方形的面积。

因为：线段AC在E点被平分，FA是它的加线，CF、FA构成的矩形加上AE为边的正方形的面积等于EF为边的正方形的面积（命题II.6）。

又，EF等于EB。所以：CF、FA构成的矩形加AE为边的正方形的面积等于EB为边的正方形的面积。

又，AB、AE为边的正方形的面积之和等于EB为边的正方形的面积，因为：在A点的角是直角。

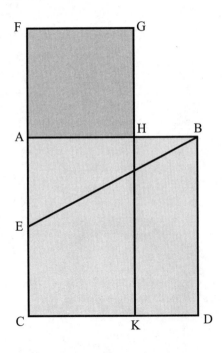

所以：CF、FA构成的矩形加AE为边的正方形的面积等于BA、AE为边的正方形的面积之和（命题I.47）。

令上面两方各减去AE为边的正方形的面积。

于是：余下CF、FA构成的矩形等于AB为边的正方形的面积。

现在，CF、FA构成的矩形是FK，因为，AF等于FG，且AB为边的正方形的面积是AD。所以：FK等于AD。

令上面两边减去AK，于是：余值FH等于HD。

又，HD是AB、BH构成的矩形，因为，AB等于BD，且FH是AH为边的正方形。所以：AB、BH构成的矩形等于HA为边的正方形。

所以：给定线段AB在H点被切分，AB、BH构成的矩形等于HA为边的正方形的面积。

所以：可以切分已知线段，使它与一条小线段构成的矩形面积等于余下线段为边的正方形的面积。

所以：可以切分已知线段，使它与一条小线段构成的矩形面积等于余下线段为边的正方形的面积。

证完

命题II.12

在钝角三角形中，钝角对边上的正方形的面积大于两锐角对边上的正方形的面积之和，其差为一个矩形的两倍，即由一锐角向对边的延长线作垂线，垂足到钝角之间一段与另一边所构成的矩形。

设：ABC为钝角三角形，角BAC为钝角，从B点作BD垂直于CA，交延长线于D（命题I.12）。

那么我说：BC为边的正方形的面积大于BA、AC为边的正方形的面积之和，其差为CA与AD为边构成的矩形的两倍。

因为：线段CD被任意一点A切分，DC

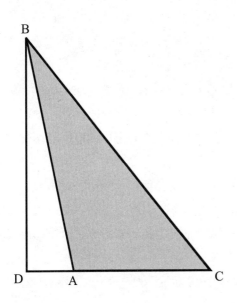

面积之和，其差为一个矩形的两倍，即由一锐角向对边的延长线作垂线，垂足到钝角之间一段与另一边所构成的矩形。

证完

注 解

如果三角形是钝角，那么：$a^2 = b^2 + c^2 - 2ch$，这里，h为三角形的高，c为三角形的底边。近似于三角形余弦定理$a^2 = b^2 + c^2 - 2bc \times \cos A$。

命题II.13

锐角三角形中，锐角所对边的边为边的正方形的面积小于夹锐角两边为边的正方形的面积之和，其差为一个矩形的两倍，即由另一锐角向对边作垂线，垂足到原锐角之间的一段与该边所构成的矩形。

设：ABC为锐角三角形，B角为锐角，过A点作AD垂直于BC（命题I.12）。

那么我说：AC为边的正方形的面积小于CB、BA为边的正方形的面积之和，其差为

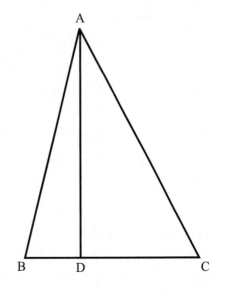

为边的正方形的面积等于CA、AD为边的正方形的面积加上CA、AD为边构成的矩形的两倍（命题II.4）。

令：将DB为边的正方形的面积与每个相加。于是：CD、DB为边的正方形的面积之和等于CA、AD、DB为边的正方形的面积之和加上CA、AD为边的矩形的两倍。

又，CB为边的正方形的面积等于CD、DB为边的正方形的面积之和，因为，在D点的角是直角，AB为边的正方形的面积等于AD、DB为边的正方形的面积之和。

所以：CB为边的正方形的面积等于CA、AB为边的正方形的面积之和加上CA、AD为边构成的矩形的两倍。

于是：CB为边的正方形的面积大于CA、AB为边的正方形的面积之和，其差为CA、AD为边构成的矩形的两倍（命题I.47）。

所以：在钝角三角形中，钝角对边上的正方形的面积大于两锐角对边上的正方形的

AD、DC为边的正方形的面积之和。

所以：CB、BA为边的正方形的面积之和等于AC为边的正方形的面积加上CB、BD为边的矩形的两倍，所以：AC为边的正方形的面积小于CB、BA为边的正方形的面积之和，其差为CB、BD为边的矩形的两倍（命题I.47）。

所以：在锐角三角形中，锐角所对应的边上的正方形的面积小于夹锐角两边为边的正方形的面积之和，其差为一个矩形的面积的两倍，即由另一锐角向对边作垂线，垂足到原锐角之间的一段与该边所构成的矩形。

证完

命题II.14

根据一个多边形，可以建一个与它面积相等的正方形。

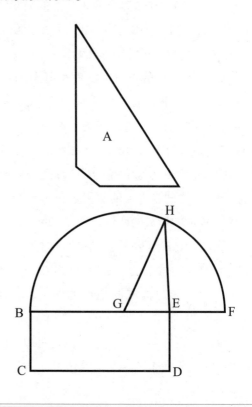

《原本》完整的英译本

《原本》最早完整的英译本为1570年比林斯利所译，附有长达150多页的导言，这其实是欧几里得研究的总结，导言中又对每章每节都作了详细的注释。图为比林斯利英译本中的卷I命题15。

CB、BD构成的矩形的两倍。

因为：CB被任意一点D所切分，CB、BD为边的正方形的面积之和等于CB、BD为边的矩形的两倍加上DC上的一个正方形（命题II.7）。

令：以上每个加上AD为边的正方形的面积，于是：CB、BD、DA为边的正方形的面积之和等于CB、BD为边的矩形的两倍加上AD、DC为边的正方形的面积之和。

又，AB为边的正方形的面积等于BD、DA为边的正方形的面积之和，因为：在D点的角是直角，且AC为边的正方形的面积等于设：A为给定的多边形。

现在要求的是：建一个正方形，其面积等于给定的多边形A的面积。

令：建矩形BD，使之等于图形A的面积（命题I.45）；

那么：如果BE等于ED，那么该正方形BD满足于A；

如果不是，而是BE和ED中，其中有一条直线比另一条线长，假定BE是较长的线；延长BE至F，使EF等于ED；在BF上取其平分点G，以G为圆心，以GB或GF为半径作半圆BHF；延长DE至H，连接GH。

那么：既然直线BF在G点上被平分，E点则为非平分点，包含BE、EF的矩形与以EG为边的正方形的面积之和等于以GF为边的正方形的面积（命题I.5）；

而GF等于GH；

所以：BE、EF为边构成的矩形与正方形GE的面积之和等于GH为边的正方形面积。

而，HE、EG为边的正方形的面积的和等于GH为边的正方形面积，所以，BE、EF为边构成的矩形与正方形GE的面积之和等于HE、EG为边构成的正方形的面积之和（命题I.47）。

令：分别减去正方形GE的面积；

那么：余下的包含有BE、EF为边的矩形的面积也等于正方形HE的面积。

又：因为EF等于ED，于是：矩形BE、EF的面积等于BD的面积，平行四边形BD的面积等于正方形HE的面积。而BD的面积等于多边形A的面积；于是：多边形A的面积也就等于EH为边的正方形的面积。

于是：以EH为边，其大小等于多边形A的面积的正方形被建成。

所以：根据一个多边形，可以建一个与它面积相等的正方形。

证完

第三卷　圆与角

　　中国《九章算术》第一章方田31题："今有方田，周三十步，径十步。问为田几何？"这里需求的是田的面积。在这里，既给出了直径，又给出了圆周长，圆周率π=3，和《圣经·旧约》里记载的所罗门建造宫殿时"又铸了一个铜海，样式是圆的，高五肘，径十肘，围三十肘"中的一样。中国《周髀算经》里，记述公元前1100年周公与商高的谈话：商高曰："数之法出于圆方。"对于这句话，中国的赵爽在公元前222年，也就是秦始皇统一中国的前一年，挥笔注曰："圆径一而周三。"

　　本卷阐述圆、弦、割线、切线、圆心角、圆周角的一些定理。

消失的地平线
　　《消失的地平线》反映了康定斯基关于点、线、面的抽象绘画理论，三角形、圆形以及方形与直线的巧妙组合构成了一幅壮丽的图画。

本卷提要

※命题III.1，如何找到一个圆的圆心。

※命题III.17，如何作出一个圆的切线。

※命题III.20、III.21、III.22，圆内的角。

※命题III.31，泰列斯理论，半圆内的直角、锐角与钝角理论。

※命题III.35，在圆内过一个点作出两弦，那么其中一弦的两个截面之乘积等于另一弦的两个截面之乘积。

※命题III.3、III.37，从圆外一点向圆分别作切线和交线，那么切线所构成的正方形等于交线与其圆外线的乘积，反之亦然。

定 义

定义III.1 等圆，就是直径或半径相等的圆。

定义III.2 直线与圆相切，就是直线与圆有且只有一个公共点。

定义III.3 两圆相切，就是两圆有且只有一个公共点。

定义III.4 圆心到圆内弦的垂线段相等，称这些弦有相等的弦心距。

定义III.5 当垂线段较长时，称该弦有较大的弦心距。

定义III.6 弓形是由一条弦和一段弧构成的图形。

定义III.7 弓形的角是由弧所对的弦和这段圆弧所夹的角。

定义III.8 在弓形弧上取一点，连接该点与弧的两端点的二直线所夹的角称为弓形角。

定义III.9 而且当夹角的二直线截出一段圆弧时，该角被称为张于弧上的角。

定义III.10 由顶点在圆心角的两边和该两边所截一段圆弧所构成的图形，称为扇形。

定义III.11 包含相等角的弓形称为相似弓形。

命题III.1

给定一个圆可以找到它的圆心。

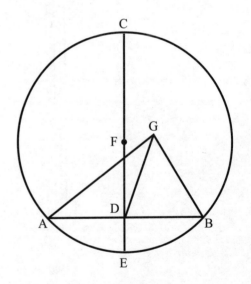

设：ABC为给定的圆。

现在要求找到ABC的圆心。

令：在圆内任作一条弦 AB，作 D 平分 AB。作 DC，使之垂直于 AB，延长 DC 至 E，在 CE 上找到该线的平分点 F（命题 I.10、I.11）。

那么现在我说：F 是圆ABC的圆心。

假设不是这样，而假定圆心是G，连接

GA、GD、GB；

那么因为：AD等于DB，DG为共用，那么，AD、DG两边等于对应的BD、DG。

由于：GA、GB皆为半径，所以：GA等于GB；所以：角ADG等于角GDB。（定义I.15、I.8）；

但是，当一条直线和另一条直线所成的邻角彼此相等时，它们每一个都是直角。所以，角GDB是直角。

又因为：角FDB也是直角，所以：角FDB等于角GDB。大等于小。这是不可能的。

所以：点G不是圆ABC的圆心。

同样，我们也可以证明，除了F以外的任何点皆不是圆心。

所以：F是圆ABC的圆心。

所以：给定一个圆可以找到它的圆心。

证完

推 论

以上的证明表明：如果一个圆中的一条弦垂直平分圆中的另一条弦，那么圆心一定位于这条弦上。

命题III.2

如果在圆周上任取两点，连接这两点的线段一定位于该圆内。

设：ABC为给定的圆，圆周上的任意两点为A和B。

那么我说：连接AB，这条线段一定位于该圆内。

假定：不是如此，而是落在圆外如AEB，确定圆ABC的圆心D，连接DA、DB，连接DFE（命题III.1）；

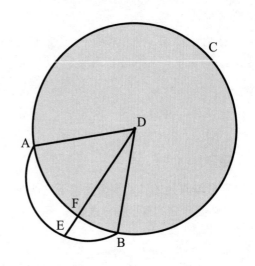

那么因为DA等于DB，角DAE也就等于角DBE（定义I.15、I.5）；

又因为：延长三角形DAE的一边AEB。所以：角DEB就大于角DAE（命题I.16）；但是，角DAE等于角DBE，所以，角DEB大于角DBE。且大角对大边。

从而，DB大于DE，但DB等于DF，所以DF大于DE。小的大于大的，这是不可能的。

所以：AB的连线不在圆外。

同样我们可以证明它也不在圆周上。

所以：AB线只能在圆内。

所以：如果在圆周上任取两点，连接这两点的线段一定位于该圆内。

证完

注 解

这一命题的图形相当奇怪，但又是必要的。因为这一命题涉及一种假设的情形，要证明这种假设情形是不可能的。在这一图形中，AEB被假设为是圆外的一条直线。在本卷的其他几个命题中，也有类似的不可能图形出现。

欧几里得留下AB不能位于圆周上的情况给读者自己去证明，其实证明它并不难。

这一命题应用在下一命题中。

命题III.3

平分非直径的弦的直径垂直于这条弦；反之，垂直于弦的直径平分这条弦。

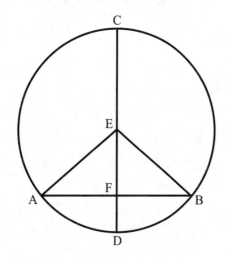

设：CD是通过圆ABC圆心的直径，平分不过圆心的弦AB于F点。

那么我说：CD垂直于AB。

令：找到圆ABC的圆心E，连接EA、EB（命题III.1）；

那么因为AF等于FB，而FE为公共边，两边相等，并第三边EA等于第三边EB，所以：角AFE等于角BFE（定义I.15、I.8）；

又因为：一条直线与另一条直线相交，所形成的邻角相等时，每个角皆为直角，所以：角AFE、BFE皆为直角（定义I.10）；

所以：过圆心的线CD与不过圆心的线AB相交成直角。

又设CD和AB垂直。

那么我说：CD二等分AB，即AF等于FB。即为平分线。

因为：EA等于EB，那么：角EAF也等于角EBF（命题I.5）；又因为：直角AFE等于直角BFE。

所以：EAF与EBF是有两个角和一条边相等的三角形，EF为公共边，即相等角的对边；所以：它们的余边也就相等（命题I.26）；所以：AF等于FB。

所以：如果一条过圆心的弦与另一条不过圆心的弦相交形成直角，那么它也必然是平分线。

证完

注 解

比较这一命题与命题III.1的推论。

这一命题应用在下一命题中，也用在命题XII.16及其他命题中。

命题III.4

在一个圆里，如果两条相交的弦不经过圆心，那么它们也不能互相平分。

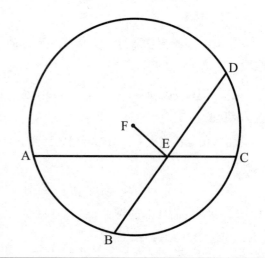

　　设：ABCD为圆，两条弦为AC、BD，皆不经过圆心，彼此相交于E点。

　　那么我说：它们不相互平分。

　　因为，如果可能，假设它们相互平分，那么：AE就等于EC，且BE等于ED。

　　令圆心为F，连接FE（命题III.1）。

　　又因为：过圆心的弦FE平分不过圆心的弦AC，并构成直角。所以：角FEA为直角。

　　又因为：弦FE平分弦BD，它们也形成直角，即FEB为直角。而角FEA被证明也为直角。所以：角FEA也等于角FEB。于是：小等于大。这是不可能的（命题III.3）。

　　所以：AC、BD不能相互平分。

　　所以：在一个圆里，如果两条相交的弦不经过圆心，那么它们也不相互平分。

证完

注 解

　　这一陈述的逆否命题是，如果两条弦相互平分，那么它们相交于圆心。

　　这一命题在《原本》中未被再利用。

命题III.5

如两圆相交，那么它们不能有相同的圆心。

　　设：圆ABC、CDG相交于B、C点；

　　那么我说：它们不能有相同的圆心。

　　假定可能，假定它们有相同的圆心为E，连接EC，任意连一条线EFG；

　　那么因为：E为圆ABC的圆心，于是：EC就等于EF。又因为：E为圆CDG的圆心，那么EC就等于EG（定义I.15）；而EC已被证明也等于EF；

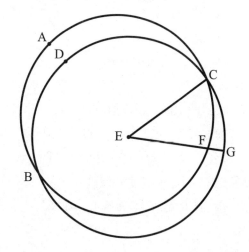

所以：EF也等于EG。于是：小等于大。这是不可能的。

所以：点E不是圆ABC、CDG的圆心。

所以：两相交圆不能有相同的圆心。

证完

注 解

注意，这一证明实际上表现了如果两个圆相交，那么它们不可能有相同的圆心，这也涉及下一道命题的两圆相切。

这一命题应用在命题III.10中，以陈述圆不能相交于两个点以上。

命题III.6

如果两圆相切，它们不能有相同的圆心。

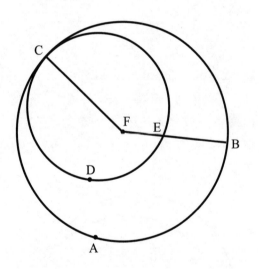

设：圆ABC、CDE相切于C点；

那么我说：它们不能有相同的圆心。

假定可能，设它们有相同的圆心为F，连接FC，过F点作任意一线FEB；

因为F是圆ABC的圆心，那么FC等于FB。

又因为F是圆CDE的圆心，那么FC等于FE（定义I.15）；而FC被证明等于FB。所以FE也等于FB。于是小等于大。这是不可能的。

所以：F不是圆ABC、CDE的圆心。

所以：两圆相切不能有相同的圆心。

证完

注 解

这一命题同于前一命题，两种情况用一种陈述，相交圆不能同圆心；反之，同心圆不能相交。

这一命题未在本书的其余地方被利用。

命题III.7

连接直径上的非圆心的一点和圆上任一点所得的线段中，最长的是圆心所在的线段，且在其余线段中，靠近圆心的线段较远离的长；这一点到圆上有两条线段相等，它们各在最短线段的一边，同一直径上余下的一段最短。

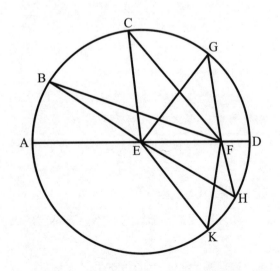

设：圆ABCD，AD为直径，F为直径上的非圆心的一个点，E为圆心，从F点引线段FB、FC、FG；

那么我说：FA为最长，FD最短，FB大于FC。FC又大于FG。连接BE、CE和GE。

那么因为：在任意三角形中两条边的和大于第三边。所以：EB与EF的和大于BF（命题I.20）；

又：AE等于EB，所以：AF大于BF；又因为：BE等于CE，而FE是公共边。所以：BE与EF的和等于CE与EF的和。

又：角BEF也大于角CEF；所以：边BF也大于边CF（命题I.24）；同理：CF也大于GF。

又因为：GF与FE的和也大于EG，EG等于ED，GF与FE的和也大于ED（定义I.20）；

令：从每个中减去EF；于是：其余数GF也大于其余数FD。所以：FA最大，FD最小，FB大于FC，而FC大于FG。

我要进一步说：从F点到圆周的线段中只有两条相等，它们分别位于FD的两侧。

令：在直线EF的E点上建角FEH，使之等于角GEF，连接FH（命题I.23）；

那么因为：GE等于EH，而EF是公共边，GE、EF两边等于HE、EF两边。

又：角GEF等于角HEF。所以：边FG等于边FH（命题I.4）。

我再进一步说：另一条等于FG的直线不会从F点落到圆周上。

假如可能，假如这条线FK成立；那么因为：FK等于FG。

又：FH等于FG，FK也等于FH。于是：靠近穿过圆心的线段等于离得较远的线段。

第二代分析机

19世纪中叶，尽管那时已发明了对数，但是，现有的算盘等简单计算工具已不能满足人们日益增长的对精确和复杂计算的更高需求，英国数学家巴贝奇为了设计一套依靠机器驱动的计算器，花费了一生中大半的时间来进行研究，但始终未能完成。图为1835年至1848年期间，巴贝奇设计的第二代分析机。

这是不可能的。

所以：等于GF的另一条线段不会是从F点到圆周。

因此：只有一条线段成立。

所以：连接直径上的非圆心的一点和圆上任一点所得的线段中，最长的是圆心所在的线段，且在其余线段中，靠近圆心的线段较远离的长；这一点到圆上有两条线段相等，它们各在最短线段的一边，同一直径上余下的一段最短。

证完

注解：

这一命题的陈述有些令人费解，涉及从圆内的一点F到圆周上的一点的距离。点F被假定不是圆心。如果直径AD过F，那么A点上的某一个点是在圆周上离F点最远，且另一点D为最近。由于一个点从

A到D在圆周上旅行，它向F点靠近。这一陈述的最后部分是，如果G是圆周上的一点，那么，有另外一个点H是在圆周上，它与F的距离相等（当然G既不是A也不是D，这只是一种假定）。

注意：这一命题的陈述是含混的。短语"靠近过圆心的线段"到底是什么意思？它是指角吗？于是FB比FC更靠近FA，因为，角BFA小于角CFA。如果是这样，证明的过程就有细节的疏漏，角BEF大于角CEF，然而却没有证明。德·摩根马曾插入多种证明方式来弥补过这一逻辑漏洞。

这一命题在《原本》中的其他地方再未被利用过。

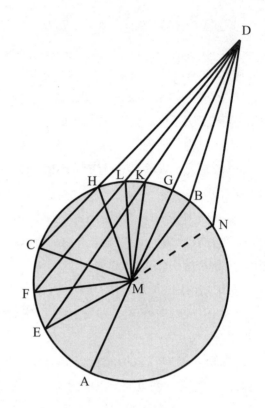

命题III.8

圆外的一点向圆引线段，其中的一条穿过圆心，其余是任意线。那么在凹圆弧上的连线中，穿过圆心的线段最长，其余的线段中，离这条线段越近则越长；在与圆凸面的连线中，该点与直径之间的线段最短，其余的线段离这条线段越近则越短；且从这一点到圆周上的连线中，只有两条线段相等，它们分别位于最短的线段两侧。

设：ABC为圆，D为圆外的一点，从D点连接DA、DE、DF、DC，使DA穿过圆心。

那么我说：在凹圆弧AEFC各点与D构成的线段中，穿过圆心的DA线段最长，DE大于DF，DF大于DC；在凸圆弧HLKG各点与D构成的线段中DG最短，越靠近DG的线段越短。即DK小于DL，DL小于DH。

令：圆ABC的圆心为M，连接ME、MF、MC、MK、ML和MH（命题III.1）；

那么因为：AM等于EM，令它们各边加上MD。

于是：AD等于EM与MD的和；

又因为：EM与MD的和大于ED。所以：AD也大于ED（命题I.20）；

又因为：ME等于MF，MD又是公共边。所以：EM与MD的和等于FM与MD的和。

又因为：角EMD大于角FMD。所以：第三边ED大于第三边FD（命题I.24）；同样，我们可以证明FD大于CD。所以：DA就为最大，DE大于DF，而DF大于DC；

又因为：MK与KD的和大于MD，而MG等于MK。于是余数KD大于余数GD。所以：GD小于KD（命题I.20）；

又因为：在MD上的三角形MLD，两条线段MK、KD交于三角形内。

所以：MK、KD的和小于ML、LD的和。

又：MK等于ML。

所以：余数DK小于余数DL（命题I.21）；

同样，我们可以这么认为，DL也小于DH。所以：DG为最小，DK小于DL，DL小于DH。

我要进一步说：从D点到圆只有两条相等的线段，它们位于DG线的两侧。

令：在线段MD上的M点，建角DMB等于角KMD，连接DB（命题I.23）；

那么因为MK等于MB，MD是公共边。所以：KM、MD两边等于对应的BM、MD两边，且角KMD等于角BMD。所以：第三边DK等于第三边DB（命题I.4）。

我还进一步说：从D点不可能有另一条到圆的线段等于DK；

假设：这是可能的，假定这条线段是DN，于是DK等于DN。DK等于DB，DB也等于DN，即是说，离最短线段DG越近的线段等于离它越远的线段，这是不可能的；

所以：从D点到圆ABC没有第二条线能够位于最短的DG的一侧。

所以：圆外的一点向圆引线段，其中的一条穿过圆心，其余是任意线。那么在凹圆弧上的连线中，穿过圆心的线段最长，其余的线段中，离这条线段越近则越长；在与圆凸面的连线中，该点与直径之间的线段最短，其余的线段离这条线段越近则越短；且从这一点到圆周上的连线中，只有两条线段相等，它们分别位于最短的线段两侧。

证完

注 解

这一命题的陈述比前一命题更加复杂。这一命题处理从圆外的某一点D到圆周上的距离。如果直径AG的延长线过D，那么，它的一个终点G是在圆周上并最接近D，且另一点A是最远的一点。因为一个点从A到D沿圆周旅行，尽量靠近D。欧几里得认为圆周分为两个部分，凸起的部分是靠D点近的，同时凹的部分是圆的边较远的部分。最后的陈述是，如果K是圆

汉帛书《彗星图》

中国古代天文学的成就，包括阴阳历法的制定、天象观测、天文仪器制造和使用以及构造宇宙理论。至汉代，中国已形成独特的天文和历法体系。《汉书·五行志》中记录了公元前28年3月的太阳黑子现象，《汉书·天文志》中记载了公元前32年10月24日的极光现象。马王堆出土的29幅彗星图对彗星的观测非常细致，不仅注意到彗头、彗尾和彗核，而且还知道彗头和彗尾有不同的类型。

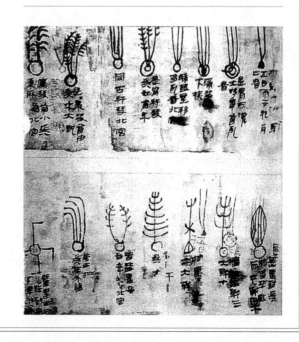

周上的一个点，那么圆周上有一个正确的点B到D的距离相等（当然K既不是G也不是A，这只是一种假定）。

注意：这一命题的证明同前一命题一样，也有一个逻辑漏洞。后来的许多数学家，补充过该漏洞。

这一命题在《原本》中的其他地方再没有被利用过。

命题III.9

如果自圆内一点作出的到圆上的线段有两条以上相等，那么该点即圆心。

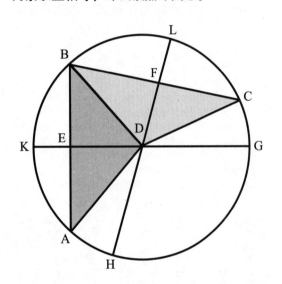

设：D点在圆ABC内，从点D引出的到圆上的两条以上的相等线段为DA、DB和DC。

那么我说：D点即为圆ABC的圆心。

令：连接AB、BC，并在E、F点平分两条线，连接ED、FD，并延长至G、K、H和L（命题I.10）；

因为：AE等于EB，而ED为公共边。那么AE和ED就等于BE和ED。又第三边DA等于第三边DB。

所以，三角形AED全等于三角形BED（命题I.8）。

所以：角AED与BED皆为直角。所以：GK平分AB为相等的两部分并为直角。

又因为：如果圆中的一条线切分另一条线为相等的两部分并构成直角，那么圆心一定落在这条切割线上。

所以：圆心一定在GK线上（定义III.1）；同理，圆ABC的圆心是在HL上；

又因为：线段GK和HL没有共同的点，只有D点。所以：点D即为圆ABC的圆心。

所以：如果自圆内一点作出的到圆上的线段有两条以上相等，那么该点即圆心。

证完

注 解

这一命题的陈述，被命题III.7所覆盖。

这一命题应用在命题III.25中。

命题III.10

两圆相交，交点不多于两个。

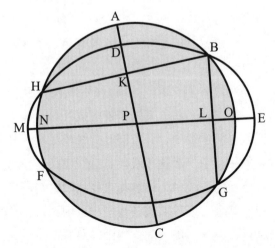

设：假如可能，圆ABC与圆DEF相交，交点超出两个，即为B、G、F和H；

令：连接BH、BG，并在K、L点分别平分两线。从K、L点作KC、LM，使之分别垂直于BH、GB，并经过A、E点（命题I.10、I.11）。

因为：在圆ABC中弦AC平分了BH并构成直角。所以：ABC的圆心在AC上。

又因为：在同一圆ABC里，弦NO平分弦BG为相等的两半并构成直角。所以圆ABC的圆心在NO上（定义III.1）；

但已经证明它也在AC上，而弦AC与NO除了P点外没有相交的点。所以：点P也是圆ABC的圆心。

同样：我们可以证明P点也是圆DEF的圆心。于是两个相交的圆ABC、DEF也有相同的圆心P，这是不可能的（命题III.5）。

所以：两圆相交，其交点不能超出两个。

证完

注 解

这是另一个不可能的图形。曲线被设想成圆的圆周，这是不可能作出的。虽然欧几里得命名了圆上的四个点，但实际上只有三个点B、G、H在证明中被利用。

这一证明实际是证明两个圆不能相交于两个以上的点，这里的"相交"不是相切。

赫斯评论道，平分BG、BH的线段并未证明是相交的，事实上，它们是，因为圆ABC的圆心被证明在它们二者上面。

这一命题应用在命题III.24中。

命题III.11

两圆内切，连心线的延长线过切点。

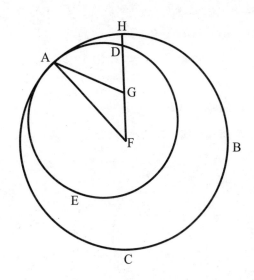

设：两圆ABC和ADE相切于A点，F为圆ABC的圆心，G为ADE的圆心（命题III.1）；

那么我说：从G到F的连线的延长线将落在A点上。

假设不是这样，如果这是可能的，设连线为FGH，且连接AG、AF；

因为：AG、GF的和大于FA，即是说大于FH。

令：以上各边减去FG，那么，余下的AG大于余下的GH（命题I.20）；

但是AG等于GD。

故GD也大于GH，于是小大于大，这是不可能的；

所以：从F到G的连线不落在圆外。所以：落在两圆的切点A上。

所以：如两圆内切，其圆心已知，那么连接两圆心的直线，通过两圆的切点。

证完

注 解

这一证明的各种结论，依赖于图形，却并未依赖于严格的推理逻辑。盖玛等数学家补充过该命题证明过程的漏洞。

这一命题应用在命题III.13中。

命题III.12

两圆外切，连心线过切点。

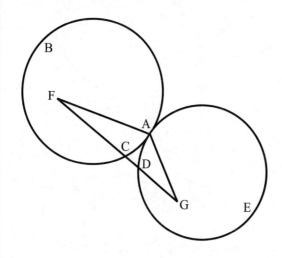

设：两圆ABC、ADE外切于点A上，F为ABC的圆心，G为ADE的圆心（命题III.1）；

那么我说：直线FG必定经过切点A。

假设不是，如果可能，让它穿过如FCDG，连接AF、AG；

那么因为：F点为圆ABC的圆心；所以：FA等于FC；

又因为：G点是圆ADE的圆心；所以：GA等于GD；

而FA也已经证明出等于FC，于是：FA加AG等于FC加GD。

所以：FG大于FA加AG，但它也小于FA加AG，这是不可能的（I.20）；

所以：从F点引直线至G不能不经过切点A。

所以：如果两圆外切，那么连接两圆心的直线必定过切点。

证完

注 解

显然，这一命题是后人加在欧几里得《原本》上的，有可能是赫龙所加，也有可能是后来的其他编著或评论者所加。

这一命题没有在《原本》中的其他地方被利用。

命题III.13

两圆相切，只有一个切点。

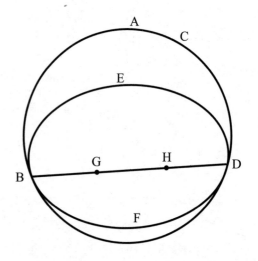

假设两圆相切不止一个切点，设圆ABDC与圆EBFD首先内切于两个点，假设为D、B点，连接ABDC的圆心G和EBFD的圆心H（命题III.1）；

那么：连接G、H点的直线经过B、D点（命题III.11）；

且假定为BGHD；

那么因为：点G是圆ABDC的圆心，而BG等于GD。于是BG大于HD；于是：BH就比HD大得多；

又因为：H点是圆EBFD的圆心，BH等于HD，但同时又被证明BH比HD大得多，这是不可能的。

所以：内切圆不能有两个以上的切点。

我还要进一步说：这一命题也适合于外切圆。

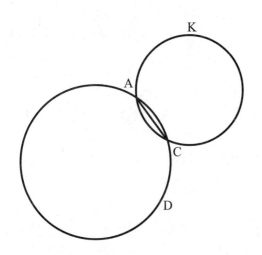

假设两圆外切不止一个切点，设圆ACK与圆ADC相切有一个以上的切点，设为A、C点，连接AC，那么因为无论是圆ADC还是圆ACK，A、C为任意的两点，连接该两点的直线必然落在每个圆的内部，但是它应该落在圆ADC之内又落在圆ACK之外，这是荒谬的（命题Ⅲ.2、定义Ⅲ.3）。

所以：一个圆与另一个圆相外切不能有一个以上的点。同样，已证明两圆内切，也不能有一个以上的点。

所以：一个圆与另一个圆相切，无论内

切还是外切，不能有一个以上切点。

证完

注 解

这是第二个不可能图形。有三条曲线连接A和C。并没有假定两个圆相交，而只是相切于两个点A和C，线段AC应在两个圆内而不是一个圆内。

这一命题的证明也有逻辑裂缝，如上两个命题的证明过程一样。

本命题再未在《原本》中的其他地方被利用。

莱布尼茨手迹

1676年，莱布尼茨前往伦敦，同艾萨克·牛顿圈子里的数学家们进行了探讨，这在后来引发了一场小微积分的发明者究竟是他还是牛顿的激烈争论，莱布尼茨的第一篇微积分论文于1684年发表，时间比牛顿《原理》的出版早三年，这使得它成为世界上最早的微积分文献。图为莱布尼茨1675年手稿，上面出现了最早的积分号。

命题III.14

同圆内，相等弦的弦心距相等，相等的弦心距对应的弦相等。

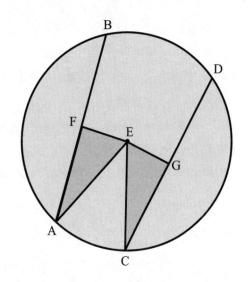

设：AB、CD为圆ABDC内的相等弦；

那么我说：AB、CD到圆心的距离相等。

令：E为圆ABDC的圆心，从E作EF、EG，分别垂直于AB、CD，连接AE、EC（命题III.1、I.12）。

因为：线段EF经过圆心，平分一条未经过圆心的弦AB，并构成直角。所以：AF等于FB。所以：AB是AF的两倍（命题III.3）；

同理可证：CD亦是CG的两倍，而AB等于CD。于是：AF也等于CG。

又因为AE等于EC，那么以AE为边的正方形的面积也等于以EC为边的正方形的面积；

于是：AF、EF为边的正方形的面积之和等于AE为边的正方形的面积；又因为在F点的角为直角。

于是：EG、GC为边的正方形的面积之

和等于EC为边的正方形的面积；因为在G点的角为直角。

所以：AF、FE为边的正方形的面积之和等于CG、GE为边的正方形的面积之和，AF为边的正方形面积等于CG为边的正方形的面积，因为：AF等于CG。

所以：余下的FE为边的正方形的面积等于EG为边的正方形的面积。

所以：EF等于EG（命题I.47）。

又：当弦心距相等时，这些弦叫做等弦心距的弦，所以：AB、CD的弦心距相等。

另，设AB、CD有等弦心距，即EF等于EG。

那么我说：AB也等于CD。

同前理，我们可以证明AB是AF的两倍，CD是CG的两倍。因为AE等于CE，AE为边的正方形的面积等于CE为边的正方形的面积。

EF、FA为边的正方形的面积之和等于AE为边的正方形的面积，EG、GC为边的正方形的面积之和等于CE为边的正方形的面积（命题I.47）。

所以：EF、FA为边的正方形的面积之和等于EG、GC为边的正方形的面积之和，其中因为EF等于EG，故EF为边的正方形的面积等于EG为边的正方形的面积；

所以：余下的AF为边的正方形的面积等于CG为边的正方形的面积；所以：AF等于CG，AB是AF的两倍，CD是CG的两倍。

所以：AB等于CD。

所以：圆内的相等弦，到圆心的距离亦相等；到圆心距离相等的弦彼此相等。

证完

注 解

注意：欧几里得证明了两次三角形边角相等的定理。

这一命题用在下一命题中。

命题Ⅲ.15

圆内越靠近圆心的弦越长，直径是最长的弦。

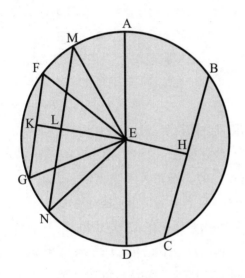

设：圆为ABCD，AD是其直径，E为圆心，作BC靠近圆心弦AD，FG为较远弦。

那么我说：AD最长，且BC大于FG。

令：从圆心E作EH、EK，使之分别垂直于BC、FG（命题I.12）；

因为：BC靠近圆心，FG离圆心较远。所以：EK大于EH（定义Ⅲ.5）；

令：EL等于EH，过L作LM垂直于EK，并经过点N；再连接ME、EN和EF、EG（命题I.3、I.11）；

因为EH等于EL，所以：BC也等于MN（命题I.3、I.11）；

又因为AE等于EM，ED等于EN，所

以：AD等于ME、EN之和；

又因为：ME、EN之和大于MN，MN等于BC。所以：AD便大于BC（命题I.20）；

又因为：ME、EN两边等于FE、EG两边，角MEN大于角FEG。所以：第三边MN大于第三边FG（命题I.24）。

而MN又被证明等于BC。所以：直径AD为最大，BC大于FG。

所以：圆内弦直径为大，越靠近圆心的弦越大。

证完

罗马数字和阿拉伯数字

罗马数字是五进位的简单累数制，12世纪前盛行于欧洲。罗马记数法相当笨拙，它使得算术四则运算非常复杂，在一定程度上阻碍了数学的发展。图为16世纪的教科书。该教科书的编者认为：应有必要提醒读者罗马数字和阿拉伯数字之间的关系。实际上，至今在某种场合我们仍在使用罗马数字。

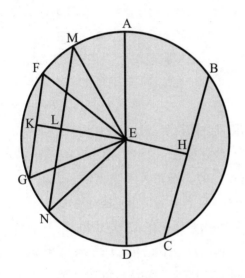

注 解

这一命题在《几何原本》中的其他地方再未被利用。

命题III.16

从圆的直径的端点作垂直于直径的直线。该直线落在圆外；且在该线与圆周之间不可能插入第二条直线；且半圆角大于任何锐角；而余下的角小于任何锐角。

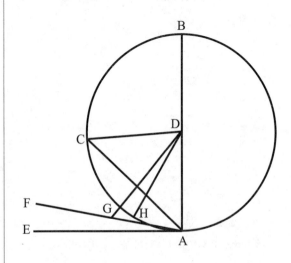

设：圆为ABC，D为圆心，AB为直径；

那么我说：从A点作垂直于AB的直线一定落在圆外。

如果可能，假定落在圆内如CA，连接DC。

因为：DA等于DC，角DAC也等于角ACD（命题I.5）。

而角DAC是直角，于是角ACD也是直角；于是在三角形ACD中，DAC、ACD两角之和等于180°，这是不可能的（命题I.17）；

所以：从A点引出的垂直于AB的线不落在圆内。

同样，我们可以证明不能落在圆周上，所以它只能落在圆外。

设：该直线为AE。

那么我要进一步说：在直线AE与圆弧CHA之间不可能存在第二条线。

假设它们之间存在第二条直线，我们假定它为FA，从D点作DG垂直于FA（命题I.12）。

因为：AGD为直角，而角DAG小于直角，所以AD大于DG（命题I.17、I.19）。

又：DA等于DH，于是：DH大于DG，于是小大于大，这是不可能的。

所以：在这个平面上，不可能在该直线与圆周之间再引出另一条直线。

我还要进一步说：直径AB与圆弧CHA所包含的半圆角大于任何锐角，其余角即CHA与AE包含的角小于任意锐角。

因为，如果有某一直线角大于由直线BA与圆弧CHA包含的角，而且某一直线角小于由圆弧CHA与直线AE所包含的角。

那么，在平面内，在圆弧CHA与直线AE之间可以插入直线包含这样一个角，是由直线包含的，而它大于直线BA与圆弧CHA包含的角，而且直线包含的其他的角皆小于由圆弧CHA与直线AE包含的角。

但是，这样的直线不能插入。

所以：没有由直线包含的任何锐角大于由弦BA与圆弧CHA包含的角；也没有由直线包含的任何锐角小于由圆弧CHA与直线AE包含的角。

所以：从圆的直径的端点作垂直于直径的直线。该直线落在圆外；且在该线与圆周之间不可能插入第二条直线；且半圆角大于任何锐角；而余下的角小于任何锐角。

证完

推 论

由此可得，由圆的直径的端点作与它成直角的直线与此圆相切。

注 解

这一命题应用在命题IV.4中，也应用在卷IV的其他命题中。推论应用在本卷的命题III.33和 III.37中，也应用在卷IV的其他命题及命题XII.16中。

命题III.17

过圆外一点可以作圆的切线。

设：A为给定的点，BCD为给定的圆；现在要求的是从A点向圆BCD作切线。

设：E为圆心。连接AE，以E为圆心EA为半径作圆AFG，从D点作DF垂直于EA，连接EF、AB（命题III.1、I.11）；

那么我说：AB 是从点 A 向圆 BCD 作的切线。

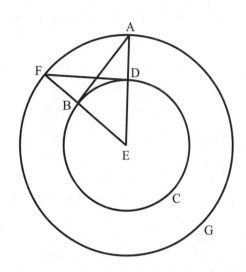

因为：E为圆BCD、AFG的圆心；所以：EA等于EF，ED等于EB；所以：AE、EB分别等于FE、ED，且它们在E点上有共同的角。

古希腊剧场

公元前7世纪至前3世纪的500年，是一个令后人激动和敬仰的时代。正是这一时期，古希腊出现了苏格拉底、柏拉图、亚里士多德等一大批伟大的思想家，从文明古国的传说和猜想中走过来的自然科学也开始取得空前的成就和繁荣。这就是古希腊的科学，它注重思想理论体系的建立，近代科学的各个学科几乎都能在古希腊科学里找到思想源头，古希腊是科学思想的摇篮。

所以：第三边DF等于AB，三角形DEF全等于三角形BEA，余角等于余角，所以：角EDF等于角EBA（命题I.4）；

而角EDF为直角，所以：角EBA也是直角；

现在EB是半径，由圆的直径的端点所作直线和直径成直角，则直线切于圆。

所以：AB与圆BCD相切（命题III.16）；

所以：从给定的点A，能作AB与圆BCD

相切。

所以：过圆外一点可以作圆的切线。

证完

注 解

这一命题应用在命题 III.34 和 XII.2 中。

命题III.18

如果一条线与圆相切，圆心与切点的连线构成直角。

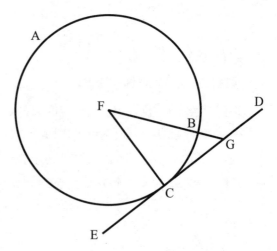

设：直线DE与圆ABC相切于C点，F为圆心，连接FC（命题III.1）；

那么我说：FC垂直于DE。

假设不垂直，设从F点作FG垂直于DE（命题I.12）；

因为：角FGC是直角，角FCG是锐角，大角对大边，所以：FC大于FG（命题I.17、I.19）；

又：FC等于FB。所以：FB也大于FG，于是小大于大，这是不可能的。所以：FG不垂直于DE。

一种巧妙的方法

直到16世纪，托勒密的《天文学大成》仍是关于行星轨道的主要文献。对托勒密来说，数学是用来补充说明这一现象，而不是解释这一现象。即将发生的革命将改变宇宙和地球。数学在这场革命中起到了至关重要的作用。精确的数学模型将告诉我们这个世界的奥秘。借由图中仪器的一系列转圈，可找到天体在任何时期的位置，比如使用这个仪器，便可以知道，从公元前7000年到公元后7000年之间，黄道带上土星的位置。

同样：我们可以证明除了FC以外，不可能有直线垂直于DE；所以：FC垂直于DE。

所以：如果一条线与圆相切，圆心与切点的连线构成直角。

证完

注 解

这一命题应用在本卷及卷IV的几个命题中。

命题III.19

一条直线与圆相切，在切点上与该直线垂直的直线，一定经过圆心。

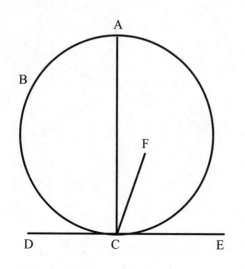

设：直线DE与圆ABC相切于C点，从C点作CA，使之垂直于DE（命题I.11）。

那么我说：圆心一定在AC线上。

假设圆心不在AC线上，如果可能，设F为圆心，连接CF。

因为：直线DE与圆ABC相切，又FC是从圆心向切点引出的直线，FC垂直于DE。

惠更斯

荷兰物理学家、数学家惠更斯（1629—1695年）首先提出光是以波的方式行进的。他利用波动来解释反射及衍射。他发明制造望远镜的新组合方法，使用经过他改良的望远镜，可以看到围绕土星的光环。惠更斯在力学方面也颇有建树，他解决了物理摆的摆动中心问题，并发明了测微针。

那么：角FCE是直角（命题III.18）。

又：角ACE也是直角。于是：角FCE等于角ACE，于是小角等于大角，这是不可能的。

所以：F不是圆ABC的圆心。

同样，我们可以证明除了AC上的点以外的任何点不可能是圆心。

所以：一条直线与圆相切，在切点上与该直线垂直的直线，一定经过圆心。

证完

注 解

这一命题应用在命题III.32中。

命题III.20

在一个圆中，同弧所对的圆心角等于圆周角的两倍。

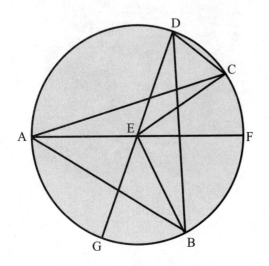

设：圆为ABC，角BEC是圆心角，角BAC是圆周角，它们有共同的以BC为底的弧。

那么我说：角BEC是角BAC的两倍。

令：连接AE，并延长至F。

因为：EA等于EB，角EAB也等于角EBA。所以：角EAB、EBA的和是角EAB的两倍（命题I.5）。

又：角BEF等于角EAB与角EBA之和。所以：角BEF也等于角EAB的两倍（命题I.32）。

同理，角FEC也等于角EAC的两倍。

所以：角BEC是角BAC的两倍。

又：令另一条直线移动位置，构成另一个角BDC，连接DE并延长至G。

同样，我们能证明角GEC是角EDC的两倍，其中角GEB是角EDB的两倍。所以：余角BEC是角BDC的两倍。

所以：在一个圆中，同弧所对的圆心角是圆周角的两倍。

证完

注 解

这一命题应用在下一命题中，也应用在命题III.27和VI.33中。

命题III.21

在同一个圆中，同弧所对的圆周角相等。

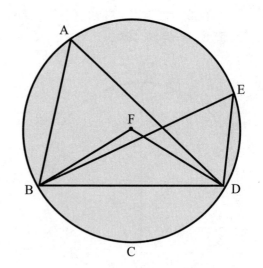

设：ABCD为圆，角BAD和BED有相同的弧。

那么我说：角BAD等于角BED。

令：F为圆ABCD的圆心，连接BF、FD（命题III.1）。

因为角BFD的顶点是在圆心上，角BAD的顶点是在圆周上，且它们有相同的弧BCD，所以：角BFD是角BAD的两倍（命题III.20）。

同理，角BFD也是角BED的两倍，所

以：角BAD等于角BED。

所以：在同一个圆中，同弧所对的圆周角相等。

证完

注 解

这一命题应用在下一命题中。

命题III.22

圆内接四边形对角互补。

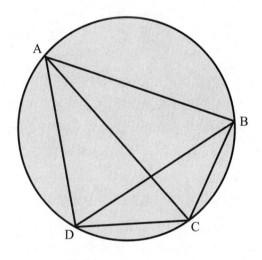

设：ABCD为圆，作圆内四边形 ABCD。那么我说：对角之和为180°。

令：连接AC、BD。

因为：在任何三角形中，三个内角的和等于180°。所以：三角形ABC中的角CAB、ABC和BCA之和为180°（命题I.32）。

又因为：角CAB与角BDC有共同的弧BADC。所以：角CAB等于角BDC；角ACB与ADB有共同的弧ADCB，所以：角ACB等于角ADB。

所以：大角ADC等于角BAC与角ACB之和（命题III.21）。

令：角ABC与每个角相加。于是：角ABC、BAC、ACB之和等于角ABC、ADC之和；

又：角ABC、BAC、ACB之和等于180°。所以：角ABC、ADC之和等于180°。

同样，我们可以证明角BAD、DCB之和也等于180°。

所以：圆内接四边形的对角互补。

证完

注 解

这一命题应用在命题III.32中。

命题III.23

在同一条线段的同一侧，不可能建两个相似但不相等的弓形。

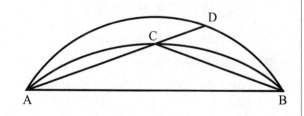

假设可能，设在同一线段AB的同一侧建相似且不相等的弓形ACB、ADB，作ACD与两弓形相交，连接CB、DB。

那么因为：弓形ACB相似于弓形ADB，而圆的相似弓形有相同的角。

所以：角ACB等于角ADB，即是外角等于内角，这是不可能的（定义III.11，命题I.16）。

所以：在同一条线段的同一侧，不可能建两个相似但不相等的弓形。

证完

彭罗斯

数学家彭罗斯（1931— ）年轻时就与父亲一同发明了划时代的填补平面法。这本是纯数学的发明，后来被应用到实际生活中，某些称之为"准晶"的物质就是以此方式制造出来的。但令他扬名国际的却是相对论的研究，尤其是他与霍金共同研究的黑洞。他是黑洞蒸发机制的创始人。

注 解

这一命题应用在下一命题中。

命题III.24

相等的弦上的相似弓形全等。

设：AEB、CFD为建立在相等线段AB、CD上的两个相似弓形。

那么我说：弓形AEB全等于弓形CFD。

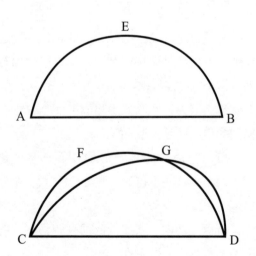

因为：如果弓形AEB移动到CFD，如果A点放置在C点，线段AB在线段CD上，那么点B就与点D重合。因为AB等于CD，AB又与CD重合，弓形AEB也就与弓形CFD重合。

因为：如果线段AB与CD相重合，而弓形AEB与CFD不相重合，那么它或者落于其内，或者落于其外，或者落在CGD的位置，则两圆相交形成两个以上的接点，这是不可能的（命题III.23、III.10）。

所以：如果线段AB重叠在CD上，那么弓形AEB就不能不与CFD重合。

所以：它们全等。

所以：相等弦上的相似的弓形全等。

证完

注 解

这里的证明应用了叠合的方法，在命题I.4和I.8也使用了此方法。

命题III.25

已知弓形，可以作出它的补圆。

设：ABC为给定的弓形。现在要求的是作出弓形ABC的补圆。

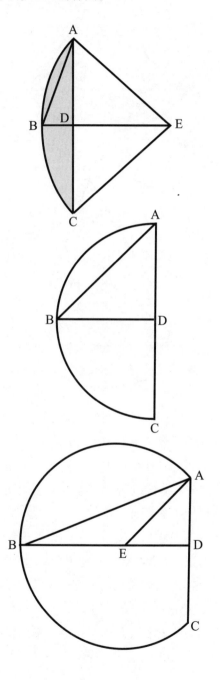

令：在D点上平分AC，从D点作DB垂直于AC。连接AB（命题I.10、I.11）。

于是角ABD大于或者等于或者小于角BAD。

首先，我们设它大于BAD。在线段BA上建角BAE，使之过A，并等于角ABD，延长BD至E，连接EC（命题I.23）。

因为：角ABE等于角BAE，线段EB也等于EA（命题I.6）；

又因为：AD等于DC，而DE是共同边，AD、DE两边等于对应边CD、DE，角ADE等于角CDE，皆为直角；

所以：第三边AE等于第三边CE（命题I.4）。

又：AE也可以证明等于BE，BE也等于CE；所以：三条线段 AE、EB 和 EC 彼此相等。

公元前8000年的几何纹

　　几何纹是由点、线、面根据一定位置比例和运动规律构成一维、二维或三维的造型空间。史前时代的几何纹一般都经历了从点开始，随后出现直线和曲线的演变过程，它的演变表明了人类由具象的表面去观察世界发展到了由抽象的内在观念去认识宇宙的本质。

所以：以E为圆心和线段AE、EB及EC之一为半径作圆，可以经过其余的点且得到补圆（命题III.9）。

所以：给定一个弓形，可以作出补圆。

又很明显的，弓形ABC小于半圆，因为圆心E在它的外面。

同样，即使角ABD等于角BAD，AD等于BD或DC，三条线段DA、DB和DC将彼此相等，D将为整圆的圆心，弓形ABC将为半圆。

又：如果角ABD小于角BAD，如果在线段BA及点A上建角等于角ABD，那么圆心将落在弓形ABC的DB上，弓形ABC将明显大于半圆（命题I.23）。

所以：给定一个弓形，可以作出它的补圆。

证完

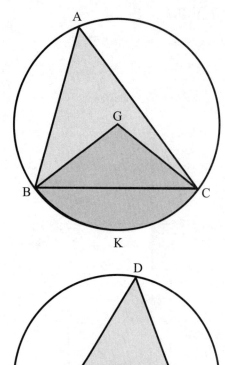

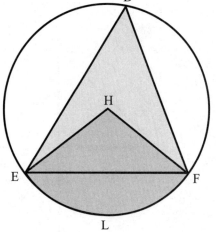

注 解
这一命题在《原本》中没有再被利用。

命题III.26

在相等圆内，相等的圆周角或圆心角所对的弧相等。

设：ABC、DEF为相等圆，在其内建相等圆心角和圆周角，即圆心角BGC、EHF，圆周角BAC、EDF。

那么我说：圆周角BKC等于圆周角ELF。

令：连接BC、EF。

既然圆ABC等于圆DEF，那么半径相等。

所以：线段BG、GC就等于线段EH、HF，在G点的角等于在H点的角，所以：第

三边BC等于第三边EF（命题I.4）。

又因为：在A点的角等于在D点的角，所以：弓形BAC相似于弓形EDF，它们立于相等线段上（命题I.4）。

因为，在相等线段上的相似弓形彼此相等。所以，弓形BAC等于弓形EDF。

又因为，整圆ABC也等于整圆DEF。所以，余弧BKC等于余弧ELF。

所以：在相等圆内，相等的圆周角或圆心角所对的弧相等。

证完

注 解

这一命题应用在命题III.28、IV.11、IV.15、XIII.10中。

命题III.27

在相等圆中，相等的弧所对的圆周角相等，所对的圆心角相等。

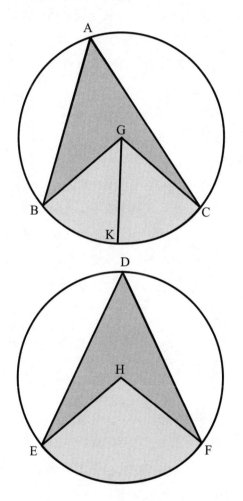

设：圆ABC等于圆DEF，其圆周BC等于EF，角BGC、角EHF是分别以圆心G、H建立的角，角BAC、EDF是圆周上的角。

那么我说：角BGC等于角EHF，且角BAC等于角EDF。

假设：如果角BGC不等于角EHF，其中一个较大。令，角BGC为较大的角。在线段BG上和G点建角BGK等于角EHF（命题I.23）。

因为：当角在圆心处时，等弧上的角相等。所以：圆弧BK等于圆弧EF（命题I.26）。

又因为：弧EF等于弧BC。所以：弧BK也等于弧BC，那么小等于大，这是不可能的。

所以：角BGC不能不等于角EHF。

所以：它们相等。

欧拉手迹

18世纪数学界的代表人物是欧拉（1707—1783年），在历史上，他可以和阿基米德、牛顿、高斯并列为四个贡献最大的数学家。在数学分析方面，流传最广、影响最大的是他的《无穷小分析引论》。《引论》的内容并不是微积分本身，而是给这门学科提供了必要的预备知识，奠定了分析数学的基础。它以函数概念为中心，通过各种运算，包括无穷运算建立了一个独立于几何学与代数学的新分支，即分析数学。

又：A点上的角是角BGC的一半，且D点上的角是角EHF的一半，所以：A点上的角也等于D点上的角（命题III.20）。

所以：在等圆中，相等的弧所对的圆周角相等，所对的圆心角相等。

证完

注 解
这一命题应用在卷III、IV、VI的几个命题中。

命题III.28

在相等圆中，等弦截出相等的弧，优弧等于优弧，劣弧等于劣弧。

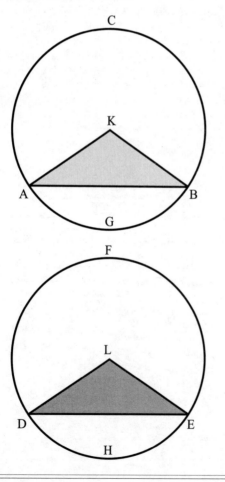

设：圆ABC与圆DEF相等，弦AB等于DE，切分的优弧为ACB和DFE，劣弧为AGB和DHE。

那么我说：优弧ACB等于优弧DFE，劣弧AGB等于劣弧DHE。

令：K、L分别为两圆的圆心，连接AK、KB、DL和LE（命题III.1）。

因为：圆相等，那么半径相等，所以：AK、KB两边分别等于DL、LE两边，且第三边AB等于第三边DE。所以：角AKB等于角DLE（命题I.8）。

又因为：当它们是圆心角时，它们所对的弧相等，所以：弧AGB等于弧DHE（命题III.26）。

又：圆ABC也等于圆DEF。

所以：其余弧ACB也等于其余弧DFE。

所以：在相等圆中，等弦截出相等的弧，优弧等于优弧，劣弧等于劣弧。

证完

注 解
这一命题应用在命题 III.30 和 XIII.18 中。

命题III.29

在相等圆中，相等的弧所对的弦相等。

设：圆ABC等于DEF，其中弧BGC等于弧EHF，连接线段BC和EF。

那么我说：BC等于EF。

令：K、L分别为圆心，连接BK、KC、EL和LF（命题III.1）。

因为：弧BGC等于弧EHF。

那么：角BKC也等于角ELF（命题

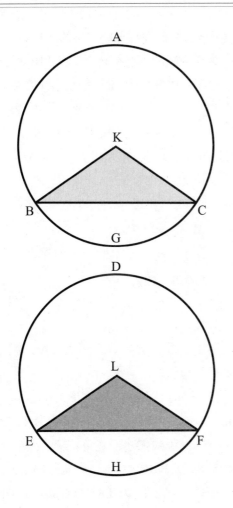

一 行

一行（683—727年），唐代天文学家、数学家。他和梁玄瓒合作创制了能测量天球黄道坐标的黄道游仪，用这个仪器测量了28宿距北极的度数，在世界上第一次发现了恒星位置变动的现象。一行最重要的工作是组织了一次大规模的天文大地测量，这次测量的范围极广，测的内容是南北12个北极点的高度。测量后的数据纠正了前人关于"南北地隔千里，影长差一寸"的说法，实际上第一次测出了地球子午线1°的长度。这次测量数据准确，成为编订大衍历的基础，大衍历的结构体系一直是后世历法研究者的主要蓝本。

III.27）。

又因为：圆ABC等于圆DEF，那么半径相等。

所以：BK、KC两边等于EL、LF，它们的夹角也相等。

所以：第三边BC等于第三边EF（命题I.4）。

所以：在相等圆中，相等的弧所对的弦相等。

证完

注 解

这一命题应用在命题IV.11和IV.15中。

命题III.30

一段弧可以被平分。

设：ADB为给定的弧。

现在要求切分成相等的两半。

令：连接AB，并在C点上平分。从C点作CD垂直于AB，连接AD、DB （命题

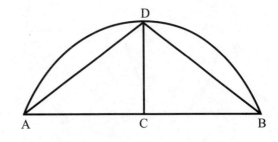

I.10、I.11）。

那么因为：AC等于CB，而CD是公共边，AC、CD等于BC、CD，且角ACD等于角BCD，因为皆为直角。

所以：第三边AD等于第三边DB（命题I.4）。

又：相等弦切分相等弧，劣弧与劣弧对应相等，圆弧AD、DB皆小于半圆。

所以：弧AD等于弧DB（命题III.28）。所以：给定的圆被D点平分。

所以：一段弧可以被平分。

证完

注 解

这一命题应用在命题IV.16中。

命题III.31

在一个圆中，直径或半圆所对的圆周角为直角；较大弓形上的角为锐角，较小弓形上的角为钝角；优弧所对的圆周角为钝角，劣弧所对的圆周角为锐角。

设：圆为ABCD，BC为直径，E为圆心，连接BA、AC、AD和DC。

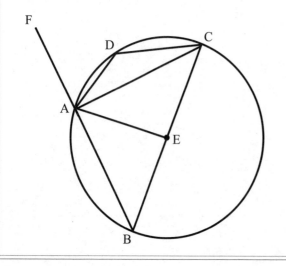

那么我说：半圆BAC内的角BAC为直角；大于半圆的弓形ABC上的角ABC小于直角；小于半圆的弓形ADC上的角ADC大于直角。

令：连接AE，延长BA至F。那么因为BE等于EA。所以：角ABE也等于角BAE。

又因为：CE等于EA。所以：角ACE也等于角CAE。所以：大角BAC等于两个角ABC、ACB之和（命题I.5）。

又：角FAC是三角形ABC的外角。所以也等于角ABC与角ACB之和。

所以：角BAC也等于角FAC。所以：两个皆为直角。

所以：在半圆BAC上的角BAC为直角（命题I.32）。

进一步：因为在三角形ABC中，角ABC、BAC之和小于180°，而角BAC是直角。所以：角ABC小于直角。所以：它是大于半圆的弓形ABC内的角（命题I.17）。

再进一步：因为ABCD是圆内接四边形，其对角之和等于180°，同时角ABC小于直角。所以：角ADC大于直角。且，它是小于半圆的弓形ADC上的角（命题III.22）。

我再进一步说：较大的弓形角，即由弧ABC与弦AC所构成的角大于直角，较小的弓形角即由弧ADC与弦AC所构成的角小于直角。

这同时表明：BA与AC构成的角为直角。由弧ABC与直线AC构成的角大于直角。

又因为：弦AC、AF构成的角为直角。

所以：CA与圆弧ADC构成的角小于直角。

所以：在一个圆中，直径或半圆所对的

圆周角为直角；较大弓形上的角为锐角，较小弓形上的角为钝角；优弧所对的圆周角为钝角，劣弧所对的圆周角为锐角。

证完

注　解

这一命题应用在命题III.32中，并在卷IV、VI、XI、XII、XIII中皆有应用。也用在卷X中。

命题III.32

弦切角等于所夹弧所对应的圆周角。

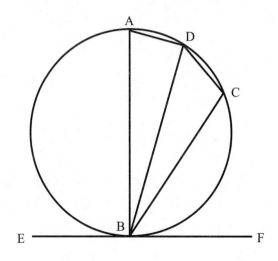

设：直线EF切圆ABCD于B点，从切点B作圆的弦BD。

那么我说：弦BD与切线EF构成的角等于它们所夹的弧所对的圆周角，即角FBD等于弓形上的角BAD；而角EBD等于弓形上的角DCB。

令：从B点作BA垂直于EF，在圆弧BD上任取一点C，连接AD、DC和CB（命题I.11）。

那么因为：直线EF与圆ABCD相切于B

点，BA是切点上引出的弦，并垂直于切线，那么圆ABCD的圆心一定在BA线上（命题III.19）。

所以：BA是圆ABCD的直径。所以：角ADB是半圆上的角，因此为直角（命题III.31）。所以：余角BAD、ABD之和等于一个直角（命题I.32）。

又因为：角ABF也是直角。所以：角ABF等于角BAD与角ABD之和。

令：以上每个角减去角ABD，于是：余角DBF等于角BAD。而它在相对的弓形上。

又因为：ABCD是圆内接四边形，所以

对角之和等于180°（命题III.22）。

又因为：角DBF、DBE之和也等于180°。所以：角DBF与角DBE之和等于角BAD与角BCD之和，其中角BAD已被证明等于角DBF。

所以：角DBE等于弓形DCB上的角DCB。

所以：弦切角等于所夹弧所对应的圆周角。

证完

注 解

这一命题应用在下两个命题中，也用在卷IV的一命题中。

命题III.33

给定一条弦，可以作出它所对的圆周角等于已知角。

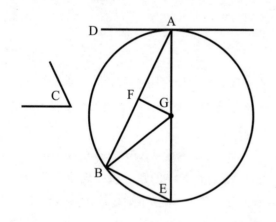

设：AB为给定的线段，角C为指定的角。

现在要求的是：在线段AB上作出弓形使其角等于角C。C可以是锐角、钝角和直角。

先假设它为锐角。在直线AB上的点A上建角BAD等于角C。于是：角BAD也是锐角（命题I.23）。

作AE垂直于DA，在F点上平分AB，从F点作FG垂直于AB，连接GB（命题I.10、I.12）。

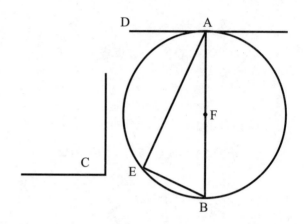

因为：AF等于FB，而FG是公共边，AF、FG等于BF、FG，且角AFG等于角BFG。所以：第三边AG等于第三边BG（命题I.4）。

所以：以G为圆心和GA为半径作圆ABE，连接EB，因为AD是A点延长线，过直径AE的尾点，作AD垂直于AE。所以：AD是圆ABE的切线（命题III.16推论）。

既然：AD是圆ABE的切线，在切点A上作线段AB经过圆ABE；角DAB等于相对弓形上的角AEB（命题III.32）。

又：角DAB等于角C，所以：角C也等于角AEB。

所以：在给定的线段AB上作出包含角AEB的弓形AEB，它等于角C。

进一步，假定角C为直角，在线段AB上作出弓形使它所含的角等于角C。

设：建角BAD，使之等于角C，F为AB

的平分点，以F为圆心，FA或FB为半径作圆AEB（命题I.23，I.10）。

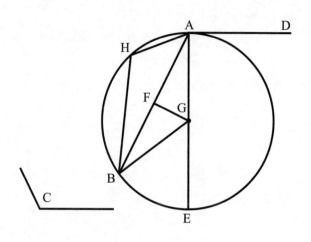

于是：直线AD切于圆ABE，因为AD垂直于AB（命题III.16推论）。

又：角BAD等于弓形AEB上的角，因为后者也是直角，是半圆上的角（命题III.31）。

又：角BAD也等于角C。所以：角AEB也等于角C。所以：在AB上建起了包含等于角C的弓形AEB。

进一步，假定角C为钝角。

在线段AB的A点上建角BAD等于C，作AE垂直于AD，F点平分线段AB，作FG垂直于AB，连接GB（命题I.23、I.11、I.12）。

那么因为：AF等于FB，FG是公共边，AF、FG等于BF、FG，角AFG等于角BFG。

所以：第三边AG等于第三边BG（命题I.4）。

所以：以G为圆心GA为半径的圆作出来了，它也经过B，即AEB。

因为AD与线段AE在尾点构成直角。所以：AD是圆AEB的切线（命题III.16推论）。

又：AB过切点A经过圆。所以：角BAD等于作在相对弓形AHB上的角（命题III.32）。

又：角BAD等于角C。所以：弓形AHB上的角也等于角C。

所以：在给定线段AB上，弓形AHB建成，其上的角等于角C。

所以：给定一条弦，可以作出它所对的圆周角等于已知角。

证完

注 解

这一命题在《原本》的其他地方未再被利用。

命题III.34

从一个给定的圆中，可以作出一段弧，使它所包含的圆周角等于已知角。

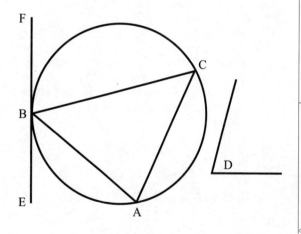

设：ABC为给定的圆，角D为给定的角。

要求从圆ABC中切割出一个弓形，使它包含的圆周角等于给定的角D。

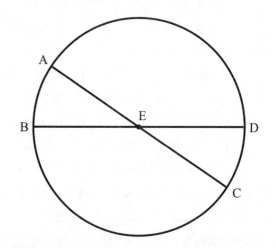

所以：角FBC等于弓形的弦切角BAC（命题Ⅲ.32）。

又因为角FBC等于角D。

所以：弓形BAC上的角等于D角。

所以：从一个给定的圆中，可以作出一段弧，使它所包含的圆周角等于已知角。

证完

注 解

这一命题在《原本》的其他地方未再被利用。

命题Ⅲ.35

圆中两弦相交，一弦分成的两段构成的矩形等于另一弦分成两段构成的矩形。

设：在圆ABCD中，两条弦AC、BD交于E点。

那么我说：AE、EC构成的矩形的面积等于DE、EB构成的矩形的面积。

如果AC、BD穿过圆心，那么E便是圆ABCD的圆心，这表明，AE、EC、DE和EB相等，AE、EC构成的矩形的面积也就等于

圆的度量

圆周率就是圆周长与直径的比率，通常用希腊字母表示。在英语里，圆周率没有一个简洁的名称，公元前5世纪以后，希腊人为了解决"化圆为方"（作一个正方形与已知圆等积）问题，对计算圆面积及圆周率作了很大的努力。可真正使圆周率计算建立在科学的基础上，首先应归功于阿基米得。他为此写了一篇论文《圆的度量》，用几何方法证明了"圆周长与圆直径之比小于31/7而大于310/71。

令：作EF，使之与圆ABC相切于B点，在直线FB的B点建角FBC等于角D（命题Ⅲ.17、Ⅰ.23）。

因为：直线EF与圆ABC相切，BC是从切点B引出的经过圆的弦。

那么，因为直线EF切于圆ABC，且由切点B作弦BC，角FBC等于在相对弓形BAC上的角。

DE、EB构成的矩形的面积。

假定：AC、DB不是穿过圆心的线，设F为圆心，从F点作FG、FH分别垂直于AC、DB，连接FB、FC和FE（命题III.1、I.12）。

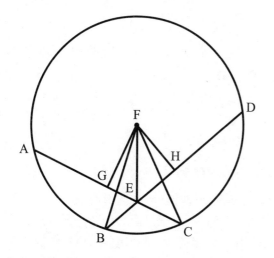

那么因为：穿过圆心的线段GF切分不穿过圆心的线段AC形成直角。

所以：它也平分该线段。所以：AG等于GC（III.3）。

因为：线段AC在G点被二等分和E点不等分，那么AE、EC为边构成的矩形的面积加EG为边的正方形的面积便等于GC为边的

正方形的面积（命题II.5）。

加上GF为边的正方形的面积，于是：AE、EC构成的矩形面积加GE、GF为边的正方形的面积就等于CG、GF为边的正方形的面积之和。而FE为边的正方形的面积等于EG、GF为边的正方形的面积之和，FC为边的正方形的面积又等于CG、GF为边的正方形的面积之和。

所以：AE、EC构成的矩形的面积加FE为边的正方形的面积等于FC为边的正方形的面积（命题I.47）。

又，FC等于FB，所以：AE、EC构成的矩形的面积加EF为边的正方形的面积等于FB为边的正方形的面积。

同理，DE、EB构成的矩形的面积加FE

伽利略和他的望远镜

意大利文艺复兴时期天文学家和物理学家伽利略（1564—1642年）最早使用数学分析的方法研究天文学和力学，从而为牛顿的第一、第二运动定律提供启示。他非常重视数学在应用科学方法上的重要性，特别是实物与几何图形符合程度有多大的问题。图为伽利略和他自制的望远镜，他的望远镜不但可以观测星空，还可应用于船舰、要塞。伽利略通过望远镜的观测，得出了与哥白尼学说完全相符的结论。

积等于DE、EB构成的矩形的面积。

所以：圆中两弦相交，一弦分成的两段构成的矩形等于另一弦分成两段构成的矩形。

证完

注 解
这一命题或许应该成为一个比率：

AE：EB＝DE：EC。

这一命题在《原本》的其他地方未再被利用。

命题III.36
如果圆外的一点向圆引两条直线，一条与圆相切，一条穿过圆，那么被圆截得的线段与该点到凸圆之间的线段为边构成的矩形的面积等于该点向圆引的切线所构成的正方形的面积。

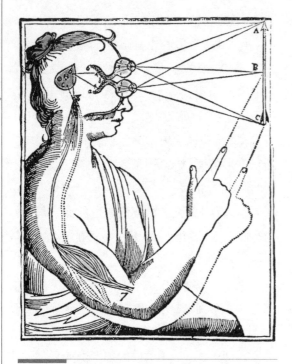

我思故我在

在《方法论》中勒内·笛卡儿提出了数学演绎方法论。他认为首先必须怀疑一切，然后在怀疑中找出那些清楚明白、不证自明的东西。他找到的第一个自明的前提是"我思"，什么都可以怀疑，但对我还在怀疑这件事不能怀疑。怀疑即是我思，而我思故我存在。从这个命题出发，笛卡儿画出了他的世界图景，给出了他的机械自然观的基本论点。图中显示了笛卡儿对像的感官认知过程与肌肉反映之间的假想关系。图像从眼睛传到松果腺，图像与松果腺之间的互动决定了肌肉的运动。

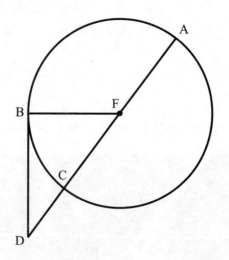

为边的正方形的面积，等于FB为边的正方形的面积。

而AE、EC构成的矩形的面积加FE为边的正方形的面积也已被证明等于FB为边的正方形的面积。

所以：AE、EC构成的矩形的面积加FE为边的正方形的面积，等于DE、EB构成的矩形的面积加上FE为边的正方形的面积。

令：每个减去FE为边的正方形的面积。

于是：余下的AE、EC构成的矩形的面

设：D为圆ABC外的一点，从D点向圆ABC引两条线段DCA、DB，使DCA穿过圆，DB与圆相切。

那么我说：AD、DC构成的矩形的面积等于DB为边的正方形的面积。

DCA要么穿过圆心，要么不穿过圆心。

先令其穿过圆心，假定F为圆ABC的圆心，连接FB，于是：角FBD为直角（命题III.18）。

又因为：AC在F点被平分，CD是其加线。所以：AD、DC构成的矩形的面积加FC为边的正方形的面积等于FD为边的正方形的面积（命题II.6）。

又因为：FC等于FB。所以：AD、DC构成的矩形的面积加FB为边的正方形的面积等于FD为边的正方形的面积。

又：FB、BD为边的正方形的面积之和等于FD为边的正方形的面积。

所以：AD、DC构成的矩形的面积加FB为边的正方形的面积等于FB、BD为边的正方形的面积之和（命题I.47）。

令：以上每个减去FB为边的正方形的面积；于是：余下的AD、DC构成的矩形的面积等于切线DB为边的正方形的面积。

再令：DCA不穿过圆ABC的圆心，设圆心为E，从E点作EF垂直于AC，连接EB、EC、ED（命题III.1）。

于是：角EBD是直角（命题III.18）。

又因为：线段EF穿过圆心，与另一条不过圆心的线段AC形成直角，那么也平分该线。所以：AF等于FC（命题III.3）。

因为线段AC在F点被平分，CD是其增加

托勒密的地图

公元2世纪，克劳狄·托勒密继承了希腊的全部科学与哲学遗产，并把前人的事业发扬光大。他在其著作《天文学大成》中，特别记载了地心宇宙体系，即地球静止不动，处于宇宙的中心，周围是一条接一条的天空轨道，月球、太阳和其他行星沿着这条轨道运动，这一观点直到文艺复兴时期始终占统治地位。《天文学大成》既阐述了当时的天文学知识，更有完善的平面三角学和球面三角学的论述。在《地理学指南》一篇中，托勒密阐述了新的地图绘制方法，并绘制带有8000个地区坐标（经度和纬度）的地图。在地图上标明上北下南、左西右东的做法也来源于此。

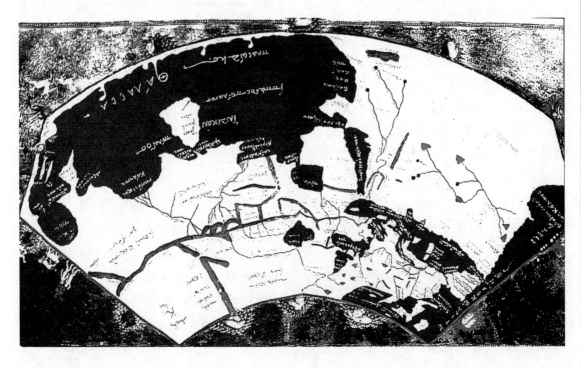

线。所以：AD、DC构成的矩形的面积加FC为边的正方形的面积就等于FD为边的正方形的面积（命题II.6）。

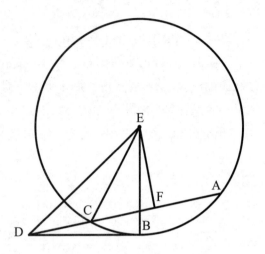

令：以上每个加上FE为边的正方形的面积。

于是：AD、DC构成的矩形的面积加上CF、FE为边的正方形的面积等于FD与FE为边的正方形的面积之和。

又：EC为边的正方形的面积等于CF、FE构成的正方形的面积之和，因为角EFC是直角，且ED为边的正方形的面积等于DF、FE构成的正方形的面积之和。

所以：AD、DC构成的矩形的面积加EC为边的正方形的面积等于ED为边的正方形的面积（命题I.47）。

又：EC等于EB。所以：AD、DC构成的矩形的面积加EB为边的正方形的面积等于ED为边的正方形的面积。

又：EB、BD为边的正方形的面积之和等于ED为边的正方形的面积，因为角EBD是直角。所以：AD、DC构成的矩形的面积加EB为边的正方形的面积，等于EB、BD为边

的正方形的面积之和（命题I.47）。

令：以上每个减去EB为边的正方形的面积。

于是：余下的AD、DC构成的矩形等于DB为边的正方形的面积。

所以：如果圆外的一点向圆引两条直线，一条与圆相切，一条穿过圆，那么被圆截得的线段与该点到凸圆之间的线段为边构成的矩形的面积等于该点向圆引的切线所构成的正方形的面积。

证完

命题III.37

如果圆外的一点向圆引两条线段，一条与圆周相交，一条落在圆上，如果截圆的线段的全部与该点到凸弧之间圆外的线段构成矩形面积等于落在圆上的线段为边的正方形的面积，那么落在圆上的直线为圆的切线。

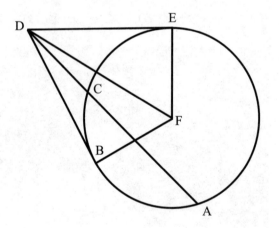

设：D为圆ABC外的一点，从D点向圆引两条线段DCA、DB，使DCA穿过圆，DB与圆周的一点相交，使AD、DC构成的矩形的面积等于DB为边的正方形的面积。

那么我说：DB是圆ABC的切线。

令：作DE与圆ABC相切，F为圆心，连

接FE、FB和FD（命题III.17、III.1）。

于是：角FED是直角（命题III.18）。

因为：DE与圆ABC相切，DCA过圆。那么：AD、DC构成的矩形面积等于DE为边的正方形面积（命题III.36）。

又：AD、DC构成的矩形的面积也等于DB为边的正方形的面积；所以：DE为边的正方形的面积等于DB为边的正方形的面积。所以：DE等于DB。

又FE等于FB；所以：DE、EF等于DB、BF，而FD为三角形共用的底。所以：角DEF等于角DBF（命题I.8）。

又：角DEF是直角；所以：角DBF也为直角。

又FB为半径，与圆的半径形成直角的线段，在其尾点与圆相切，所以，DB是圆的切线（命题III.16推论）。

同样，圆心在AC上也可以证明出来。

所以：如果圆外的一点向圆引两条线段，一条与圆周相交，一条落在圆上，如果截圆的线段的全部与该点到凸弧之间圆外的线段构成矩形面积等于落在圆上的线段为边的正方形的面积，那么落在圆上的直线为圆的切线。

证完

注 解

这一命题应用在命题IV.10中。

第四卷　圆与正多边形

　　对于本书第一卷所述的"三大问题"，历代数学家费尽周折，直到1637年，笛卡儿创建了解析几何以后，尺规作图才有了准则，1882年，林德曼证明了π的超越性，即π不可能为任何整系数多项式的根，三大问题之一的"化圆为方的不可能性"才得到确立。1895年，德国克莱因总结了前人的研究，在《几何三大问题》一书中，给出了三大问题不可能用尺规作图的简明证法，彻底解决了两千多年来的悬案。

　　本卷讨论了已知圆的某些内接和外切正多边形的尺规作图问题。

理性主义者

　　理性主义滥觞于笛卡儿，其后还有斯宾诺莎和莱布尼茨。在他们眼里，数学为真正可靠的知识提供了理想范型。倘若把数学家的发现以及获取新知识的方法用来认识世界，那么就能真正彻底地解释世界。

本卷提要

本卷的命题主要为建圆的内接和外切图形，建直线图形的内切圆和外接圆。

图形	建圆的内接图形	建圆的外切图形	在直线图形内建圆	建图形的外接圆
三角形	命题IV.2	命题IV.3	命题IV.4	命题IV.5
正方形	命题IV.6	命题IV.7	命题IV.8	命题IV.9
正五边形	命题IV.11	命题IV.12	命题IV.13	命题IV.14
正六边形	命题IV.15	命题IV.15 及其推论	命题IV.15 及其推论	命题IV.15 及其推论
正十五边形	命题IV.16	命题IV.16 及其推论	命题IV.16 及其推论	命题IV.16 及其推论

仅有两个命题例外：命题IV.1在圆内建一条适宜的线段，命题IV.10在正五边形内建一特殊的三角形。

定 义

定义IV.1 当一个多边形上的顶点分别位于另一多边形的边时，该图形被称为内接于另一图形。

定义IV.2 类似地，当一个多边形的各边分别经过另一个多边形的各顶点时，被称为前图形外接于后图形。

定义IV.3 当一个多边形的各角的顶点都在一个圆周上时，称该图形内接于圆。

定义IV.4 当一个多边形的各边都切于一个圆时，称该多边形外切于圆。

定义IV.5 类似地，当圆与一个多边形各边都相切时，称该圆内切于此多边形。

定义IV.6 当一个圆经过一个多边形的每个顶点时，称该圆外接于该多边形。

定义IV.1 ~ IV.6

定义IV.7 当一条线段的两个端点位于圆周上时，称该线段为圆的弦。

希波克拉底

大约在公元前460年，希波克拉底出生在科斯岛的一个医生世家，在治病主要为迷信活动支配的时代，希波克拉底提出医学的最终性质是数学和数字，他幻想数学原则是一切事物的原则，数字比物质世界更具吸引力，数字拥有界定完美和体现现实思想的作用。

命题IV.1

可建一条圆内的弦，使之等于给定的小于直径的线段。

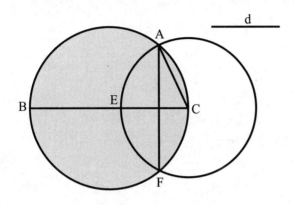

设：ABC为给定的圆，d为给定的小于圆ABC直径的线段。

现在要求的是：在圆ABC内建一条弦，使之等于线段d。

令：作圆ABC的直径BC。

如果BC等于d，那么此线段就不必再作，因为圆的直径BC等于d。

如果BC大于d，取CE等于d，以C为圆心，CE为半径作圆EAF，连接CA（命题I.3）。

那么：因为C点是圆EAF的圆心，那么CA等于CE。

又：CE等于d，所以：d也等于CA。

所以：CA是给定的圆ABC的弦，并等于d（定义IV.7）。

所以：可建一条圆内的弦，使之等于给定的小于直径的线段。

证完

注 解

在现代初等几何中，线段、直线、射线若用一个字母表示应为小写字母，点都用大写字母表示，为了方便读者，特将原书中的相关大写字母作相应调整（把表示线段、直线、射线的单个大写字母改为小写）。

假定适应于圆的线段小于圆的直径是必要的，然而欧几里得没有给予充分证明。事实上只需证明两圆交于一个点即点A即可。这一逻辑漏洞在《原本》的前几卷中也有出现，比如在命题I.1和I.22中。

这一命题应用在命题IV.10和IV.16中，也偶尔用在卷X、XI、XII之中。

命题IV.2

给定一个三角形，可作圆内接相似三角形。

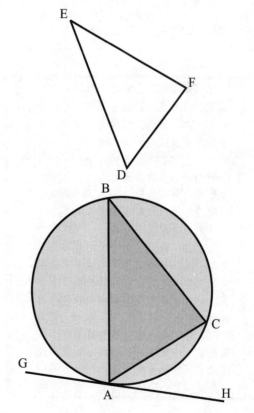

设：ABC为给定的圆，DEF为给定的三角形。

现在要求的是：在圆ABC内建一个与三角形DEF相似的三角形。

令：作GH与圆ABC相切于A点；作弦AC，使角HAC等于角DEF，再建角GAB，使之等于角DFE。连接BC（命题III.16、I.23）。

因为：直线AH与圆ABC相切，在切点A上有线段AC穿过圆。

所以：角HAC等于圆周角ABC（命题III.32）。

又：角HAC等于角DEF。所以：角ABC

《周髀算经》中关于勾股定理的证明

《周髀算经》是算经十书之一，它是中国西汉或更早时期的天文历算著作。该书主要阐明当时的盖天说和四分历法。在数学方面，《周髀算经》使用了相当繁复的分数算法和开平方方法，并最早应用勾股定理。

也等于角DEF。同样原因，角ACB也等于角DFE。所以：角BAC也等于角EDF（命题I.32）。

所以：给定一个三角形，可在圆内建一个相似三角形（定义IV.2）。

证完

注 解

这一命题应用在命题IV.11、IV.16和XIII.13中。

命题IV.3

给定一个圆和一个三角形，可以作这个圆外切的三角形与给定三角形相似。

设：ABC为给定的圆，DEF为给定的三角形。

现在要求的是：作圆ABC的外切三角形，并与三角形DEF相似。

在EF的两个方向上延长，分别至G点和H点。设K为圆ABC的圆心，作任意半径KB。建角BKA等于角DEG，角BKC等于角DFH。过点A、B、C作圆ABC的切线，使之相交于M、N、L（命题III.1）。

因为：LM、MN和NL与圆ABC分别相切于A、B、C点。又，KA、KB和KC是从圆心K分别到A、B、C点的连线。

所以：A、B、C点上的角皆为直角（命题III.18）。

又因为：四边形AMBK四个角的和等于360°，角KAM、KBM是直角。

所以：其余角AKB、AMB之和等于180°。

而角DEG与DEF之和也等于180°。所以：角AKB、AMB之和等于角DEG与角DEF之和。其中角AKB等于角DEG。所以：角AMB等于角DEF（命题I.13）。

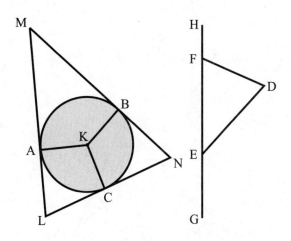

同样，也可以证明角LNB也等于角DEF。所以：角MLN等于角EDF（I.32）。

所以：三角形LMN与三角形DEF是相似三角形，且外切于圆ABC（定义IV.4）。

所以：给定一个圆和一个三角形，可以作这个圆外切的三角形与给定三角形相似。

证完

注 解

这一命题没有被利用于《几何原本》中的其他地方，但与前一命题构成一对。

命题IV.4

给定一个三角形可以作一个内切圆。

设：ABC为给定的三角形。

现在要求的是：作三角形ABC的内切圆。

令：BD、CD平分角ABC、ACB，并相交于D点，从D点作DE、DF和DG分别垂直于

AB、BC和CA（命题I.9、I.12）。

因为：角ABD等于角CBD，直角BED也等于直角BFD，三角形EBD和FBD有两对角和一条边对应相等，对应边BD为公共边。

所以：他们的余边彼此相等。所以：DE等于DF（命题I.26）。同理，DG也等于DF。

所以：三条线段DE、DF和DG也彼此相等。

所以：以D为圆心，以DE、DF或DG中的任意一条线为半径的圆也经过余下的点，并与线段AB、BC或CA相切，因为在E、F和G点的角是直角。

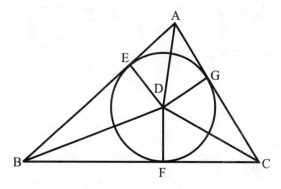

假如圆不切于这些直线，而与它们相交，那么从尾点引出的垂直于直径的直线必然有一部分经过圆内，这是荒谬的。

所以：以D为圆心，分别以线段DE、DF和DG为半径作的圆不能与线段AB、BC和AC相交，只能相切，所以圆内切于三角形ABC（命题III.16、定义V.5）。

令其为FGE。

于是：三角形ABC的内切圆EFG作了出来。

所以：给定一个三角形可以作一个内切圆。

证完

注 解

补充出证明的漏洞是容易的，角等分线BD和CD不相交。

赫龙公式

亚里山大时代的赫龙是希腊非常重要的一名数学家，他在其他著作里评论过《几何原本》，但这些作品后来都失传了。1896年，他的著作《共制》被发现，他在书中陈述到：一个三角形的面积是s(s–a)(s–b)(s–c)的平方根，这里a = BC，b = AC，c = AB，皆为三角形的边，S是周长的一半 (a + b + c)/2。这一公式被后人称为"赫龙公式"。阿基米得或许知道这一公式，但没有确定的证据。赫龙完成了这个公式的证明。这里，我们来看看内切圆的前面部分。

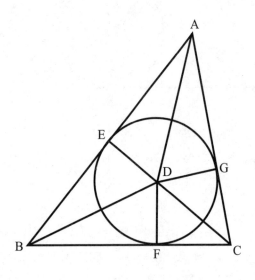

设：D是三角形ABC的内切圆的圆心，DE、DF、DG垂直于边（如欧几里得的证明）。这三条线段是圆的半径，长度为r。

三角形ABD有第三边AB和高r。所以，它的面积是rAB/2。

同样，三角形BCD的面积是rBC/2，三角形CDA的面积是rCA/2，把它们加在一起，我们可以发现三角形ABC的面积是r（AB + BC + CA）/2。

所以，我们可得：三角形ABC面积=rs。

这是个有趣的结论。

现在我们不管赫龙的证明，来看看外切圆。

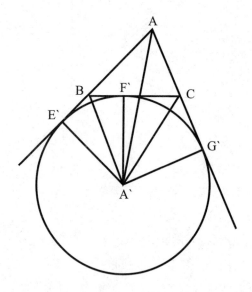

设：A'是A点的内角等分线上的外切圆圆心。从A'引垂线A'E'、A'F'、A'G'，垂直于三角形的边。它们是外切圆的半径r_A。

三角形ABA'有第三边AB和高A'E'，所以，它的面积是r_AAB/2。

同样，三角形BCA'的面积是r_ABC/2，三角形CAA'的面积是r_AAC/2。

三角形ABC的面积是三角形ABA'与ACA'之和减去三角形BCA'的差。

所以，它的面积是r_A（AB + AC – BC）/2，即是r_A（s – a）。

所以：三角形（ABC）面积=rs=r_A（s – a）

$= r_B (s - b) = r_C (s - c)$。

也可以表示为：$\frac{1}{r} = \frac{1}{r_A} + \frac{1}{r_B} + \frac{1}{r_C}$。

证完

命题IV.5

给定一个三角形，可以作它的外接圆。

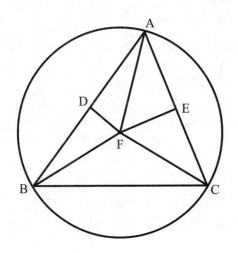

设：ABC为给定的三角形。

现在要求的是：作三角形ABC的外接圆。

令：作点D、E分别平分线段AB、AC；作DF、EF分别垂直于AB、AC并相交于F。那么它们相交于三角形ABC内，或在线段BC上，或在BC外（命题I.10、I.11）。

首先：设它们交于三角形ABC内的F点。连接FB、FC和FA。

那么因为AD等于DB，而DF是共同边，并有直角。

所以：第三边AF等于第三边FB（命题I.4）。

同样我们可以证明CF等于AF。所以：FB也等于FC。

所以：三条线段FA、FB和FC也彼此

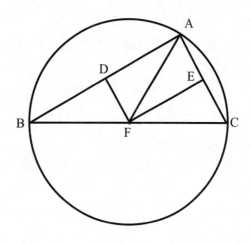

相等。

所以：以F为圆心，以FA、FB或FC中之一为半径的圆被作出，并过余下的点。并且外接于三角形ABC。

再：假设DF和EF的交点F在BC上。连接AF。

那么同样，我们可以证明出点F是三角形ABC的外接圆的圆心。

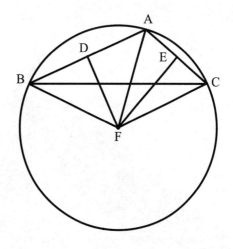

再：假设DF、EF相交于三角形ABC外一点F，连接AF、BF和CF。

因为AD等于DB，而DF是共同边，并有直角；所以：第三边AF等于第三边BF（命题I.4）。

同样，我们可以证明出CF也等于AF。BF也等于FC。

所以：以F为圆心，以线段FA、FB或FC中之一为半径画圆，也经过余下的点。这就是外接于三角形ABC的圆（定义IV.6）。

所以：给定一个三角形，可以作它的外接圆。

证完

注 解

三角形外接圆直径的正弦法则：

$$2R = \frac{BC}{sinA} = \frac{CA}{sinB} = \frac{AB}{sinC}$$

r为外接圆的半径。

这一命题应用在命题 IV.10 和 XI.23 中。

阿基米得的螺旋水车

阿基米得的螺旋水车是一种汲水灌溉谷物的装置，它可以把低处的水送往高处，水车一端置于水中，只要转动手摇把手，低处的水就随着长筒里的螺旋翼旋转并上升。

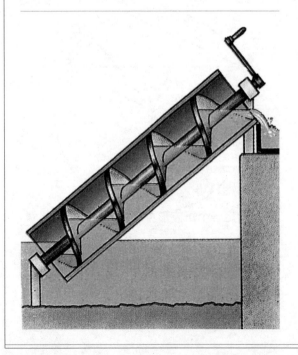

命题IV.6

给定一个圆可以建一个内接正方形。

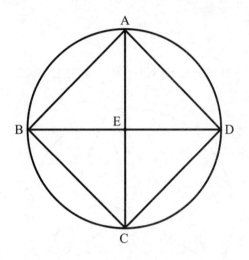

设：ABCD为给定的圆。

现在要求的是作圆ABCD的内接正方形。

令：作圆ABCD的两条直径AC、BD，并相互垂直，连接AB、BC、CD和DA（命题III.1、III.11）。

因为：E为圆心，所以：BE等于ED；EA是公共边，并形成直角，所以：第三边AB等于第三边AD（命题I.4）。

同样原因，线段BC、CD也等于线段AB、AD。所以：四边形ABCD是等边的。

我进一步说：它们是直角。

因为直线BD是圆ABCD的直径；所以：BAD是半圆，所以：角BAD是直角（命题III.31）。

同样原因：角ABC、角BCD和角CDA也是直角。

所以：四边形ABCD是直角的。

又：也已经证明是等边的。它是正方

形。并内接于圆ABCD。

所以：给定一个圆可以建一个内接正方形。

证完

注　解

这一命题应用在卷XII从XII.2开始的几个命题中。

命题IV.7

给定一个圆可作一个外切正方形。

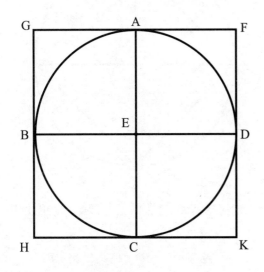

设：给定的圆为ABCD。

现在要求的是作圆ABCD的外切正方形。

令：作圆ABCD的两条直径AC和BD，并相互垂直。过A、B、C、D各点作FG、GH、HK和KF与圆相切（命题III.1、III.11，推论II.16）。

那么因为：FG与圆ABCD相切，EA是从圆心E到切点A的连线。

所以：A点的角为直角（命题III.18）。

同样原因：B点和C点、D点的角也是直角。

那么因为AEB是直角，EBG也是直角。所以：GH平行于AC（命题I.28）。

同样原因：AC也平行于FK，所以：GH也平行于FK（命题I.30）。

同样，我们可以证明出线段GF、HK也平行于BED。

于是：GK、GC、AK、FB和BK也是平行四边形。所以：GF等于HK，GH也等于FK（命题I.34）。

又因为：AC等于BD，AC也等于线段GH、FK，而BD等于GF、HK。

所以：四边形FGHK是等边的（命题I.34）。

我还要进一步说：它们也是直角。

因为GBEA是平行四边形，角AEB是直角。所以：角AGB也是直角（命题I.34）。

同样，我们也可以证明出在H、K和F点上的角为直角。所以：FGHK是矩形。

而它又被证明是等边的，所以：它是正方形。且外切于圆ABCD。

所以：给定一个圆可作它的外切正方形。

证完

注　解

这一命题应用在命题XII.10中。

命题IV.8

给定一个正方形可以建一个内切圆。

设：ABCD为给定的正方形。

现在要求的是：作正方形ABCD的内切圆。

令：平分AD、AB，平分点为E和F。

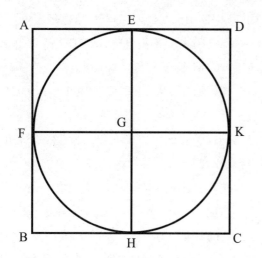

过E点作EH平行于AB或CD；过F点作FK平行于AD或BC。那么AK、KB、AH、HD、AG、GC、BG和GD都是平行四边形，其对边相等（命题I.10、31、34）。

那么因为AD等于AB，AE是AD的一半，AF是AB的一半。所以：AE等于AF。所以：对边也相等。所以：FG等于GE。

同样，我们也能证明出线段GH、GK分别等于FG、GE。

所以：四条线段GE、GF、GH和GK相等。

所以：以G为圆心，分别以GE、GF、GH和GK之一为半径的圆经过余下的点。并与线段AB、BC、CD和DA相切，因为在E、F、H和K点上的角为直角。

假如圆与AB、BC、CD和DA相切，则从尾点与直径形成直角的线段将落在圆内，这被证明是荒谬的。

所以：以G为圆心，分别以GE、GF、GH和GK之一为半径的圆不可能与直线AB、BC、CD和DA相交（命题III.16）。

所以：这个圆与它们相切，并建立在正方形ABCD内。

所以：给定一个正方形可以建一个内切圆。

证完

命题IV.9

给定一个正方形可以作一个外接圆。

设：ABCD为给定的正方形。

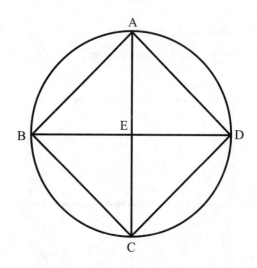

现在要求的是：作正方形ABCD的外接圆。

令：连接AC、BD，使其相交于E点。

那么因为：DA等于AB，AC是公共边；所以：DA、AC等于AB、AC，底DC等于底BC。

所以：角DAC等于角BAC（命题I.8）。

所以：角BAD被AC线平分。同样，我们可以证明出角ABC、BCD和角CDA被线AC、BD平分。

因为：角DAB等于角ABC，角EAB是角DAB的一半，角EBA是角ABC的一半；所以：角EAB也等于角EBA。

所以：EA边也等于
EB边（命题I.6）。

同理，线段EA、EB
也等于线段EC、ED。

所以：四条线段EA、
EB、EC和ED彼此相等。

所以：以E为圆心，
以EA、EB、EC或ED之
一为半径的圆经过余下
的点，并外接于正方形
ABCD。

所以：给定一个正方
形可以建立它的外接圆。

证完

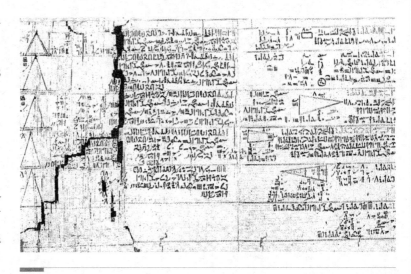

习 题

对于延续了长达4000年的文明社会来说，埃及只给人们留下了很少的宝贵数学史料。古希腊人普遍承认他们的数学，特别是几何学源于埃及，可给人们印象最深的不是埃及和古希腊数学的相似之处，而是二者在风格上、深度上以及由此可以推测的理解上的巨大差异。图为公元前1650年的埃及纸莎草抄本，它是一份约公元前1849年至1801年古老纸莎草抄本的副本，上面满是学生习题，正如现代学生的学校作业一样。

注 解

这是圆与正方形的四个命题中的一
个。证明是简单明了的。

命题IV.10

可以建一个等腰三角形，两个底角皆等
于顶角的两倍。

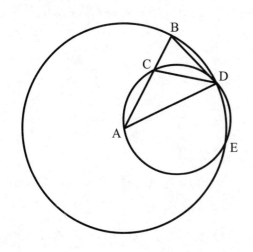

设：取任意线段AB，在C点被切分，那
么AB与BC构成的矩形的面积等于CA为边的
正方形的面积。以A为圆心，AB为半径建圆
BDE，作圆内线段BD等于AC，AC不大于圆
BDE的直径（命题II.11、V.1）。

令：连接AD、DC，在三角形ACD上建
外接圆ACD（命题IV.5）。

那么因为：AB、BC构成的矩形的面积
等于AC为边的正方形，又AC等于BD。所
以：AB、BC构成的矩形面积等于BD上的正
方形面积。

又因为B点为圆ACD外的一点，从B点有
两条线段BA、BD与圆ACD相遇，其中的一
条穿过圆，另一条则落在圆上，又AB、BC
构成的矩形等于BD上的正方形。所以：BD
与圆ACD相切（命题II.37）。

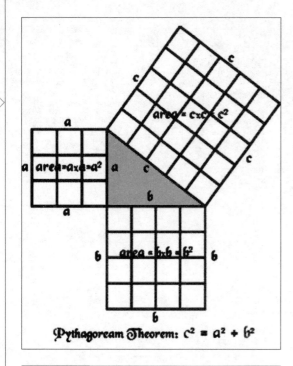

area = c×c = c²

area = a×a = a²

area = b×b = b²

Pythagorean Theorem: c² = a² + b²

毕达哥拉斯定理

在阿拉伯帝国的历史上，包括后来的伊儿汗国和更晚的帖木耳帝国，都曾先后出现过许多数学家。他们为阿拉伯数学的形成与发展作出了重大贡献。巴格达智慧宫的学者们掀起的著名的翻译运动，将古希腊的天文数学经典以及印度、中国的天算著作翻译成阿拉伯文，加上他们自身的创造，使得阿拉伯数学在算术与代数几何及三角领域取得了光辉的成就。图为阿拉伯教科书所讨论的毕达哥拉斯定理，其证明沿袭了欧几里得的"风车磨房"图表的几何证明手法。

因为：BD与之相切，DC是从D点延伸的穿过圆的线。所以：角BDC等于相对弓形上的角DAC（命题III.32）。

因为：角BDC等于角DAC，令：每个角加CDA。于是：大角BDA等于两个角CDA与DAC的和。

又：外角BCD等于CDA、DAC之和；所以：角BDA也等于角BCD（命题I.32）。

又：角BDA等于角CBD，因为AD也等于AB。所以：角DBA也等于角BCD（命题I.5）。

所以：三个角BDA、DBA和BCD彼此相等。

又因为角DBC等于角BCD。所以：边BD也等于边DC（命题I.6）。

又：BD等于CA，所以：CA也等于CD。所以：角CDA也等于角DAC。

所以：角CDA、DAC之和等于角DAC的两倍（命题I.5）。

又：角BCD等于角CDA、DAC之和。所以：角BCD是角CAD的两倍。

又：角BCD等于角BDA，也等于角DBA。

所以：角BDA、DBA也分别是角DAB的两倍。

所以：可以建一个等腰三角形，两个底角皆等于顶角的两倍。

证完

注 解

这一命题的目的是建一个36°－72°－72°的等腰三角形ABD，实际上是在给定的AB上建立，当AB被C点所切割时，第三边等于AB的较大的部分，因此，AB·BC = AC²这一切割在命题II.11中已证明。

这一命题应用在下一命题中，以建圆的内接正五边形。

命题IV.11

在一个圆里，可以建一个内接正五边形。

设：ABCDE为给定的圆。

现在要求的是：在圆ABCDE内建一个内接正五边形。

令：建等腰三角形FGH，使两角G、H分别等于角F的两倍。在圆ABCDE内建三角形ACD等角于三角形FGH。

于是：角CAD、ACD和角CDA等于对应角F、G、H。

所以：角ACD、CDA也等于角CAD的两倍（命题IV.10、V.2）。

分别作平分线CE、DB平分角ACD、CDA，连接AB、BC、DE和EA（命题I.9）。

因为：角ACD、CDA是角CAD的两倍，并被CE、DB平分。所以：五个角DAC、ACE、ECD、CDB和BDA彼此相等。

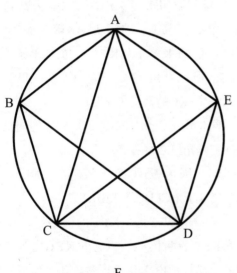

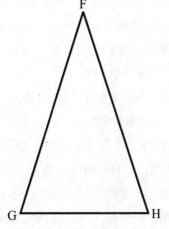

又：等角所对的弧相等。

所以：五段弧AB、BC、CD、DE和EA彼此相等（命题III.26）。

又：等弧所对的弦相等；所以：五条弦AB、BC、CD、DE和EA彼此相等。

所以：ABCDE是等边的（命题III.29）。

我还要进一步说：它们是等角的。

因为：弧AB等于弧DE，令：每个加上BCD。于是：大弧ABCD等于大弧EDCB。

在弧ABCD上有角AED，在弧EDCB上有角BAE；所以：角BAE也等于角AED（命题III.27）。

同理，角ABC、BCD和角CDE也等于角

BAE、AED。

所以：五边形ABCDE是等角的。

又已经证明出它是等边的。所以：在一个圆里，可以建一个正五边形。

证完

命题IV.12

给定一个圆，可以建它的外切正五边形。

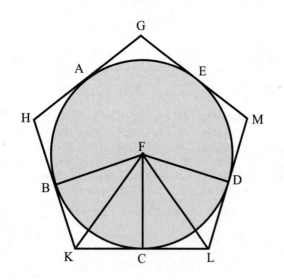

设：ABCDE为定圆。

要求作圆ABCDE的外切正五边形。

令：A、B、C、D和E为五边形的五个顶点，那么：圆周AB、BC、CD、DE和EA彼此相等。过A、B、C、D和E作GH、HK、KL、LM和MG，使之与圆相切，F为圆ABCDE的圆心。连接FB、FK、FC、FL和FD（命题II.16、II.1）。

那么因为：线段KL与圆ABCDE相切于C点，FC是圆心F与切点C的连线。

所以：FC垂直于KL。

所以：C点上的所有角是直角（命题

III.18）。

同样理由，B点和D点上的角也为直角。

又因为角FCK是直角；所以：FK上的正方形面积等于FC、CK上的正方形面积之和（命题I.47）。同样，FK上的正方形面积也等于FB、BK上的正方形面积之和。

所以：FC、CK上的正方形面积之和等于FB、BK上的正方形面积之和。

其中，FC上的正方形面积等于FB上的正方形面积。所以：余下的CK上的正方形面积等于BK上的正方形面积（命题I.47）。所以：BK等于CK。

又因为：FB等于FC，FK是公共边，BF、FK等于CF、FK，底BK等于底CK。所以：角BFK等于角KFC，角BKF等于角FKC。所以：角BFC是角KFC的两倍，角BKC是角FKC的两倍（命题I.8）。

同样理由，角CFD也是角CFL的两倍，角DLC是角FLC的两倍。

那么因为弧BC等于弧CD，所以：角BFC也等于角CFD（命题III.27）。

又：角BFC是角KFC的两倍，角DFC是角LFC的两倍。所以：角KFC也等于角LFC。又：角FCK也等于角FCL，所以：三角形FKC、FLC中，有两对角和一条边对应相等，即FC是它们的公共边。所以：它们的余边相等，余角也相等。

所以：线段KC等于线段CL，角FKC等于角FLC（命题I.26）。

又因为KC等于CL，所以：KL是KC的两倍。同理可证，HK是BK的两倍。

而BK等于KC，所以：HK也等于KL。

同理，线段HG、GM和ML也能被证明

等于线段HK、KL。

所以：五边形GHKLM是等边的。

我还要进一步说它是等角的。

因为：角FKC等于角FLC，角HKL被证明是角FKC的两倍，角KLM是角FLC的两倍。所以：角HKL也等于角KLM。

同理，角KHG、HGM和角GML也能被证明出等于角HKL、KLM。

所以：五个角GHK、HKL、KLM、LMG和MGH彼此相等。

所以：五边形GHKLM是等角的。

同时也证明出它是等边的，并建立在圆ABCDE上。

所以：给定一个圆，可以建它的外切正五边形。

证完

命题IV.13

可以作正五边形的内切圆。

设：ABCDE为给定的等角等边的五边形。

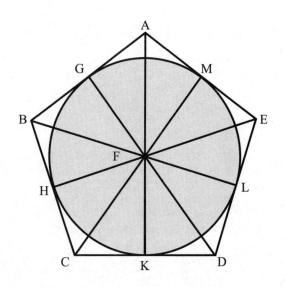

Booles rechnende Logik und die Begriffsschrift   27

geschlossene Zahl b die Ungleichung $-n \leq \Phi(A+b) - \Phi(A) \leq n$ erfülle.

Ich habe hierbei angenommen, dass die Zeichen $<$, $>$, $\leq$ die Ausdrücke, zwischen denen sie stehen, als reelle Grössen kenzeichnen.

14) Die reelle Function $\Phi(x)$ des reellen x ist auf dem Intervalle von A bis B stetig.

Wenn hier die Formel im Vergleich mit dem Wortausdruck umfangreich erscheint, so ist immer zu bedenken, dass Erstere die Definition des Begriffes gibt, den Letztere nur nennt. Trotzdem möchte eine Zählung der einzelnen Zeichen, die hier und da erforderlich sind, nicht zu Ungunsten der Formel ausfallen.

15) $\Phi(x, y)$ ist eine reelle, für $x = A$, $y = B$ stetige Function von x und y.

16) A ist der Grenzwert der mit B anfangenden Φ-Reihe (vergl. Begriffsschrift §§ 9, 10, 26, 29).

Z.B. 1 ist die Grenze, welcher sich die Glieder einer Reihe nähern, die mit 0 anfängt, und in der aus irgendeinem Gliede (x) das nächstfolgende (y) immer durch das Verfahren $\frac{1}{3} + \frac{2}{3}x = y$ hervorgeht.

《概念文字》插图

1879年，德国科学家、逻辑学家和哲学家戈特罗伯·弗雷格（1825—1925年）出版了一部题为《概念文字》的小册子，在逻辑史上首先完成逻辑系统的公理化，把数学中的函数概念引入逻辑演算，将量词用于约束变元，创建了量词理论。

现在要求在五边形ABCDE内建一个内切圆。

令：作线段CF、DF平分角BCD、CDE，CF、DF相交于点F，连接FB、FA和FE（命题I.9）。

那么因为：BC等于CD，CF是公共边，BC、CF等于DC、CF，角BCF等于角DCF。

所以：底BF等于底DF，三角形BCF全等于三角形DCF，其余角等于其余角（命题 I.4）。

所以：角CBF等于角CDF。

又因为：角CDE是角CDF的两倍，角CDE等于角ABC，同时角CDF等于角CBF。所以：角CBA也等于角CBF的两倍。

所以：角ABF等于角FBC。所以：角ABC被线段BF平分。

同样，可以证明出角BAE、AED被线段FA、FE平分。

现在从F点作FG、FH、FK、FL和FM

分别垂直于AB、BC、CD、DE和EA（命题I.12）。则角HCF等于角KCF，直角FHC也等于直角FKC。FHC、FKC是有两个角和一条边对应相等的两个三角形，即FC为公共边。

所以：它们的余边相等。所以：垂线FH等于垂线FK（命题I.26）。同样，也可以证明出线段FL、FM和FG也等于线段FH、FK。

所以：五条线段FG、FH、FK、FL和FM相互相等。

所以：以F为圆心，以线段FG、FH、FK、FL或FM之一为半径建立的圆，经过余下的点，并与线段AB、BC、CD、DE和EA相切，因为点G、H、K、L和M上的角是直角。

如果它们不相切，而是相交，就会有这样的结果：过圆的直径的端点与直径成直角的直线将落在圆内，这是荒谬的（命题III.16）。

所以：以F为圆心，以线段FG、FH、FK、FL或FM之一为半径的圆不能与线段AB、BC、CD、DE和EA相交，所以它们相切。

所以：在等角等边的五边形内可以建一个内切圆。

证完

七艺的象征

罗马时代设置了七门基础课：文法、修辞、逻辑、几何、算术、天文以及音乐。毕达哥拉斯，这位才华横溢的数学家，提出了数的"平方"与"立方"的概念，从而把几何学的概念运用于算术。他最先把数学运用于哲学，从而构成了人类迄今为止最富创造性的思想而处在七艺的最高层。亚里士多德手捧一本书处在第一层，因为逻辑是七艺的第一艺。

命题IV.14

可以作一个正五边形的外接圆。

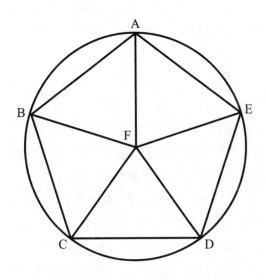

设：ABCDE为给定的正五边形。

现在要求的是：作正五边形的外接圆。

令：作线段CF、DF分别平分角BCD、CDE。过二线段的交点F连接线段FB、FA和FE（命题I.9）。

可以证明角CBA、BAE和角AED同样被FB、FA和FE所平分。

因为：角BCD等于角CDE，而角FCD是角BCD的一半，角CDF是角CDE的一半。所以：角FCD也等于角CDF。所以：边FC也等于边FD（命题I.6）。

同样，可以证明每条线段FB、FA和FE也等于FC、FD。

所以：五条线段FA、FB、FC、FD和FE彼此相等。

所以：以F为圆心，以FA、FB、FC、FD或FE之一为半径的圆被建立，并经过其余的点，而且是外接的。这个外接圆是

ABCDE。

所以：可以建正五边形的外接圆。

证完

注 解

这一命题应用在命题XIII.8和XIII.18中。

命题IV.15

在给定的圆内，可以建内接正六边形。

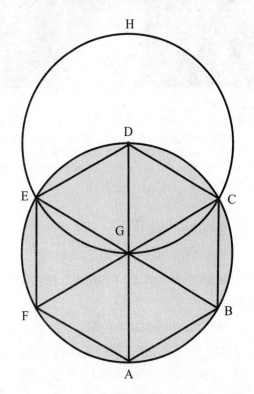

设：ABCDEF为给定的圆。

现在要求的是：在圆ABCDEF内建一个内接正六边形。

令：作圆ABCDEF的直径AD，G为圆心，以DG为半径建圆EGCH。连接EG、CG，并延伸至B、F，连接AB、BC、CD、

帕斯卡

法国著名科学家帕斯卡（1623—1662年），同时还是一位著名的数学家、物理学家和思想家。帕斯卡是世界上第一台手摇计算机的发明者，他还是发现数学归纳法的世界第一人。

DE、EF和FA（命题II.1）。

那么我说：ABCDEF是正六边形。

因为G为圆ABCDEF的圆心，所以GE等于GD。

又因为D为圆EGCH的圆心，所以：DE等于DG。而GE已被证明等于GD，所以GE也等于ED。所以三角形EGD是等边三角形，所以：它的三个角EGD、GDE和角DEG彼此相等。这是因为等腰三角形中底角相等（命题I.5）。

又因为：三角形的三内角的和等于180°。所以：角EGD是60°（命题I.32）。

同样，角DGC也能被证明是60°。又因为线段CG与EB构成的邻角EGC和角CGB之

和等于180°，所以：角CGB也等于60°（命题I.13）。

所以：角EGD、DGC和角CGB彼此相等，它们的对顶角BGA、AGF和角FGE彼此相等（命题I.15）。

所以：六个角EGD、DGC、CGB、BGA、AGF和角FGE彼此相等。

又：相等的角建立在相等的弧上，所以：六段弧AB、BC、CD、DE、EF和FA彼此相等（命题III.26）。

又因为：等弧所对的弦相等，所以：六条线段彼此相等。

所以：ABCDEF是等边的（命题III.29）。

我还要进一步说，它们的角也相等。

因为：弧FA等于弧ED。令弧ABCD与每个相加，于是：弧FABCD等于弧EDCBA。

又：角FED建立在弧FABCD上，角AFE建立在弧EDCBA上，所以：角AFE等于角DEF（命题III.27）。

同样，可以证明六边形ABCDEF其余的角也等于角AFE、FED。

所以：六边形ABCDEF是等角的。

又：它们也是等边的，并内接于圆ABCDEF。

所以：在给定的圆内，可以建内接正六边形。

证完

推 论

这一命题表明，六边形的边等于圆的半径。如果过圆的分点，作该圆的切线，就得到圆的一个等边且等角的外切六边形。同样，给定一个正六边形，我们也可以作它的

内切圆和外接圆。

注 解
推论应用在卷XIII从XIII.9开始的几个命题中。

命题IV.16

给定一个圆，可建一个内接正十五边形。

设ABCD为给定的圆。

现在要求的是：在圆ABCD内建一个内接正十五边形。

令：AC为圆ABCD内等边三角形的一边，AB为等边五边形的一边。

于是：在圆ABCD内就有相等的十五条线段，其中，在圆弧ABC上有五条，该圆弧为圆的三分之一，在圆弧AB上有三条，该圆弧为圆的五分之一。

所以：在余下的BC上有两条相等的弧（命题IV.2，IV.11）。

在E点平分BC。于是：圆弧BE、EC各为圆ABCD的十五分之一（命题III.30）。

如果我们连接BE、EC，且在圆ABCD内

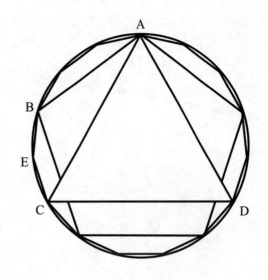

切出等于它们的线段，就可以建出内接于圆的正十五边形（命题IV.1）。

证完

推 论

同五边形的情况一样，如果过圆上的分点作圆的切线，就可以作出圆的外切正十五边形。

又，进一步，类似于五边形的情况，我们可以同时作出正十五边形的内接圆与外切圆。

横切线

抽象的几何图形与艺术的表现形式完美地融合为一体，康定斯基将这一"完美"应用于他的艺术设计思想，这对他的创作风格起到了极为重要的作用。

第五卷　比　例

　　维纳斯、雅典娜雕像的下半身与全身之比是0.618。人体天生自然美的比例也符合0.618。人们把这个比值叫做黄金分割。中国《九章算术》中，"粟米"、"衰分"、"均输"三章专讲比率，包括了现在的正比例、反比例、复比例、连锁比例、分配比例等形形色色的比例问题。人们认为，欧多克索斯是本卷"比例论"的思想源头。在此基础之上，欧几里得为比例论建立了完整的理论体系。

　　本卷对欧多克索斯的比例理论作了精彩的解释，被认为是最重要的数学杰作之一。

本卷提要

本卷叙述欧多克索斯的比率及比率的抽象理论。

※定义V.3，比例的性质及其定义。

※定义V.5、V.6，比例的定义。

※定义V.9，比率平方的定义。

命题V.1，量之和的乘积分配：$m(x_1 + x_2 + \cdots + x_n) = mx_1 + mx_2 + \cdots + mx_n$。

命题V.2，数之和的乘积分配：$(m + n)x = mx + nx$。

命题V.3，乘积的联合：$m(nx) = (mn)x$。

命题V.5，量之差的乘积分配：$m(x - y) = mx - my$。

命题V.6，数之差的量乘积分配：$(m - n)x = mx - nx$。

以下的命题发展了比率及比例理论，从它们的基础的特性，到较高级的属性。

命题V.4，如果$w : x = y : z$，那么，$mw : mx = ny : nz$。

命题V.7及其推论，比率中的相等替换。如果$x = y$，那么$x : z = y : z$且$z : x = z : y$；如果$w : x = y : z$，那么$x : w = z : y$。

命题V.8，如果$x < y$，那么$x : z < y : z$，但$z : x > z : y$。

命题V.9，如果$x : z = y : z$，那么$x = y$；同时，如果$z : x = z : y$，那么$x = y$。

命题V.10，如果$x : z < y : z$，那么$x < y$。但如果$z : x < z : y$，那么$x > y$。

命题V.11，相等比率的传递性。如果$u : v = w : x$且$w : x = y : z$，那么$u : v = y : z$。

命题V.12，如果$x_1 : y_1 = x_2 : y_2 = \cdots = x_n : y_n$，那么这些比率的每个也等于比率：$(x_1 + x_2 + \cdots + x_n) : (y_1 + y_2 + \cdots + y_n)$。

命题V.13，比率不等式中的相等比率的替换。如果$u : v = w : x$且$w : x > y : z$，那么$u : v > y : z$。

命题V.14，如果$w : x = y : z$且$w > y$，

赵君卿证明

勾股定理在中国有悠久的历史，可以上溯到公元前21世纪大禹治水时代或公元前11世纪周公姬旦时代。普通定理最晚到公元前六七世纪的陈子时代就已经被明确认识并广泛应用了，《周髀算经》中赵君卿的证明虽较晚，但其直观、简洁、优美及形数结合的特点是欧几里得纯粹形式的证明所不能比拟的。图为《周髀算经》中的一页。

那么x＞z。

命题V.15，x：y＝nx：ny。

命题V.16，更迭比例。如果w：x＝y：z，那么w：y＝x：z。

命题V.17、V.18，合比与分比及其逆命题。如果（w＋x）：x＝（y＋z）：z，那么w：x＝y：z；如果w：x＝y：z，那么（w＋x）：x＝（y＋z）：z。

命题V.19及推论，如果（w＋x）：（y＋z）＝w：y，那么，（w＋x）：（y＋z）＝x：z；如果（u＋v）：（x＋y）＝v：y，那么（u＋v）：（x＋y）＝u：x。

命题V.22，等比。如果$x_1：x_2＝y_1：y_2$，$x_2：x_3＝y_2：y_3$，…，及$x_{n-1}：x_n＝y_{n-1}：y_n$，那么$x_1：x_n＝y_1：y_n$。

命题V.23，混比。如果u：v＝y：z且v：w＝x：y，那么u：w＝x：z。

命题V.24，如果u：v＝w：x且y：v＝z：x，那么（u＋y）：v＝（w＋z）：x。

命题V.25，如果w：x＝y：z，w是四个量中最大的量，z是最小的量，那么w＋z＞x＋y。

第五卷的逻辑结构：

第五卷是比和比例的基础，与前面各卷无关。第六卷包含平面几何的比，其证明依赖于第五卷中的结论。同时，在第五卷中的无理线和立体几何、第十一卷至第十三卷关于比的讨论也依赖于第五卷。第七卷至第九卷的数论不直接依赖于本卷，因为，数的比有不同的定义。

然而，尽管欧几里得小心谨慎地证明他使用的比的结论，但还是有一些疏漏，

哥白尼的世界体系

哥白尼先后在克拉科夫大学和波隆那、帕多瓦研究数学。自1506年起，他就认为太阳是静止不动的，地球和其他行星环绕太阳运行。他在《天体运行论》中提出，恒星的位置仅是表面现象，真正的原因是地球的自转。这些观点与《圣经》的说法相反。哥白尼在序言中说这些观点是数学假设而非事实，所以教会才不予理睬。

比如比例的三分法则。在对定义V.4到定义V.7的注解中，对此有所描述。

在卷V的部分命题要求处理定义V.4。

定 义

V.1 当一个较小的量能测尽较大的量时，小量被称为大量的部分。

V.2 当一个较大量能被较小量测尽时，我们称大量为小量的倍数量。

V.3 同类的量之间的大小关系叫做比。

V.4 当一个量数倍以后能大于另一个量，则说两个量有一个比。

V.5 有四个量，第一个量比第二个量等于第三个量比第四个量，那么，第一、第三量或者第二、第四量同时扩大相同的倍量，两个比依然相等。

斯宾诺莎

斯宾诺莎（1632—1677年）是荷兰哲学家，他提出以实体、属性与样式为中心的自因论唯物主义世界观，强调自然界的一切都是必然的，主张"必然性的认识"就是自由。认为感性知识不可靠，只有通过理性的直觉与推理才能得到真正可靠的知识。他的主要著作《伦理学》的体系仿照欧几里得的《几何原本》展开，所有论证都可从前提出发得到证明。

V.6 有相同比的四个量称为成比例的量。

V.7 在四个量之间，第一、三个量取相同的倍数，且第二、四个量取另一相同倍数，若第一个的倍量大于第二个的倍量，且第三个的倍量不大于第四个的倍量，那么，第一个量与第二个量的比大于第三个量与第四个量的比。

V.8 一个比例至少有三个项。

V.9 当三个量成比例时，那么，第一个量与第三个量的比是第一个量与第二个量的二次比。

V.10 当四个量成连续比例时，第一量与第四量的比称为第一量与第二量的三次比。无论量的多少，依此类推。

V.11 在成比例的四个量中，前项与前项、后项与后项称为对应量。

V.12 前项比前项等于后项比后项称为更比。

V.13 把更比的后项作前项，前项作后项称为逆比。

V.14 前项与后项的和比后项称为合比。

V.15 前项与后项的差比后项称为分比。

V.16 前项比前项与后项的差称为交换比。

V.17 有一些量，又有一些与它们个数相等的量，若在各组每取二量作成相同的比例，则第一组量中首量比尾量等于第二组中首量比尾量。这称为首末比。或者说，这是抽取中间项，保留两头的项。

V.18 调动比例是，有三个量，又有另外与它们个数相等的三个量，在第一组量中，前项比后项等于第二组量中的前项比后项，这时，第一组量中的后项比第三项等于第二组中的第三项比前项。

注 解

比及比例论

本卷是比及比例理论。一个比为两个量的大小关系。本卷叙述比例理论，为第六卷的几何比例的命题打下基础。命题VI.1是一个阐释何为几何比例的很好实例，该命题叙述在等高的三角形中，高与底边成比例，即两个三角形中的高之比等于它们相应的底边之比。举一个简单的例子，当一条底边是另一条底边的两倍时，它对应的三角形也是对应边的两倍，那么这一比是2∶1，这是很好理解的。那么，任何一个比皆是两个数的比也是很好理解的。线之比等于数之比，比如A∶B＝8∶5，有两种解释，一是有一条较短的线A是8cm，那么B＝5cm。这一解释出现在卷Ⅶ的定义中。第二种解释是5A＝8B。如果A∶B是一个数的比，那么，A和B是可公约的，即两者都可以被一个公约数所测尽。

但是，许多线段是不可公约的。如果一个正方形的边是A，对角线是B，那么，A和B是不可公约的；A∶B就不是一个数之比。这一事实由毕达哥拉斯发现。

命题V.1

如果有任意多个量，其分别是同样多个数的同倍量，那么，无论这个倍数是多少，前者的和也是后者的和的同倍量。

三条蛇

这是埃舍尔的最后一件作品，表现的依然是"无穷"的主题。这次是向中心和外缘都无限地缩小。三条蛇从大环的间隙中头尾相连地交缠在一起，无数个内外缘间距规则递减的圆环以极为复杂的形式相扣在一起，构成一个美丽的图案，作品同时也表现出复杂的动物和简单的圆的背后隐藏的内涵。

设：AB和CD的量分别是e和f的同倍量（定义V.2）；

那么我说：AB和CD之和是e和f之和的倍数。

因为，AB是e的倍量，CD是f的倍量，其倍数相等，那么，在AB中有多少个等于e的量，在CD中也有同样多个等于f的量。

分割AB为AG和GB，使之等于e，并分割CD为CH和HD，使之等于f；

那么：AG与GB的个数等于CH与HD之个数。

又因为：AG等于e，CH等于f；所以：AG与CH之和等于e与f之和。

同理：GB等于e，GB与HD之和等于e与f之和。

所以：在AB中有多少个等于e的量，在AB与CD之和中也有多少个量等于e与f

之和。

所以：AB与CD之和等于e与f之和的倍数。

所以：如果有任意多个量，分别是同样多个数的同倍量，那么，无论这个倍数是多少，前者的和也是后者的和的同倍量。

证完

注 解

在现代数学中，这一命题陈述了乘法分配律：

$$m（x_1+x_2+\cdots+x_n）=mx_1+mx_2+\cdots+mx_n。$$

这里m为一个量，所有x_i为一个同类的量。

命题V.2

如果第一个量是第二个量的倍量，第三个量是第四个量的倍量，其倍量相等；第五个量也是第二个量的倍量，第六个量是第四个量的倍量，那么，第一个量与第五个量之和也等于第二个量的倍数，第三个量与第六个量之和是第四个量的倍数，其倍数也相等。

A　　　　　B　　　G

D　　　　　　　E　　　H

c

f

首先设：第一量AB的量值是第二量c的相同倍数，第三量DE是第四量f的相同倍数，第五量BG是第二量c的相同倍数，第六量EH是第四量f的相同倍数（定义V.2）。

那么我说：第一与第五之和AG便是第二量c的相同倍数，第三与第六之和DH是第四量f的相同倍数。

因为AB是c的相同倍数，DE是f的相同倍数。

所以：在AB里面有多少等于c的量值，在DE里面有同样多等于f的量值。

同理：在BG里面有多少等于c的量值，在EH里面有同样多等于f的量值。

所以：在整个AG里面有多少等于c的量值，在整个DH里面有同样多等于f的量值。所以：AG是c的相同倍数，DH是f的相同倍数。

所以：如果第一个量是第二个量的倍量，第三个量是第四个量的倍量，其倍量相等；第五个量也是第二个量的倍量，第六个量是第四个量的倍量，那么，第一个量与第五个量之和也等于第二个量的倍数，第三个量与第六个量之和是第四个量的倍数，其倍数也相等。

证完

注 解

这一命题简单陈述了等倍量之和相等。如果mc与mf是c和f的等倍量，那么nc和nf也是c和f的等倍量。则mc+nc以及mf+nf也是c和f的等倍量。这一证明依赖于分配律，即：

$$（m+n）c=mc+nc。$$

这一命题应用在另三个命题的证明中，它们是命题V.3、V.6和V.17。

命题V.3

如果第一个量值是第二个的倍量，第三个量是第四个量的相同倍数；如果第一量和第三量也是等倍数，那么这两个量分别是第二量及第四量的倍量，并且这两个倍数相等。

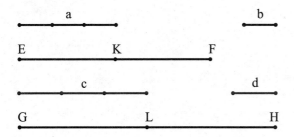

设：第一量a的数量值是第二量b的相同倍数，第三量c是第四量d的相同倍数，EF是a的等倍数，GH是c的等倍数（定义V.2）；

那么我说：EF是b的相同倍数，GH是d的相同倍数。

因为EF是a的相同倍数，GH是c的相同倍数。

所以：在EF中有多少个a的相同的量值，在GH中有同样多个c的相同量值。

另：将EF分为EK和KF，使其量值等于a。将GH分为GL和LH，使其量值等于c。

那么EK与KF的量值数等于GL与LH的量值数。

又因为，a是b的相同倍数，c是d的相同倍数，这时EK等于a，GL等于c，故EK是b的相同倍数，GL是d的相同倍数。

同理，KF是b的相同倍数，LH是d的相同倍数。

那么第一个量EK是第二个量b的相同倍数，第三个量GL是第四个量d的相同倍数，

第五个量KF是第二个量b的相同倍数，第六个量LH是第四个量d的相同倍数。

所以：第一个量与第五个量之和EF是第二个量b的倍数，第三个量与第六个量之和GH是第四个量d的倍数（命题V.2）。

所以：如果第一个量值是第二个的倍量，第三个量是第四个量的相同倍数；如果第一量和第三量也是等倍数，那么这两个量分别是第二量及第四量的倍量，并且这两个倍数相等。

证完

欧洲的"算术三角"

在帕斯卡之前，欧洲知道"帕斯卡三角"的大有人在。根据现有资料，最早发表的是德国人阿皮安努斯（1495—1552年），他在1527年出版的算术书中就有n＝9的算术三角形图，后来朔伊贝尔（1494—1570年）在他的《算术》中也记有算术三角形（图上），还有塔尔塔利亚（1499—1557年）在他的《数的度量通论》中也记载了此类算术三角形（图下）。

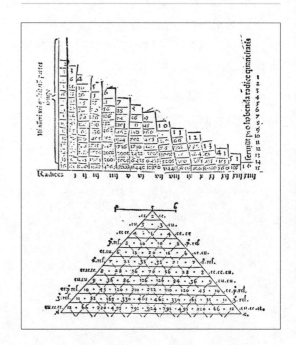

注 解

这一命题说等倍量相等。即如果 w 和 x 是 y 和 z 的等倍量，u 和 v 是 w 和 x 的等倍量，那么，u 和 v 是 y 和 z 的等倍量。证明依赖于乘法的欧几里得算法，即：$m(ny)=(mn)y$。在欧几里得的证明中，n 是 3，m 是 2。

如同在上一命题中，量并不总需要是同一个类。

虽然这一命题实际上并不是陈述比例，但仍然可以解释为比例，对 a 和 c 是 b 和 d 的等倍量的假设，可以解释为比例 a : b = c : d，且 ma 和 mc 是 b 和 d 的等倍量的这一结论也可以解释为一个比例，即 ma : b = mc : d。在这一解释下，这一比例成为下一命题中证明普遍情形的特殊情况。

命题V.4

如果第一量比第二量与第三量比第四量的比相同，那么第一量比第三量的倍量与第二量比第四量的倍量相同。

设：第一量值a比第二量值b与第三量值c比第四量值d有相同的比，e和f分别是a和c的等倍数，g和h分别是b和d的等倍数。

那么我说e比g等于f比h。

令：k为e的等倍量，l为f的等倍量，m为g的等倍量，n为h的等倍量。

因为e为a的等倍量，f为c的等倍量，k为e的等倍量，l为f的等倍量。所以：k是a的倍数，l是c的倍数。

同理，m是b的倍数，n是d的倍数（命题V.3）。

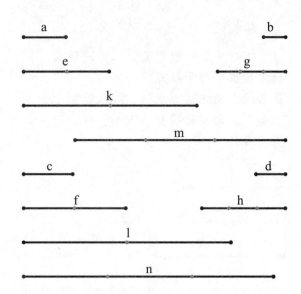

又因为：a比b等于c比d，k和l是a和c的等倍量，m和n是b和d的等倍量，所以：如果m大于k，那么n大于l。

如果相等则也相等，如果小于则也小于（定义V.5）。

又：k和l是e和f的等倍量，m和n是g和h的等倍量。

所以：e比g等于f比h（定义V.5）。

所以：如果第一量比第二量与第三量比第四量的比相同，那么第一量比第三量的倍量与第二量比第四量的倍量相同。

证完

注 解

注意，欧几里得应用定义证明两个比例pa : qb与pc : qd是相同的（这里，a和b是一个类的量，c和d是另一个类的量，但p和q是数）。我们给出a : b = c : d，这意味着对于任何数m和n来说，如果ma >=< nb，那么mc =< nd。

对于任何数p 和q 来说，我们必须证明

pa：qb＝pc：qd，这即是说，我们必须证明对任何m 和n来说， 如果mpa＞＝＜nqb，那么mpc＞＝＜nqd。

但这只是给出关系的特殊形式：

如果 ma＞＝＜nb， 那么mc＞＝＜nd。

这一命题应用在命题V.22中。

命题V.5

如果一个量值是另一个量值的倍量，另一个量减去的部分是第一个量减去的部分的倍量，其倍数相等。则余下的量值仍然是相同的倍数，其总量值也是相同的倍数。

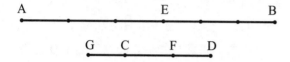

设：量值AB是量值CD的相同倍数，减去的部分AE是减去的部分CF的相同倍数。

那么我说：余下的部分EB也是余下的部分FD的相同倍数，总和AB也是总和CD的倍数。

令：作CG，以使EB是CG的倍数，AE是CF的倍数。

那么因为AE是CF的相同倍数，EB是GC的相同倍数。

所以：AE是CF的相同倍数，AB是GF的相同倍数（命题V.1）。

假定：AE是CF的相同倍数，AB是CD的相同倍数。

于是：AB是量值GF和CD的相同倍数，所以：GF等于CD。

从每个中减去CF，于是：余下的GC等于余下的FD。

又因为：AE是CF的相同倍数，EB是GC的相同倍数，GC等于DF。

所以：AE是CF的相同倍数，EB是FD的相同倍数。

假设：AE是CF的相同倍数，AB是CD的相同倍数。

于是：余下的EB是余下的FD的相同倍数，AB是CD的相同倍数。

所以：如果一个量值是另一个量值的倍量，另一个量减去的部分是第一个量减去的部分的倍量，其倍数相等。则余下的量值仍然是相同的倍数，其总量值也是相同的倍数。

证完

同心外壳

　　一个外壳包着一个外壳，无限地向中心靠近。这件作品使人想到基本粒子空间。最初人们认为原子是最小的物质结构，后来发现了电子和原子核，从原子核中又发现了质子和中子，随后，原子、中微子、介子、共振粒子、强子、夸克等基本粒子不断被发现。基本粒子数目的大量增加，使人们认识到它们也不可能是最基本的物质结构，这种不断缩进的趋势和作品中的图像何其相似。从中心散发的明亮的光芒，照亮了漆黑的宇宙，使人对这种规律性产生神秘的敬畏。

注 解

这一命题类似于命题V.1，它陈述量相减的分布数的乘法，m（x－y）＝ mx － my。

注意，在这一命题中，所有量必须是同一类。

证明的开头部分就涉及到部分量，作CG，使EB是CG的相同倍数，AE是CF的相同倍数。于是，便有如下例子，AE是CF的三分之一，CG是EB的三分之一，而这一结构并不适合所有类型的量，特别是在角与弓形中。

这一命题在《几何原本》的其他地方再未被利用。

命题V.6

如果两个量是另两个量的同倍量，从前两个量中减去后两个量的任意同倍量，那么余量或者与后两个量相等，或者是它们的等倍数。

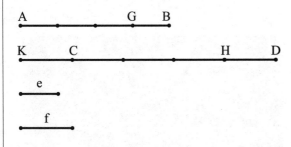

设：两个量AB和CD是两个量e和f的同倍量，从中减去e的同倍量AG和f的同倍量CH。

那么我说：余量GB和HD也等于e和f，或者是它们的同倍量。

首先，令GB等于e；

那么我说：HD也等于f。

作CK等于f。

因为：AG是e的相同倍数，CH是f的相同倍数，同时GB等于e，KC等于f，所以：AB是e的相同倍数，KH是f的相同倍数（命题V.2）。

又因假设：AB是e的相同倍数，CD是f的相同倍数，于是：KH是f的相同倍数，CD是f的相同倍数。

既然：KH和CD都是f的相同倍数，那么：KH等于CD。

令：从每个量中减去CH，于是：余量KC等于余量HD。

而f等于KC，于是：HD也等于f。

于是：如果GB等于e，那么：HD也等于f。

同样，我们可以证明出如果GB是e的倍数，HD也是f的相同倍数。

所以：如果两个量是另两个量的同倍量，从前两个量中减去后两个量的任意同倍量，那么余量或者与后两个量相等，或者是它们的等倍数。

证完

注 解

这一命题陈述了如果ma和mb是a和b的等倍量，na和nb也是等倍量，那么它们的差ma－na和mb－nb是更多的等倍量，类似于命题V.2的相加。

它的证明依赖于分配性，即量的乘法分配律：（m－n）a ＝ ma－na。欧几里得将4作m，3作n。但他并不将1视为一个数。

这一命题在《几何原本》的其他地方也被利用。

命题V.7

等量比同一个量相等。

设：a与b等量，c为任意量。

那么我说：a、b与c的比相等，反之，c与a、b的比相等。

作等量a、b的等倍量d、e，c的任意倍数f。

那么因为：d是a的等倍量，e是b的等倍量，且a等于b。

所以：d等于e。而f是另一个任意量。

如果d大于f，那么e也大于f；

如果相等，那么后者也相等，如果小于，那么后者也小于。

又：d和e是a和b的等倍量，同时f是c的任意倍数。

所以：a比c等于b比c（定义V.5）。

我还要进一步说：c与a、b的比相等。

在同一结构中，我们也可以同样证明d等于e，f是另一个量，如果f大于d，那么也就大于e，如果相等，也就等于后者，如果小于，那么也小于后者。

又f是c的倍数，同时d和e是a和b的任意等倍量。

所以：c比a等于c比b（定义V.5）。

柯 西

柯西（1789-1857年），法国数学家，其数学成就涉及许多领域。他利用极限理论把微分、积分和无穷级数的概念严密化，与黎曼共同奠定了复变函数论的基础，运用他的方法，计算了力学中的许多积分。他是行列和群论的先驱者，也是弹性力学的奠基人之一。柯西著有论文近800篇，所著《无穷小分析讲义》、《无穷小在几何中的应用》等有很大的影响。

所以：等量比同一个量相等。

证完

推 论

这一命题表明，如果任意量成比例，那么它们也成逆比。

注 解

这一命题说，如果a = b，那么a : c = b : c，c : a = c : b。命题是显明的，逆命题在命题V.9中给出。

推论是不合适的。这一推论实际上与命题无关。因为命题要求的所有量是同类量，而推论则不是。但这一推论却是正确的，它根据定义V.5而来。

比例的这一基础特性经常使用在涉及比例的命题中，在卷V从第V.10开始的命题中几次使用，大量使用是在卷VI中，以后的几卷中也不时地使用。

命题V.8

两个不等量与同一个量的比值中，较大的量比值也较大；一个量与两个不等量的比值中，小的量比值为大。

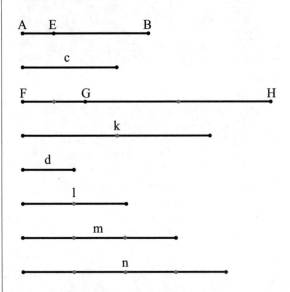

设：AB和c是不等量，AB大于c，d是一个任意量。

那么我说：AB比d大于c比d，d比c大于d比AB。

因为：AB大于c，作EB等于c。

那么：对AE和EB中较小的量加倍至一定次数时将大于d（定义V.4）。

首先：令AE小于EB，AE加倍，FG是AE的倍量，并大于d。作GH，使之为EB的相等倍数量，作k为c的相等倍数量，FG为AE的相等倍数量。

令l为d的两倍，m为其三倍，如此连续增加倍数，直到d加倍到首次大于k。令其为n，n为d的四倍，它的一倍大于k（定义V.4）。

因为：k小于n，所以：k不小于m。

因为：FG是AE的相同倍数，GH是EB的相同倍数。

所以：FG是AE的相同倍数，FH是AB的相同倍数（命题V.1）。

又：FG是AE的相同倍数，k是c的相同倍数。

所以：FH是AB的相同倍数，k是c的相同倍数。

所以：FH和k是AB和c的同倍量。

又因为：GH是EB的相同倍数，k是c的相同倍数，EB是c的相同倍数。

所以：GH等于k。

而k不小于m，所以：GH也不小于m。

又：FG大于d，所以：FH大于d与m之和。

又：d与m之和等于n，由于m是d的三倍，m与d之和是d的四倍，同时n也是d的四倍。

所以：m与d之和等于n。

又：FH大于m与d之和，所以：FH大于n，同时k不大于n。

又：FH与k是AB和c的同倍量，同时n是d的任意倍数。

所以：AB比d大于c比d（定义V.7）。

我还要进一步说，d比c大于d比AB。

在这同一结构中，我们同样可以证明出n大于k，同时n不大于FH。

又：n是d的倍数，同时FH和k是AB和c的任意同倍量。

所以：d比c大于d比AB（定义V.7）。

再：令AE大于EB。那么，加倍EB到一定倍数最终会大于d（定义V.4）。

令加倍后的GH是EB的倍数，并大于d。

令：FG是AE的相同倍数量，k是c的相同倍数量，GH是EB的相同倍数量。

那么我们同样也可以证明出FH和k是AB和c的等倍量。

又，同样，令n是d的一倍量，并大于FG。

所以：FG也不小于m（定义V.4）。

又：GH大于d，所以：FH大于d与m之和，即n。

那么：k不大于n，FG亦如是，FG大于GH，即大于k，不大于n。

所以：两个不等量与同一个量的比值中，较大的量比值也较大；一个量与两个不等量的比值中，小的量比值为大。

证完

命题V.9

两个量与一个量有同样的比值，则这两个量相等；同一量与n个量的比相同，则这些量相等。

设：a、b与c有相同的比值。

那么我说：a等于b。

否则，每个量a和b将不会有与c相等的比值。

但是它们有，所以a等于b（命题V.8）。

再设：c与a、b有相同的比值，

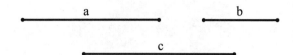

那么我说：a等于b。

否则，c将不会与a和b量有相等的比值。

但它们已知成相同的比值，所以a等于b（命题V.8）。

所以：两个量与一个量有同样的比值，那么这两个量相等。

证完

结绳记数

在文字产生之前，人类就已形成数的概念。那时数目是用实物来记录的，因其容易散乱，就想到了用结绳的办法来记数。结绳记数的方法世界各地都有，有些地方甚至到19世纪还保留着这种制度。图左是一个典型的印加记数绳，A、B、C、D四根绳上打了许多结，所表示的数目写在下方，E绳表示的数是这四个数的总和。图右是用芦秆编成辫子形状，突出的小绳头表示数目。

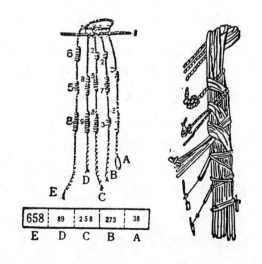

六面形方砖

　　和音乐一样，达·芬奇认为：数学和几何"包含了宇宙的一切"。从年轻时起，达·芬奇就本能地把这些主题运用在作品中。构成他的展现三维空间和丰富表现力而进行研究的主要元件，是人物面孔、手势、几何结构、心境和生命力。图中布达佩斯的伊帕姆维泽蒂博物馆收藏的六面形方砖，应用了达·芬奇画的具有视觉效果的几何图案。

注 解

　　这一命题是命题V.7的逆命题，有两种陈述方式：

　　如果 a：c＝b：c，那么 a＝b。

　　如果 c：a＝c：b，那么 a＝b。

　　除前一命题外，证明依赖于三分比例法则，a：b＜a：c 和 a：b＝a：c 不能同时发生。虽然欧几里得并不证明它，它根据定义V.5和定义V.7而来。

　　这一命题依赖于将定义V.4 作为一个对照公理来应用，因为当 a 是 c＋y，且 b 是 c＋2y 时，这一公理不成立。这里 y 是与 c 相关的无穷小的数。

　　这一命题偶尔应用在卷VI、VII、X、XI、XII 以推断几何量相等。

命题V.10

　　一些量比一个量，比值大的为大。一个量比一些量，比值大的为小。

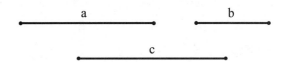

　　设：a比c大于b比c，

　　那么我说：a大于b。

　　假如不是，那么a等于b或者小于b。

　　因为：a等于b，由于在此一情况下，a、b比c有相同的比值。

　　但事实不是这样，所以：a不等于b（命题V.7）。

　　又：a也不小于b，因为这一情况下，a与c的比值将小于b与c的比值。

　　但事实不是这样，所以：a不小于b（命题V.8）。

　　同时也可以证明a不等于b，所以：a必然大于b。

　　再设：c与b的比值大于c与a的比值。

　　那么可说：b小于a。

　　假如不是，那么就会等于或者大于。

　　设b等于a，因为在这一情况下就会有c与a同c与b的比值相等。

　　但事实不是这样，所以：a不等于b（命题V.7），也不是b大于a。

　　因为：这样，c比b小于c比a，但是，已知不是这样，所以，b不大于a。但，已经证明了一个不等于另一个，所以：b小于a。

　　所以：一些量比一个量，比值大的为大。一个量比一些量，比值大的为小。

证完

这一命题是命题V.8的逆命题，有两种陈述方式：

如果a∶c>b∶c，那么a>b。

如果c∶b>c∶a，那么b<a。

部分比例三分法则应用在本命题中，最多有三种情况，a∶c<b∶c、a∶c=b∶c、a∶c>b∶c。

欧几里得的证明依赖于定义V.4作为对照公理。因为它使用了命题V.8和比例的三分法则。但这一命题没有对照公理也能够得以证明。

假定a∶c>b∶c，那么有数m、n，na>mc，nb不大于mc。

所以na>nb。所以a>b。

于是a∶c>b∶c，这意味着a>b。

这一命题应用在卷V从命题V.14开始的几个命题中。

命题V.11

凡与同一个比相同的比，彼此相同。

设：a比b等于c比d，c比d等于e比f。

那么我说：a比b等于e比f。

作a、c、e的等倍量g、h、k，再作b、d、f的任意等倍量l、m和n。

那么因为a比b等于c比d，a和c是g和h的

等倍量，b和d是l和m的任意等倍量。

所以：如果g大于l，那么h也就大于m；

如果相等，那么后者也就相等；如果小于，那么后者也就小于（定义V.5）。

又因为：c比d等于e比f，c和e是h和k的等倍量，d和f是m和n的任意等倍量。

所以：如果h大于m，那么k也就大于n；如果等于，那么后者也相等；如果小于，那么后者也小于。

但是我们知道，如果h大于m，g也就大于l；如果等于，那么后者也相等；如果小于，那么后者也就小于。

所以进一步说：如果g大于l，那么k也就大于n；如果等于，那么后者也相等；如果小于，那么后者也小于（定义V.5）。

又：g和k是a和e的等倍量，同时l和n是b和f的另一个任意等倍量。

所以：a比b等于e比f（定义V.5）。

所以：凡与同一个比相同的比，彼此相同。

证完

注 解

这一命题表述了比相等的传递关系。这一命题（自反性和均匀性）后，表述"两个比相等"的证明直接沿用了定义。很奇异的是，欧几里得认为这需要被证明。

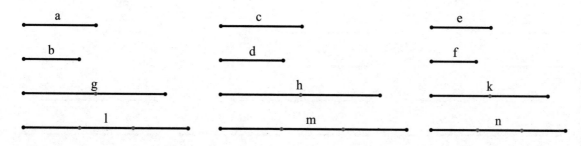

卡文迪许

卡文迪许最为人称道的科学贡献，首先是最早研究了电荷在导体上的分布，并于1771年用类似的实验对电力相互作用的规律进行了说明。他通过对静电荷的测定研究，在1777年向皇家学会提出的报告中说："电的吸引力和排斥力很可能反比于电荷间距离的平方。如果是这样的话，那么物体中多余的电几乎全部堆积在紧靠物体表面的地方。而且这些电紧紧地压在一起，物体的其余部分处于中性状态。"与此同时，他还研究了电容器的容量，制造了一整套已知容量的电容器，并以此测定了各种仪器样品的电容量。另外，他还预料到了不同物质的电容率，并测量了几种物质的电容率，初步提出了"电势"概念。

a和b是一类量，c和d是另一类，e和f是再一类量，这一命题频繁地应用在涉及比的命题中。

命题V.12

如果一系列的量成比例，那么，所有的比的前项的和，与后项的和的比等于其中任意一个比的值。

设：a、b、c、d、e、f为比例量，a比b等于c比d，也等于e比f。

那么我说：a比b等于a、c、e之和比b、d、f之和。

作a、c、e的等倍量g、h、k，再作b、d和f的等倍量l、m和n。

那么因为：a比b等于c比d，也等于e比f，a、c、e是g、h和k的等倍量，b、d、f是l、m、n的任意等倍量。

所以：如果g大于l，那么h也大于m，k也大于n；

如果相等，那么后者也相等，如果小于，那么后者也小于。

所以：再进一步，如果g大于l，那么g、h、k之和大于l、m、n之和；如果等于，那么后者也相等；如果小于，那么后者也小于（定义V.5）。

那么：g和g、h、k之和是a和a、c、e之和的等倍量。

因为如果任何量是另一个相同量的相同倍数，那么这些量的和是后者的和的倍数（命题V.1）。

a	c	e
b	d	f
g	h	k
l	m	n

同样原因：l与l、m、n之和也是b与b、d、f之和的同倍数。

所以：a比b等于a、c、e之和比b、d、f之和（定义V.5）。

所以：如果一系列的量成比例，那么，所有的比的前项的和，与后项的和的比等于其中任意一个比的值。

证完

注 解

代数表达可为：如果 $x_1 : y_1 = x_2 : y_2 = \cdots = x_n : y_n$，那么这些比的每一个也等于 $(x_1 + x_2 + \cdots + x_n) : (y_1 + y_2 + \cdots + y_n)$。

这一命题应用在V.15中，也应用在卷VI、X、XII的一些命题中。

命题V.13

如果第一个量比第二个量等于第三个量比第四个量，第三个量比第四个量大于第五个量比第六个量，那么第一个量与第二个量的比也大于第五个量比第六个量。

设：第一个量a比第二个量b与第三个量c比第四个量d的比相同，第三个量c与第四个量的比大于第五个量e与第六个量f的比。

那么我说：第一个量a与第二个量b的比也大于第五个量与第六个量的比。

因为：c、e以及d、f为等倍量，c的倍数大于d的倍数，同时e的倍数不大于f的倍数。

如是，令：g和h为c和e的等倍量，k和l是d和f的任意等倍量。

于是：g大于k，而h不大于l，g为c的任意倍数。

令：m也是a的倍数，k为d的任意倍数，n也为b的倍数（定义V.7）。

既然a比b等于c比d，a和c是m和g的倍数，b和d是n和k的任意等倍量。

所以：如果m大于n，那么g也大于k；如果等于，那么后者也等于；如果小于，那么后者也小于（定义V.5）。

而g大于k，所以：m也大于n。

而h不大于l，m和h是a和e的等倍量，n和l是b和f的任意等倍数。

所以：a比b大于e比f（定义V.7）。

所以：如果第一个量比第二个量等于第三个量比第四个量，第三个量比第四个量大于第五个量比第六个量，那么第一个量与第二个量的比也大于第五个量比第六个量。

证完

注 解

如果两个比相等，并且其中一个大于第三个，那么另一个也大于第三个。代数表达为，如果 $a:b = c:d$，$c:d > e:f$，那么 $a:b > e:f$。量可能是三种不同的类，即a和b为一类，c和d为第二类，e和f为第三类。

由于传递性，如果a∶b＞c∶d，c∶d＞e∶f，那么a∶b＞e∶f。证明是不困难的，但没有符号代数还是有些困难，欧几里得不得不使用20条线来作它的图。

这一命题应用在下一命题中，也用在命题V.20和V.21中。

命题V.14

如果第一个量比第二个量等于第三个量比第四个量，第一个量大于第三个量，那么第二个量也大于第四个量；如果相等，那么后者亦相等；如果小于，那么后者亦小于。

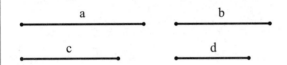

设：第一个量a比第二个量b等于第三个量c比第四个量d，并且a大于c。

那么我说：b也大于d。

因为：a大于c，b是任意一个等倍量。

所以：a比b大于c比b（命题V.8）。

而：a比b等于c比d，所以：c比d大于c比b（命题V.13）。

又：由于有相同比的更小。

所以：d小于b，即：b大于d（命题V.10）。

同样我们可以证明，如果a等于c，那么b等于d。

又，如果a小于c，那么b小于d。

所以：如果第一个量比第二个量等于第三个量比第四个量，第一个量大于第三个

量，那么第二个量也大于第四个量；如果相等，那么后者亦相等；如果小于，那么后者亦小于。

证完

注 解

这一命题应用在命题V.6中，也应用在卷V、VI、X、XII、XIII的一些命题中。

命题V.15

部分与一部分的比按相应的顺序与它同倍量的比相同。

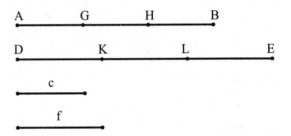

设：AB是c的倍数，DE是f的倍数。且倍数相同。

那么我说：c比f等于AB比DE。

因为既然：AB是c的倍数，DE是f的倍数，且倍数相同，那么AB中有多少个c的量，同样DE中有多少个f的量。

将AB分为等量AG、GH和HB，使之等于c，将DE分为等量DK、KL和LE，使之等于f。

那么系列量AG、GH和HB与系列量DK、KL和LE的个数相等。

又因为AG、GH和HB相互相等，DK、KL和LE也相互相等。

所以：AG比DK等于GH比KL，等于HB

迷宫

所有西方世界的花园都在寻找"失乐园"，并以人为的力量征服自然。植物修剪而成的迷宫始自文艺复兴时期，而这一渊源可溯到上古时代。罗马人把这种几何图形构成的图案运用到壁画及马赛克拼图的装饰中，基督徒把迷宫当做人类救赎难以达成的象征。人们可以在教堂拼花地面上找到迷宫图案。在中世纪的英国，草地上修剪出的迷宫图案被称为"耶路撒冷的道路"。图为1583年德·弗里斯所作的版画《迷宫》。

比LE（命题V.7）。

　　所以：前项与后项之比等于前项之和与后项之和的比。

　　所以：AG比DK等于AB比DE（命题V.12）。

　　又：AG等于c，DK等于f。

　　所以：c比f等于AB比DE。

　　所以：部分与一部分的比按相应的顺序与它同倍量的比相同。

证完

注 解

　　这一命题用代数式陈述为，如果n是任意数，c和f是同类的任意量，那么c：f＝nc：nf。

　　这一命题应用在下一个命题中，也应用在卷V、VI、XIII中。

命题V.16

　　如果四个量成比例，那么它们的更比例也成立。

a

c

b

d

e

g

f

h

弗兰西斯·培根

弗兰西斯·培根(1561—1626年),英国哲学家、科学家、作家和思想家,被马克思称做"英国唯物主义和整个现代实验科学的真正始祖"。他在逻辑学、美学、教育学等方面都颇有建树。在培根的著作中,《新工具》也许是其最重要的著作。该书强调使用归纳法。因为亚里士多德的演绎逻辑法是十分荒诞的,因此就需要有一种新的逻辑方法:归纳法。

设:a、b、c、d为四个成比例的量,即a比b等于c比d。

那么我说:它们也相互成更比例,即a比c等于b比d(定义V.12)。

令:作a和b的等倍量e和f,再作c和d的任意等倍量g和h。

那么因为:e是a的相等倍数,f是b的相等倍数,部分的比等于整体的等倍量。

所以:a比b等于e比f(命题V.15)。

而:a比b等于c比d,所以:c比d也等于e

比f(命题V.11)。

又因为:g和h是c和d的等倍量,所以:c比d等于g比h(命题V.15)。

而:c比d等于e比f。

所以:e比f也等于g比h(命题V.11)。

又:如果四个量成比例,而第一个大于第三个。

那么第二个也大于第四个;如果相等,那么后者也相等;如果小于,那么后者也小于(命题V.14)。

所以:如果e大于g,那么f也大于h;如果等于,那么后者也等于;如果小于,那么后者也小于。

e和f是a和b的等倍量,g和h是c和d的等倍量。

所以:a比c等于b比d(定义V.5)。

所以:如果四个量成比例,那么它们的更比例也成立。

证完

注 解

四个量a、b、c、d必须是同一个类。如果a、b与c、d是不同的类,那么a∶c和b∶d就不是交替比,而是混合比。古希腊几何学家不接受混合比的概念,但现代物理及机械领域内,混合比却是通常使用的,最典型的例子是速度与时间和距离的公式。

这一命题要求应用定义V.4作为对照公理。

这一命题应用在命题V.19中,并频繁使用在卷Ⅵ、Ⅹ、Ⅺ、Ⅻ中。

命题V.17

如果几个量成合比例，那么它们也成比例。

设：AB、BE、CD和DF成合比例，即AB比BE，等于CD比DF（定义V.14）。

那么我说：它们分开也成比例，即AE比EB等于CF比DF（定义V.15）。

作：AE、EB、CF和FD的等倍量GH、HK、LM和MN，再作EB、FD的任意等倍量KO、NP。

那么因为：GH是AE的相等倍数，HK是EB的相等倍数。

所以：GH是AE的相等倍数，GK是AB的相等倍数（命题V.1）。

而GH是AE的相等倍数，LM是CF的相等倍数。

于是：GK是AB的相等倍数，LM是CF的相等倍数。

又因为：LM是CF的相等倍数，MN是FD的相等倍数。

所以：LM是CF的相等倍数，LN是CD的相等倍数（命题V.1）。

又：LM是CF的相等倍数，GK是AB的相等倍数。

所以：GK是AB的相等倍数，LN是CD的相等倍数。

所以：GK和LN是AB和CD的等倍量。

又因为：HK是EB的倍数，MN是FD的倍数，KO也是EB的倍数，NP是FD的倍数，且倍数相等。

所以：HO之和也是EB的倍数，MP是FD的倍数，且倍数相等（命题V.2）。

又因为：AB比BE等于CD比DF，AB、CD是GK、LN的等倍量，EB和FD是HO和MP的等倍量。

所以：如果GK大于HO，那么LN也大于MP；如果等于，那么后者也等于；如果小于，那么后者也小于。

令：GK大于HO，从每个中减去HK，于是：GH也大于KO。

但是我们知道，如果GK大于HO，那么LN也大于MP。

所以：LN也大于MP。

又，如果从每个中减去MN，那么，LM也大于NP。

所以：如果GH大于KO，那么LM也大于NP。

同理，我们可以证明，如果GH等于KO，那么LM也等于NP；如果小于，那么后者也小于。

又：GH、LM是AE、CF的等倍量，同时KO、NP是EB、FD的另外的任意等倍量。

所以：AE比EB等于CF比FD（定义V.5）。

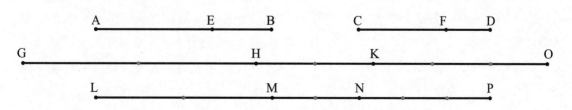

所以：如果几个量成合比例，那么它们也成分比例。

证完

注 解

这一命题说，如果（w＋x）：x＝（y＋z）：z，那么w：x＝y：z。w和x两个量为同一类，y和z两个量为另一类。

逆命题在下一命题中给出。

这一命题应用在下两个命题中，作为一对命题。

命题V.18

如果分开的量成比例，那么它们也成合比例。

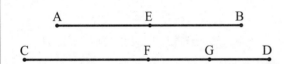

设：AE、EB、CF和FD是分别成比例的量。

所以：AE比EB等于CF比FD（定义V.15）。

那么我说：它们也成合比例，即AB比BE等于CD比FD（定义V.14）。

假如：CD比DF不等于AB比BE，那么AB比BE或者大于CD比DF，或者小于。

首先，令其比小于DG。

那么因为AB比BE等于CD比DG，它们成合比例。

所以：它们分开也成比例。所以：AE比EB等于CG比GD（命题V.17）。

又假设：AE比EB等于CF比FD，于是：

CG比GD等于CF比FD（命题V.11）。

但第一个量CG大于第三个量CF，所以：第二个量GD也大于第四个量FD（命题V.14）。

但它又小于，这是不可能的。

所以：AB比BE不小于CD比FD。

同样，我们也可以证明，其比也不大于，所以是FD自身。

所以：如果分开的量成比例，那么它们也成合比例。

证完

注 解

这一命题是上一命题的逆命题。它说，如果w：x＝y：z，那么（w＋x）：x＝（y＋z）：z。如同在上一命题中一样，w和c两个量是一类，同时，y和z是另一类。

命题的开始，我们可以这样解释：

如果CD：DF 等于AB：BE，那么AB：BE＝CD：DG，这里DG是某个大于或者小于DF的量。

已经给出另三个量，第四个量DG被假定出来。这里第四个量能否建成还有待证明。这只是一种假设。这就是证明的结构。

这一假定的第四个比例的存在方法引起了矛盾。这一证明方法也用在卷XII中，用来证明面和体积的不同比例。举例说，在命题XII.2中，圆与直径上的正方形之比，欧几里得在卷V 和XII中发展了这一技术。

问题是：第四个比例真的存在吗？

这一命题应用在命题V.24中，也应用在卷VI、X、XII、XIII中。

命题V.19

如果总量比总量等于分量比分量，那么其余量之比也等于总量之比。

设：总量AB比总量CD，等于分量AE比分量CF。

那么我说：余量EB比余量FD等于总量AB比总量CD。

因为：AB比CD等于AE比CF，所以：BA比AE等于DC比CF（命题V.16）。

又因为：连续成比例的量，分开也成比例，即BE比EA等于DF比CF，BE比DF等于EA比FC（命题V.17、V.16）。

假设：AE比CF等于总量AB比CD。

那么：余量EB比余量FD等于总量AB比总量CD（命题V.11）。

所以：如果总量比总量等于分量比分量，那么其余量之比也等于总量之比。

证完

推 论

如果量成合比例，那么它们的转换也成比例（定义V.16）。

注 解

这一命题说，如果（u + v）∶（x + y）等于v∶y，那么它也等于u∶x。

换比、分比在定义V.14中作了总结。

在这一命题中的量必须是同类量，但在推论中的量却是两个不同类的量，所以推论是不合适的。或许应接在上一命题之后，这意味着该命题是它的前两个命题的倒置。

这一命题应用在命题V.25中，也用在卷X的其他几个命题中。推论在卷VI和卷XIII中分别使用了一次。

命题V.20

如果有两组量，每组三个，各组中各取一个对应的量，所形成的比相同。如果首末项第一量大于第三量，则第四量也大于第六量；如果前二者相等，后二者也相等；如果小于，后二者也小于。

设：a、b、c三个量与另三个量d、e、f有相等比值，那么，a比b等于d比e，b比c等于e比f。

又设：a大于c。

那么我说：d也大于f。如果a等于c，那么后者也相等；如果小于c，那么后者也小于。

因为a大于c，b是另一个等量，大的量比小的量有更大的比。

所以：a比b大于c比b（命题V.8）。

而：a比b等于d比e，又c比b等于f比e。

所以：d比e大于f比e（命题V.7、

V.13）。

而：有相同比的量，大比的更大。

所以：d大于f（命题V.10）。

同样，我们可以证明出，如果a等于c，那么d也等于f；如果小于，那么后者也小于。

所以：如果有两组量，每组三个，各组中各取一个对应的量，所形成的比相同。如果首末项第一量大于第三量，则第四量也大于第六量；如果前二者相等，后二者也相等；如果小于，后二者也小于。

证完

注 解

这一命题是为命题V.22做的准备，证明是简洁的。

巴比伦楔形文字

早在公元前四五千年，两河流域的苏美尔人就创造了楔形文字，他们用木笔在软泥板上刻字，形状像楔子。在此基础上，巴比伦发展一套记数方法，即60以下用十进简单累数制，60以上用六十进位制。图中给出的是1到59的符号。其中9有三种写法，40、50有两种写法。

命题V.21

如果三个量对应比另三个量，比值相同，而且它们是调动比，那么，如果第一量大于第三量，那么第四量也大于第六量；如果相等，那么后者也相等；如果小于，那么后者也小于。

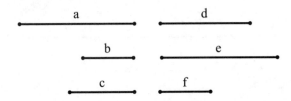

设：d、e、f三个量是a、b、c三个量的倍数，两两比相等，并且是调动比，那么a比b等于e比f，b比c等于d比e（定义V.18）。

a大于c，不等于c。

那么我说：d也大于f，如果a等于c，那么后者也相等；如果小于，那么后者也小于。

因为：a大于c，b是另一个等量，那么：a比b的比值大于c比b（命题V.8）。

又：a比b等于e比f，相反，c比b等于e比d。

所以：e比f大于e比d（命题V.7、V.13）。

又：对同一比，比大的较小。

所以：f小于d，所以：d大于f（命题V.10）。

同样，我们可以证明出，如果a等于c，那么d也等于f；如果小于c，那么d也小于f。

所以：如果三个量对应比另三个量，比值相同，而且它们是调动比，那么，如果第一量大于第三量，那么第四量也大于第六量；如果相等，那么后者也相等；如果小于，那么后者也小于。

1	𒁹	11	𒌋𒁹
2	𒈫	16	
3	𒐈	25	
4	𒐉	27	
5	𒐊	32	
6	𒐋	39	
7	𒐌		
8	𒐍	41	
9	𒐎	46	
10	𒌋	52	
20	𒎙	55	
30		59	
40			
50			

表示1

表示10

注 解

这一命题是为命题V.23做的准备，本命题及命题V.23皆依赖于将定义V.4作为类似公理。

命题V.22

如果有任意个量，又有个数与它们相同的一些量，各组中每取两个都有相同的比。则它们成首末比。

设：a、b、c与d、e、f有等量比值，即a比b等于d比e，b比c等于e比f。

那么我说：它们也有相等的比值，即a比c等于d比f（定义V.17）。

作a和d的等倍量g和h，再作b和e的任意等倍量k和l，再作c和f的任意等倍量m和n。

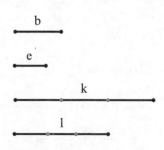

《世界和谐》

开普勒的《世界和谐》一书是牛顿年轻时最爱读的书，开普勒的书里不仅讨论了几何学和美学，也有关于形而上学的思考，还提到了行星运动的三大定律。后来牛顿用证明对这些定律重新作了说明。

那么因为a比b等于d比e，g和h是a和d的等倍量，k和l是b和e的任意等倍量。

所以：g比k等于h比l（命题V.4）。

同样原因，k比m也等于l比n，那么因为三个量g、k和m与另三个量h、l和n有相同的比值，所以，有首末比。

如果g大于m，h也就大于n；如果等于，那么后者也相等；如果小于，那么后者也小于（命题V.20）。

又：g和h是a和d的等倍量，m和n是c和f的任意等倍量。

所以：a比c等于d比f（定义V.5）。

证完

命题V.23

如果有三个量对应比另三个量，比值相同，则它们组成调动比例，也成首末比。

设：三个量为a、b、c，另三个量为d、e、f，它们一一对应，成相等比例。设它们组成调动比例，那么a比b等于e比f，b比c等于d比e（定义V.18）。

那么我说：a比c等于d比f。

另：作a、b、d的等倍量g、h和k，再作c、e、f的等倍量l、m和n。

那么因为g、h是a、b的等倍量，部分与整体有相等的比。

所以：a比b等于g比h（命题V.15）。

因为同样理由，e比f等于m比n，a比b等于e比f。

所以：g比h等于m比n（命题V.11）。

再因为b比c等于d比e，则更比例为：b比d也等于c比e（命题V.16）。

又因为h、k是b、d的等倍量，由于部

a	b	c
d	e	f
g	h	l
k	m	n

分与部分有相等的比，所以：b比d等于h比k（命题V.15）。

而b比d等于c比e，所以：h比k也等于c比e（命题V.11）。

又因为：1、m是c、e的相等倍数，所以：c比e等于1比m（命题V.15）。

又，c比e等于h比k，所以：h比k也等于1比m。

且更比例为：h比1等于k比m（命题V.11、V.16）。

又，也可以证明：g比h等于m比n。

既然因为：三个量g、h、1与另三个量k、m、n对应成比例，并构成调动比。

所以：是首末比，如果g大于1，那么k也大于n；如果相等，那么后者也相等；如果小于，那么后者也小于（命题V.21）。

又：g和k是a和d的等倍量，1和n是c和f的等倍量。

所以：a比c等于d比f（定义V.5）。

所以： 如果有三个量对应比另三个量，比值相同，则它们组成调动比例，也成首末比。

证完

注 解

这一命题说，当a、b、c与d、e、f是相同或不同类，如果a：b＝e：f，b：c＝d：e，那么a：c＝d：f。

这里的证明用了命题V.16 以及更比例，这意味着，仅仅适应于当所有量是同类量的情况。这一证明是笨拙的。

以下是证明的总结：

假定a：b＝e：f，b：c＝d：e。

证明：a：c＝d：f。

设：n和m是两个任意数，根据命题V.15，a：b＝na：nb，且e：f＝me：mf。

所以，根据命题V.11，na：nb＝me：mf。

因为b：c＝d：e，得b：d＝c：e（但要求所有量是同类量）。同理，nb：nd＝b：d＝c：e＝mc：me。

所以，由更比例可得，nb：mc＝nd：me。

再用命题V.21的比例nb：mc＝nd：me以及na：nb＝me：mf，得：

na ＞＝＜ mc 则 nd ＞＝＜ mf。

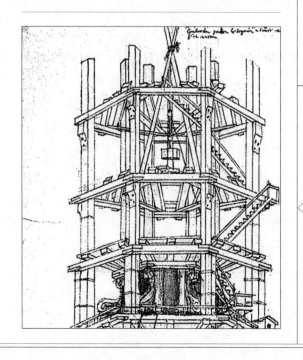

所以：a：c＝d：f。

虽然上一命题的比例首末比不依赖于定义V.4为类似公理，但这一命题却是一个使用无穷小的反比例是a＝c＝e，b＝e＝（a＋y），f＝（a＋2y）。这里，y是与a相关的无穷小的数。

命题V.24

如果第一个量与第二个量的比等于第三个量与第四个量的比，第五个量比第二个量等于第六个量比第四个量，那么第一量与第五量之和比第二量等于第三量与第六量之和比第四量。

A   B   G

c

D   E   H

f

设：第一个量AB与第二个量c的比等于第三量DE与第四量f的比值，第五量BG与第二量c的比等于第六量EH与第四量f的比。

那么我说：第一量与第五量之和AG比c的值等于第三量与第六量之和DH比f的值。

因为：BG比c等于EH比f，相反，c比BG等于f比EH（命题V.7）。

那么因为AB比c等于DE比f，c比BG等于f比EH。

所以：首末比为：AB比BG等于DE比EH（命题V.22）。

这些量成分比例，也成合比例，所以：AG比GB等于DH比HE（命题V.18）。

又：BG比c也等于EH比f，所以：首末比为：AG比c等于DH比f（命题V.22）。

所以：如果第一个量与第二个量的比等于第三个量与第四个量的比，第五个量比第二个量等于第六个量比第四个量，那么第一量与第五量之和比第二量等于第三量与第六量之和比第四量。

证完

注 解

这一命题说，如果u：v＝w：x，y：v＝z：x，那么（u＋y）：v＝（w＋z）：x。

这一命题的陈述使用了比例前项，将之倒用，也适合于后项。

这一命题应用在命题VI.31中。

命题V.25

如果四个量成比例，那么最大量和最小量之和大于其余两个量之和。

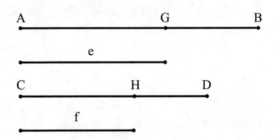

A   G   B

e

C   H   D

f

设：AB、CD、e和f四个量成比例，AB比CD等于e比f，AB为最大，f为最小。

那么我说：AB与f之和大于CD与e之和。

作AG等于e，CH等于f。

因为AB比CD等于e比f，又：e等于AG，f等于CH。

所以：AB比CD等于AG比CH（命题V.7、V.11）。

又因为：总量AB比总量CD，等于部分AG比部分CH。

所以：余量GB比余量HD也等于总量AB比总量CD（命题V.19）。

又因为：AG等于e，CH等于f。

所以：AG与f之和等于CH与e之和。

所以：如果四个量成比例，那么最大量和最小量之和大于余下的两个量之和。

证完

注 解

这一命题表述：如果w：x = y：z，w是四个量中的最大量，z是最小量，那么w + z > x + y（该四量必须是同类量）。

这一命题没有在《几何原本》中再加以利用。

这一命题依赖于定义V.4作为类似公理，无穷小的一个反例是：当y是与x相关的无穷小的数时，比例是（x + 5y）：（x + 2y）=（x + 4y）：x。

尚克斯的圆周率

1706年，英国人琼斯在《新数学引论》上首次创用 π 代表圆周率。1736年以后，π 由欧拉开始予以提倡。现在 π 已成为圆周率的专用符号。1873年，英国人尚克斯利用高斯的数论工具，将 π 算到小数后的707位。到1990年，圆周率已算到小数点后的10亿位。

第六卷　相　似

　　世界上是否存在完全相同的两片树叶，先不去管它，但是，在几何概念中，很多图形或事物是可以相等或相似的。你无法否认边长为4的两个正方形的相等性，你也无法拒绝一切正多边形、圆、正多面体、球体等各自的相似性。事物之间的相似性，是人们进行归纳推理的基础，是事物得以存在的重要属性之一。

　　本卷主要阐述了比例的属性。

镜　子

　　在埃舍尔的赞美者当中不乏众多数学家，他们认为，埃舍尔的作品中极大地运用了数学的原则和思想，并将它们进行了非同寻常的形象化。他的作品中大部都是围绕空间几何学和空间逻辑学而创作的。

本卷提要

命题VI.1是本卷的基础，它和命题VI.33直接使用了卷V中的定义，命题VI.1构建线段与支线图形，命题VI.33构建角与圆周。其余命题使用了在卷V中发展起来的比例属性，但并未使用这些命题的定义建任何新的比例。

定 义

VI.1 在多边形中，若对应角相等且夹角的边成比例，则称它们是相似多边形。

VI.2 在两个多边形中，夹角的两边若成如下比例：第一形的一边比第二形的一边等于第二形的另外一边比第一形的另外一边，则称两个多边形为逆相似图形。

VI.3 把某线段一分为二，当整体线段比大线段等于大线段比小线段（大线段的平方等于整体线段乘以小线段）时，则称此线段被分为中外比。

VI.4 一个图形中，顶点到对边的垂线段称为图形的高。

命题VI.1

等高的三角形或平行四边形的面积比等于它们的底的比。

设：三角形为ACB和三角形ACD，平行四边形为CE和CF，它们皆在同一高度下，那么我说：第三边CB比第三边CD等于三角形ACB与三角形ACD的面积的比，且等于平行四边形CE的面积比CF的面积。

令：延长BD的两端至H和L，使BG和GH等于CB，DK和KL等于CD，连接AG、AH、AK和AL（命题I.3）。

那么因为CB、BG和GH相互相等。

所以：三角形ACB、ABG和三角形AGH的面积也相互相等（命题I.38）。

所以：CH是CB的倍数，三角形ACH的面积也是三角形ACB的面积的倍数。

同理，CL是CD的倍数，三角形ACL的面积也是三角形ACD的面积的倍数。

又，如果CH等于CL，那么三角形ACH的面积也等于三角形ACL的面积；如果CH大于CL，那么三角形ACH的面积也就大于三角形ACL的面积；同样，如果CH小于CL，那么三角形ACH的面积也相应小于三角形ACL的面积（命题I.38）。

于是：就有四个量，即CB和CD，三角形ACB和三角形ACD。取定了底CB和三角形ACB的底的等倍量，即底CH和三角形ACH。另外，对底CD和三角形ADC的任意

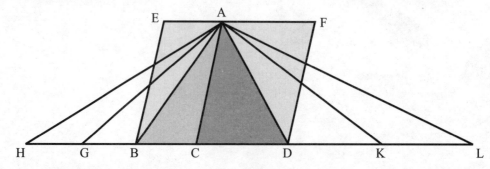

量，即底CL和三角形ACL。

又可以证明，如果底CH大于底CL，那么三角形ACH的面积也大于三角形ACL的面积；如果等于，那么后者也等于；如果小于，那么后者也小于，所以底CB比底CD等于三角形ACB与三角形ACD的面积的比（定义V.5）。

再因为：平行四边形CE的面积是三角形ACB的面积的两倍，平行四边形FC的面积是三角形ACD的面积的两倍，又：部分与部分有相等的比值。

所以：三角形ACB的面积比三角形ACD的面积等于平行四边形CE的面积比平行四边形FC的面积（命题I.41、V.15）。

那么：证明出了CB比CD等于三角形ACB与三角形ACD的面积的比，且三角形ACB的面积比三角形ACD的面积等于平行四边形CE的面积比平行四边形CF的面积。

所以：CB比CD也等于平行四边形CE的面积比平行四边形FC的面积（命题V.11）。

所以：三角形和平行四边形如果在同一高度下，那么它们的面积的比等于它们底的比。

证完

注 解

这一命题的更好陈述或许是，同一高度的三角形没有共同的底，平行四边形与三角形没有共同的底和边。这是因为在相同平行线上等底的三角形的面积相等（命题I.36），在相同平行线上等底的平行四边形的面积相等（命题I.35），而相等在比例中可以代替（命题V.7），欧几里得的简化

制造机械钟

从萌芽之日起，数学就表现出能解决历法、航海、商业等方面产生的计算问题的能力。在人类文明进步的历次重大产业革命和思想革命中，数学作为科学的推动力或直接参与者都起到了不可或缺的作用。图为17世纪丹麦的钟表匠利用数学原理制造机械钟。

是充分的。

这一命题的目的是证明三个比，即线段CB比CD，三角形ACB的面积比ACD的面积，平行四边形CE的面积比CF的面积这三个比是相等的，即：

CB∶CD＝ACB的面积∶ACD的面积＝CE的面积∶CF的面积。

证明的第一步是证明CB∶CE＝ACB的面积∶ACD的面积。根据定义V.5，即是说任意m和n有：

mBC >=< nCD 及 mABC >=< nACD。

在欧几里得证明中，m和n是3。现在mBC等于线段CH，nCD等于线段CL，mABC的面积等于三角形ACH的面积，而nACD的面积等于三角形ACL的面积。所以证明为：

CH >=< CL 且 ACH的面积 >=< ACL

的面积。

这又缘于命题I.38，于是证明的第一步完成。

第二步容易一些，因为平行四边形面积是三角形面积的两倍，它们也有相同的比。

本命题频繁地应用在本卷其余命题中，也应用在卷XI和XII中。

命题VI.2

如果一条直线平行于三角形的一条边，那么它所截得的边成比例；如果三角形的边被截成比例，那么通过两点的直线平行于三角形的第三边。

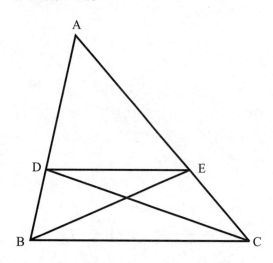

设：在三角形ABC中，DE平行于BC；
那么我说：BD比AD等于CE比AE。
连接BE和CD。
于是：三角形BDE的面积等于三角形CDE的面积，因为它们在同一边DE上，且有同一平行线DE和BC（命题I.37）。
又：ADE是另一个三角形。
又：等于相等比值的量相等。

所以：三角形BDE的面积比三角形ADE的面积等于三角形CDE的面积比三角形ADE的面积（命题V.7）。

又：三角形BDE的面积比三角形ADE的面积等于BD比AD，因为：从E到AB，在同一高度下的平行四边形的面积的比值等于其底的比值（命题VI.1）。

同样理由：三角形CDE的面积比三角形ADE的面积等于CE比AE。

所以：BD比AD也等于CE比AE（命题V.11）。

再令：三角形ABC的边AB和AC被分成比例，BD比AD等于CE比AE，连接DE；

那么我说：DE平行于BC。

在这同一结构中，因为BD比AD等于CE比AE，而BD比AD等于三角形BDE的面积比三角形ADE的面积。

又，CE比AE等于三角形CDE的面积比三角形ADE的面积。

所以：三角形BDE与三角形ADE的面积的比等于三角形CDE与三角形ADE的面积的比（命题VI.1、V.11）。

所以：三角形BDE的面积等于三角形CDE的面积。

又：它们有共同的边DE（命题V.9）。

又：在同一第三边上面积相等的三角形有相同的平行线（I.39）。

所以：DE平行于BC。

所以：如果一条直线平行于三角形的一条边，那么它所截得的边成比例；如果三角形的边被截得的边成比例，那么通过截面两点的直线平行于三角形的第三边。

证完

本命题频繁应用在本卷其余命题中，也用在卷XI和卷XII中。

命题VI.3

如果三角形的一个角的平分线，截对边得到的两条线段的比等于夹这个角的两边的比；如果三角形一边被分成两段的比等于其余两边的比，那么连接分点与顶点的直线平分这一边所对的角。

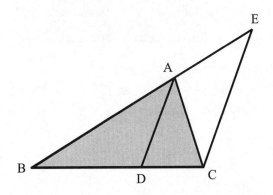

设：ABC为三角形，直线AD平分角BAC。

那么我说：DB比DC等于AB比AC。

令：过C作CE，使之平行于DA，延长BA，与CE相交于E（命题I.31）。

那么因为：直线AC落在平行线AD和EC上，那么角ACE等于角CAD（命题I.29）。

又：角CAD等于角BAD，那么角BAD也等于角ACE。

又因为：直线BAE落在平行线AD和EC上，角BAD等于角AEC（命题I.29）。

又：角ACE也被证明等于角BAD。所以角ACE也等于三角形AEC。

所以：边AE也等于边AC（命题I.6）。

又因为：AD平行于EC，所以：DB比DC与AB比AE相等（命题VI.2）。

又：AE等于AC，所以：DB比DC等于AB比AC（命题V.7）。

再设：AB比AC等于DB比DC，连接AD。那么我说：直线AD平分角BAC。

在这同一图形中，因为：DB比DC等于AB比AC。

又：DB比DC等于AB比AE，因为AD平行于EC。所以：AB比AC也等于AB比AE（命题VI.2、V.11）。

所以：AC等于AE，角AEC也等于角ACE（命题V.9、I.5）。

又：角AEC等于角BAD，角ACE等于内错角CAD。所以：角BAD也等于角CAD（命题I.29）。所以：直线AD平分角BAC。

所以：如果三角形的一个角的平分线，截对边得到的两条线段的比等于夹这个角的两边的比；如果三角形一边被分成两段的比等于其余两边的比，那么连接分点与顶点的直线平分这一边所对的角。

证完

注 解

本命题在《几何原本》中未得以再利用。

应用广泛的算术三角

算术三角中的数是二项展开式系数，也是组合数，又是行数。它和开方（开平方、开立方以至高次方）、解方程、组合数学、概率论等都有密切关系，历代学者都很重视，并从不同的角度来造出这个表。但就全世界的范围来看，东方各国比欧洲更早知道这个三角形。图为卡尔达诺（1501—1576年）给出的算术三角图。

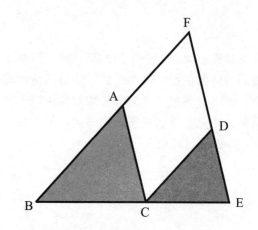

命题VI.4

在相似三角形中，等角所对的边对应成比例，等角所对的边是对应边。

设：ABC和DCE为相似三角形，角ABC等于角DCE，角BAC等于角CDE，角ACB等于角CED。

那么我说：在三角形ABC和DEC中，相等角所对的边成比例。

令：CE放置在直线BC上。

那么因为：角ABC与角ACB之和小于180°，角ACB等于角DEC。所以：角ABC与角DEC之和小于180°。所以：BA与ED如果延长，那么将相交。

令其相交于F（命题I.17）。

因为角DCE等于角ABC，DC平行于FB。又因为：角ACB等于角DEC，AC平行于FE（命题I.28）。

所以：FACD是平行四边形，所以：FA等于DC，AC等于FD（命题I.34）。

又因为：AC平行于三角形FBE的边FE。所以：BA比AF等于BC比CE（命题VI.2）。

又AF等于CD，所以，BA比CD等于BC

比CE。

又，由更比，AB比BC等于DC比CE。

又，CD平行于BF，所以，BC比CE等于FD比DE。

又，FD等于AC，所以：BC比CE等于AC比DE。又，由更比，BC比CE等于AC比DE。

因为，AB比BC等于DC比CE。且BC比CA等于CE比ED。

所以，由首末比可得，BA比CA等于CD比ED（命题V.7、V.16）。

所以：在相似三角形中，等角的对应边成比例，等角所对的边是对应边。

证完

注 解

本命题暗示等角三角形是相似三角形。这在命题VI.8已有详细的证明。本命题也暗示与一个三角形相似的三角形彼此相似。后一陈述见于命题VI.21。

本命题及逆命题频繁地使用在本卷其余的命题及卷X到卷XIII的命题中。

命题VI.5

如果两个三角形的三边对应边成比例，那么对应角相等。

设：三角形ABC与三角形DEF中：AB比BC等于DE比EF，BC比CA等于EF比FD，BA比AC等于ED比DF。

那么我说：三角形ABC与三角形DEF是相似三角形，即角ABC等于角DEF，角BCA等于角EFD，角BAC等于角EDF。

因为，在直线EF上的点E、F处建角FEG等于角CBA，角EFG等于角BCA。

于是：角A等于角G（命题I.23、I.32）。

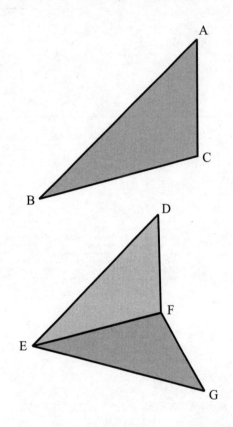

所以：三角形ABC与三角形GEF是相似三角形。所以：在三角形ABC和三角形GEF中，角的对应边成比例。

所以：AB比BC等于GE比EF（命题VI.4）。

因为：AB比BC等于DE比EF，于是：DE比EF等于GE比EF（命题V.11）。

所以：DE、GE与EF有相等的比值，所以：DE等于GE（命题V.9）。

同样原因：DF也等于GF。

那么因为：DE等于GE，EF为公共边，DE和EF两边等于GE和EF两边，DF等于

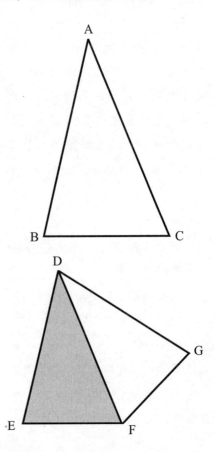

日心说

图为哥白尼的《天体运行论》中的一页，其展示了以太阳为中心，行星按照正确顺序排列的图形。图的外面是众多的恒星。哥白尼试图使托勒密的体系更完善，他认为，托勒密的模型需要沿椭圆轨道以变速运行，他自己则严格遵守亚里士多德的行星沿完美圆形轨道以常速运行的提法，这一要求使哥白尼有了日心说的设想，即太阳是宇宙的中心；地球绕太阳运行的同时，还绕着它自身的轴自转。

GF。所以：角DEF等于角GEF。

三角形DEF等于三角形GEF，余下的角等于其余的角，即相等边的对应角（命题I.8、I.4）。

所以角DFE也等于角GFE，角EDF等于角EGF。

又因为：角DEF等于角GEF，角GEF等于角ABC。所以：角ABC等于角DEF。

同样理由：角ACB也等于角DFE，角A等于角D。所以：三角形ABC与三角形DEF是相似三角形。

所以：如果两个三角形边成比例，那么对应角相等。

证完

注 解

显然，本命题是前一命题的逆命题，现在，关于相似三角形有了两种描述，一为等角三角形相似，二为对应边成比例的三角形相似。

本命题应用在命题XII.12的证明中。

命题VI.6

如果两个三角形有一个角相等，夹等角的两边对应成比例，那么，两三角形为相似三角形，余下的角也对应相等。

设：ABC和DEF两个三角形中角BAC等于角EDF，夹等角的两边成比例，BA比AC等于ED比DF。

那么我说：三角形ABC与三角形DEF为相似三角形，角ABC等于角DEF，角ACB等于角DFE。

在边DF和点D及F上建角FDG，使之等于角BAC，或者EDF；

建角DFG等于角ACB（命题I.23）。

所以：B点上的角等于G点上的角。

所以：三角形ABC与三角形DGF是相似三角形（命题I.32）。

所以：BA比AC等于GD比DF（命题VI.4）。

因为：BA比AC也等于ED比DF，那么：ED比DF也等于GD比DF（命题V.11）。

所以：ED等于GD。

DF是公共边，所以：ED和DF两边等于GD和DF两边，且角EDF等于角GDF。

所以：EF也等于GF，三角形DEF也全等于三角形DGF，对应边所对的角相等（命题V.9、I.4）。所以：角DFG等于角DFE，角DGF等于角DEF。

又：角DFG等于角ACB，所以：角ACB也等于角DFE。又，假设角BAC也等于角EDF，那么在B点的角也等于在E点的角。

所以：三角形ABC与三角形DEF是相似三角形（命题I.32）。

所以：如果两个三角形有一个角相等，夹等角的两边成比例，那么，两三角形为相似三角形，余下的角也对应相等。

证完

注　解

本命题陈述边—角—边相似定理。

本命题应用在命题VI.20、VI.32、XII.1的证明中，在命题XII.12的证明中也出现过几次。

命题VI.7

如果两个三角形有一个角对应相等，其夹另外两个角的对应边成比例，剩余的那两个角皆小于或者皆不小于直角，那么这两个三角形是相似三角形，对应角所对的边成比例。

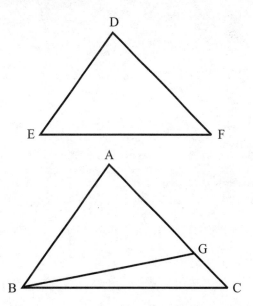

设：三角形ABC和三角形DEF有一个角相等，角BAC等于角EDF，夹另外角ABC与角DEF的对应边成比例，即AB比BC等于DE比EF。剩余的角C和F小于一个直角。

那么我说：三角形ABC与三角形DEF为相似三角形，即角C等于角F。

如果角ABC不等于角DEF，那么其中一

高斯

　　高斯（1777—1855年），德国数学家、天文学家和物理学家，他被誉为历史上伟大的数学家之一，和阿基米得、牛顿并列，同享盛名。1798年高斯因证明代数基本定理获博士学位。他的成就遍及数学的各个领域，在数论、非欧几何、微分几何、超几何级数、复变函数论以及椭圆函数论等方面均有开创性贡献。他十分注重数学的应用，并且在对天文学、大地测量学和磁学的研究中也偏重于用数学方法进行研究。

个必大于另一个。

　　如果角ABC为大，建角ABG，使之等于角DEF（命题I.23）。

　　那么因为：角A等于角D，角ABG等于角DEF，所以：角AGB等于角DFE（命题I.32）。所以：AB比BG等于DE比EF（命题VI.4）。

　　因为：DE比EF等于AB比BC，于是AB比BC同AB比BG有相等比值。

　　所以：BC等于BG，所以：在C点的角也

等于角BGC（命题V.11、V.9、I.5）。

　　又假设C角小于直角，于是：角BGC也小于直角。

　　所以：它的邻角AGB大于直角（命题I.13）。

　　而它又被证明等于角F，所以：角F也大于一个直角，而它已被假设小于直角，这是荒谬的。所以：角ABC等于角DEF。

　　又：角A也等于角D，所以：角C等于角F（命题I.32）。

　　所以：三角形ABC与三角形DEF是相似三角形。

　　再令：假设角C和F不小于直角。

　　那么我说：在这种情况下，三角形ABC也与三角形DEF呈等角关系。

　　在这同一结构下，我们同样可以证明BC等于BG，于是：角C也等于角BGC（命题I.5）。

　　又：角C不小于直角，那么角BGC也不小于直角。

　　于是：在三角形BGC中，有两个三角形之和不小于180°，这是不可能的（命题I.17）。所以：再一次，三角形ABC也不能不等于三角形DEF。所以：它们相等。

　　又：A点的角也等于D点的角，所以角C等于角F（命题I.32）。

　　所以：角ABC是角DEF的等角。

　　所以：如果两个三角形有一个角对应相等，其夹另外两个角的对应边成比例，剩余的那两个角皆小于或者皆不小于直角，那么这两个三角形是相似三角形，对应角所对的边成比例。

证完

命题VI.8

如果在一个直角三角形中，斜边上的高分得的两三角形相似，并且都与原三角形相似。

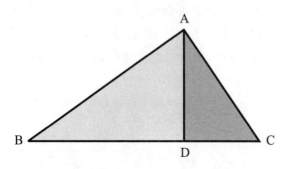

设：ABC为直角三角形，角BAC为直角，AD是从A点向BD边引出的垂线。

那么我说：每个三角形DBA和三角形DAC相似于大三角形ABC，且，它们相互相似。

因为：角BAC等于角BDA，因为皆为直角，角B是两个三角形ABC和三角形DBA的公共角，所以：角ACB等于角DAB。

所以：三角形ABC与三角形DBA相似（命题I.32）。

所以：在三角形ABC与三角形DBA中直角的对应边BC比BA，等于角C所对的AB比角BAD所对的边BD，也等于AC比DA（命题VI.4）。

所以：三角形ABC与三角形DBA相似，其等角对应的边也成逆比例。

同一状况下，我们也可以证明出三角形DAC也相似于三角形ABC。

所以：三角形DBA和三角形DAC皆相似于大三角形ABC。

那么我再说：三角形DBA和三角形DAC

也彼此相似。

因为：直角BDA等于直角ADC，此外，角DAB也被证明等于在C点的角。

所以：在B点的角也等于角DAC。

所以：三角形DBA与三角形ADC是相似三角形（命题I.32）。

所以：在三角形DBA和三角形DAC中，BD比AD也等于AD比CD，也等于BA比AC。

所以：三角形DBA相似于三角形DAC

光线弯曲理论

1911年，爱因斯坦预测，光不是永远走直线，当它经过重物附近时，会因为受到重物造成空间变化的影响而走曲线。他计算出某一颗星从太阳后面发出光时，它经过太阳附近到地球时行走路线的曲率。因此，照他计算，从地球上看起来，这颗星会在另一个位置，而不是人们原来设想的位置。然而在太阳的强光下，白天看不到天空中的任何天体，必须等到全日食，才有机会测到位于太阳后面的星星。1919年5月29日，英国人埃丁顿成功地拍到了日全食时星星在云层掩映下的照片，他称之为"这是数学推理能力的最佳典范"。

（命题VI.4、定义VI.1）。

所以： 如果在一个直角三角形中，有一条垂直于斜边的垂线，那么被垂线切分的三角形与大三角形相似，并彼此相似。

证完

推 论

这一命题也表明，如果在一个直角三角形中，从直角点作一条垂直于斜边的垂线，那么，这条垂线是斜边上两条分得的线段的比例中项。

命题VI.9

一条线段上可以切分一段定长线段。

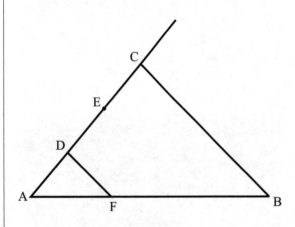

设：AB为给定的线段。

现在要求的是：从AB中切分一段等于定长。

设：分成的比为1比3。

过A点作射线AC，使之与AB形成一定的角。在AC上取点D、E、C，使DE和EC等于AD（命题I.3）。

连接CB，过D点作DF，使之平行于CB（命题I.31）。

那么因为：DF平行于三角形ABC的一边CB。

所以：有这样的比例，AD比DC等于AF比FB（命题VI.2）。

而DC是AD的两倍，所以：FB也是AF的两倍。所以：AB是AF的三倍。

所以：从给定的线段AB中切分出了AF与AB的比为1比3。

所以：一条线段上可以切分一段定长线段。

证完

命题VI.10

可以切分一条未切分的线段，使其相似于已知的切分线段。

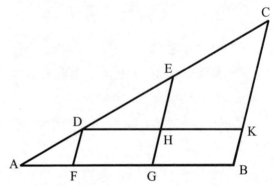

设：AB为给定的未切分线段，AC在D点和E点被切分，置放它们的位置，使之形成一定的角。连接CB，过D、E点作DF和EG，使DF、EG平行于CB。过D作DHK，使之平行于AB（命题I.31）。

那么：图形FH和HB是平行四边形。所以：DH等于FG，HK等于GB。

因为：线段EH平行于三角形DCK的CK边。

所以： DE比EC等于DH比HK（命题
VI.2）。

又：DH等于FG，HK等于GB。所以：
DE比EC等于FG比GB（命题V.7）。

又因为：DF平行于三角形AEG的EG
边。

所以： AD比DE等于AF比FG（命题
VI.2）。

又：可以证明出DE比EC等于FG比GB。

所以：DE比EC等于FG比GB，AD比DE
等于AF比FG。

所以：给定的未切分线AB被切分出相似
于给定的切分线AC。

证完

注 解

某个意义上看，本命题是上一命题
VI.9的归纳。

本命题在《几何原本》中再未利用，
但是它是几何学的重要基本命题之一。

命题VI.11

给定两条线段，可以找到第三条与它们
成比例的线段。

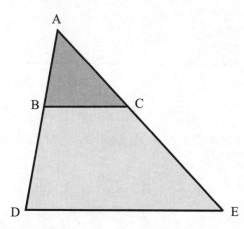

设：AB和AC是给定的两条线段，置放
它们的位置，使之形成一定的角。

现在要求的是：找出一条线，使之与AB
和AC成比例。

延长它们至D和E，使BD等于AC。连
接BC，过D点作DE，使之平行于BC（命题
I.3）。

那么因为：BC平行三角形ADE的边
DE。

所以，AB比BD等于AC比CE（命题
VI.2）。

又：BD等于AC，所以：AB比AC等于
AC比CE（命题V.7）。

所以：第三条线CE与给定的两条线AB

和AC成比例。

所以：给定两条线段，可以找到第三条与它们成比例的线段。

证完

注 解

本命题应用在命题VI.19、VI.22中，在卷X中也有应用。

命题VI.12

给定三条线段，可以为它们找到成比例的第四条线段。

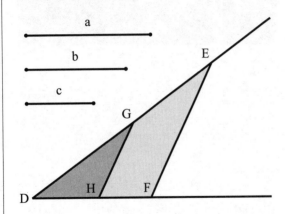

设：a、b、c是三条给定的线段。

现在要求找出第四条线段，与a、b、c成比例。

令：两条线段DE和DF形成任意角EDF，使DG等于a，GE等于b，DH等于c。连接GH，过E作EF，使之平行于GH（命题I.3、I.31）。

那么因为GH平行于三角形DEF的边EF，所以：DG比GE等于DH比HF（命题VI.2）。

又DG等于a，GE等于b，DH等于c。

所以：a比b等于c比HF（命题V.7）。

所以：第四条线HF被找出，它与给定的三条线段a、b、c成比例。

所以：给定三条线段，可以为它们找到成比例的第四条线段。

证完

注 解

前一命题是这一命题的特殊情况。

16世纪，笛卡儿时与费马创造了坐标几何——X、Y平面坐标系，曲线的两个变量便可以得到确定。这使得几何相等的问题可以很方便地用代数方法来解决。笛卡儿曾经兴趣盎然地用几何的方法去解决《几何原本》中的代数问题，他曾将卷2全部转换为代数公式。

本命题应用在命题VI.22、VI.23的证明中，也应用在卷X中。

命题VI.13

给定两条线段，可以找到它们的比例中项。

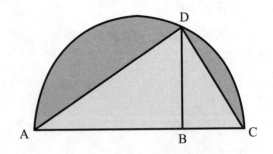

设：AB和BC是给定的两条线段。

现在要求：为AB和BC找出一个比例中项。

令：将AB、BC两条线段置于一条线上，成AC，在AC上作半圆ADC。过B点作垂线BD，交圆周于D。连接AD和DC（命题I.11）。

因为：角ADC是半圆内的一个角，所以：该角是直角（命题III.31）。

又因为：在直角三角形ADC中，BD是第三边上的垂线，所以BD是线段AB和BC之间的比例中项（命题VI.8、推论）。

所以：给定的两条直线AB和BC的比例中项BD被找到。

所以：给定两条线段，可以找到它们的比例中项。

证完

注 解

在两条线之间的比例中项，是一个正方形的边，等于两条线段构成的三角形，代数的表达式为：$a:x=x:b$，$ab=x^2$，x是ab的平方根。

本命题应用在命题VI.25、X.27和X.28的证明中。

命题VI.14

在面积相等并等角的平行四边形中，夹等角的边对应成逆比例；等角平行四边形中，若夹等角的边成逆比例则它们的面积相等。

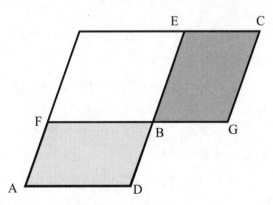

设：AB和BC是相等并等角的平行四边形，在B点处角相等，DB和BE在同一直线上，所以：FB和BG也在同一直线上（命题I.14）。

那么我说：在平行四边形AB和BC中，夹等角的边成逆比例，即DB比BE等于BG比BF。

完成平行四边形FE（命题I.31）。

那么因为平行四边形AB的面积等于平行四边形BC的面积，而FE是另一个平行四边形的面积。

所以：AB比FE等于BC比FE（命题V.7）。

又：AB比FE等于DB比BE，BC比FE等于BG比BF。

所以：ＤＢ比ＢＥ等于ＢＧ比ＢＦ（命题VI.1、V.11）。

所以：在平行四边形ＡＢ和ＢＣ中，夹等角的边成逆比例。

再：ＤＢ比ＢＥ等于ＢＧ比ＢＦ。

那么我说：平行四边形ＡＢ等于平行四边形ＢＣ。

因为ＤＢ比ＢＥ等于ＢＧ比ＢＦ，同时ＤＢ比ＢＥ等于平行四边形ＡＢ比平行四边形ＦＥ。

又，ＢＧ比ＢＦ等于平行四边形ＢＣ比平行四边形ＦＥ，所以：ＡＢ比ＦＥ也等于ＢＣ比ＦＥ（命题VI.1、V.11）。

所以：平行四边形ＡＢ的面积等于平行四边形ＢＣ的面积（命题V.9）。

所以：在面积相等并等角的平行四边形中，夹等角的边对应成逆比例；等角平行四边形中，若夹等角的边成逆比例则它们的面积相等。

证完

注 解

本命题应用在命题VI.16、VI.30和X.22中。

命题VI.15

在面积相等三角形中，有一对角相等。那么，等角对应的边成逆比例；有角对应相等，相等角的对应边成逆比例的三角形的面积相等。

设：ＡＢＣ和ＡＥＤ中，角ＢＡＣ等于角ＤＡＥ。

那么我说：在三角形ＡＢＣ和三角形ＡＥＤ

中，构成等角的边成逆比例，即ＣＡ比ＡＤ等于ＥＡ比ＡＢ。

令：ＣＡ和ＡＤ在同一线上，于是：ＥＡ也与ＡＢ在同一线上（命题I.14）。

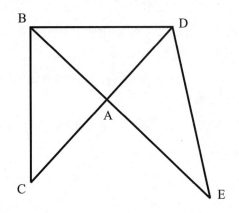

连接ＢＤ。

那么因为：三角形ＡＢＣ的面积等于三角形ＡＤＥ的面积。

又，ＡＢＤ是另一个三角形。

所以：三角形ＡＢＣ的面积比三角形ＡＢＤ的面积等于三角形ＡＤＥ的面积比三角形ＡＢＤ的面积（命题V.7）。

又：三角形ＡＢＣ的面积比三角形ＡＢＤ的面积等于ＡＣ比ＡＤ，三角形ＡＤＥ的面积比三角形ＡＢＤ的面积等于ＡＥ比ＡＢ（命题VI.1）。

所以：ＡＣ比ＡＤ等于ＡＥ比ＡＢ（命题V.11）。

所以：在三角形ＡＢＣ和三角形ＡＤＥ中，夹等角的边成逆比例。

再设：三角形ＡＢＣ和三角形ＡＤＥ的边对应成比例，即ＡＥ比ＡＢ等于ＣＡ比ＡＤ。

那么我说：三角形ＡＢＣ的面积等于三角形ＡＤＥ的面积。

如果再连接ＢＤ，因为：ＡＣ比ＡＤ等于

AE比AB，AC比AD等于三角形ABC的面积
比三角形ABD的面积。

又：AE比AB等于三角形ADE的面积比
三角形ABD的面积。

所以：三角形ABC的面积比三角形ABD
的面积等于三角形ADE的面积比三角形ABD
的面积（命题VI.1、V.11）。

所以：三角形ABC和ADE与三角形ABD
的面积有相同的比值。

所以：三角形ABC的面积等于三角形
ADE的面积（命题V.9）。

所以：在相等三角形中，一个角等于另
一个角，等角对应的边成逆比例；有角对应
相等，相应角的对应边成逆比例的三角形的
面积相等。

证完

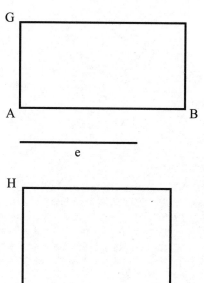

注 解
本命题应用在命题VI.19的证明中。

命题VI.16
如果四条线段成比例，那么两内项的积
等于两外项的积；反之，如果两外项的积等
于两内项的积，那么四条线段成逆比例。

设：四条线AB、CD、e和f成比例，即
AB比CD等于e比f。

那么我说：AB与f为边的矩形的面积等
于CD与e为边的矩形的面积。

从A点和C点作AG和CH，分别与AB和
CD形成直角，使AG等于f，CH等于e（命题
I.11、I.3）。

完成平行四边形BG和DH（命题I.31）。

那么因为：AB比CD等于e比f，同时e等

于CH。

又：f等于AG。

所以：AB比CD等于CH比AG（命题
V.7）。

所以：在平行四边形BG和DH中，等角
的边成逆比例。

又：等角的边成逆比例的等角平行四边
形的面积相等，平行四边形BG的面积等于平
行四边形DH的面积（命题VI.14）。

又：BG是AB和f为边的矩形的面积，因
为AG等于f。

又DH是CD和e为边的矩形的面积，因为
e等于CH。

所以：AB和f为边的矩形的面积等于CD
和e为边的矩形的面积。

那么我说：四条直线成比例，即AB比

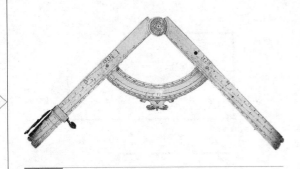

尺规作图

平面几何作图，限制只能用直尺、圆规。在历史上最先明确提出尺规限制的是伊诺皮迪斯，他发现以下作图法：在已知直线的已知点上作一角与已知角相等。这件事的重要性并不在于这个角的实际作出，而是在尺规的限制下从理论上去解决这个问题。在这以前，许多作图题都是不限工具的，伊诺皮迪斯以后，尺规的限制渐渐成为一种公约，最后总结在《几何原本》之中。

CD等于e比f。

在这同一图形中，因为AB和f为边的矩形的面积，等于CD和e为边的矩形的面积。

因为AG等于f，CD和e为边的矩形的面积是DH，因为CH等于e，所以BG等于DH。

又：它们是等角的。在相等并等角的平行四边形中，等角对应的边成逆比例（命题VI.14）。所以：AB比CD等于CH比AG（命题V.7）。

又：CH等于e，AG等于f。所以：AB比CD等于e比f。

所以：如果四条线段成比例，那么两内项的积等于两外项的积；反之，如果两外项的积等于两内项的积，那么四条线段成逆比例。

证完

注　解

本命题是命题VI.14的特殊情况，其实几乎不需要这样啰唆的证明。

本命题不时地应用在卷Ⅹ及卷ⅩⅢ中。

命题VI.17

如果三条线段成比例，那么前项与末项为边的矩形的面积等于中项为边的正方形的面积；相反，如果前项与末项为边的矩形的面积等于中项为边的正方形的面积，那么这三条线段成比例。

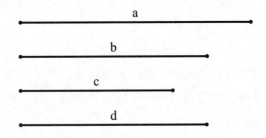

设：三条线段a、b和c成比例，a比b等于b比c。

那么我说：a与c为边的矩形的面积等于b为边的正方形的面积。

作d，使之等于b（命题I.3）。

那么因为：a比b等于b比c，而b等于d。

所以：a比b等于d比c（命题V.7、V.11）。

又：如果四条线段成比例，两内项的积等于两外项的积（命题VI.16）。

所以：a与c为边的矩形的面积等于b与d为边的矩形的面积。

而b与d为边的矩形的面积等于b为边的正方形的面积，因为b等于d。

所以：a与c为边的矩形的面积等于b为边的正方形的面积。

再设：a与c为边的矩形的面积等于b为边

的正方形的面积。

那么我说：a比b等于b比c。

在这同一图形中，因为a和c为边的矩形的面积等于b为边的正方形的面积，同时b为边的正方形的面积是b和d为边的矩形的面积，因为b等于d。

所以：a与c为边的矩形的面积等于b与d为边的矩形的面积。

又：两外项的积等于两内项的积，那么四条线段成比例（命题VI.16）。

所以：a比b等于d比c。

而b等于d，所以：a比b等于b比c。

所以：如果三条线段成比例，那么前项与末项为边的矩形的面积等于中项为边的正方形的面积；相反，如果前项与末项为边的矩形的面积等于中项为边的正方形的面积，那么这三条线段成比例。

证完

注 解

显然，这是前一命题的逆命题，本命题在卷X和XIII中非常频繁地被应用。

命题VI.18

给定一个多边形，可作另一多边形与之相似。

设：AB为给定的线段，CE为给定的多边形。

现在要求的是：在线段AB上建一个多边形，使之与CE相似。

连接DF，在线段AB上建角GAB等于角C，建角ABG等于角CDF（命题I.23）。

于是：角CFD等于角AGB。

所以：三角形FCD与三角形GAB是相似三角形（命题I.32）。

所以：FD比GB等于FC比GA，又等于CD比AB（命题VI.4、V.16）。

又：在线段BG和点B、G上建角BGH，使之等于角DFE，建角GBH等于角FDE（命题I.23）。

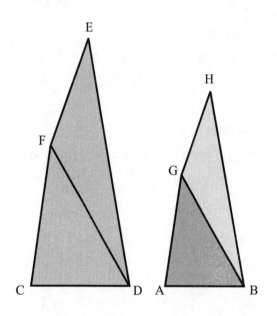

于是：角E等于角H，所以：三角形FDE与三角形GBH是相似三角形。

所以：FD比GB等于FE比GH，且等于ED比HB（命题I.32、VI.4、V.16）。

而已证明FD比GB等于FC比GA，且等于CD比AB。

所以：FC比AG等于CD比AB，且等于FE比GH，又等于ED比HB（命题V.11）。

又因为：角CFD等于角AGB，又，角DFE等于角BGH。

所以：大角CFE等于大角AGH。

同样原因：角CDE也等于角ABH。角C也等于角A，角E等于角H。

所以：AH与CE是等角的，且等角的边成比例。

所以：多边形AH相似于多边形CE（定义VI.1）。

所以：给定一个多边形，可作另一多边形与之相似。

证完

注 解

本命题应用在命题VI.22、VI.25、VI.28中，其推论应用在命题XII.17中。

命题VI.19

相似三角形面积比等于对应边的比的平方。

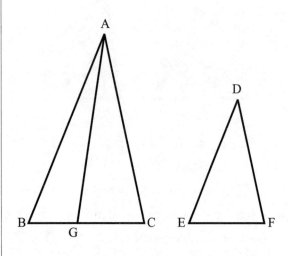

设：ABC和DEF为两个相似三角形，角B等于角E，AB比BC等于DE比EF，BC与EF是对应边（定义V.11）。

那么我说：三角形ABC与三角形DEF的面积比等于BC与EF的比的平方（命题V.11）。

作第三个比例BG对应BC和EF，那么BC比EF等于EF比BG，连接AG（命题VI.11）。

因为AB比BC等于DE比EF。

所以：ＡＢ比ＤＥ等于ＢＣ比ＥＦ（命题V.16）。

又：BC比EF等于EF比BG。

所以：ＡＢ比ＤＥ等于ＥＦ比ＢＧ（命题V.11）。

所以：相似三角形ABG和三角形DEF的边成逆比例。

又：有一相等角的边成逆比例的三角形是相等三角形。

所以三角形ABG等于三角形DEF（命题VI.15）。

那么因为BC比EF等于EF比BG，又，如果三条线段成比例，第一条与第三条的比等于第一条与第二条的二次比，所以：BC与BG等于BC与EF的二次比（定义V.9）。

又：BC比BG等于三角形ABC的面积比三角形ABG的面积。

所以：三角形ＡＢＣ与三角形ＡＢＧ的面积比是BC与EF的比的平方（命题VI.1、V.11）。

又：三角形ABC的面积等于三角形DEF的面积。

所以：三角形ABC的面积比三角形DEF的面积是BC比EF的平方（命题V.7）。

所以：相似三角形面积比等于对应边的比的平方。

证完

注 解

本命题应用在下一命题的证明中，推论应用在命题 VI.22、VI.31、X.6 的证明中。

推 论

这一命题表明，如果三条线段成比例，那么第一条线段比第三条线段的比值等于第一条线段所建的多边形的面积比第二条线段所建的相似多边形的面积的比值。

代数表示为：如果 $\dfrac{a}{b} = \dfrac{b}{c}$ ，那么 $\dfrac{a}{c} = \dfrac{a^2}{b^2}$。

命题VI.20

将两个相似多边形分成同样多相似三角形，其对应三角形面积比值与总体面积的比值相等；两个多边形的面积的比值是对应边比值的平方。

设：ABCDE和FGHKL为相似五边形，AB对应FG。

那么我说：五边形ABCDE和FGHKL可分成同样多个相似三角形，并与整体的五边形有相同的比值；五边形ABCDE与FGHKL的面积的比等于AB与FG的比的平方。

连接BE、CE、GL和HL。

那么因为：五边形ABCDE相似于五边形FGHKL。

于是：角BAE等于角GFL，AB比AE等于GF比FL（定义VI.1）。

那么因为：三角形ABE和三角形FGL是两个有等角且等角对应边成比例的三角形。

于是：三角形ABE与三角形FGL的各个角对应相等，另外它们也是相似三角形。

所以：角ABE等于角FGL（命题VI.6、VI.4、定义VI.1）。

又：大角ABC也等于角FGH，因为它们相似，所以：角EBC等于角LGH。

阿维尼翁少女

在西方现代主义运动中，立体主义的影响是难以估量的。作为一个运动，它只是几年的历史，但其影响在几十年内深刻地反映在多流派的绘画和雕塑上。毕加索1907年所作的《阿维尼翁少女》是立体主义的代表作，其充分表现了立体主义的主要美学观念。这种美学观念主要体现在毕加索把画中的少女变成了几块几何形体。这就是来自塞尚的几何形结构，除此之外，该画还包括了许多立体派原则，如变形、抽象和变换透视角度等。

又因为：三角形ABE和三角形FGL相似，BE比AB等于GL比GF。

又因为两五边形相似，AB比BC等于FG比GH。

所以：BE比BC等于GL比GH，即等角EBC和角LGH的对应边成比例。

所以：三角形EBC与三角形LGH是相似三角形，所以：三角形EBC也相似于三角形LGH（命题V.22、VI.6、VI.4，定义VI.1）。

同理，三角形ECD也相似于三角形LHK。

所以：相似多边形ABCDE和FGHKL被分成同样个数的三角形。

冯·诺依曼

冯·诺依曼（1903—1957年）在数学的诸多领域都进行了开创性工作，并作出了重大贡献。"二"战前，他主要从事算子理论、集合论等方面的研究。1923年他把集合论加以公理化，其公理化体系奠定了公理集合论的基础。他从公理出发，用代数方法导出了集合论中许多重要概念、基本运算、重要定理等。他对一般拓扑群的结构有深刻的认识，弄清了它的代数结构和拓扑结构与实数是一致的。他还创立了博弈论这一现代数学的又一重要分支。1944年发表了奠基性的重要论文《博弈论与经济行为》。他对人类的最大贡献是对计算机科学、计算机技术和数值分析的开拓性工作。冯·诺依曼还积极参与了推广应用计算机的工作，对如何编制程序及数值计算都有杰出的贡献。

那么我说：对应三角形的比值等于多边形的比值。即这种情况下三角形成比例，三角形ABC、EBC和三角形ECD的面积为前项，三角形FGL、LGH和三角形LHK的面积为后项，五边形ABCDE与FGHKL的面积比值等于AB与FG的比的平方。

连接AC和FH。

因为多边形是相似的，角ABC等于角FGH，又AB比BC等于FG比GH。三角形ABC与三角形FGH的各角相等（命题VI.6）。

所以：角BAC等于角GFH。且角BCA等于角GHF。

又因为：角BAM等于角GFN，角ABM也等于角FGN，所以：角ABM也等于角FNG，所以：三角形ABM与三角形FGN是相似三角形（命题I.32）。

同样，我们可以证明三角形BMC与GNH也是相似三角形。

所以：AM比MB等于FN比NG，BM比MC等于GN比NH。

于是又有首末比，AM比MC等于FN比NH（命题V.22）。

又：AM比MC等于三角形ABM比三角形MBC，又等于三角形AME比三角形EMC，因为它们有共同的第三边（命题VI.1）。

所以：前项之一比后项之一等于所有前项的和比所有后项的和。

所以：三角形AMB比三角形BMC等于三角形ABE比三角形CBE（命题V.12）。

又：三角形AMB比三角形BMC等于AM比MC，所以AM比MC等于三角形ABE比三角形EBC（命题V.11）。

同理，FN比NH也等于三角形FGL比三角形GLH。

又：AM比MC等于FN比NH。

所以：三角形ABE的面积比三角形BEC的面积等于三角形FGL的面积比三角形GLH的面积，又有更比，三角形ABE的面积比三角形FGL的面积等于三角形BEC的面积比三

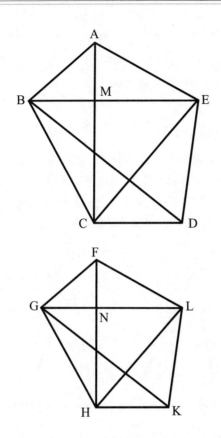

面积的比等于边AB与FG的比的平方，因为相似三角形面积比等于对应边的比的平方（命题VI.19）。

所以：五边形ABCDE的面积与五边形FGHKL的面积的比等于其对应边AB与FG的平方比（命题V.11）。

所以：将两个相似多边形分成同样多相似三角形，其对应三角形面积比值与总体面积的比值相等；两个多边形的面积的比值是对应边比值的平方。

证完

推 论

同样也可以证明，在四边形中，四边形的面积的比值是对应边的平方比，在三角形中，三角形的面积的比是对应边的平方的比。进一步，在多边形中，对应图形的面积的比是对应边的平方的比。

计算尺

1614年对数发明以后，乘除运算可化为加减运算，利用这一特点，便可制成对数计算尺。这是计算工具又一巨大发明。300多年来，计算尺一直是科学工作者特别是工程技术人员必不可少的计算工具，直到20世纪70年代才逐渐被电子计算器所取代。计算尺除了常见的直线形尺外，还有各式各样的圆形、柱形、螺旋形尺。图为夏庞蒂埃圆形尺和鲍彻表形尺。

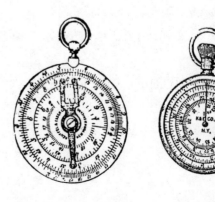

角形GLH的面积（命题V.11、V.16）。

同样我们可以证明出，如果连接BD和GK，那么三角形BEC的面积比三角形LGH的面积等于三角形ECD的面积比三角形LHK的面积。

又因为：三角形ABE的面积比三角形FGL的面积等于三角形EBC的面积比三角形LGH的面积，且等于三角形ECD的面积比三角形LHK的面积。

所以：前项之一与后项之一的比等于所有前项之和比所有后项之和。

所以：三角形ABE的面积比三角形FGL的面积等于五边形ABCDE的面积比五边形FGHKL的面积（命题V.12）。

又：三角形ABE的面积与三角形FGL的

注 解

本命题和它的推论不时地应用在卷 X、XII、XIII中。

命题VI.21

与同一个多边形相似的两个多边形也相似。

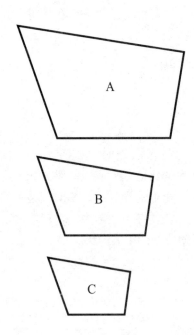

设：多边形A和B相似于C。

那么我说：A与B也相似。

因为A相似于C，对应角相等，对应边成比例（定义VI.1）。

又因为：B相似于C，对应角相等，对应边成比例。

所以：A和C对应角相等，对应边成比例。

所以：A相似于B（命题V.11）。

所以：与同一个多边形相似的两个多边形也相似。

证完

注 解

本命题应用在命题VI.8、VI.24、VI.28、VI.29的证明中。

命题VI.22

如果四条线段成比例，那么在四条线上作出的有相似位置的相似多边形的面积也成比例；如果在四条线段上的相似图形的面积成比例，那么该四条线段也成比例。

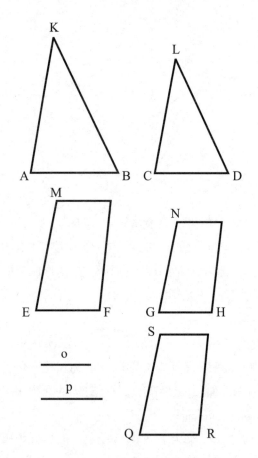

设：四条线段为AB、CD、EF和GH，它们成比例，即AB比CD等于EF比GH，在线段AB和CD上分别建多边形KAB、LCD，在EF和GH上分别建多边形MF和NH。

那么我说：多边形KAB的面积比多边形LCD的面积等于MF的面积比NH的面积。

作第三比例项o和p，使o与AB、CD成比例，p与EF和GH成比例（命题VI.11）。

那么因为AB比CD等于EF比GH，所以：CD比o等于GH比p。

所以：有首末比，AB比o等于EF比p（命题V.11、V.22）。

又：AB比o等于多边形KAB比多边形LCD，EF比p等于MF比NH，所以：多边形KAB比多边形LCD也等于MF比NH（命题VI.19及推论、V.11）。

再一步，令：多边形KAB比多边形LCD等于MF比NH。

那么我说：AB比CD等于EF比GH，因为假如：AB比CD不等于EF比GH。

设：EF比QR等于AB比CD。作多边形SR，使之相似于NH和MF（命题VI.12、VI.18）。

所以：AB比CD等于EF比QR。

建AB和CD上相似位置的相似图形KAB和LCD，及建在EF和QR上的MF和SR。

所以：多边形KAB比多边形LCD等于MF比SR。

又：假设，多边形KAB比多边形LCD等于MF比NH。

于是MF比SR也等于MF比NH（命题V.11）。

所以：MF与多边形NH和SR有相等的比。

所以：NH等于SR（命题V.9）。

又，因为相似，所以：GH等于QR。

那么因为AB比CD等于EF比QR，同时QR等于GH。

所以：AB比CD等于EF比GH。

所以：如果四条线段成比例，那么在四条线上作出的有相似位置的相似多边形的面积也成比例；如果在四条线段上的相似图形的面积成比例，那么该四条线段也成比例。

证完

注 解

在证明的最后部分，出现了一个错误步骤，即GH等于QR是错误的，该步之前，我们已获得NH与SR相似且相等，其证明并不困难。

祖冲之的圆周率

中国历史上的南北朝时期，魏国数学家刘徽用割圆术求出当时世界上最精确的π值，π=3.1416。随后，南朝的祖冲之用刘徽的方法求得了一个有效数字精确到七位的值，直到1000年后，阿拉伯人阿尔·卡西和法国人维叶特才求出了精确于祖冲之的圆周率值。图为《隋书》中关于祖冲之圆周率的记载。

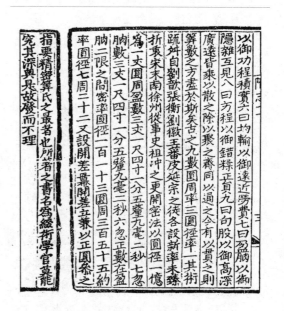

本命题应用于卷X、XII.4、XII的几个命题的证明中。

命题VI.23

各角都相等的平行四边形的面积的比等于它们边的复比。

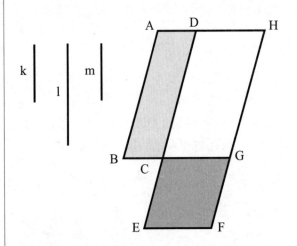

设：AC和CF是等角的平行四边形，角BCD等于角ECG。

那么我说：平行四边形AC与平行四边形CF的比值，是其边的复合比值。

令它们置放成一定的位置，BC与CG在同一线上，那么DC也与CE在同一线上（命题I.14）。

完成平行四边形DG，设线段k、l、m，使它符合BC比CG等于k比l，且DC比CE等于l比m（命题I.31、VI.12）。

那么：k比l及l比m的比值是边与边的比，即BC比CG与DC比CE。

所以：k比m的比值也是边与边的复比。

那么：因为BC比CG等于平行四边形AC比CH，BC比CG等于k比l。

所以：k比l等于AC比CH（命题VI.1、

V.11）。

又因为：DC比CE等于平行四边形CH比CF，DC比CE等于l比m。

所以：l比m等于平行四边形CH比CF（命题VI.1、V.11）。

那么因为：也可以证明k比l等于平行四边形AC比CH。

l比m等于平行四边形CH比CF。

所以：不包括相等，k比m等于平行四边形AC比CF（命题V.22）。

又：k比m的比值是边的比值的复比。

所以：AC与CF的比值也等于边的比值的复合。

所以：等角的平行四边形的比值是边的比值的复比。

证完

注 解

本命题是长方形面积公式的归纳，即一个长方形的面积是其长与宽的乘积。

本命题虽然是面积的基本比例，但事实上在《几何原本》中再未被利用。

命题VI.24

在任意平行四边形中，有共线对角线且有平行的对应边的平行四边形相似于整个四边形，并且彼此相似。

设：ABCD为平行四边形，AC为对角线，EG和HK是AC中的平行四边形。

那么我说：每个平行四边形EG和HK相似于大平行四边形ABCD，并彼此相似。

因为：EF平行于三角形ABC的边BC，成比例地，BE比EA等于CF比FA（命题

VI.2）。

又因为：FG平行于三角形ACD的边CD。

所以：CF比FA等于DG比GA（命题VI.2）。

可以证明：CF比FA等于BE比EA。

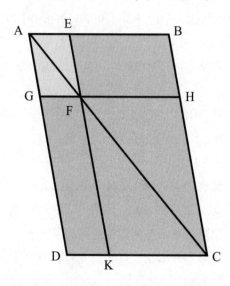

所以：BE比EA等于DG比GA。

所以：得到合比，BA比AE等于DA比AG。

又由更比，BA比AD等于EA比AG（命题V.18、V.16）。

所以：在平行四边形ABCD和EG中，公共角BAD的边成比例。

又因为：GF平行于DC，角AFG等于角ACD，又角DAC是两个三角形ADC和三角形AGF的公共角。

所以：三角形ADC与三角形AGF相似（命题I.29）。

同理：三角形ACB与三角形AFE等角。

又：大平行四边形ABCD与平行四边形EG是等角的。

所以：AD比DC等于AG比GF，DC比CA等于GF比FA，AC比CB等于AF比FE，CB比BA等于FE比EA，又因为可以证明DC比GA等于GF比FA，AC比CB等于AF比FE。

有首末比，DC比CB等于GF比FE（命题V.220）。

所以：在平行四边形ABCD和EG中，相等角的边成比例。

托内亚河的地图

数学是科学的皇后，数学又是科学的女仆。数学以抽象的形式，追求高度精确、可靠的知识，成为人类精密思维的一种典范，并日益渗透到其他知识领域。在对宇宙世界和人类社会的探索中，数学还具有追求最大限度的一般性模式，特别是一般性算法的倾向。这种倾向使数学具有了广泛的适用性。图为1738年的托内亚河的地图，测量者们既以简单的图表来说明测量所依据的原理，也用较复杂而详细的地图来解释他们所使用的三角测量法。

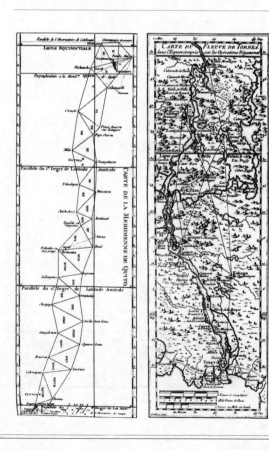

所以：平行四边形ABCD相似于平行四边形EG（定义VI.1）。

同理：平行四边形ABCD也相似于平行四边形KH。

所以：平行四边形EG和HK也相似于平行四边形ABCD。

又：相似于另一多边形的多边形，相互相似。

所以：平行四边形EG也相似于平行四边形HK（命题VI.21）。

所以：在任意平行四边形中，有共线对角线且有平行的对应边的平行四边形相似于整个四边形，并且彼此相似。

证完

注 解

欧几里得用这一命题的计算，回到了命题I.45的直线图形的面的应用。

命题VI.25

可以建一个多边形相似于给定的一个多边形，并等于另一个给定的图形的面积。

设：ABC为给定的多边形，建另一多边形D。

现在要求的是建一图形相似于ABC，并面积等于D。

用BC作平行四边形BE，使BE的面积等于三角形ABC的面积。

用CE作平行四边形CM，使它的面积等于D的面积，角FCE等于角CBL（命题I.44、I.45）。

那么：BC和CF在同一线上，LE和EM在同一线上。

作GH使之成为BC、CF比例中项，作三角形KGH，使之相似于三角形ABC（命题VI.13、VI.18）。

那么因为：BC比GH等于GH比CF。

那么第一条比第三条等于第一条所建多边形比第二条所建相似的面积的多边形。

所以：BC比CF等于三角形ABC的面积比三角形KGH的面积（命题V.19、推论）。

又：BC比CF等于平行四边形BE的面积比平行四边形EF的面积（命题VI.1）。

所以：三角形ABC的面积比三角形KGH的面积等于平行四边形BE的面积比平行四边形EF的面积。

所以，有更比，三角形ABC的面积比平行四边形BE的面积等于三角形KGH的面积比平行四边形EF的面积（命题V.11、V.16）。

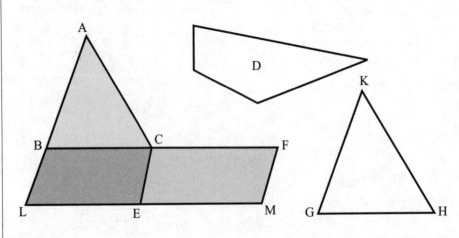

又：三角形ABC的面积等于平行四边形BE的面积。

所以：三角形KGH的面积也等于平行四边形EF的面积。

又：平行四边形EF的面积等于D的面积。

所以：三角形KGH的面积也等于D的面积（命题V.14）。

又：三角形KGH也相似于ABC。

所以：这一多边形KGH被建立，它相似于给定的多边形ABC，并面积等于另一个给定的图形D。

所以：可以建一个多边形相似于给定的一个多边形，并等于另一个给定的图形的面积。

证完

注 解

注意，这并不是命题VI.14结尾部分的证明的直接调用，而是它的交替形式。本命题解决了一个相似问题，传说，这一问题是毕达哥拉斯解决过的。本命题应用在命题VI.28和VI.29的证明中。

命题VI.26

如果从平行四边形中取一个与原平行四边形相似、位置相似并有同一角的平行四边形，那么它们的对角线在同一线上。

从一个平行四边形ABCD中取一个与它相似并有一个公共角DAB的平行四边形AF。

那么我说：AF的对角线在ABCD的对角线上。

假设不是，我们作AHC为ABCD对角

线，延长GF至H，过H作HK，使之平行于AD或BC（命题I.31）。

那么因为：ABCD与KG在同一对角线上。

所以：DA比AB等于GA比AK（命题VI.24）。

又因为：ABCD和EG相似。所以：DA比AB等于GA比AE。

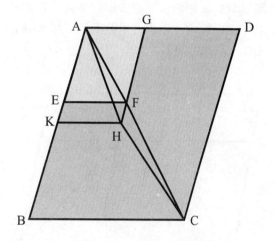

所以：GA比AK等于GA比AE（定义VI.1、命题V.11）。

所以：GA比AK与GA比AE相等。

所以：AE等于AK，即小等于大，这是不可能的（命题V.9）。

所以：ABCD不可能不与AF在同一对角线上。

所以：平行四边形ABCD的对角线在AF上。

所以：如果从平行四边形中取一个与原平行四边形相似、位置相似并有同一角的平行四边形，那么它们的对角线在同一线上。

证完

注 解

本命题是命题VI.24的逆命题。

本命题应用在下三个命题的证明中，在卷X的部分命题中也有一些应用。

命题VI.27

位置在同一线段上的所有平行四边形，它们是取掉了与在原线段一半上的平行四边形相似且有相似位置的图形。那么，它们中以作在原线段一半上的平行四边形最大且它相似于取掉的图形。

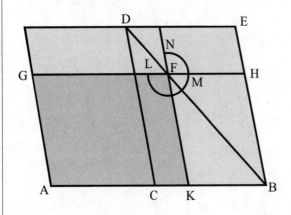

设：AB为线段，在C点被平分，平行四边形AD和DB被建立在线段AB的平分线上。BD被取掉。

那么我说：在适应于等于线段AB的平行四边形中，以取掉相似且有相似位置BD的平行四边形AD最大。

设：平行四边形AF适应于线段AB。

那么我说：AD大于AF，因为平行四边形DB与平行四边形FB相似，它们在同一对角线上（命题VI.26）。

作对角线DB。那么因为：CF等于FE，FB是公共边。

所以：CH等于KE（命题I.43）。

又：CH等于CG，因为AC也等于CB（命题I.36）。所以：CG也等于KE。

令：CF与各边相加，那么AF等于折尺形LMN。

所以：平行四边形DB，大于平行四边形AF。

所以：位置在同一线段上的所有平行四边形，它们是取掉了与在原线段一半上的平行四边形相似且有相似位置的图形。那么，它们中以作在原线段一半上的平行四边形最大且它相似于取掉的图形。

证完

注 解

本命题阐明了命题VI.28的局限性，在命题VI.28中，建一个平行四边形，使之等于给定的直线图形，本命题暗示，如果直线图形太大，是不可能建立的。

命题VI.28

在已知线段上作一个面积与已知多边形相等的平行四边形，它是由取掉了相似于某个已知图形的平行四边形：这个已知图形必须不大于在原线段一半上的平行四边形并且这个平行四边形相似于取掉的图形。

设：C为给定的多边形，AB为给定的线段，D为给定的平行四边形，C不大于线段AB的一半所建的相似于D的平行四边形。这个平行四边形又相似于取掉的图形，这个取掉的图形又相似于D。

现在要求的是：在AB上建一个平行四边形，使之面积等于给定的多边形C的面积，并且这个平行四边形也是取掉相似于D的平行四边形而成的。

令：在E点上平分线段AB，在EB边上作EBFG相似于D且有相似位置，完成平行四边形AG（命题I.9、I.18）。

假如：AG等于C，就完成了作图。设平行四边形AG是补形。因为，在已知线段AB上有平行四边形AG，它等于已知图形C，并且它是取掉相似于D的平行四边形的图形GB而成的。

又：如果不是，令HE大于C。

因为HE等于GB，所以：GB也大于C。

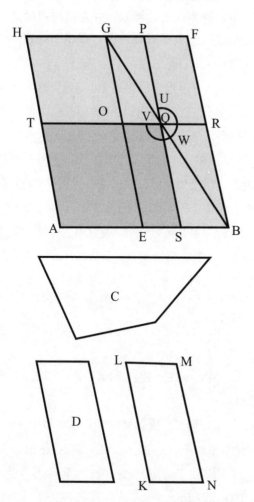

蜂房结构

上帝将最好和最完美的智慧和数学思维赋予人类，同时也分给某些无理智的动物，使它们有维持生命的本能。这其中最令人惊叹的是蜜蜂。蜂房是蜂蜜的容器，它由许许多多相同的六棱柱形组成，一个紧挨着一个，中间没有一丝空隙。蜜蜂希望有匀称规则的图案，也就是需要等边等角的图形。铺满整个平面区域的正多边形只有三种：正三角形、正方形和正六边形。凭着本能的智慧，蜜蜂选择了正六边形。因为使用同样多的材料，正六边形比正三角形和正方形具有更大的面积。人的智慧知道在周界相等的正多边形中，角越多面积越大。周界相同、面积最大的平面图形是圆。

建KLMN等于GB减去C，并相似于D（命题VI.25）。

又：D相似于GB，所以：KM也相似于GB。

再令：KL对应于GE，LM对应于GF。

那么，因为GB等于C和KM之和，所以：GB大于KM。

所以：GE也大于KL，GF大于LM，作GO等于KL，GP等于LM。完成平行四边形OGPQ。

于是：它相似于KM，所以：GQ也相似于GB，所以：GQ与GB有同一对角线（命题VI.21、I.26）。

令：GQB为其对角线，完成图形。

那么因为：BG等于C和KM之和，在它

半坡遗址残片

与算术的产生相仿，最初的几何知识也从人们对形的直觉中萌发出来。史前人类首先从自然界本身提取几何形式，如注意到圆月与树木在形象上的区别，并在器皿制作、建筑设计和绘画装饰活动中加以再现。图中的西安半坡遗址出土的陶器残片，显示了人类早期的几何兴趣和原始的数形结合观念。

们中，GQ等于KM。

于是：余值折尺形UWV等于余值C。

又因为：PR等于OS，令QB与每个相加，于是：PB等于OB。

又：OB等于TE，因为AE边也等于EB边，所以：TE也等于PB（命题I.36）。

令：OS与每个相加。于是：TS等于折尺形VWU。

又：折尺形VWU已证明等于C，于是：TS也等于C。

所以：在已知线段上作一个面积与已知多边形相等的平行四边形，它是由取掉了相似于某个已知图形的平行四边形：这个已知图形必须不大于在原线段一半上的平行四边形并且这个平行四边形相似于取掉的图形。

证完

注 解

命题VI.28用代数来陈述这一命题，更容易理解。设a代表已知的量AB，c代表已知的量c，x和y代表未知量SB和SA，那么，这一命题即是找出x和y，于是，它们之和是a，积是c，根据单一变量x，本命题解决的是二次方程$ax - x^2 = c$，下一命题处理相似二次方程$ax + x^2 = c$。

本命题应用在命题X.33和X.34中。

命题VI.29

在已知线段上，作一个平行四边形，等于给定的多边形的面积，并在这线段的延长线部分有一个平行四边形，相似于给定的平行四边形。

设：C为给定的多边形，AB为给定的线段，平行四边形D相似于AB延长线上的平行四边形。

现在要求的是：在AB上作一个平行四边形，等于多边形C的面积，延长线上的图形，相似于平行四边形D。

令：在E点平分AB，在EB上作平行四边形BF，使之相似于D。又建GH，使之等于BF与C之和，并相似于D（命题VI.25）。

令：KH对应于FL，KG对应于FE。

那么因为：GH大于FB，所以：KH也大于FL，KG大于FE。

作FL和FE，使FLM等于KH，FEN等于KG。

完成MN。故，MN等于且相似于GH。但GH相似于EL，那么：MN也相似于EL。

所以：EL与MN有共同的对角线（命题VI.21、VI.26）。

作对角线FO，完成多边形。

因为：GH等于EL与C之和，同时，GH等于MN。

所以：MN也等于EL与C之和。

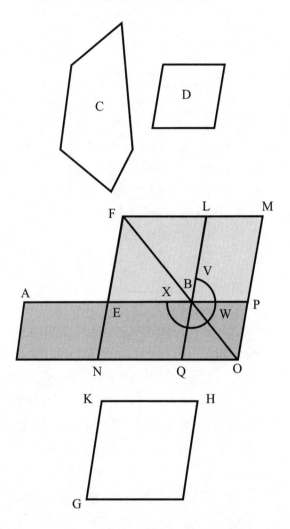

令：以上各边减去EL。于是：余值，即折尺形XWV等于C的面积。

那么因为：AE等于EB，于是：AN等于NB，也等于LP（命题I.36、I.43）。

令：以上各边加上EO。于是整个AO等于折尺形VWX。

又：折尺形VWX等于C，于是AO也等

于C。

所以：平行四边形AO等于给定的多边形C的面积，并且在延长线上的平行四边形QP，相似于平行四边形D，因为：PQ也相似于EL（命题VI.24）。

所以：在已知线段上，作一个平行四边形，等于给定的多边形的面积，并在这线段的延长线部分有一个平行四边形，相似于给定的平行四边形。

证完

注 解

如同前一命题一样，我们将其转化为代数表达，更加容易理解。设a代表已知量AB，x代表未知量BP，那么要求的是x，所以（a＋x）x＝c，换句话说，是二次方程$ax + x^2 = c$。

本命题运用在下一命题中。

命题VI.30

分线段成中外比。

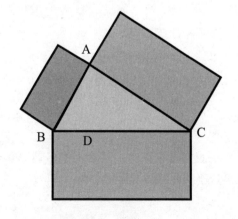

设：AB为给定的线段。

现在要求的是：切分AB成中外比。

令：在线段AB上建正方形BC，在CA及

其延长线上作平行四边形CD，使其面积等于BC。并且延长线上的图形AD相似于BC（命题I.46、VI.29）。

那么因为：BC为正方形，所以：AD也是正方形。

又因为：BC等于CD，令：各边减去CE，于是：余值BF等于余值AD。

又：它们相互等角，所以：在BF和AD中，等角的边成逆比例。

所以：FE比ED等于AE比EB（命题VI.14）。

又：FE等于AB，ED等于AE。

所以：AB比AE等于AE比EB（命题V.7）。

又：AB大于AE，所以：AE也大于EB。

所以：AB在E点被切分为中外比，AE是较大的线段（定义VI.3）。

所以：分线段成中外比。

证完

注解

本命题切分一条线段成A、B两段，使（A＋B）：B＝B：A。

本命题应用在命题XIII.17中，以建一个正十二面体的五边形面。

命题VI.31

在直角三角形中，斜边上的多边形等于直角边上的相似图形面积之和。

设：ABC为直角三角形，角BAC是直角。

那么我说：BC上的多边形等于BA和AC上的与之相似的图形之和。

作垂线AD（命题I.12）。

那么因为：在直角三角形ABC中，AD是从直角点A向BC作的垂线。

所以：三角形DBA和三角形DAC是同一垂线的相邻三角形，那么彼此相似，并相似于大三角形ABC（命题VI.8）。

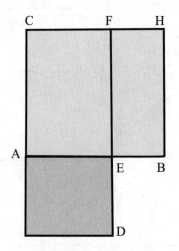

又因为：三角形ABC相似于三角形DBA，所以：BC比BA等于BA比BD（定义VI.1）。

又因为：三条线段成比例，第一条比第三条等于第一条直线上的多边形比第二条线上建的与前者的有相似位置的相似图形（命题VI.19、推论）。

所以：BC比BD等于BC上的多边形比BA上的相似多边形。

同样原因：BC比CD等于BC上的图形比CA上的图形。

所以：进一步，BC比BD与DC之和等于BC上的图形比BA与AC上的相似图形面积之和（命题V.24）。

又：BC等于BD与DC之和。

所以：BC上的多边形等于BA和AC上的

相似图形之和。

所以：在直角三角形中，斜边上的多边形等于直角边上的相似图形面积之和。

证完

注 解

本命题是命题I.47的归纳，命题I.47中的正方形被任意相似直线图形所替代。

普努克劳斯认为，这一命题的证明或许是欧几里得完成的，但是其结论是早在欧几里得以前一个世纪的希波克拉底时代就已存在了。希波克拉底曾研究过圆的面积问题，他没能得以解决，但是他找到了解决弓形面积的方式。

命题VI.32

如果两个三角形有对应角的对应边成比例并且平行，且两对应边有一个共同的端点，那么两个三角形的第三边在一条线上。

设：ABC和DCE为两个三角形，有两条边对应成比例，AB、AC与DC、DE成比例，AB比AC等于DC比DE，AB平行于DC，AC平行于DE。

那么我说：BC与CE在同一直线上。

因为，AB平行于DC，而AC落在它们上。所以：内错角BAC与角ACD相互相等（命题I.29）。

同样原因：角CDE也等于角ACD，所以：角BAC等于角CDE。

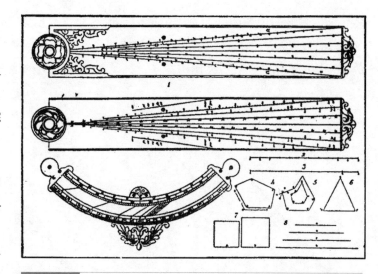

伽利略比例规

17世纪初，在计算尺发明之前，有两种计算工具流行于欧洲，后来传入中国。一是伽利略发明的比例规，二是纳皮尔筹。1597年伽利略发明的比例规外形像圆规，两臂上各有刻度，可任意张合。它利用相似对应边成比例的关系进行乘、除、比例等计算。

宇宙的思考

柏拉图认为，抽象的几何形式——思想，构成真正的宇宙，其他的物体只不过是现实事物的苍白影子罢了。宇宙应当被思考而不是被观察。他想出这样的一个宇宙，而地球就在这个巨大球形结构的中心，它每天随行星和恒星运转。他相信，宇宙是由数学定律和数字所控制的，数目是一切事物的准则与基础，是宇宙完美的写照。

又因为：ABC和DCE是有一个角相等的三角形，角A等于角D，相等角对应的边成比例。于是：AB比AC等于DC比DE。

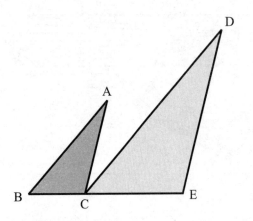

所以：三角形ABC与三角形DCE是相似三角形，所以：角ABC等于角DCE（命题VI.6）。

又：角ACD也可以证明出等于角BAC，所以：角ACE也等于角ABC与角BAC之和。

令：两边加上角ACB，于是：角ACE与角ACB之和等于角BAC与角ACB、CBA之和。

又：角BAC、ABC、ACB之和等于180°。所以：角ACE与角ACB之和也等于180°（命题I.32）。

所以：在直线AC和点C上，两条线段BC和CE不在同一边，构成邻角ACE和角ACB，等于180°。所以：BC与CE在同一直线上（命题I.14）。

所以：如果两个三角形有对应角的对应边成比例并且平行，且两对应边有一个共同的端点，那么两个三角形的第三边在一条线上。

证完

注 解

本命题的对应边，被假设在同一个方向上，但这并未作明确陈述。

本命题应用在命题XIII.17的证明中，这一命题是在一个球体中作一个正十二面体。

命题VI.33

在等圆中，圆心角或圆周角的比等于它们所对的弧的比。

设：ABC和DEF是相等圆，角BGC与角EHF是分别建在圆心G和圆心H上的两个角，角BAC与角EDF是分别建立在弧上的角。

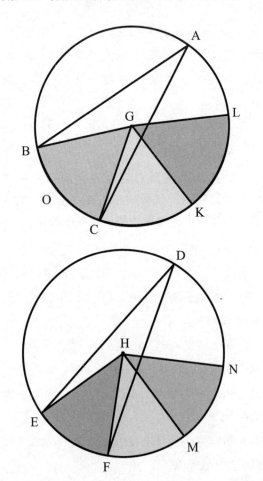

那么我说：弧BC比弧EF等于角BGC比角EHF，且等于角BAC比角EDF。

作连续弧CK与KL，使之等于BC，作连续弧FM、MN，使之等于EF，连接GK和GL、HM、HN。

那么因为：弧BC、CK、KL相互相等，那么角BGC、CGK、KGL也相互相等。

所以：弧BL是弧BC的几倍，角BGL也是角BGC的几倍（命题III.27）。

同样原因：弧NE是弧EF的几倍，角NHE也是角EHF的几倍。

如果弧BL等于弧EN，那么角BGL也等于角EHN；如果弧BL大于弧EN，那么角BGL也大于角EHN；如果小于，那么后者也小于（命题III.27）。

所以：有四个量：两个弧 BC与EF和两个角BGC与EHF形成，其中，弧BC与角BGC为等倍量，即弧BL和角BGL是等倍量。弧EF与角EHF为等倍量，即弧EN和角EHN是等倍量。

也可以证明，如果弧BL大于弧EN，那么角BGL也大于角EHN；如果等于，后者也等于；如果小于，后者也小于。

所以：弧BC比EF等于角BGC比角EHF（定义V.5）。

又：角BGC比角BAC等于角EHF比角EDF，因为它们分别为两倍（命题V.15、

图2.23

$$= 5 \times 100 + 1 \times 10 + 8 = 518^{(76)}.$$

越南古代数学

简单累数也可以叫加法累数制，原理是将各个数码表的数加起来。500要重复写五次100，十分麻烦。乘法累数制是将重复书写改用乘法表示，最具代表性的是中国数字。亚洲一些地方受中国文字的影响，也采用和中国相仿的记数法，如越南在13世纪晚期借用汉字的形式创造了一套文字，其记数法和中国的一样。

III.20）。

所以：弧BC比弧EF等于角BGC比角EHF，等于角BAC比角EDF。

所以：在等圆中，圆心角或圆周角的比等于它们所对的弧的比。

证完

注 解

本命题有很大的独立性，是建角与所切圆周之间的比例。

本命题应用在卷XIII的命题XIII.8开始的三个命题中。

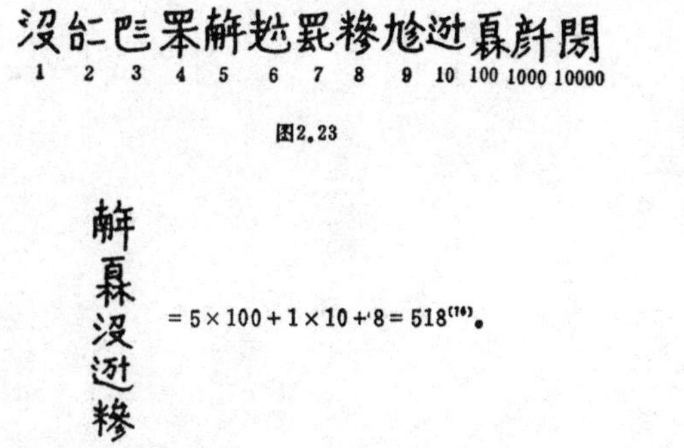

第七卷　数　论（一）

　　古希腊泰勒斯根据土地测量创立了演绎几何学。毕达哥拉斯及其学派把数的抽象观念提到突出地位，以使算术成为可能，并把数视为世界的基石。他们揭开了古希腊美学思想发展的序幕，首先将数学与美学相结合，开始了美与数理学科联姻的潮流。德谟克里特发展了这一思想。毕达哥拉斯学派认为，世界构成于数量关系，数是整个自然的本原。

　　本卷讨论的是初等数论。

相互和谐

　　通过点、线、面的抽象规律，以不规则图形、圆形以及方形，并使用五彩缤纷的色彩构成了这幅《相互和谐》图。左边和右边的图形搭配就像一对孪生兄弟般，混乱中却尤为和谐地达到了相互统一。

本卷提要

※定义VII.11，质数的定义。

※命题VII.12，找最大公约数的欧几里得算法。

※命题VII.16，数的几个基本性质。如，数的乘法的交换律，mn = nm。

※命题VII.29，如果质数不能除尽一个数，那么它们是互质数。

※命题VII.34，建最小公倍数。

定义

VII.1 一个单位是一切事物凭借它存在的基础，被称为一。

球面螺旋

1958年，埃舍尔遇到加拿大数学家考克斯特，两人成为终生的朋友。埃舍尔从考克斯特的一本书中偶然看到后者为解释法国数学家庞加莱的双曲几何空间所绘的一个图示，意识到这可以作为他创作的一个主题。此后，他创作了《球面螺旋》这一作品，表现的是非欧几里得空间。螺旋纹从中心向四周无限缩小，但永远也达不到边界，这也是非欧几里得空间所表现的特性之一。

VII.2 一个数是由许多单位合成的。

VII.3 当一个数测尽较大数的时候，这个数是较大的数的较小的部分。

VII.4 当一个数测不尽较大数的时候，这个较小的数为一个较大的数的几部分。

VII.5 若一个较大数能被一个较小数测尽（整除），那么它是较小数的倍数。

VII.6 能分成相等的两部分的数称为偶数。

VII.7 不能分成相等的两部分的数称为奇数。或者说与一个偶数相差一个单位的数称为奇数。

VII.8 偶倍偶数是用一个偶数量它得偶数。

VII.9 偶倍奇数是用一个偶数量它得奇数。

VII.10 奇倍奇数是一个奇数量它得奇数。

VII.11 只能为一个单位量测尽的数是质数。

VII.12 只能被作为公约的一个单位量所测尽（整除）的几个数称为互质数。

VII.13 能被某数所测尽的数称为合数。

VII.14 互为合数的数是能被作为公约的某数所测尽的几个数。

VII.15 一个数乘一个数，即是被乘数自身相加多少次得到的某数，这个次数是另一数中单位的个数。

VII.16 两个数相乘得出的数称为面，其两边就是相乘的两数。

VII.17 三数相乘的数为体，其三边就是相乘的三数。

VII.18 平方数是两相等数相乘所得的数，或者是由两相等数组成的数。

VII.19 立方数是两相等数相乘再乘此等数所得的数，或者是由三相等数组成的数。

VII.20 当第一数是第二数的某倍、某一部分或某几部分，与第三数是第四数的某倍、某一部分或某几部分相同，称这四个数是成比例的。

VII.21 两相似面以及两相似体数是它们的边成比例。

VII.22 完全数是等于它自身所有部分的和。

注 解

第七卷是后面三卷数论的开始，它始于22个定义。尤其重要的定义是单位、数、部分、倍数、偶数、奇数、质数、互质数、比例、完全数、最大公约数（公因子）、最小公约数的定义。

命题VII.1

设有不等两数，从大数中连续减去小数直到余数小于小数，再从小数中连续减去余数直到小于余数，这样一直下去，如果余数不测尽其前一个数，直到最后的余数为一个单位，那么该二数互质。

设：两个不等数AB和CD，连续从大数中减去小数直到小于小数，再从小数中连续减去余数直到小于余数，这样一直下去，余

韦达

法国数学家韦达（1540—1603年）在欧洲被尊称为"代数学之父"。韦达是第一个有意识和系统地使用字母来表示已知数、未知数及其乘幂的数学家，这使得代数学理论研究取得了重大进步。韦达讨论了方程根的各种有理变换，发现了方程根与系数之间的关系，人们把叙述一元二次方程根与系数关系的结论称为"韦达定理"。由于韦达作出了许多重要贡献，他成为16世纪法国最杰出的数学家之一。

数总是不能测尽前一个数，直到最后的余数为一个单位。

那么我说：AB和CD互质，即只有一个单位能测尽AB和CD。

如果：AB和CD不互质，那么总有某个数测尽它们。令其为e。

令：CD测量AB得BF，余下FA小于CD；

令：AF测量CD得DG，余下GC小于AF；

令：GC测量AF得FH，余下单位量HA。

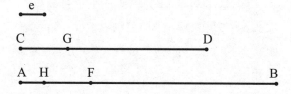

那么因为：e测尽CD，CD测尽BF，所以：e也测尽BF。

而它也测尽总量AB，所以：它测尽余值AF。

而AF测尽DG，所以e也测尽DG。且它也测尽总量DC，所以：它测尽余值CG。

又：CG测尽FH，所以：e也测尽FH。且它也测尽总量FA，所以：它测尽余值，即单位AH，但它是一个数，这是不可能的。

所以：没有数测尽AB和CD。所以：AB和CD互质（定义VII.12）。

所以：当两个不等数，从大数中连续减去小数直到余数小于小数，再从小数中连续减去余数直到小于余数，这样一直下去，如果余数测不尽其前一个数，直到最后的余数为一个单位，那么该二数互质。

证完

注 解

现代数学术语已经不沿用欧几里得的术语了，"测尽、测得"两个词，已用"除、除尽"代替。概念a/b，是b分之a的缩写。这一命题假定1是辗转相除法的结果。这一算法称为欧几里得算法。开始于两个数，从较大数中重复减去较小的数。

如果初始的两个数是a_1（在证明中的AB）和a_2（CD），其中a_1大于a_2。那么首先，从a_1中反复减去a_2直到余值a_3小于a_2。代数式可以这样表达：

$$a_1 = m_1 a_2 + a_3。$$

这里的m_1是从a_1中减去a_2的次数。

然后，从a_2中反复减去a_3，其余值为a_4。代数表达式为：

$$a_2 = m_2 a_3 + a_4。$$

根据这一命题的假设，当余值为1时，代数式为：

$$a_{n-1} = m_{n-1} a_n + 1。$$

在欧几里得的证明中，a_n是a_5，即AH，结论为a_1和a_2是互质数。证明是不困难的。如果b分别被c和d除尽（测尽），那么，b也就能除尽它们的差$c - d$，所以，如果某个数b能分别除尽a_1和a_2。那么，它也就能除尽余值a_3。又，它能除尽a_2和a_3。它也就能除尽a_4并依此类推，直到最后b除尽最后一个余数1。

因为没有数可以除尽1（这里的数是指大于1的数），没有数可以除尽a_1和a_2。所以：a_1和a_2是互质数。

命题VII.2

给定两个不互质的数，可以找到它们的最大公约数。

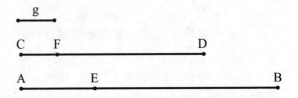

设：AB和CD为给定的两个不互质的数（素数）。

现在要求的是：找到AB和CD的最大公约数。

如果CD测尽AB，因为：它也自测尽，那么：CD是CD和AB的公约数。又：这也表明它是最大的，因为：没有大于CD测尽CD的数。

又：如果CD测不尽AB，那么：就用余数去量CD，如果量不尽，又用后边的余数去量前边的余数，直到后边的余数测尽前边的余数。

这最后的余数不是一个单位，否则AB和CD互质（定义VII.12，命题VII.1）。这与假设相矛盾。

所以：某数可以测尽它的前面数的余数。

令：CD测AB得BE，余下EA小于CD，令：EA测CD得DF，余下FC小于EA。设CF测尽AE。

那么因为：CF测尽AE，AE测尽DF，所以：CF也测尽DF。

而它又测尽它自身，所以：它也测尽整个CD。

又：CD测尽BE，所以CF也测尽BE，它又同时测尽EA，所以：它测尽整个BA。

又：它也测尽CD，所以CF测尽AB、CD。

所以：CF是AB、CD的一个公约数。

我还要进一步说：它也是最大的。

如果CF不是AB和CD的最大公约数，那么必有一个大于CF的某数将测尽数AB和CD。设这个数为g。

那么因为：g测尽CD，CD测尽BE，所以：g也测尽BE。又：它也测尽整个BA，所以：它测尽余值AE。

又：AE测尽DF，所以：g也测尽DF。

同时它测尽整个DC，所以：它也测尽余值CF，即：较大的测尽较小的，这是不可能的。

所以：没有大于CF测尽AB和CD的数。

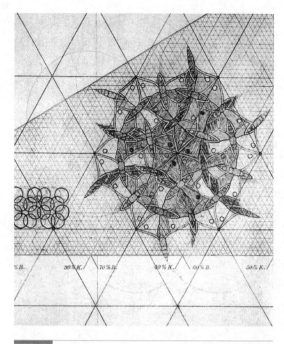

平面分割

这是蝴蝶圆率的规则平面分割草图。蝴蝶的形状比较简单，但是其分布和相互关系异常复杂，而且计算过程极为烦琐。将数学术语恰当地运用于艺术表现的事实说明，艺术家们开始使用数学的语言和思想，并将其贯穿于五彩缤纷的艺术生活之中。

所以：CF为AB和CD的最大公约数。

所以：给定两个不互质的数，可以找到它们的最大公约数。

证完

注　解

本命题及其推论应用在下面两个命题中。本命题非常类似命题X.3，甚至其图形及推论也十分近似。只是使用的术语有所不同，命题X.3处理的量多余数。

推　论

这一命题表明：如果一个数测尽两个数，那么这个数也测尽它们最大的公约数。

注 解

在这一命题中，再次使用欧几里得算法，求两个不互质的数的最大公约数。m和n两个数的最大公约数，是可以同时除尽两个数的数，通常表示为：GCD（m，n）。大数反复减小数，直到余数小于小数。比如要求884 和3009这两个数的最大公约数，首先，从3009中反复减去884。直到余数小于884。你将得到相等的余数。当减3次后，得到余数357。现在，再从884中反复减去357直到余数小于357。可得余数170。再从357中反复减去170得余数17。最后停止。因为17可以被170除尽。于是我们找出了GCD（884，3009）等于17。

$$a_1 = m_1\, a_2 + a_3$$
$$a_2 = m_2\, a_3 + a_4$$

……

$$a_{n-1} = m_{n-1}\, a_n + a_{n+1}$$

（在欧几里得的证明中，a_1是AB，a_2是CD，a_3是AE，而$a_4 = a_{n+1}$是CF。）

在第一部分的证明里，因为a_{n+1}除尽a_n，它也除尽a_{n-1}，…，a_2和a_1。所以：a_{n+1}是a_2和a_1两个数的最大公约数。在最后一个部分的证明里，显示如果任意数d同时除尽两个数a_2和a_1，那么它也能除尽a_3，…，a_n和a_{n+1}。所以，a_{n+1}是最大公约数。最后的推论中表明，任何公约数可除尽最大公约数。

命题VII.3

给定三个不互质的数，可以找到它们的最大公约数。

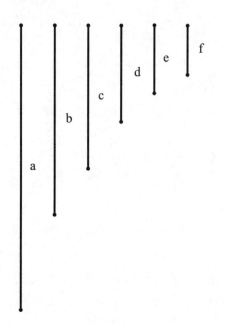

设：a、b和c为给定的不互质的素数。

现在要求的是：为a、b和c找出一个最大的公约数。

作a和b两个数的最大公约数d，那么：d要么测尽c，要么测不尽c（命题VII.2）。

首先令d测尽c。

而它测尽a和b，所以：d测尽a、b和c。所以：d是a、b和c的公约数。

那么我说：它也是最大的公约数。

如果d不是a、b和c的最大公约数，那么，必有数如e为最大公约数，大于d，测尽数a、b和c。

那么因为：e测尽a、b和c，于是：它测尽a和b。所以：它也测尽a和b的最大公约数。而a和b的最大公约数是d，所以：e测尽

d，即大测尽小，这是不可能的（命题VII.2、推论）。

所以：没有大于d的数可以测尽a、b和c。所以：d是a、b和c的最大公约数。

再设：d测不尽c。

那么我说：首先，c和d不互质。

因为：a、b和c不是互质的素数，那么：有某个数测尽它们。

因为：可以测尽a、b和c的数，也可以测尽a和b，可以测尽d，d是a和b的最大公约数。又，也可以测尽c，所以：某个数可以测尽d和c。所以：d和c不是互质数（命题VII.2，推论）。

作它们的最大公约数e（命题VII.2）。

那么因为e测尽d，d测尽a和b，所以：e也测尽a和b。

而它也测尽c，所以：e测尽a、b和c。所以：e是a、b和c的公约数。

那么我还要说：它是最大的公约数。

如果：e不是a、b和c的最大的公约数，那么：必定有某个量f，它大于e，能测尽a、b和c。

那么因为：f测尽a、b和c，它也测尽a和b，于是：它测尽a和b的最大公约数。又：a和b的最大公约数是d，所以：f测尽d（命题VII.2，推论）。

又：它也测尽c，所以：f测尽d和c。所以：它也测尽d和c的最大公约数。

又：d和c的最大公约数是e，所以：f测尽e，于是：大测尽小，这是不可能的（命题VII.2，推论）。

所以：没有大于e的数字可以测尽a、b和

c。所以：e是a、b和c的最大 公约数。

所以：给定三个不互质的数，可以找到它们的最大公约数。

证完

注 解

本命题同于命题X.4。本命题应用在命题VII.33中。

命题VII.4

较小数是较大数的一部分或是几部分。

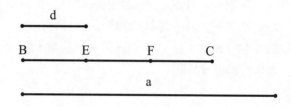

设：a和BC是两个数，BC较小。

那么我说：BC是a的一部分或多部分。

a和BC要么是互质数，要么不是。只有这两种情况。

首先令：a和BC是互质数，那么，如果BC被分成多个单位，在BC中的每个单位是a的某一部分，所以：BC是a的多部分（定义VII.4）。

再令：a和BC不是互质数，那么BC或者测尽或者测不尽a。

如果BC测尽a，那么BC是a的一部分。

而如果不是，作a和BC的最大公约数d，分BC的诸数等于d，即BE、EF和FC（定义VII.3、命题VII.2）。

那么因为d测尽a，所以：d是a的一个部分。

又：d等于BE、EF和FC各量。所以：BE、EF和FC各量也是a的一部分。所以：BC是a的一部分。

所以：较小数是较大数的一部分或是几部分。

证完

注 解

本命题应用在命题VII.20中。

命题VII.5

如果一小数是一个大数的一部分，另一小数是另一大数的同样的部分，那么，两小数之和也是两大数之和的一部分，且与小数是大数的部分相同。

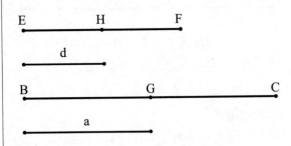

设：a是BC的一部分，数d是另一数EF的部分，其比值与前者相等。

那么我说：a与d之和也是EF与BC之和的一部分。

因为：a无论是BC的怎样一部分，d也总是EF的相同部分。

所以：在EF上的d的数量等于在BC上的a的数量。

将BC分为等于a的数，即BG和GC；将EF分为等于d的数，即EH和HF。

那么BG和GC的倍数等于EH和HF的倍数。

又因为：BG等于a，EH等于d；所以：BG与EH之和也等于a与d之和。

同理，GC与HF之和等于a与d之和。

所以：在BC中有多少个等于a的数，则在BC、EF之和中也就有同样多少个等于a、d之和的数。

所以：如果一小数是一个大数的一部分，另一小数是另一大数的同样的部分，那么，两小数之和也是两大数之和的一部分，且与小数是大数的部分相同。

证完

注 解

如果$a = b/n$，且$d = e/n$，那么$a + d = (b + e)/n$。

更简洁的公式为：

$b/n + e/n = (b + e)/n$。

本命题应用在接下来的7个命题的5个中。

命题VII.6

如果一小数是一大数的几部分，另一小数是另一大数的相同部分，那么小数之和也是大数之和的相同部分。

设：数AB是数c的几部分，另一个数DE是另一个数f的几部分，其比值与前者相等。

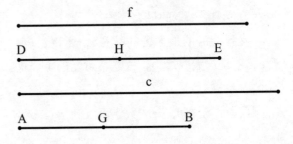

那么我说：AB与DE之和也是c与f之和的部分。

因为：无论AB是c的怎样的几部分，DE也是f的同样的几部分。所以在AB中有c的多少个一部分，那么在DE中就有f的多少个一部分。

分AB为c的几个一部分，即AG和GB；分DE为f的几个一部分，即DH和HE，那么，AG和GB的倍数量等于DH和HE的倍数量。

又因为DH是f的部分，等于AG是c的部分。

所以：AG与DH之和c与f之和相等于AG与c的部分。

同理：GB与HE之和是c与f之和的相同部分，等于GB是c的部分（命题VII.5）。

所以：AB与DE之和是c与f之和的相等部分，等于AB是c的部分。

所以：如果一小数是一大数的几部分，另一小数是另一大数的相同部分，那么小数之和也是大数之和的相同部分。

证完

注 解

这一命题述及分数的乘法，用代数表示即为：

如果a=（m/n）b，d=（m/n）e，那么a+d=（m/n）（b+e）。

也可以表示为如下方程式：

（m/n）b+（m/n）e=（m/n）（b+e）。

本命题调用了命题VII.9。

命题VII.7

如果一小数是一大数的一部分，小数的减数是大数的减数相同部分。那么，其余也是大数的余数的相同部分。

设：AB是CD的部分，这一部分与减数AE是减数CF的一部分相同。

那么我说：余值EB是FD的部分，等于AB是CD的部分。

EB是CG的一部分，等于AE是CF的部分。那么因为EB是CG的一部分，AB是GF的一部分，等于AE比CF（命题VII.5）。

又假设：AB是CD的一部分，等于AE比CF，于是：AB是CD的一部分，也是GF的一部分。所以：GF等于CD。

令：从每个中减去CF。那么余值GC等于余值FD。

那么因为：EB是GC的部分，等于AE是CF的部分，而GC等于FD，所以：EB是FD的部分，等于AE是CF的部分。

而AB是CD的部分，等于AE是CF的部分，所以：余值EB是FD的部分，总值AB是CD的部分。

所以：如果一小数是一大数的一部分，小数的减数是大数的减数的相同部分。那么，其余也是大数的余数的相同部分。

证完

注 解

这一命题用代数式表达为：

如果a＝b/n，d＝e/n，那么a－d＝（b－e）/n。

本命题应用在下一命题中，也用在命题VII.11中。

命题VII.8

如果一个数是一个数的多个部分，其值与其差之比相等，那么余值也是余值的多个部分，其值等于总值比总值。

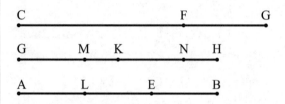

设：AB是CD的一个部分，其比值等于减数AE比减数CF。

那么我说：余值EB也是余值FD的一部分，其比值等于AB比CD。

作GH等于AB。

所以：AE是CF的一部分，其比值等于GH比CD。

将GH分成CD的多个一部分，即GK和KH，将AE分成CF的多个一部分，即AL和LE。那么GK和KH的个数等于AL和LE的个数。

那么因为AL是CF的部分，其比值等于GK比CD，而CD大于CF，所以：GK也大于AL。

作GM等于AL。

那么因为：GK是CD的一部分，其比值

等于GM比CF。

所以：余值MK是FD的一部分，其比值等于总值GK比总值CD（命题VII.7）。

又因为：EL是CF的一部分，其值等于KH比CD，而CD大于CF，于是：HK也大于EL。

作KN等于EL。

所以：KN是CF的一部分，其值等于KH比CD。

所以：值NH是余值FD的一部分，其值等于总数KH比总数CD。

但是，已证余数MK是余数FD的一部分，与整个数GK是整个数CD的一部分相同，所以MK、NH之和是DF的几部分与整个数HG是整个数CD的几部分相同。

又：MK与NH之和等于EB，HG等于BA，所以：余值EB是余值FD的多个部分，其值等于总值AB比总值CD。

所以：如果一个数是一个数的多个部分，其值与其差之比相等，那么余值也是余值的多个部分，其值等于总值比总值。

证完

注 解

这一命题的代数式表示：如果a＝（m/n）b，d＝（m/n）e，那么 a＋d＝（m/n）（b＋e）。

如果一个数是一个部分数与另一个数的积，另一个数也是这个部分数与再一个数的积，那么，这两个数的和是这个部分数与另一个数与再一个数之和的积。

本命题应用在命题VII.11中。

命题VII.9

如果第一数是第二数的一部分，第三数是第四数的同样的一部分，交换后，无论第一数是第三数的怎样的部分，第二数也是第四数的同样部分。

E   H   F

d

B   G   C

a

设：a量为BC量的一个部分，d量为EF量的一个部分并与前者的比值相等。

那么我说：BC是EF的一个部分或多个部分，等于a与d的比值。

因为：d是EF的部分，等于a与BC的比值，所以：在BC中有多个a也等于在EF中有多个d。

在BC上切分一个量等于a，即BG和GC；在EF上切分一个量等于d，即EH等于HF。那么GB与GC的个数等于EH与HF的个数。

那么因为：BG与GC相等，EH与HF相等，同时BG与GC的倍数等于EH与HF的倍数，所以GC是HF的一个或多个部分，其比值等于BG比EH。

所以：BC之和是EF之和的一个或多个部分，等于BG是EH的一个或者多个部分（命题VII.5、VII.6）。

又，BG等于a，EH等于d。

所以：BC是EF的一个或者多个部分，其比值等于a比d。

所以：如果第一数是第二数的一部分，第三数是第四数的同样的一部分，交换后，无论第一数是第三数的怎样的部分，第二数也是第四数的同样部分。

证完

注 解

这一命题用代数式表达：如果 $a = b/n$，$d = e/n$，$a = (m/n)d$，那么 $b = (m/n)e$。

本命题应用在下一命题中。

命题VII.10

如果第一数是第二数的几部分，且第三数是第四数的同样的几部分，则交换后，无论第一数是第三数的怎样的几部分，那么第二数也是第四数同样的几部分。

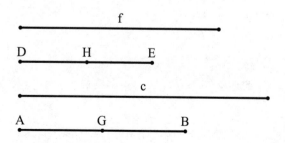

f

D   H   E

c

A   G   B

设：数AB是c的多个部分，另一个数DE是f的同样多个部分。

那么我说：c是f的多个部分，其值等于AB比DE。

因为：DE是f的多个部分，其值等于AB比c。

所以：f是DE的多个部分，等于c是AB的部分。

将AB分为c的多个部分，即AG和GB，将DE分为f的多个部分，即DH和EH。那么，

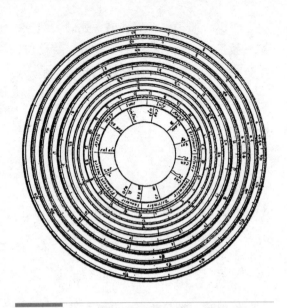

圆形计算尺

计算尺最早的设计者是英国的冈特，他设计了若干对数尺度。1632年，奥特雷德在其著作《比例圆与水平仪器》一书中详细地描绘了图中的圆形计算尺，它是由好几个套在一起的圆环组成的，可两面使用，此后的200年间，各种尺度相继发明，大大丰富了计算尺的内容。直到1850年法国人曼海姆将游标安装在尺上，才构成了现代计算尺的基本形式。

AG和GB的个数等于DH和HE。

那么因为：DH是f的一个部分，其值等于AG比c。

所以：交换后，c是f的一个部分或多个部分，其值等于AG比DH（命题VII.9）。

出于同样原因：c是f的一个部分或多个部分，其值等于GB比HE。

所以：再一步，c是f的一个部分或多个部分，其值等于AB比DE（命题VII.9、VII.5、VII.6）。

所以：如果第一数是第二数的几部分，且第三数是第四数的同样的几部分，则交换后，无论第一数是第三数的怎样的几部分，那么第二数也是第四数同样的几部分。

证完

注 解

在这一命题中，欧几里得陈述：如果 a =（m/n）b，那么d =（m/n）e，又如果 a =（p/q）d，那么b =（p/q）e。

本命题应用在命题VII.13中。

命题VII.11

如果总数比总数等于总数中的减数比总数中的减数，那么余值之比也等于总数之比。

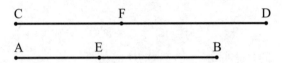

设：总值AB比总值CD等于减数AE比减数CF。

那么我说：其余值EB比余值FD等于总值AB比总值CD。

因为：AB比CD等于AE比CF，所以：AE是CF的一个部分，其比值等于AB比CD。

所以：余值EB是FD的一个部分或多个部分，比值等于AB比CD（定义VII.20、命题VII.7、VII.8）。

所以：EB比FD等于AB比CD（定义VII.20）。

所以：如果总数比总数等于总数中的减数比总数中的减数，那么余值之比也等于总数之比。

证完

注 解

这一命题的类似代数式可以表示为：如果a：c=e：f，那么（a−e）：（c−f）=

a∶c。

本命题应用在命题IX.35中。

命题VII.12

如果一组数成比例，那么前项之一比后项之一等于前项之和比后项之和。

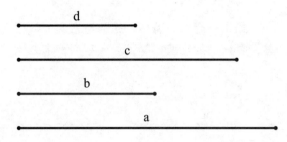

设：a、b、c、d为一组成比例的数，a比b等于c比d。

那么我说：a比b等于a与c之和比b与d之和。

因为：a比b等于c比d，所以：a是b的一部分或多个部分，其值等于c比d。

所以：a与c之和是b与d之和的一部分或多个部分，其比值等于a比b（定义VII.20，命题VII.5、VII.6）。

所以：a比b等于a与c之和比b与d之和（定义VII.20）。

所以：如果一组数成比例，那么前项之一比后项之一等于前项之和比后项之和。

证完

注解

这一命题的代数式可以表达为：如果
$x_1 \colon y_1 = x_2 \colon y_2 = \cdots = x_n \colon y_n$，

那么这些比值的每一个也等于比值
$(x_1 + x_2 + \cdots + x_n) \colon (y_1 + y_2 + \cdots + y_n)$。

本命题应用在命题VII.15、VII.20、IX.35中。

命题VII.13

如果四个数成比例，那么它们的更比例也成立。

设：四个数a、b、c、d成比例，a比b等于c比d。

那么我说：它们也交替成比例。

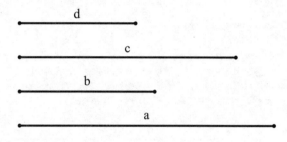

金属杆拉丝机

图为达·芬奇的金属杆拉丝机。达·芬奇毕生从事科学、美术、力学方面的研究，他研究新月形及其面积，还有化圆为方的问题，他将几何问题与材料塑造变形过程的验证联系起来。为了科学艺术的数学计算而痴狂的达·芬奇认为，几何游戏不是单纯的消遣，而是高度抽象的艺术。

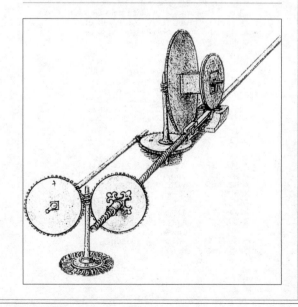

即：a比c等于b比d。

因为a比b等于c比d。

所以：a是b的一部分或多个部分，其值等于c比d（定义VII.20）。

所以：交换后，a是c的一个部分或多个部分，其值等于b比d（命题VII.10）。

所以：a比c等于b比d（定义VII.20）。

所以：如果四个数成比例，那么它们的更比例也成立。

证完

驴桥

中世纪时，当学生初读《几何原本》，学到第5命题时，觉得线和角很多，一时很难领会其中的意旨，因此这个命题被戏称为"驴桥"，意思是"笨拙的难关"。图为1655年巴罗拉丁文译本《几何原本》中的命题"驴桥"。

注 解

这一命题的代数式可以表示为：如果 $a:b=c:d$，那么 $a:c=b:d$。

本命题频繁地应用在卷VII及卷IX从下一命题开始的命题中。

命题VII.14

如果一组数，有另一组数与它们个数相等，每两个的比值相等，那么它们首末之比也相等。

a	d
b	e
c	f

设：a、b、c为一组数，d、e、f为另一组与它们个数相等，两两比值相等，即a比b等于d比e，b比c等于e比f。

那么我说：a比c等于d比f。

因为a比b等于d比e，所以由更比，a比d等于b比e。

因为：b比c等于e比f，所以由更比，b比e等于c比f。

而b比e等于a比d，所以：a比d等于c比f（命题VII.13）。

所以，由更比，a比c等于d比f（命题VII.13、V.11）。

所以：如果一组数，有另一组数与它们个数相等，每两个的比值相等，那么它们首末之比也相等。

证完

注 解

这一命题的代数式可以表示为：

如果 $x_1 : x_2 = y_1 : y_2$，$x_2 : x_3 = y_2 : y_3$，…，$x_{n-1} : x_n = y_{n-1} : y_n$，那么 $x_1 : x_n = y_1 : y_n$。

本命题不时地应用于卷VIII及卷IX从命题VIII.1开始的命题。

命题VII.15

如果一个单位测尽任意一个数，与一个数测尽另一个任意数的次数相等，那么交换后，该单位测尽第三个数与第二个数测尽第四个数的次数相等。

a———

B—G—H—C

d（KL之间）

E—K—L—F

设：单位a测尽任意数BC，与另一个数d测尽另一个任意数EF的次数相等。

那么我说：交换后，该单位测尽d与BC测尽EF的次数也相等。

因为：单位a测尽BC与d测尽EF的次数相等，所以：在EF中有多个量等于d在BC中的单位量。

将BC分为多个单位BG、GH和HC，将EF分为多个量EK、KL和LF。

又因为：单位BG、GH和HC相互相等，那么量KE、KL和LF也相互相等，同时BG、GH和HC的个数等于EK、KL和LF的个数。

所以：单位BG比EK等于单位GH比KL，且等于HC比LF。

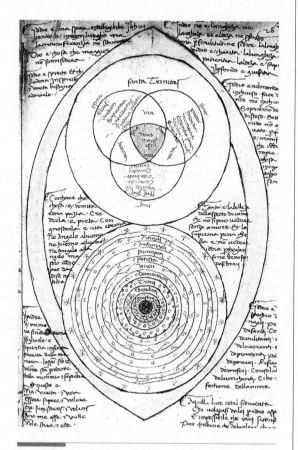

天堂示意图

自古以来，圆形和球形被当做几何学中的完美形态。在希腊人看来，它们是人类心灵之终级和谐性的象征，15世纪佛罗伦萨画家用该图表现但丁在诗中提到的奇迹般转动的圆环，强调三位一体的三个圆环。画家在一个神圣的柔和光环内表现出对终极的神秘、统一的理解。他将杏仁的形状和基督升天联系在一起，两个圆圈交汇的部分是指获得联合的物质和精神的两极。

所以前项之一比后项之一等于前项之和比后项之和，所以：单位BG比EK等于BC比EF（命题VII.12）。

又：单位BG等于单位a，又：量EK等于量d。所以：单位a比量d等于BC比EF。

所以：单位a测尽量d与BC测尽EF有相等的次数。

所以：如果一个单位测尽任意一个数，

与一个数测尽另一个任意数的次数相等，那么交换后，该单位测尽第三个数与第二个数测尽第四个数的次数相等。

证完

命题VII.16

如果两个数的相互倍数构成另两个数，那么这两个数相等。

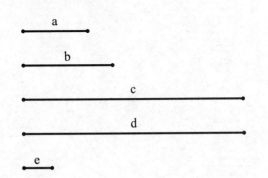

设：a和b两个数，a乘b等于c，b乘a等于d。

那么我说：c等于d。

因为a乘b构成c，所以：按照a中的单位数，b用a次测尽c。

又：根据在其中的单位，单位e也测尽a，所以：单位e测尽a与b测尽c的次数相等。

所以，由更比，单位e测尽b与a测尽c的次数相等（命题VII.15）。

又因为：b乘a构成d，所以：根据b中的单位，a用b次测尽d；而同样根据在其中的单位，单位e也测尽b。

所以：单位e测尽b与a测尽d的次数相等。

又：单位e测尽b与a测尽c的次数相等，所以：a测尽c和d有相等次数。

所以：c等于d。

所以：如果两个数的相互倍数构成另两个数，那么这两个数相等。

证完

注 解

这一命题更明白地阐述上一命题，即乘法的交换律性质， ab = ba。在命题VII.18中也有应用。

本命题应用在卷VII中。

命题VII.17

如果一个数被另两个数相乘构成新的数，那么新数的比值等于两个数的比值。

设：量a被两个数b和c相乘，构成新量d和e。

那么我说：b比c等于d比e。

因为：a与b相乘构成d，所以：根据a中的单位数，b测尽d。

又：根据a中的单位数，单位f也测尽量a，所以：单位f测尽a与b测尽c有相等的次数。

所以：单位f比量a等于b比d（命题VII.20）。

同样原因：f比a等于c比e，所以b比d等于c比e（命题VII.20、V.11）。

所以，由更比，b比c等于d比e（命题VII.13）。

所以：如果一个数被另两个数相乘，新数的比值等于两个数的比值。

证完

注解

这一命题的代数表达式为：$b : c = ab : ac$。

本命题高频率地应用在从下一命题开始的从卷VII到卷IX的命题中。

命题VII.18

如果两个量乘以任意一个量构成新的量，那么两个量的比值等于两个新量的比值。

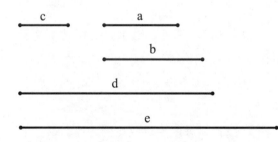

设：两个数a和b，被任意数c相乘，构成新数d和e。

那么我说：a比b等于d比e。

因为：a乘c构成d，所以：c乘a构成d。同样：c乘b构成e（命题VII.16）。

所以：量c乘以两个量a和b构成d和e。

所以：a比b等于d比e（命题VII.17）。

所以：如果两个量乘以任意一个量构成新的量，那么两个量的比值等于两个新量的

弹曼陀林的少女

1908年，毕加索进行了"分析的立体主义"实验，这标志着立体主义正式进入第一阶段。毕加索从几何形的初步成果开始探寻变形的逻辑关系，他要在这种关系中重新分割和组合体积及空间。1910年完成的《弹曼陀林的少女》，反映了毕加索的分析立体主义的发展过程。他从原始主义雕塑的结构起步，逐步按几何形来平面分割对象。作品中，几何形占据了大部分画面，而几何化的人物的面部和轮廓是从方块中浮现出来的，这使人的视觉想象力进入一个微观和宏观的世界。

比值。

证完

注解

这一命题也可以表示为：$b : c = ab : ac$。

本命题应用在下一命题中，也不时地应用在卷VIII中。

中世纪的宇宙论

在亚里士多德的几何宇宙观中，毫无神话传说的成分，他认为：天体与地上物体是本质不同的两种物质，天体由纯洁的以太组成，是不朽和永恒的，它的运动是完善的匀速圆周运动。但是，后人在亚里士多德的宇宙观中加入基督教的关怀和理念，上帝重新现身于中世纪的宇宙论中。

命题VII.19

如果四个量成比例，那么第一个量与第四个量相乘，等于第二个量与第三个量相乘；反之，如果第一个量与第四个量相乘等于第二个量与第三个量相乘，那么这四个量成比例。

设：a、b、c和d是四个成比例的量，a比b等于c比d，a乘d构成e，b乘c构成f。

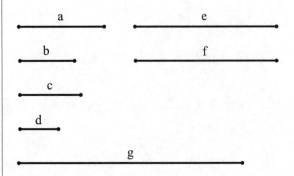

那么我说：e等于f。

设：a乘c构成g。

那么因为：a乘c构成g，且a乘d构成e，所以：量a乘两个量c和d构成g和e。

所以：c比d等于g比e。

又：c比d等于a比b，所以：a比b等于g比e（命题VII.17）。

又因为：a乘c构成g，进一步，b乘c构成f。

所以：两个量a和b乘某个量c构成g和f。所以：a比b等于g比f（命题VII.18）。

又进一步：a比b等于g比e，所以：g比e等于g比f。所以：g与e和f的比值相等。所以：e等于f（命题V.11）。

再设e等于f。

那么我说：a比b等于c比d。在这同一结构中，因为e等于f，那么g比e等于g比f（命题V.7）。

又：g比e等于c比d，又：g比f等于a比b。

所以：a比b等于c比d（命题VII.17、II.18）。

所以：如果四个量成比例，那么第一个量与第四个量相乘，等于第二个量与第三个量相乘；反之，如果第一个量与第四个量相乘等于第二个量与第三个量相乘，那么这四个量成比例。

证完

注 解

这一命题用代数式可以表示为：如果a：b＝c：d，则ad＝bc。

本命题频繁地使用在卷VII及卷IX从

命题VII.24开始的命题。

命题VII.20

用有相同比的数对中最小的一对数，分别量其他数对，则大的测尽大的，小的测尽小的，且所得的次数相同。

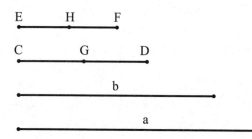

设：CD和EF是最小的一对数，与a和b有相等的比值。

那么我说：CD测尽a与EF测尽b有相同的次数。

CD不是a的多个部分。那么EF也是b的部分，与CD比a的比值相等（命题VII.13、定义II.20）。

所以：在EF中有多个b的部分，等于在CD中有a的多个部分。

将CD分为a的多个部分，即CG和GD，将EF分为b的多个部分，即EH和HF。

于是：CG和GD的个数等于HE和HF的个数。

那么因为：量CG和GD相互相等，量EH和HF也相互相等，同时，CG和GD的个数等于EH和HF的个数。

所以：CG比EH等于GD比HF。因为：前项之一比后项等于前项之和比后项之和，所以：CG比EH等于CD比EF（命题VII.12）。

所以：CG和EH与CD和EF有相等比值，

小于它们，这是不可能的，因为假定CD和EF是最小的量，与它们有相等的比值。

所以：CD不是a的多个部分，所以：它只能是a的一个部分（命题II.4）。

又：EF是b的一个部分，其比值等于CD比a。

所以：CD测尽a与EF测尽b有相等次数（命题VII.13、定义II.20）。

所以：用有相同比的数对中最小的一对数，分别量其他数对，则大的测尽大的，小

的测尽小的，且所得的次数相同。

证完

命题VII.21

互质的两数是与它们有同比的数对中最小的数。

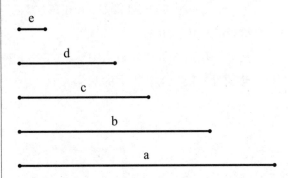

设：a和b为互质数。

那么我说：a和b是与它们有相等比值的数对中的最小数。

令：假如不是，在a和b的相等比值中将有比a和b更小的数，假定为c和d。那么因

为，有相等比值的最小一对数，分别测尽相等比值的数对，所得的次数相同，即前项测尽前项与后项测尽后项的次数相同。所以：c测尽a与d测尽b有相同次数（VII.20）。

令：e中有多个单位，等于c测尽a的次数。那么d也测尽b，根据在e中的单位。

既然根据在e中的单位，c测尽a，所以根据在c中的单位，e也测尽a。

同样原因：根据在d中的单位，e也测尽b（命题VII.16）。

所以：e测尽a和b，它们是互质数，这是不可能的（定义VII.12）。

所以：没有数小于a和b且与a和b有相等比值数的数对。

所以：互质的两数是与它们有同比的数对中最小的数。

证完

注 解

本命题被频繁地应用在从命题VII.24开始的卷VII到卷IX的命题中。

命题VII.22

有相等比值的数对中，最小的一对是互质数。

设：a和b是与它们有同比的一些数对中最小的一对。

那么我说：a和b是互质数。

假设不是，它们不是互质数，那么另一个数c测尽它们。

令：在d中有多个单位，等于c测尽a的次数。在e中有多个单位，等于c测尽b的次数。

因为：根据在d中的单位数，c测尽

战国时代的数字

商周时代的甲骨文上的数字，最初出土于河南安阳小屯村的殷墟，甲骨文在记数时常常用"言文"，即将两个字合起来写。如100加上一横成200，再加上一横成300等等，但读起来还是两个音。图为战国时代数字的变化情况。

a，所以：c乘d得a。同理：c乘e得b（定义VII.15）。

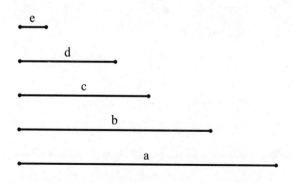

于是：c乘两数d、e各得a、b，所以：d比e等于a比b（命题VII.17）。

所以：d和e与a和b有相等的比值，并小于它们，这是不可能的。

所以：没有数测尽a和b。

所以：a和b是互质数。

所以：有相等比值的数对中，最小的一对是互质数。

证完

注 解

本命题应用在命题 VIII.2、VIII.3、IX.15 中。

命题VII.23

如果两个数是互质数，那么测尽它们中之一的任何数与另一数是互质数。

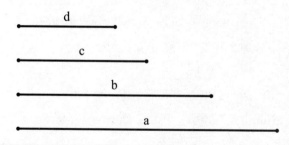

《算术之钥》

每一个数（三角形顶点除外），都是左上角与右上角两数之和。这种算术三角形在中国被称为"贾宪三角"，在欧洲被称为"帕斯卡三角"。这种三角形的证明法在每个地区都出现过类似的证法。卡西（？—1429年）是15世纪最杰出的阿拉伯数学家，他的主要著作《算术之钥》成书于1427年，书中就有算术三角形的证法。

设：a和b是两个互质数，任意数c测尽a。

那么我说：c和b也是互质数。

令：假如c和b不是互质数，那么某个数d测尽c和b。

因为d测尽c，又c测尽a，所以d也测尽a。而它也测尽b，所以：d测尽a和b，这是不可能的（定义VII.12）。

所以：没有数可以测尽c和b。

所以：c和b是互质数。

所以：如果两个数是互质数，那么测尽它们中之一的任何数与另一数是互质数。

证完

注 解

本命题应用在下一命题的证明中。

命题VII.24

如果两个数是某数的互质数，那么它们的乘积也与该数是互质数。

f

e

d

c

b

a

设：两个数a和b分别与c构成互质数，a乘以b构成d。

那么我说：c和d也是互质数。

令：假设c和d不是互质数，某个数e测尽c和d。

因为c和a是互质数，某个数e测尽c。

所以：a和e是互质数（命题VII.23）。

再令：在f中有多个整数，其次数等于e测尽d，那么f也根据在e中的单位测尽d（命题VII.16）。

所以：e乘以f构成d。同时a乘以b也构成d。

所以：e和f的乘积等于a和b的乘积（定

义VII.15）。

又，如果两外项的乘积等于两内项的乘积，那么这四个数成比例，所以：e比a等于b比f（命题VII.19）。

又：a和b是互质数，而互质的两数也是与它们有共同比的数对中的最小数。

因为有相同比的数对中最小的一对数，其大、小两数分别测尽具有同比的大、小两数，所得的次数相等，即前项测尽前项和后项测尽后项；所以：e测尽b（命题VII.21、VII.20）。

又：它也测尽c，所以：e测尽b和c，它们是互质数，这是不可能的（定义VII.12）。

所以：没有数测尽c和d。所以：c和d是互质数。

所以：如果两个数是任意数的互质数，那么它们的乘积也与该数是互质数。

证完

命题VII.25

如果两个数是互质数，那么其中一个与它自己的乘积与余下的一个是互质数。

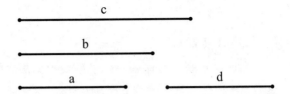

设：a和b两个数是互质数，a自乘构成c。

那么我说：b和c是互质数。

作：d等于a。

因为a和b是互质数，且a等于d，那么：d和b也是互质数。所以：数d和a皆是b的互质数。所以：d和a的乘积也是b的互质数（命题VII.24）。

又：d和a的乘积是数c，所以：c和b是互质数。

所以：如果两个数是互质数，那么其中一个与它自己的乘积与余下的一个是互质数。

证完

注 解

这一命题是前一命题的特殊情况，在命题VII.27和IX.15有应用。

本命题是前一命题的特殊情况。应用在命题VII.27及IX.1。

命题VII.26

如果两个数分别是另两个数的互质数，那么它们的乘积也是互质数。

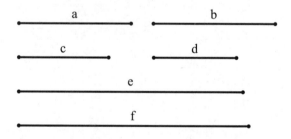

设：两个数a和b与c和d为互质数，a乘b形成e，c乘d形成f。

那么我说：e与f也为互质数。

因为：a和b皆与c为互质数，所以：a与b的乘积也与c构成互质数，而，a与b的乘积是e，所以：e与c是互质数。

同样原因，e与d也是互质数，所以：c与d皆是e的互质数（命题VII.24）。

拉普拉斯

拉普拉斯（1749—1827年）是法国诺曼底地区的农家子弟。他的研究风格以重视结果、淡出证明而著称。他所著的五大卷《天体力学》是应用数学的典范。他逝世时留下的遗言是："我们知道的是很微小的；我们不知道的是无限的。"

所以：c与d的乘积也是e的互质数，同时是f的互质数，所以：e和f是互质数（命题VII.24）。

所以：如果两个数分别是另两个数的互质数，那么它们的乘积也是互质数。

证完

注 解

这一命题利用了命题VII.24两次。如果a和b同是c和d的互质数，那么它们的乘积ab也是。因为，c和d皆与ab互质，所以也与它们的乘积cd互质。

本命题应用在下一命题的证明中。

命题VII.27

如果两个数是互质数，每个数自乘构成一个数，那么其乘积是互质数；如果原始数与乘积相乘构成一个数，那么后者也是互质数。

设：a和b是两个互质数，a自乘构成c，

a

b

c

d

e

f

再与c相乘构成d，b自乘构成e，b与e相乘构成f。

那么我说：c与e也是互质数，d与f是互质数。

因为：a、b互质，且A自乘得c，所以c、b互质。

因为：c和b是互质数，b自乘构成e，所以：c与e是互质数（命题VII.25）。

又因为：a与b是互质数，b自乘构成e，所以：a与e是互质数。

因为：a和b两个数分别是b和e两个数的质数，所以：a与c的乘积是b与e的乘积的互质数，而a与c的乘积是d，b与e的乘积是f（命题VII.26）。

所以：d与f是互质数。

所以：如果两个数是互质数，每个自乘构成一个数，那么其乘积是互质数；如果原始数与乘积相乘构成一个数，那么后者也是互质数。

证完

注 解

这一命题陈述如果两个数是互质数，那么，它们的乘方也是互质数。显然这是指正方形和正方体是互质数，这一命题应用在命题 VIII.2中，任意乘方都需要互质数。这一命题的证明利用了上两个命题。假定a和b是互质数，于是两次应用命题 VII.25。我们便可得a²和b是互质数。

这一命题应用在命题VIII.2 和命题 VIII.3中。

命题VII.28

如果两个数是互质数，那么其和与它们也是互质数；又，如果两个数的和分别与两个数为互质数，那么两个原始数也是互质数。

A ————————— B ————————— C

———— d ————

设：两个互质数AB和BC相加。

那么我说：它们的和AC与AB和BC也构成互质数。

假定：AC和AB不是互质数，那么数d测尽AC和AB。

因为：d测尽AC和AB，那么它也测尽余值BC，同时也测尽AB。

所以：d测尽互质数AB和BC，这是不可能的（定义VII.12）。

所以：没有数字可以测尽AC和AB，所以：AC和AB是互质数。

同样原因，AC和BC也是互质数。

所以：AC分别是AB和BC的互质数。

下一步，令：AC和AB是互质数，

那么我说：AB和BC也是互质数。

假定AB和BC不是互质数，那么定有某个数d测尽AB和BC。

因为：d分别测尽AB和BC，那么：它也测尽整个AC。但它也测尽AB。

所以：d测尽互质数AC和AB，这是不可能的（定义VII.12）。

所以：没有数可以测尽AB和BC。

所以：AB和BC是互质数。

所以：如果两个数互质，那么其和与它们也是互质数；又，如果两个数的和分别与两个数互质，那么两个原始数也是互质数。

证完

爱因斯坦

爱因斯坦（1879—1955年），现代物理学大师、诺贝尔物理学奖获得者。1915年，即在创立广义相对论的当年，爱因斯坦被授予匈牙利科学院的波约数学奖。相对论确实是数学应用的光辉范例。爱因斯坦曾反复表示："在几年独立的科学研究之后，我才逐渐明白了，在科学探索的过程中，通向更深入的道路是同最精密的数学方法联系在一起的。"

注 解

这一命题应用在命题IX.15中。

命题VII.29

如果任意一个质数,不可测尽另一个质数,那么它们为互质数。

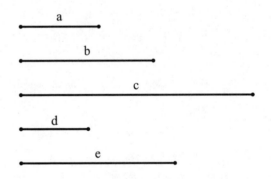

设:a为质数,不可以测尽b,

那么我说:b和a是互质数。

如果a和b不互质,那么定有某个数c测尽它们。

因为:c测尽b,而a测不尽b,所以:c不等于a。

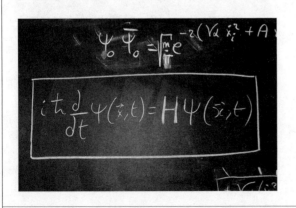

那么因为:c测尽b和a,于是它也测尽质数a。虽然它不等于a。这是不可能的。

所以:没有数可以测尽b和a。

所以:a和b为互质数。

所以:如果任意一个质数,不可测尽另一个质数,那么它们为互质数。

证完

注 解

这一命题应用在下一命题及命题IX.12和IX.36中。

命题VII.30

如果两个数相乘得另一个数,一个质数测尽该乘积,那么它也必测尽原始数中的一个。

设:两个数a和b相乘得c,任意质数d测尽c。

那么我说:d也测尽a和b中的任意一个。

假定它测不尽。

d为质数,于是:a和d是互质数(命题VII.29)。

令:在e中有多个单位等于d测尽c的次数。

因为:d测尽c,根据在e中的整数,于

是：d与e相乘得c（定义VII.15）。

进一步，a与b相乘也得c，于是d与e的乘积等于a与b的乘积。

所以：d比a等于b比e（命题VII.19）。

又d与a是互质数，而互质的二数是具有相同比的数对中最小的一对，且它的大小两数分别测尽具有同比的大小两数，所得的次数相同，且前项测尽前项，后项测尽后项。

所以：d测尽b（命题VII.21、VII.20）。

同理，我们也可以证明，如果d测不尽b，那么它将测尽a，于是：d测尽a或b中的一个。

所以：如果两个数相乘得另一个数，一个质数测尽该乘积，那么它也测尽原始数中的一个。

证完

注 解

这一命题陈述，如果p是一个质数，那么只要p能除尽两个数的乘积，那么它也能除尽其中的一个数。这实际上是质数的性质，即没有合数能具有这一性质，比如c为一个合数，c可以除尽它们的乘积，但不能除尽两个因素中的任意一个。

假定质数d除尽乘积ab。

这个证明形式是有趣的，欧几里得陈述如果d除不尽a，那么，d也除不尽b，类似地，如果d除不尽b，那么d也除不尽a。所以它两个都除不尽。

假定d除不尽a，那么，根据命题VII.29，d与a互质。设e是数ab/d；那么d : a = b : e。根据命题VII.21，比率d : a是最小数对，所以根据命题VII.20，d除

尽b。这一命题应用在命题IX.14中。

命题VII.31

任意一个合数可被一个质数测尽。

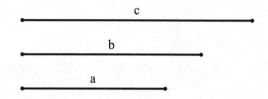

设：a为合数。

那么我说：a被某个质数所测尽。

因为：a是非质数，于是某个数b测尽它（定义VII.13）。

如果：b是质数，那么命题成立（定义VII.13）。

如果：b是非质数，某个数测尽它，令：c测尽它（定义VII.11、VII.13）。

那么因为：c测尽b，b又测尽a，所以：c也测尽a。

如果c是质数，那么成立；

但如果它是非质数，有某个数测尽它。

于是，如果继续这样推理，那么某个质数将会被发现，它可以在它之前测尽该数，也测尽a。

如果没有被发现，那么，数的无穷序列测尽a，每一个小于另一个，这在数理上是不可能的。

所以：某个质数将被发现，它可以测尽它之前的一个，也测尽a。

所以：任意一个合数可被一个质数所测尽。

证完

注 解

欧几里得没有解释不可能有某个数除尽前一个数的无穷序列，他只简单地说那是不可能的。这一命题应用在下一命题及命题IX.13 和IX.20中。

命题VII.32

任何一个数，要么是质数，要么能被某质数测尽。

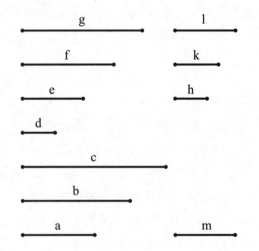

设：a为这个数。

那么我说：a既不是质数也不被某个质数所测尽。

如果a是质数，那么这一命题成立。

哥白尼的宇宙体系

哥白尼画出来的星体轨迹与其他星体轨迹有很大的不同：地球不是宇宙的中心，而是太阳系的一颗行星，它与其他行星一道，绕着太阳旋转。随着观测仪器的改良，人们慢慢知道其他行星的模样。通过计算行星间距离的远近，也就知道了太阳系的范围有多大。图为1800年的星系图，中心是太阳，由内往外的轨迹分别是：水星、金星、地球、火星、木星、土星及天王星。

而如果它是非质数，那么某个质数将测尽它（命题VII.31）。

所以：任何一个数，要么是质数，要么能被某质数所测尽。

证完

注 解

因为有前一命题，实际上这一命题没有必要。

命题VII.33

已知几个数，可以找到与它们比值相等的最小数对。

设：a、b和c是给定的数，可以任意给出更多。

现在要求的是：找出与a、b、c同比值的最小数。

a、b、c要么是质数，要么不是。

如果a、b、c是互质数，那么它们就是与它们有相等比值的最小数对（命题VII.21）。

如果不是，令：d为a、b和c的最大公约数，且d分别测a、b、c多少次就分别设在e、

f、g中多少个单位（命题Ⅶ.3）。

于是：根据在d的单位，e、f和g分别测尽a、b和c。所以：e、f和g测尽a、b和c有相同的次数。

所以：e、f和g与a、b和c有相等比值（命题Ⅶ.16、定义Ⅶ.20）。

我还要进一步说：它们是最小比值。

如果：e、f和g不是a、b和c的最小比值，那么：还存在与a、b、c成比值的小于e、f和g的数，令其为h、k和l。

于是：h测尽a与k和l分别测尽b和c的比值相等。

令：在m中有多个单位，等于h测尽a的次数。

所以：依照m中的单位数，k、l分别测尽b、c。

又：因为依照m中的单位数，h测尽a。

同理，m也测尽a。

分别根据在k和l中的单位，m也测尽b和c。

于是：m测尽a、b和c。

因为：根据在m中的单位，h测尽a，于是：h与m相乘得a，同理：e与d相乘得a（定义Ⅶ.15）。

所以：e和d的乘积等于h和m的乘积。所以：e比h等于m比d（命题Ⅶ.19）。

而e大于h，于是：m也大于d，且测尽a、b和c。这是不可能的，这一假设不成立。

所以：d是a、b和c的最大公约数。

所以：不存在小于e、f和g的数与a、b和c有相等比值。所以：e、f和g是与a、b和c有相等比值的最小数。

所以：已知几个数，可以找到与它们比

值相等的最小数对。

证完

注 解

这是一个不平常的命题，它讨论三个数或三个数以上的混合比例及比率问题，即a：b：c＝e：f：g。欧几里得认为这一命题成立，因为e、f、g可以分别测尽a、b、c有相等的次数d，根据命题的定义，即a：e＝b：f＝c：g

这一命题应用在下一命题以及从命题Ⅷ.6开始的几个命题中。

命题Ⅶ.34

给定两个数，能找出它们能测尽的数中的最小数。

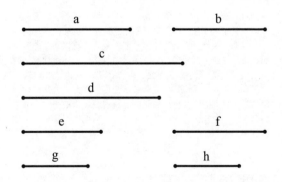

设：a和b是两个给定的数。

现在要求的是：找出它们能测尽的数中的最小数。

a和b要么是互质数，要么不是。

首先，令其为互质数，a与b相乘得c。

那么b与a相乘得c，于是：a和b测尽c。

我要进一步说：该数是能被a、b测尽的最小数。

如果不是最小，那么：a和b将测尽某个

伽利略

　　伽利略（1564—1642年），意大利物理学家、天文学家，主张研究自然界必须进行系统的观察和实验。他通过实验，推翻了被奉为圭臬的亚里士多德关于"物体下落的速度和重量成比例"的学说，建立了落体定律。他还发现物体的惯性定律、摆振动的等时性、抛物体运动规律，并确定了"伽利略相对性原理"，因而被认为是经典力学和实验物理学的先驱。同时，他也是利用望远镜观测天体取得大量成果的第一人，他在天文学上的重要发现有力地证明了哥白尼的日心学。他主张：自然之书以数学特征写成。

数d小于c。

　　令：在e中有多个单位，等于a测尽d的次数。在f中有多个单位，其次数等于b测尽d的次数。

　　那么：a乘e得d，b乘f得d。

　　所以：a与e的乘积等于b与f的乘积，所以：a比b等于f比e（定义VII.15、命题VII.19）。

　　又：a和b是互质数，互质数是同比数对中最小的一对，所以：b测尽e等于后项测尽后项（命题VII.21、VII.20）。

　　又因为：a乘b、e得c、d，所以：b比e等于c比d。

　　而b测尽e，所以：c也测尽d。大者测尽小者，这是不可能的（命题VII.17）。

　　所以：a和b测不尽小于c的任何数。所以：c是a、b可测尽的最小数。

　　进一步，令：a和b不是互质数，f和e是与a和b有相等比值的最小数。

　　于是：a和e相乘等于b和f相乘（命题VII.33、VII.19）。

　　a与e相乘构成c，那么：b与f相乘构成c。所以：a和b测尽c。

　　我再进一步说：它们也是可测尽的最小数。

　　如果不是，那么a和b测尽某个数d小于c。

　　令：在g中有多个单位，等于a测尽d的次数，在h中有多个单位，等于b测尽d的次数。那么：a乘以g构成d，b乘以h构成d，于是：a与g的乘积等于b与h的乘积，于是：a比b等于h比g（命题VII.19）。

　　又：a比b等于f比e，于是：f比e等于h比g（命题V.11）。

　　又：f和e是最小互质数，并且最小数对的大小两数分别测尽具有同比的大小两数，所得次数相同。于是：e测尽g（命题VII.20）。

　　又因为：a乘以e、g得到c和d，于是：e比g等于c比d（命题VII.17）。

　　又：e测尽g，于是c也测尽d。较大数测

尽较小数，这是不可能的。

所以：a和b测不尽小于c的任何数。

所以：c是a和b可测尽的最小数。

所以：给定两个数，能找出它们能测尽的数中的最小数。

证完

注 解

这一命题应用在命题VII.36 和VIII.4 中。

命题VII.35

如果两个数测尽某数，那么被它们测尽的最小数也测尽这个数。

设：两个数a和b测尽一个任意数CD，e是它们测尽的最小数。

那么我说：e也测尽CD。

假如e测不尽CD。

如果e测不尽CD，得DF，余CF小于它自身。

那么因为：a和b测尽e，e测尽DF，于是：a和b也测尽DF。

但它们也测尽整个CD。于是：它们能测尽小于e的余值CF。这是不可能的。

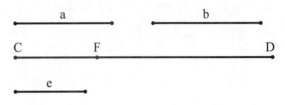

蓝段

1926年，康定斯基出版了抽象构成的理论著作《点、线到面》，全面阐述了抽象构成的规律，这对将抽象艺术的数学象转变为应用性的设计思想起了极为重要的作用。

所以：e不可能测不尽CD。

所以：它测尽CD。

所以：如果两个数测尽某数，那么被它们测尽的最小数也测尽这个数。

证完

注 解

假定：a 和b 除尽c。设e是最小公约数。假设：e 除不尽c。那么：从c中反复减去e得 c＝ke＋f。这里余值f小于e，且k是某数。因为：a和b皆除尽c和e，它们也除尽f，并使f为一个小于公约数e的公约

数，这是矛盾的。所以：最小的公约数也除尽c。

这一命题应用在下一个命题及命题VIII.4中。

命题VII.36

给定三个数，可以找到被它们测尽的最小数。

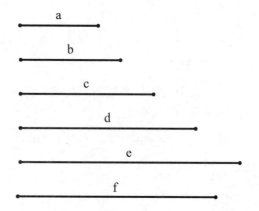

设：a、b和c为给定的数。

现在要求的是：找出被这三个数测尽的最小数。

令：d为a和b两个数测尽的最小数（命题VII.34）。

那么：c或者测尽d，或者不。

首先，令c测尽d。

由于a和b也测尽d，于是a、b和c测尽d。

我还要进一步说：它也是被测尽数中的最小数。

如果不是，a、b和c测尽某个小于d的数e。

因为a、b和c测尽e，于是：a、b测尽e。于是：a和b测尽的最小数也测尽e（命题VII.35）。

瀑 布

瀑布是埃舍尔作品中最为非凡的却又不可能实现的建筑作品。画中的三角形和楼梯都是不可能实现的。如果只看画中建筑的每一个部分时，似乎看不出任何错误，但是从整体上来看时，你就会发现：瀑布是在一个平面上流动的，它同时还要冲击水磨使其转动；两个塔看起来也是在一个平面上的，但是左边的塔升高三个台阶，而右边的塔却是两个。

又：d是a和b测尽的最小数，于是：d测尽e，大测尽小，这是不可能的。

所以：d是a、b和c测尽的最小数。

下一步，设c测不尽d。

令：e为c和d测尽的最小数（命题VII.34）。

那么因为：a和b测尽d，d测尽e，于是：a和b也测尽e。

又：c也测尽e，于是：a、b和c也测尽e。我还要进一步说，它也是最小数。

假如不是，a、b和c测尽某个小于e的数f。

因为a、b和c测尽f，于是a和b测尽f，于是：a和b所测尽的最小数也测尽f。而d是a和b测尽的最小数，于是：d测尽f。

又：c也测尽f，于是：d和c测尽f。

于是：d和c测尽的最小数也测尽f（命题VII.35）。

又：e是c和d测尽的最小数，于是：e测尽f，较大数测尽较小数，这是不可能的。

所以：a、b和c不能测尽小于e的数，于是：e是a、b和c可测尽的最小数。

所以：给定三个数，可以找到被它们测尽的最小数。

证完

注 解

这一命题应用在VII.39中。

命题VII.37

如果一个数被某数所测尽，那么被测数中有一个部分，与这个数有同样的名称。

设：数a被数b测尽。

那么我说：在a中有一个部分是b。

令：b测尽a有多少次，就在c中设多少个单位。

因为：依照c中的单位数，b测尽a；同理，d测尽c。

所以：整数d测尽数c与b测尽a有相等次数。

微积分汉译本

中国的第一本微积分，也就是第一本解析几何的汉译本，是李善兰和英国人伟烈亚力合译的《代微积拾级》18卷。《荀子·大略》及《宋书·律历志》中，有"积微成著"的成语，意指微小的事物积多了也会很显著。微积分有时也叫数学分析，不过在更多的场合下，数学分析是微积分、函数论、微分方程、变分法、泛函分析的总称，与几何学、代数学并列为数学的三大支柱。

a

b

c

d

所以：交换后，整数d测尽数字b与c测尽a有相等次数。

所以：无论单位d是b的怎样的一部分，c也是a的同样的一部分。

地心说的集大成者

克罗狄斯·托勒密（90—168年）是古希腊地心说的集大成者。他全面继承了亚里士多德的地心说，设想各行星都绕着一个较小的圆做圆周运动。日月行星除做轨道运动外，还与众恒星一起，每天绕地球转动一周。托勒密这个不反映宇宙实际结构的数学图景，较为完善地解释了当时观测的行星运动情况，并取得航海上的实际价值，从而被人们广为信奉。

而单位d是数b的部分，与那一部分有相同的名称，所以：c也是a的部分，与之有相同的名称，所以：a与b的一部分有同样名称（命题VII.15）。

所以：如果一个数被某数所测尽，那么被测数中有一个部分，与这个数有同样的名称。

证完

注 解

本命题应用在命题VII.39的证明中。

命题VII.38

一个数，无论有怎样的一部分，它将被与该部分同名的数所测尽。

a

b

c

d

设：数a有一部分b，又设c是与一部分b同名的一个数。

那么我说：c测尽a。

因为：b是a的一部分，被称为与c同名，单位d也是c的一部分。

于是：a中的部分b是单位c中的单位d的相同部分，于是：单位d测尽c与b测尽a有相等的次数。

所以：交换后，单位d测尽数b与c测尽a有相等的次数，所以c测尽a（命题VII.15）。

所以：一个数，无论有怎样的一部分，

它将被与该一部分同名的数所测尽。

证完

注 解

本命题应用在下一命题的证明中。

命题VII.39

求已知的几个一部分的最小数。

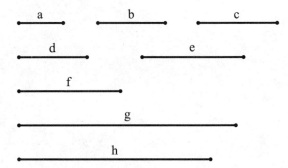

对数计算尺

  对数计算尺不但能进行加减乘除以及乘方、开方运算，而且还可以计算指数函数、对数函数以及三角函数。直到袖珍电子计算器面世，对数计算尺才逐渐被淘汰。

  设：a、b和c是给定的几个一部分。

  现在要求的是：找到a、b和c的最小数。

  令：d、e、f是称为与几个一部分a、b、c同名的数，且一个数，无论有怎样的一部分，它将被与该一部分同名的数所测尽。设取g是被d、e、f测尽的最小数（命题VII.36）。

  于是：g有部分与d、e和f的部分同名（命题VII.37）。

  又：a、b和c是d、e和f的同名的几个一部分，于是：g有几个一部分a、b、c。

  我还要进一步说：g也是最小数。

  假如不是，存在一个小于g的数h，有几个一部分a、b和c。

  因为：h有a、b和c的部分，所以：h被与a、b和c的部分同名的数测尽。

  又：d、e和f与a、b和c的部分同名，所以：h被d、e和f所测尽（命题VII.38）。

  又：h小于g，这是不可能的。

  所以：没有小于g的数有a、b和c的部分。

  所以：a、b和c的最小数找到。

证完

第八卷 数 论（二）

公元前3世纪初叶，秦始皇"扫六合，吞八荒"统一了中国。当年，为了便于管理调度人数众多的军队，秦王运用了一种特殊的记数方法，人称"秦王暗点兵"："秦兵列队，每列百人则余一人，九九人则余二人，百零一人则不足二人。问秦兵几何？" 1966年，中国陈景润证明了"歌德巴赫猜想"之一："一个大偶数可以表示为一个素数和一个不超过两个素数的乘积之和"。这一证明把数论研究推向了一个顶峰，在国际数学界也引起了强烈的反响。

本卷继续讨论初等数论，给出了求两个或多个整数的最大公因子的"欧几里得算法"。

蜥蜴

在埃舍尔的《蜥蜴》图案里，镶嵌而成的蜥蜴逃离了二维平面的束缚，爬向了三维空间，接着又重新陷入到原来的图案中。这群在二维空间和三维空间往复回旋的蜥蜴就像回旋于一种麦比乌斯怪圈。埃舍尔在这里为我再现了不可能的奇异空间。

本卷提要

※命题VIII.2、VIII.4，找出成连续比的数。

※命题VIII.22，正方形和立方体的诸比例关系。如三个数成连比，第一个数是个平方数，那么第三个数也一定是平方数。

命题VIII.1

有几个数成连续比例，且两外项互质，那么这些数是与它们有相等比的数组中最小的数组。

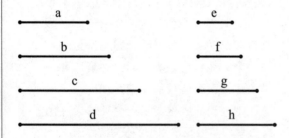

设：任意数a、b、c和d成连续比例，其外项a和d为互质数。

那么我说：a、b、c和d是与它们有相等比的数组中最小的数组。

假定不是，令：e、f、g和h小于a、b、c和d，并与它们有相等比。

那么因为：a、b、c和d与e、f、g和h有相等比，且a、b、c、d的个数等于e、f、g、h的个数，由首末比，a比d等于e比h（命题VII.14）。

又：a与d为互质数，互质数也是与它们有相等比的数中最小的，该一最小数测尽与它们有相等比的数，并有相同的次数，大测

尽大，小测尽小。即前项测尽前项，后项测尽后项，并次数相等。

于是：a测尽e，大测尽小，这是不可能的（命题VII.21、VII.20）。

所以：小于a、b、c和d的数e、f、g和h与它们没有相等比。

所以：a、b、c和d是与它们有相等比的最小数组。

所以：有几个数成连续比例，且两外项互质，那么这些数是与它们有相等比的数组中最小的数组。

证完

注 解

欧几里得并没有定义连比例，这一命题可以用如下公式表示：

$a_1 : a_2 = a_2 : a_3 = a_3 : a_4 = \cdots = a_{n-1} : a_n$。

例如：$1250 : 750 = 750 : 450 = 450 : 270 = 270 : 162$

它们每个的比都是相同的5：3。

用现代数学描述方法即为：a_1, a_2, a_3, $\cdots$, a_{n-1}, a_n是等比级数或等比序列，每个连续对的比是连续的。大量的等比级数出现在卷VIII和卷IX中，等比级数之和出现在命题IX.35中。

这一命题应用在下一命题及命题VIII.9中。相反的命题应用在命题VIII.3中。

命题VIII.2

根据规定的个数，可以求出连比例的且有已知比的最小数组。

设：a比b是给定的有已知比最小的数对。

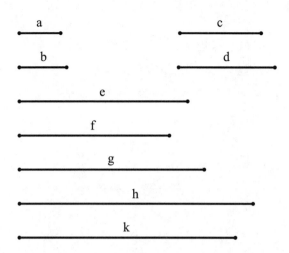

现在要求的是：按规定的数目求出成连比例的最小数组，其比等于a比b。

设：指定数目为四，a自乘得c，a乘以b得d，b自乘得e。

设a乘以c、d和e分别得f、g和h，b乘以e得k。

那么因为：a自乘得c，且a乘以b得d，所以：a比b等于c比d（命题VII.17）。

又因为：a乘以b得d，且b自乘得e，所以：a和b分别乘以b得d和e。

所以：a比b等于d比e，而a比b等于c比d，于是：c比d等于d比e（命题VII.18）。

又因为：a乘以c和d分别得f和g，于是：c比d等于f比g（命题VII.17）。

而c比d等于a比b，于是a比b等于f比g。

又因为：a乘以d、e得g、h，于是d比e等于g比h。

而d比e等于a比b，于是a比b等于g比h（命题VII.17）。

又因为：a、b乘以e得h、k，所以：a比b等于h比k。

而a比b等于f比g，又等于g比h，所以：f

比g等于g比h，又等于h比k（命题VII.18）。

所以：c、d、e和f、g、h、k皆成连比例，并其比与a比b相等。

我还要进一步说：它们是已知比的最小数。

因为：a和b是与它们有同比的最小数，有同比的最小数是互质数，所以：a和b是互质数（命题VII.22）。

又数a和b分别自乘得到c和e；a、b分别乘以c、e得f、k，于是：c、e和f、k皆为互质

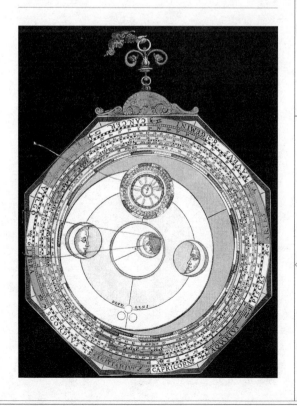

静 物

达利热衷于立体主义是在马德里求学的阶段。那段时期是立体主义最独领风骚的时期。他不像毕加索那样单纯追求几何结构，而是在保持了对象的基本形体的基础上来寻找几何形的关系，同时他力求画出色彩，要使每一件物体都具有各自的特色。

数（命题VII.27）。

又：如果有众多成连比例的数，且它们的两外项互质，那么这些数是与它们有相同比的数中最小的数组。

所以：c、d、e和f、g、h、k皆是与a比b有相同比的数中最小的数组（命题VIII.1）。

所以：根据规定的个数，可以求出连比例的且有已知比的最小数组。

证完

推 论

这一命题也表明，如果三个成连比的数是与它们有同比的数中的最小数，那么它们的两外项是平方数；如果是四个成连比的数，那么外项是立方数。

注 解

这一命题是在连续比例中给定一个连续比建造n个数，在连续比例中，最低项给定一个连续比，如果a：b是最低项，那么成连比的数是：a^{n-1}，$a^{n-2}b$，$a^{n-3}b^2$，…，ab^{n-2}，b^{n-1}。

例如：从2^4，$2^3 \cdot 3$，$2^2 \cdot 3^2$，$2 \cdot 3^3$，3^4的序列中，成连比的五个数的最低项是2：3，即序列是16，24，36，54，81。

因为a和b是互质数，命题VII.27暗示末项a^{n-1}和b^{n-1}是互质数。这一结论也从前一命题VIII.1中得来。

这一命题及推论应用在从下一命题开始的几个命题中，也在下一卷的命题IX.15中出现。

命题VIII.3

如果成连比例的数是诸个数中与它们有相同比的最小者，那么它们的外项是互质数。

设：a、b、c、d是成比例的数，且是与它们有相同比的数中最小的。

a	b
c	d
e	f
n	g
o	h
m	k
l	

那么我说：它们的外项a和d是互质数。

作：两个数e和f，使其为与a、b、c、d有相同比的最小数，然后取另三个数g、h和k与它们有共同性质：e自乘得g，e乘以f得h，f自乘得k。以此类推，直至个数等于a、b、c、d的个数。令其为l、m、n、o（命题VII.33、VIII.2）。

因为：e和f是与它们有相同比的最小数，于是：它们是互质数。

又因为：数e和f自乘分别得数g和k，e、f乘以g、k分别得l和o。

于是：g和k与l和o是互质数（命题VII.22、VIII.2及其推论、VII.27）。

又因为：a、b、c、d是与它们有相同比的数中最小数，同时l、m、n、o是与a、b、c、d有相同比的数中最小数，且a、b、c、d的个数等于l、m、n、o的个数。

于是：数a、b、c、d分别等于l、m、n、o。

所以：a等于l，d等于o。

又：l和o是互质数，于是：a和d也是互质数。

所以：如果成连比的数是诸个数中与它们有相同比的最小者，那么它们的外项是互质数。

证完

注解

这一命题是VIII.1的逆命题，如果有恒比的连比是最小公约数，那么，它的末项是互质的。这一命题应用在命题VIII.6、VIII.8、VIII.21中。

命题VIII.4

已知由最小数给出的几个比，求出成连比例的几个数，它们是有已知比中的最小数组。

设：给出的最小比数是a比b、c比d、e比f。

现在要求的是：求出成连比例的最小数组，使得它们的比是a比bt、c比d和e比f。

作g，使它为b、c测尽的最小数（命题VII.34）。

令：a测尽h的次数等于b测尽g的次数、d测尽k的次数等于c测尽g的次数。

现在，e要么测尽k，要么测不尽。

首先，令其测尽，f测尽l的次数等于e测尽k的次数。

那么因为：a测尽h的次数等于b测尽g的次数，所以：a比b等于h比g（定义VII.20、命题VII.13）。

同理，c比d等于g比k，e比f等于k比l。

所以：h、g、k和l是依a比b、c比d和e比f成连续比例的数组。

我还要进一步说，它们也是有这个性质的最小数组。

如果：h、g、k和l仅仅是依a比b、c比d和e比f成连比，而不是最小的数组，那么设这个最小数组为n、o、m、p。

那么因为：a比b等于n比o，同时a和b是最小数组。而有相同比的一对最小数分别测尽其他数组，大的测尽大的，小的测尽小的，并有相同次数。即前项测尽前项，后项测尽后项，其次数相同。所以：b测尽o（命题VII.20）。

同理，c也测尽o。所以：b和c测尽o。

所以：被b、c测尽的最小数也测尽o（命题VII.35）。

维　纳

美国数学家、控制论创始人维纳（1894—1968年）是数学史上的一名神童，早期研究控制论和函数论。维纳的独创之处在于发现了预报问题与滤波问题以及其他一些类似问题之间的共性，并借用统计学的时间序列概念对它们做出了统一处理。维纳将它们的求解问题归纳为特定数学运算符号的最优设计，以及实现这些运算符号的物理装置的最优设计。维纳广泛地利用了调和分析与数理统计，逐步形成了系统的控制理论。1948年，维纳的《控制论》问世，宣告了这门学科的诞生。

但g是被b、c测尽的最小数，所以：g测尽o，大测尽小，这是不可能的。

所以：没有数小于h、g、k和l的数组能依a比b、c比d和e比f成连续比例。

下一步，令e测不尽k。

作m，使其为被e和k所测尽的最小数。

又，h和g测尽n和o的次数等于k测尽m的次数，f测尽p的次数等于e测尽m的次数。

因为：h测尽n的次数等于g测尽o的次数，所以：h比g等于n比o。

而h比g等于a比b，所以：a比b等于n比o，同理，c比d等于o比m（命题VII.13）。

又因为：e测尽m的次数等于f测尽p的次数，于是：e比f等于m比p。

于是：n、o、m和p是依a比b、c比d、e比f成连续比例的数组（命题VII.13、定义VII.20）。

我还要进一步说：它们也是依a比b、c比d和e比f成连续比例的最小数组。

如果不是，那又依照a比b、c比d、e比f成连续比的数组小于n、o、m和p。令其为q、r、s和t。

那么因为：q比r等于a比b，同时a比b是最小数，最小数测尽与它们有相同比的数有相同的次数，前项测尽前项与后项测尽后项的次数相同。

于是：b测尽r。同理，c也测尽r。所以：b和c测尽r（命题VII.20）。

所以：被b和c测尽的最小数也测尽r。而g是被b和c测尽的最小数，所以：g测尽r（命题VII.35）。

又，g比r等于k比s，所以：k也测尽s（命题VII.13）。

而e也测尽s，所以：e和k测尽s。

所以：被e和k测尽的最小数也测尽s。而m是被e和k测尽的最小数，所以m测尽s，大测尽小，这是不可能的（命题VII.35）。

所以：没有依照a比b、c比d和e比f成连续比的数组小于n、o、m和p。

所以：n、o、m、p是依照a比b、c比d以及e比f成连续比例的最小数组。

所以：已知由最小数给出的几个比，求出成连比例的几个数，它们是有已知比中的最小数组。

证完

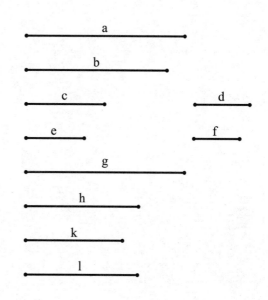

注解

这命题是对命题VIII.2的归纳，对连续比陈述更为普遍的概念。在这一命题中我们认识到连续比不一定有恒比，这或许可以称为连续比。比如连续比5：10：20有一个恒比1：2，但如果是连续比5：10：30就没有恒比了，首先的是一个1：2，然后第二个则是1：3。注意，连比5：10：30不是给定比的最小数，因为1：2：6等比1：2和1：3。

这里的问题是根据指定的比建最小的连续比。

本命题应用在下一命题中，也用在命题X.12中。

命题VIII.5

平面数的相互比，是它们的边比的平方比。

设：a和b是平面数，c和d是a的边，e和f是b的边。

那么我说：a与b的比等于边比的平方比。

c比e和d比f是给定的比，作最小数组g、h和k，使它们依c比e、d比f成连续比，于是：c比e等于g比h，d比f等于h比k（命题VIII.4）。

用d乘以e得1。

那么因为：d乘以c得a，d乘以e得1，于是：c比e等于a比1。

而c比e等于g比h，于是：g比h等于a比1（命题VII.17）。

又因为：e乘以d得1，e乘以f得b，所以：d比f等于1比b。

而d比f等于h比k，所以：h比k等于1比b（命题VII.17）。

又：已证得g比h等于a比1，所以：由首末比，g比k等于a比b（命题VII.14）。

而g比k的比是边比的平方比，所以：a比b的比也是边比的平方比。

所以：平面数的相互比，是它们的边比的平方比。

证完

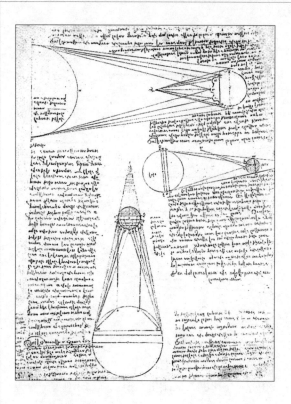

莱斯特手稿

达·芬奇的《莱斯特手稿》写于佛罗伦萨和米兰。这是了解他编纂集子方法的基础。书中收集了各种分散的笔记稿和他的思考，笔记内容有关于天文、几何、光学、阴影理论、地理观察、水利以及鸟类飞行的思考。凭着直觉，达·芬奇研究了某些天文问题，比如新月的晕。

命题VIII.6

有任意多的连续比例数，如果第一个数量不尽第二个数，那么任何一个数也量不尽其他的任何数。

设：a、b、c、d和e是成连续比例的数，a量不尽b。

那么我说：任何一个数也量不尽任何一个其他数。

显而易见，a、b、c、d和e相互测不尽，因为a量不尽b。

我进一步说：任何一个数也量不尽任何一个其他数。

如果可能，a能测尽c，于是无论有几个a、b、c，就能取多少个数f、g、h，令它们是与a、b、c有相同比中的最小数组（命题VII.33）。

因为：f、g和h与a、b、c有相同比，且a、b、c的个数等于f、g、h的个数。

所以：由首末比，a比c等于f比h（命题VII.14）。

又因为：a比b等于f比g，同时a量不尽b，所以：f也量不尽g，所以：f不是一个单位，因为一个单位可以测尽任何数（定义VII.20）。

那么现在：f和h是互质数，f比h等于a比c，所以：a也测不尽c（命题VIII.3）。

类似地，我们也能证明任何一个数测不尽其他数。

所以：有任意多的连续比例数，如果第一个数量不尽第二个数，那么任何一个数也量不尽其他的任何数。

证完

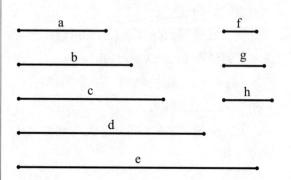

注 解

本命题作为后面命题的推理。

命题VIII.7

在一组成连比的数中，如果第一个数测尽末尾的数，那么它也测尽第二个数。

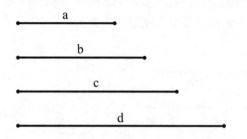

设：成连比的数是a、b、c、d，a测尽d。

那么我说：a也测尽b。

如果a测不尽b，任何一个数也测不尽其他数。

但a测尽d，所以a也测尽b（命题VIII.6）。

所以：在一组成连比的数中，如果第一个数测尽末尾的数，那么它也测尽第二个数。

证完

注 解

本命题应用在命题VIII.14和命题VIII.15中。

命题VIII.8

如果在两数之间插入几个与它们成连比的数，那么，无论插入它们中的数有多少，在与原来的两数有同比的两数之间也能插入多少个成连比的数。

设：a、b两数，c和d插进它们中间成连比，e比f等于a比b。

那么我说：在a、b间插入多少个成比例的数，也就能在e、f之间插入同样多的成连

比的数。

因为：有多少个数a、b、c、d，就取多少个数g、h、k、l，使其为与a、c、d、b有同比的数组中最小的数组。于是：它们的两端g、l是互质数（命题VII.33、VIII.3）。

现在因为：a、c、d、b与g、h、k、l有同比，且数a、c、d、b的个数等于g、h、k、l的个数，所以，由首尾比，a比b等于g比l（命题VII.14）。

而a比b等于e比f，于是：g比l等于e比f。而g、l互质，互质的数组是同比中的最小数组。且有相同比的数中最小的一对，分别测尽其他各数对，大的测尽大的，小的测尽小的，有相同次数。即前项测尽前项与后项测尽后项的次数相同（命题VII.21、VII.20）。

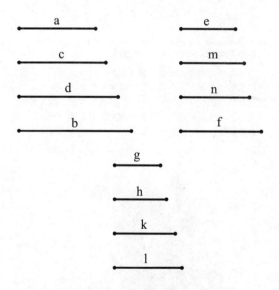

所以，g量e与l量f的次数相同。

进一步，g测尽e有多少次，就设h、k分别测尽m、n也有多少次，所以：g、h、k、l测尽e、m、n、f有同样的次数。

所以：g、h、k、l与e、m、n、f有相同

的比（定义VII.20）。

而g、h、k、l与a、c、d、b有相同的比，所以，a、c、d、b也与e、m、n、f有相同的比。a、c、d、b成连比，所以：e、m、n、f也成连比。

所以：在a、b之间插入多少个与它们成连比的数，那么，也能在e、f之间插入多少成连比的数。

所以：如果在两数之间插入几个与它们成连比的数，那么，无论插入它们中的数有多少，在与原来的两数有同比的两数之间也能插入多少个成连比的数。

证完

注 解

虽然这一命题未在卷VIII中再被利用，但它应用在卷IX开始的六个命题中。

《关于两种新科学的对话》中的插图

1632年，伽利略发表《关于两种新科学的对话》，反对托勒密的地心体系，支持和发展了地动说，强调只有可归结为数量特征的物质属性，如大小、形状、重量、速度等的客观存在。这本书归纳了他在物理学方面的全部成果，可以说是阐述现代物理学的第一部著作。

命题VIII.9

如果两个数互质，且插入它们之间的一些数成连比。那么这样一些成比例的数无论有多少个，在互质两数的每一个数和单位之间同样有多少个成连比的数。

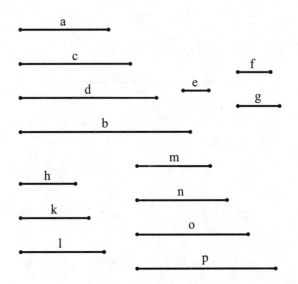

设：a和b是两个互质数，c和d是插入其间的两个成连比的数，单位为e。

那么我说：在a、b之间成连比例的数有多少个，则在数a、b之间的每一个与单位e之间成连比的数同样有多少个。

作两个数f和g，使其为与a、c、d、b有相同比的最小数组，再取同样性质的三个数h、k、l。依次类推，直至它们的个数等于a、c、d、b的个数，令其为m、n、o、p（命题VIII.2）。

那么现在表明：f自乘得h，f乘以h得m，同时g自乘得l，g乘以l得p（命题VIII.2及其推论）。

又因为：m、n、o、p是与f、g有相同比的最小数组，a、c、d、b也是与f、g有相同比的最小数组。

同时，m、n、o和p的个数等于a、c、d、b的个数，所以：m、n、o、p分别等于a、c、d、b，所以：m等于a，p等于b（命题VIII.1）。

那么因为：f自乘得h，所以：依照在f中的单位数，f测尽h。

而按照f中的单位数，e也测尽f，所以：单位e测尽f与f测尽h有相等的次数。

所以：单位e比f等于f比h（命题VII.20）。

又因为：f乘以h得m，所以：依照在f中的单位数，h测尽m。

而根据f中的单位数，单位e也测尽数f，所以：单位e测尽f的次数等于h测尽m的次数。

所以：单位e比f等于h比m。

又因为：单位e比f等于f比h。

又已经证得单位e比f等于f比h，且等于h比m。

而m等于a，所以：单位e比f等于f比h，且等于h比a。

同样，单位e比g等于g比l，且等于l比b。

所以：插在a、b之间有多少个成连比的数，那么插在a、b每一个与单位e之间成连比例的数也有多少个。

所以：如果两个数互质，且插入它们之间的一些数成连比。那么这样一些成比例的数无论有多少个，在互质两数的每一个数和单位之间同样有多少个成连比的数。

证完

命题VIII.10

如果插在两个数中的每一个与一个单位之间一些数成连比，那么无论插入它们中间的数有多少，与插入这两个数之间的也有同样多的成连比的数。

设：数d、e与f、g分别插入两个数a、b与单位c之间并构成连续比例。

那么我说：插入a、b之间成连续比例的数量与a、b与单位c之间成连续比例的个数相等。

令：d乘以f得h，数 d、f分别乘以h得k、l。

那么因为：单位c比数d等于d比e，所以：单位c测尽数d与d测尽e有相同的次数。

而根据d中的单位数，c测尽数d，所以：根据d中的单位数，数d也测尽e，所以：d自乘得e（定义VII.20）。

又因为：c比d等于e比a，所以：单位c测尽d与e测尽a有相同的次数。

而根据在d中的单位数，单位c测尽数d，所以：根据在d中的单位数，e也测尽a。所以：d乘以e得a。

同理，f自乘得g，f乘以g得b。

又因为：d自乘得e，d乘以f得h，所以：d比f等于e比h（命题VII.17）。

第八卷 数论（二）

几何原本

同样，d比f等于h比g，所以：e比h等于h比g（命题VII.18）。

又因为：d乘以e、h分别得a、k，所以：e比h等于a比k；而e比h等于d比f，所以：d比f等于a比k（命题VII.17）。

又因为：数d、f分别乘以h得k和l，所以：d比f等于k比l，而d比f等于a比k，所以：a比k等于k比l。

进一步，因为：f乘以数h和g分别得l和b，所以：h比g等于l比b（命题VII.18、VII.17）。

而h比g等于d比f，所以：d比f等于l比b。

我们也已经证明d比f等于a比k，且等于k比l，所以：a比k等于k比l，且等于l比b，所以：a、k、l、b成连续比例。

所以：在a、b分别与单位c之间成连比的数的个数，等于a、b之间的成连比的个数。

所以：如果插在两个数中的每一个与一个单位之间一些数成连比，那么无论插入它们中间的数有多少，与插入这两个数之间的也有同样多的成连比的数。

证完

命题VIII.11

在两个平方数之间存在一个比例中项数，两平方数之比，等于它们的边与边的二次比。

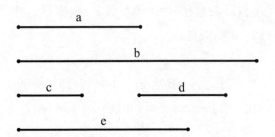

设：a和b是两个平方数，c是a的边，d是b的边。

那么我说：在a和b之间有一个比例中项数，且a比b等于c与d的比的平方。

令：c乘以d得e。

那么因为：a是平方数，c是它的边，所以：c自乘得a。同理，d自乘得b。

因为：c乘以数c、d分别得a、e，于是：c比d等于a比e（命题VII.17）。

同理：c比d等于e比b。所以：a比e等于e比b。所以：在a、b之间有一个比例中项（命题VII.18）。

那么我还要进一步说：a比b的比等于c比d的平方。

因为：a、e、b是成比例的数，所以：a比b等于a比e的平方（定义V.9）。

而a比e等于c比d，所以：a比b等于c比d的平方。

所以：在两个平方数之间存在一个比例中项数，两平方数之比，等于它们的边与边的二次比。

证完

注 解

本命题应用在命题VIII.14、VIII.15、X.9中。

命题VIII.12

在两个立方数之间，有两个比例中项数，且两个立方数之比等于它们的边的三次比。

设：a和b是两个立方数，c为a的边，d为b的边。

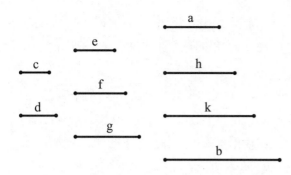

又，a比h等于c比d，所以：a比b也是c比d的三次比。

所以：在两个立方数之间，有两个比例中项数，且两个立方数之比等于它们的边的三次比。

证完

那么我说：在a、b之间有两个比例中项，且a比b等于c比d的立方。

令：c自乘得e，c乘以d得f；d自乘得g，c、d乘以f分别得h、k。

那么因为：a是立方数，c是它的边，c自乘得e，所以：c自乘得e，c乘以e得a。

同样原因，d自乘得g，d乘以g得b。

又因为：c乘以c、d分别得e、f，所以：c比d等于e比f，同理，c比d也等于f比g，因为c乘以e和f分别得a和h，所以：e比f等于a比h。

而e比f等于c比d，所以：c比d等于a比h（命题VII.17、VII.18）。

又因为：数c、d乘以f分别得h、k，所以：c比d等于h比k。因为d乘以f、g分别得k、b，所以：f比g等于k比b（命题VII.18、VII.17）。

又：f比g等于c比d，所以：c比d等于a比h，且等于h比k，再等于k比b。

所以：h和k是a、b之间的两个比例中项。

我还要进一步说：a比b等于c比b的三次比。

因为：a、h、k和b是四个成比例的数，所以：a比b等于a比h的三次比（定义V.10）。

注 解

本命题应用在命题VIII.15中。

城市局部

《莱斯特手稿》中有对达·芬奇理想城市布局的描述。达·芬奇不满足于仅仅研究抽象的外形，他提出了实用的方案：道路和河流保障效率、休闲和卫生达到最为理想状态的交通。达·芬奇建立体系的依据既不是以社会阶层划分，也不是以不同的功能划分，而是像几何学一样，以迥然不同的视角进行划分。

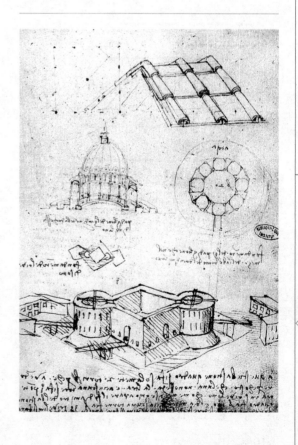

命题VIII.13

如果成连比的数每个自乘得到某一些数，那么，它们的乘积也成比例；如果原始数乘以乘积得到某组数，那么后者也成比例。

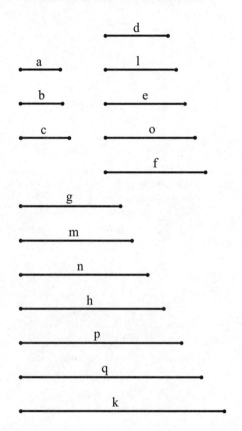

设：a、b、c是成连比的数，a比b等于b比c；设：a、b、c各自乘，得到d、e、f，再a、b、c分别乘以d、e、f，得到g、h、k。

那么我说：d、e、f和g、h、k分别成连续比例。

设a乘以b得l，a、b分别乘以l得m、n。b乘以c得o，b、c乘以o得p、q。

于是：类同前面所述，我们能证明d、l、e和g、m、n和h依照a比b的比也成连比，进一步，e、o和f以及h、p、q和k也依照b比c的比成连比。

那么：a比b等于b比c，所以：d、l、e与e、o、f有相同比，进一步，g、m、n、h与h、p、q、k有相同比。

d、l、e的个数等于e、o、f的个数，g、m、n、h的个数等于h、p、q、k的个数，所以：根据首末比，d比e等于e比f，g比h等于h比k（命题VII.14）。

所以：如果成连比的数每个自乘得到某一些数，那么，它们的乘积也成比例；如果原始数乘以乘积得到某组数，那么后者也成比例。

证完

命题VIII.14

如果一个平方数测尽另一个平方数，那么它们的一个边也测尽另一个边；同时，如果两平方数的一个边测尽另一个边，那么其中一个平方数也测尽另一个平方数。

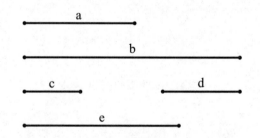

设：a和b是平方数，c和d是它们的边，a测尽b。

那么我说：c也测尽d。

设：c乘以d得e，那么a、e、b依照c与d的比成连比例（命题VIII.11）。

又因为：a、e、b成连比，a测尽b，所以：a也测尽e。而a比e等于c比d，所以：c测尽d（命题VIII.7、定义VII.20）。

下一步，令c测尽d。

那么我说：a也测尽b。

在同一结构中，我们能用类似的方法证明a、e、b是依照c与d的比成连比，且因为c比d等于a比e，c测尽d，所以：a也测尽e（定义VII.20）。

又，a、e、b是连续比，所以：a也测尽b。

所以：如果一个平方数测尽另一个平方数，那么它们的一个边也测尽另一个边；同时，如果两平方数的一个边测尽另一个边，那么其中一个平方数也测尽另一个平方数。

证完

注 解

本命题是命题VIII.16的对换命题。

命题VIII.15

如果一个立方数测尽另一个立方数，那么它们的边也能测尽；如果两个立方数的边能测尽，那么该两立方数也能测尽。

设：立方数a测尽立方数b，c为a的边，d为b的边。

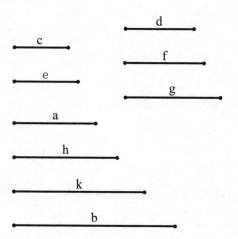

傅立叶

傅立叶（1768—1830年），法国数学家、物理学家。主要贡献是在研究热的传播时创立了一套数学理论。1807年，傅立叶向巴黎科学院呈交《热的传播》论文，推导出著名的热传导方程，并在求解该方程时发现解函数可以由三角函数构成的级数形式表示，从而提出任一函数都可以展成三角函数的无穷级数。1822年，他在代表作《热的分析理论》中解决了热在非均匀加热的固体中的分布传播问题，成为分析学在物理学中应用的最早例证之一，对19世纪数学和理论物理学的发展产生了深远影响。傅立叶级数（即三角级数）、傅立叶分析等理论均由此创始。傅立叶的其他贡献有：最早使用定积分符号，改进了代数方程符号法则的证法和实根个数的判别法等。

那么我说：c测尽d。

令：c自乘得e，d自乘得g，c乘以d得f，c、d乘以f分别得h和k。

显然，e、f、g和a、h、k、b是依照c与d的比成连比例的，又因为：a、h、k、b成连比，a测尽b，所以：它也测尽h（命题VIII.11、VIII.12、VIII.7）。

又，a比h等于c比d，所以：c也测尽d（定义VII.20）。

下一步，令：c测尽d。

那么我说：a也测尽b。

在同一结构中，我们也能类似地证明a、h、k、b是依照c与d之比构成的连比。

又因为：c测尽d，c比d等于a比h，所以：a也测尽h。

所以：a也测尽b（定义VII.20）。

所以：如果一个立方数测尽另一个立方数，那么它们的边也能测尽；如果两个立方数的边能测尽，那么该两立方数也能测尽。

证完

螺 旋

人类在不同的历史时代、社会文化和哲学观念背景下，以不同的材料和表现技法，在不同的功能目的驱使下，创造出无数具有螺旋纹或螺旋构造的艺术作品。综观艺术领域中螺旋纹样的创作，展现在眼前的是一幅历史悠久、形式丰富和内容庞大的史诗般的画面。人类对螺旋纹的反复创作和表现不仅仅是因为它的迷人造型，更因为人类从螺旋构造中感悟到了物质与精神之间的内在哲理。

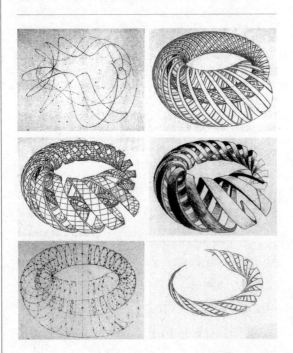

注 解

本命题是命题VIII.17的对换命题。

命题VIII.16

如果一个平方数量不尽另一个平方数，那么它们的边也不能测尽；如果一个平方数的边量不尽另一个平方数的边，那么该平方数也不能测尽另一平方数。

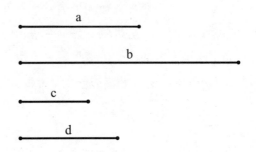

设：a、b为平方数，c和d为它们的边，a量不尽b。

那么我说：c也量不尽d。

假定c测尽d，a也测尽b。

而a量不尽b，于是：c也量不尽d（命题VIII.14）。

又设c量不尽d，则可证a也量不尽b。

如果a测尽b，于是：c也测尽d。

但是c量不尽d，所以：a也量不尽b

所以：如果一个平方数量不尽另一个平方数，那么它们的边也不能测尽；如果一个平方数的边量不尽另一个平方数的边，那么该平方数也不能测尽另一平方数。

证完

注 解

本命题是命题VIII.14的简单对换命题。

命题VIII.17

如果一个立方数量不尽另一个立方数，那么它们的边也不能测尽另一立方数的边；如果一个立方数的边不能测尽，那么该立方数也不能测尽另一个立方数。

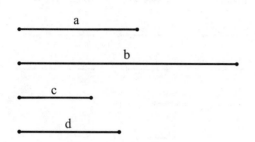

设：立方数a量不尽立方数b，c为a的边，d为b的边。

那么我说：c量不尽d。

因为：c测尽d，于是：a也测尽b。而a量不尽b，所以：c也量不尽d（命题VIII.15）。

下一步，c量不尽d。

那么我说：a也量不尽b。

假定a测尽b，于是c也测尽d，而c量不尽d，于是：a也量不尽b（命题VIII.15）。

所以：如果一个立方数量不尽另一个立方数，那么它们的边也不能测尽另一立方数的边；如果一个立方数的边不能测尽，那么该立方数也不能测尽另一立方数。

证完

注 解

本命题是命题VIII.15的简单对换命题。

命题VIII.18

在两个相似平面数之间有一个比例中项，则两个平面数的比是相应边的比的二次方。

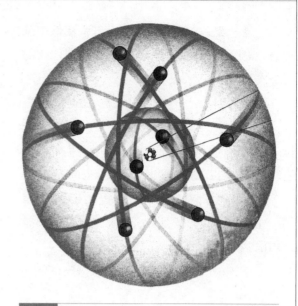

原子构图

1945年8月6日，人类打开了黑暗的原子世界，原子的种种奥秘势将魂萦梦绕于20世纪。但"原子"成为哲学家们所关心的最神秘的东西已有两千年之久。在古希腊哲学家德谟克里特眼里，原子是构成事物而又自身不变的物质元素或微粒。万物的本原是原子和虚空，德谟克里特的原子是一种最小的、不可见的、不能再分的物质微粒。虚空是原子的运动场所，也是实在的存在。原子在虚空中急剧零乱地依直线运动。由于原子的大小、形态、次序和位置不同，原子彼此的碰撞结合成世界万物。原子并不是被人或神创造出来的，它是永恒的，不生不灭，不可破坏的。

设：a和b是两个相似平面数，c、d是a的两边，e、f是b的两边。

那么因为：相似平面数的对应边成比例，所以：c比d等于e比f（定义VII.21）。

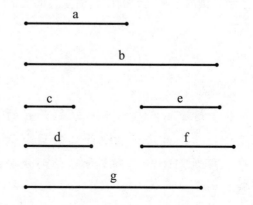

进一步，在a、b之间，有一个比例中项数，a比b的比，是对应边c比e或者d比f比的二次方。

那么因为：c比d等于e比f，于是：由更比，c比e等于d比f（命题VII.13）。

又因为：a是平面数，c和d是它们的边，所以：d乘以c得a。同理，e乘以f得b。

设d乘以e得g，于是，因为d乘以c得a，d乘以e得g，于是：c比e等于a比g（命题VII.17）。

又，c比e等于d比f，所以：d比f等于a比g。

因为e乘以d得g，e乘以f得b。

d比f等于g比b。同时，d比f等于a比g，所以，a比g等于g比b。

所以：a、g、b成连续比。

所以：在a、b之间，有一个比例中项。

我再进一步说，a比b也是对应边的二次比，等于c比e或者d比f的二次比。

因为：a、g、b成连续比，a比b等于a比g的二次比。且a比g等于c比e，也等于d比f。

所以，a比b等于c比e或d比f的二次比（定义V.9）。

所以：在两个相似平面数之间有一个比例中项，则两个平面数的比是相应边的比的二次方。

证完

注 解

本命题应用在本卷下一命题开始的几个命题中，也用在卷IX开始的两个命题中。命题VIII.20中有本命题的部分逆命题。

命题VIII.19

在两个相似的立体数之间，有两个比例中项数，且两个立体数之间的比等于它们对应边的三次比。

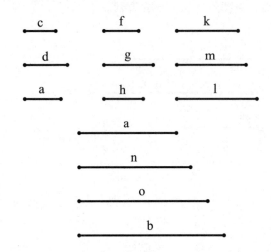

设：a和b为两个相似的立体数，c、d、e为a的边，f、g、h为b的边。

现在，因为相似立体数的对应边成比例，所以：c比d等于f比g，d比e等于g比h（定义VII.21）。

那么我说：在a、b之间必有两个比例中项，且a比b是c比f、d比g或者e比h的三次比。

令：c乘以d得k，f乘以g得l。

那么因为：c、d与f、g有相同比，而k是c和d的乘积，l是f和g的乘积；k和l是相似平面数，所以：在k和l之间有一个比例中项m（定义VII.21、命题VIII.18）。

所以：m是d和f的乘积，在前述的命题中已被证明（命题VIII.18）。

现在，因为，d乘以c得k，d乘以f得m，所以：c比f等于k比m。

而k比m也等于m比l，所以：k、m、l是依照c与f的比成连比（命题VII.17）。

又因为：c比d等于f比g，所以，由更比，c比f等于d比g。同理，d比g等于e比h（命题VII.13）。

所以：k、m、l是依照c比f构成连续比例，其比等于d比g，也等于e比h。

再一步，令：e、h乘以m分别得n、o。

那么因为：a是一个立体数，而c、d、e是它们的边，所以：e乘以c、d之乘积得a。

而c、d之积是k。

所以：e乘以k得a。

同理，h乘以l也得b。

现在因为：e乘以k得a，e乘以m得n。所以：k比m等于a比n（命题VII.17）。

而k比m等于c比f，也等于d比g，再等于e比h，所以：c比f等于d比g，等于e比h，再等于a比n。

又因为：e、h乘以m分别得n、o，所以：e比h等于n比o（命题VII.18）。

而e比h等于c比f，等于d比g，所以：c比f等于d比g，等于e比h，等于a比n，再等于n比o。

又因为：h乘以m得o，h乘以l得b，所以：m比l等于o比b。

而m比l等于c比f，等于d比g，再等于e比h。

所以：c比f等于d比g，再等于e比h，也等于o比b，等于a比n，再等于n比o（命题VII.17）。

所以：a、n、o、b成连比，其比是前面所述的边的比。

我说：a比b也是对应边的三次比，即c比

f，或者d比g，或者e比h的三次方。

因为：a、n、o、b是四个连比数，所以，a比b是a比n的三次方，而已经证明a比n等于c比f，也等于d比g，再等于e比h（定义V.10）。

所以：a比b是其对应边的比的三次方，即c比f，或d比g，或e比h的三次方。

所以：在两个相似的立体数之间，有两个比例中项数，且两个立体数之间的比等于它们对应边的三次比。

证完

注 解

本命题应用在卷VIII和卷IX从第25命题开始的几个命题中。命题VIII.21是本命题的部分逆命题。

命题VIII.20

如果一个比 例中项落在两个数之间，那么，该两数是相似平面数。

设：一个比例中项数c落在两个数a、b之间。

那么我说：a、b是相似平面数。

令：作d和e，使之为与a与b的比相等的最小数对，那么d测尽a与e测尽c有相同的次数（命题VII.33、VII.20）。

再令：在f中的单位数，与d测尽a的次数相同，那么f乘以d得a，所以：a是平面数，且d和f是它的边。

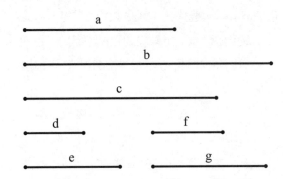

又因为：d、e是与c、b同比中的最小数对，所以：d测尽c的次数等于e测尽b的次数（命题VII.20）。

再令：g中的单位数，等于e测尽b的次数，那么：根据g中的单位数，e测尽b，所以：g乘以e得b。

所以：b是平面数，e、g是它的边。

所以：a和b是平面数。

我还要进一步说：它们是相似的。

因为：f乘以d得a，f乘以e得c，所以：d比e等于a比c，也等于c比b（命题VII.17）。

又因为：e乘以f、g分别得c、b，所以：f比g等于c比b。

而c比b等于d比e，所以：d比e等于f比g，由更比，d比f等于e比g（命题VII.17、VII.13）。

所以：a和b是相似平面数，因为它们的边是成比例的。

所以：如果一个比例中项落在两个数之间，那么，该两数是相似平面数。

证完

注 解

本命题应用在本卷的下两个命题中，也应用在命题IX.2中。

机械织布机

对于机械织布机的发明，达·芬奇认为仅次于印刷机。他在机械制作的艺术中，尤其在连接的关键处，运用了机械知识、物理知识、空气动力学知识，这是为了对作为几何物体和选用数学原理计算的自动化进行分析。达·芬奇对科技，尤其是机械和自动化系统如此关心，是因为其能节约时间和能量，可以给最广泛的人类活动层面带来革新。

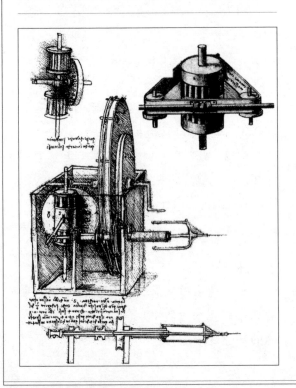

命题VIII.21

如果两个比例中项数落在两个数之间，那么该两数是相似立体数。

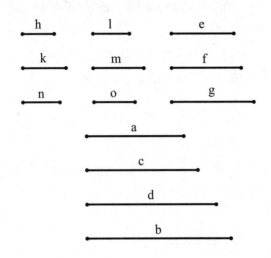

设：两个比例中项数为c和d，它们落在数a和b之间。

那么我说：a、b两数是相似立体数。

令：作三个数e、f、g使其为与a、c、d有相等比的最小数对，那么：它们的首尾项e、g是互质数（命题VII.33、VIII.2、VIII.3）。

现在因为：一个比例中项数f落在e和g之间，所以：e和g是相似平面数（命题VIII.20）。

那么，再令h、k为e的边，l、m为g的边。

于是：从前述命题得到，e、f和g是连比，其比等于h比l，也等于k比m。

现在因为：e、f和g是与a、c、d有相等比的最小数对，数e、f、g的个数等于数a、c、d的个数，于是，由首末比得，e比g等于a比d（命题VII.14）。

又，e和g是互质数，互质数是同比中的最小数对，且有相同比的数中最小数对能分别测尽其他数对，大的测尽大的，小的测尽小的，即前项测尽前项，后项测尽后项，并测得相等的次数。

所以：e测尽a与g测尽d有相等次数（命题VII.21、VII.20）。

令：在n中的单位数，等于e测尽a的次数。

那么：n乘以e得a。而e是h和k的乘积，所以：n乘以h和k的乘积得a。

所以：a是立体数，且h、k、n是它们的边。

又因为：e、f、g是与c、d、b有相同比的最小数组，所以：e测尽c与g测尽b有相等次数。

再令：o中的单位数，等于e测尽c的次数，那么：根据o中的单位数，g测尽b，所以：o乘以g得b。

而g是l和m的乘积，所以：o乘以l和m的乘积得b。

所以：b是立体数，且l、m、o是它们的边。

所以：a和b是立体数。

我说它们也是相似的。

因为：n、o乘以e得a、c，所以：n比o等于a比c，等于e比f（命题VII.18）。

又：e比f等于h比l，且等于k比m，所以：h比l等于k比m，且等于n比o。

又：h、k、n是a的边，o、l、m是b的边。

所以：a和b是相似立体数。

所以：如果两个比例中项数落在两个数之间，那么该两数是相似立体数。

证完

注 解

本命题应用在命题VIII.23中。

命题VIII.22

如果三个数成连比，第一个数是平方数，那么第三个也是平方数。

设：a、b、c三个数成连比，第一个数a是平方数。

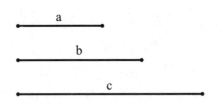

则可证：第三个数c也是平方数。

因为：在a、c之间有一个比例中项数b，所以：a和c是相似平面数。

而a是平方数，所以：c也是平方数（命题VIII.20）。

所以：如果三个数成连比，第一个数是平方数，那么第三个也是平方数。

证完

注 解

本命题应用在本卷和下卷从命题VIII.24开始的几个命题中。

命题VIII.23

如果四个数成连比，第一个数是立方数，那么第四个数也是立方数。

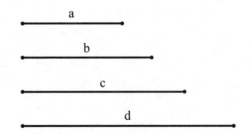

设：a、b、c、d四个数是连比数，a是立方数。

那么我说：d也是立方数。

因为：在a、d之间有两个比例中项数b和c，所以：a和d是相似立体数。

而a是立方数，所以：d也是立方数（命题VIII.21）。

所以：如果四个数成连比，第一个数是立方数，那么第四个数也是立方数。

证完

橡皮膜比喻

对时间的运动受引力场的影响作一个比喻。想象一张橡皮膜，中心的大球代表一个大质量物体，譬如太阳。球的质量使它邻近的膜弯曲。其弯曲率使在膜上滚动的滚球轨迹弯折并且围绕大球转动，就和在一个恒星的引力场中的行星能围绕着它公转一样。在与大量实验相符合的相对论中，时间和空间难分难解地相互纠缠，广义相对论使空间和时间弯曲，把它们从被动事件发生的背景改变成发生事件的动力参与者。

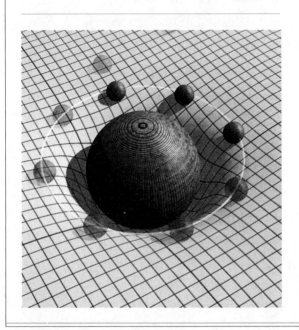

注 解

本命题应用在本卷和下卷从命题VIII.25开始的几个命题中。

命题VIII.24

如果两个数的比等于两平方数相比，且第一个数是平方数，那么第二个数也是平方数。

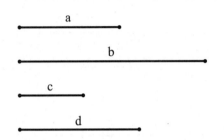

设：a、b两个数的比是平方数c、d的比，a是平方数。

那么我说：b也是平方数。

因为：c和d是平方数，所以c和d是相似平面数，所以：在c、d之间有一个比例中项数（命题VIII.18）。

又，c比d等于a比b，所以：在a、b之间也有比例中项数。

又，a是平方数，所以：b也是平方数（命题VIII.18、VIII.22）。

所以：如果两个数的比等于一个平方数比另一个平方数，且第一个数是平方数，那么第二个数也是平方数。

证完

注 解

本命题的证明是直接的。

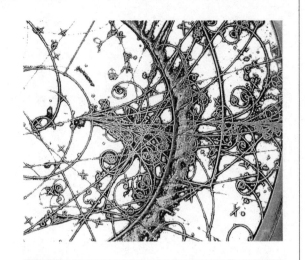

命题VIII.25

如果两个数的比等于两个立方数的比，且第一个数是个立方数，那么第二个数也是立方数。

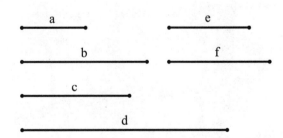

设：a、b两个数的比是两个立方数的比，且第一个数是个立方数。

那么我说：b也是立方数。

因为：c和d是立方数，c和d是相似的立体数，所以：在c和d之间就有两个比例中项

（命题VIII.19）。

又，在c、d之间有多少个成连比例的数，那么在与它们有相同比的数之间也有多少个成连比例的数，所以在a、b之间也有两个比例中项（命题VIII.8）。

设它们是e、f。

那么因为：四个数a、e、f、b成连比，又，a是立方数，所以：b也是立方数（命题VIII.23）。

所以：如果两个数的比等于两个立方数的比，且第一个数是个立方数，那么第二个数也是立方数。

证完

立体空间分割

这幅作品唯一的目的就是表现在二维纸面上无限伸展的空间。它并不像数学课本里所画的那些规则的空间结构，也就是说，它是按照透视法则画出来的。这些看似彼此平行的线条其实会在遥远的地方汇聚在六个点。因为它是三维结构，所以会分别汇聚在六个点，而数学课本里那些平行的线条是永远不会相交的。数学与艺术的结合所呈现出来的明确、清晰，常令人惊叹之余又感动不已。

注　解

本命题应用在命题IX.10中。

命题VIII.26

相似平面数之比等于平方数之比。

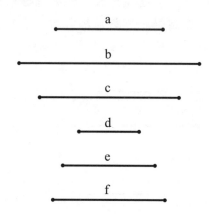

设：a和b是相似的平面数。

那么我说：a比b是平方数比平方数。

因为：a和b是相似的平面数，所以：一个比例中项数c将落在a、b之间（命题VIII.18）。

作a、e、f，使其为与a、c、b有相等比的最小数对（命题VII.33、VIII.2）。

于是：它们的首末两项d和f是平方数。又因为d比f等于a比b，d和f是平方数。

所以：a比b是一个平方数比一个平方数（命题VIII.2及其推论）。

所以：相似平面数之比等于平方数之比。

证完

注　解

本命题应用在命题IX.10和命题X.9中。

命题VIII.27

相似的立体数相比等于立方数相比。

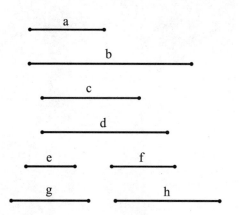

设：a和b代表某相似的立体数。

那么我说：a比b是立方数比立方数。

因为：a和b是相似的立体数，所以：两个比例中项数c和d将落在a、b之间（命题VIII.19）。

作e、f、g、h，使之为与a、c、d、b有相等比的最小数，且其个数相等（命题VII.33、VIII.2）。

所以：它们的外项e和h是立方数。

而e比h等于a比b，所以：a比b的比也是立方数与立方数的比（命题VIII.2及其推论）。

所以：相似的立体数相比等于立方数

相比。

证完

注 解

本命题是关于平面数的比例，类似于前一命题。

第九卷 数 论（三）

　　数决定了万物的比例关系，和谐就是这一关系的外在表现。世界万物尽管各不相同，但它们只要相互保持一种数的比例关系，达到平衡，就会呈现和谐状态，即使像无限与有限、奇与偶、一与多、右与左、阴性与阳性、静与动、直线与曲线、明与暗、善与恶等等一些对立者，仍会相互契合、相互谐调而达和谐统一。

　　本卷涉及比例、几何级数，给出了许多关于数论的重要定理。

构成第九号

　　在这幅《构成第九号》作品中，似乎一切东西都没有规则性可言，我们无法在混乱的画面中辨认出具体的物象，就好像在我们的精神世界中有什么东西一闪而过，但却无法清晰地辨认出来。

本卷提要

※命题IX.14，没有质数能除尽另一些质数的乘积。这是算术的一个基础理论。

※命题IX.20，存在无穷多个质数。

※命题IX.23，奇数相加其和亦为奇数。

※命题IX.35，怎么得到等比级数之和。

※命题IX.36，关于完全数。

命题IX.1

如果两个相似的平面数相乘得出某一个数，那么这个乘积是平方数。

设：a和b是两个相似的平面数，a与b相乘得c。

那么我说：c是个平方数。

设a自乘得d，那么d是平方数。

因为：a自乘得d，且a乘以b得c，所以：a比b等于d比c（命题VII.17）。

又因为：a和b是相似平面数，所以：一个比例中项落在a、b之间（命题VIII.18）。

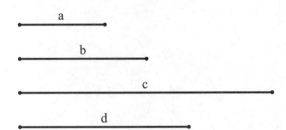

因为：如果在两个数之间有多少个成连续比例的数，那么在有相同比的数之间也有同样多个成连比的数。于是：在d和c之间也有一个比例中项。

又，d是平方数，所以：c也是平方数（命题VIII.22）。

所以：如果两个相似的平面数相乘得出某一个数，那么这个乘积是平方数。

证完

阿尔罕布拉宫的大清真寺

阿尔罕布拉宫是12、13世纪时期西班牙摩尔人统治者在高山顶部建立的一座堡垒及宫殿，它是伊斯兰建筑中的典范。这张内部速写图显示了其典型的马蹄形拱门以及深邃的空间。1924年，匈牙利数学家在著名的关于平面对称群的论文中证明这样的群共有17种，而出现在阿尔罕布拉宫的就有5种。在没有借助任何数学知识的情况下，埃舍尔在以后的研究中发现了所有17种可能性，他以艺术家的感性眼光，发现了数学家打开的理性之门后的美丽花园。

注 解

这是第IX卷的第一命题，实际上也是第VIII卷比例的继续。

假定两个平面数a = 18，b = 8，根据命题VIII.18，它们中就有一个比例中项，即12，这一比例中项的平方数是它们的乘积，ab = 144。

不清楚为什么不使用更简单的结论来证明，即比例中项的平方数是它们的乘积，而要用更复杂的。

设：a 和b 是给定的两个平面数。那么，它们中就有一个比例中项（命题VIII.18）。又，因为$a : b = a^2 : ab$，所以：在a^2和ab中也就有一个比例中项（命题VIII.1）。但因为：a^2是一个平方数，所以：ab 也是一个平方数（命题VIII.22）。于是：原始相似平面是一个平方数。

下一命题IX.2是本命题的逆命题。这一命题应用在命题X.29中。

命题IX.2

如果两个数相乘得一个平方数，那么这两个数也是相似平面数。

设：a、b两个数，a乘以b得平方数c。

那么我说：a和b也是相似平方数。

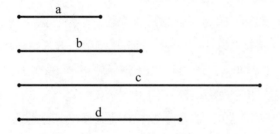

令：a自乘得d，那么d是平方数（命题VII.17）。

因a自乘得d，a乘b得c，所以a比b等于d比c。

又因为：d是平方数，而c也是平方数，所以：d和c是相似平面数。

所以：一个比例中项数落在d、c之间。

又，d比c等于a比b，所以：一个比例中项数也落在了a、b之间（命题VIII.20）。

而，如果一个比例中项数落在两个数之间，那么它们是相似平面数，所以：a和b是相似平面数（命题VIII.20）。

所以：如果两个数相乘得一个平方数，那么这两个数也是相似平面数。

证完

注 解

本命题是前一命题的逆命题。

假定平方数$20^2 = 400$。这一数可以分解为两个数的乘积，比如a = 50，b = 8。这两个数有一个比例中项，即20，于是根据命题VIII.20，它们是相似平面数（8可视为2乘以4，50可视为5乘以10）。

设：a 和b 两个数的乘积ab 是一个平方数，那么，a^2和ab 也是平方数。这意味着它们是相似平面数。根据命题VIII.8，它们有一个比例中项，$a^2 : ab = a : b$，所以：a和 b之间也有一个比例中项（命题VIII.8）。所以：a和b是相似平面图形（命题VIII.20）。

当乘积 ab是一个平方数，即e^2，那么：a和b的比例中项是e。

命题IX.3

如果一个立方数自乘得某个数，那么其乘积是立方数。

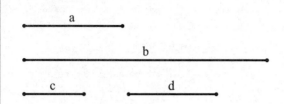

设：a为立方数，a自乘得b。

那么我说：b也是立方数。

令：作a的边c，c自乘得d。这样，c乘以d得a。

那么因为：c自乘得d，所以：c测尽d。根据c中的单位数，c测尽d。进一步，按照c中的单位数，该单位也测尽c。所以：该单位比c等于c比d（定义VII.20）。

又因为：c乘以d得a，于是：根据c中的单位数，d测尽a，同样，该单位也测尽c，所以：该单位比c等于d比a。

而该单位比c等于c比d，所以：该单位比c等于c比d，也等于d比a。

所以：在该单位与a之间，有两个比例中项c和d，并成连续比例。

又因为：a自乘得b，于是：根据a中的单位数，a测尽b。同样，该单位也测尽a。所以：该单位比a等于a比b（定义VII.20）。

又，在该单位与a之间，有两个成连比的比例中项，所以：有两个比例中项落在a、b之间（命题VIII.8）。

又，如果两个比例中项落在两个数之间，而第一个数是立方数，那么第二个数也是立方数。而a是立方数，所以：b也是立方数（命题VIII.23）。

所以：如果一个立方数自乘得某个数，那么其乘积是立方数。

证完

注 解

用代数式表达为：$(c^3)^2 = (c^2)^3$。

这一命题应用在下两个命题及命题IX.9中。

命题IX.4

如果一个立方数乘以另一个立方数得某数，那么该乘积也是立方数。

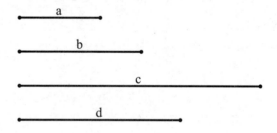

设：a是一个立方数，a乘以另一个立方数b得c。

那么我说：c也是立方数。

令：a自乘得d，那么d是一个立方数（IX.3）。

因为：a自乘得d，且a乘以b得c，于是：a比b等于d比c。

又因为：a和b是立方数，于是：a和b是相似立体数。于是：两个比例中项数落在a和b之间。于是：两个比例中项数也落在d和c之间（命题VII.17、VIII.19、VIII.8）。

已知d是立方数，于是：c也是立方数（命题VIII.23）。

所以：如果一个立方数乘以另一个立方数得某数，那么该乘积也是立方数。

证完

注 解

当然：$m^3n^3 = (mn)^3$。

命题IX.5

如果一个立方数乘以另一个数得一个立方数，那么该乘数也是立方数。

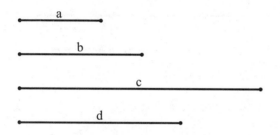

设：立方数a乘另一个数b得立方数c。

那么我说：b也是个立方数。

令：a自乘得d，那么d是个立方数（命题IX.3）。

那么因为：a自乘得d，且a乘以b得c，于是：a比b等于d比c（命题VII.17）。

又因为：d和c是立方数，于是：它们也是相似立体数。所以：两个比例中项数落在d和c之间。又d比c等于a比b，所以：两个比例中项数也落在a、b之间（命题VIII.19、VIII.8）。

又，a是立方数，于是：b也是立方数（命题VIII.23）。

所以：如果一个立方数乘以另一个数得一个立方数，那么该乘数也是立方数。

证完

注 解

这一命题是前一命题的逆命题，一当ab = c，a是个立方体时，前一命题说，如果b是个立方体，那么c也是。这一命题则说，如果c是个立方体，那么b也是。

命题IX.6

如果一个数自乘得一个立方数，那么它本身也是立方数。

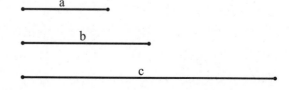

设：a自乘得到立方数b。

那么我说：a也是立方数。

令：a乘以b得c。那么因为a自乘得b，且a乘以b得c，于是：c是立方数。

又因为：a自乘得b，于是：根据a中的单位数，a测尽b。

同理：a的单位也测尽a。于是：该单位比a等于a比b。

又因为：a乘以b得c，于是：根据a中的单位数，b测尽c（定义VII.20）。

又，根据在它中的单位数，该单位也测尽a。

所以：该单位比a等于b比c。而该单位比a等于a比b，于是：a比b等于b比c（命题VII.20）。

又因为：b和c是立方数，于是：它们是相似立方数。

所以：在b、c间有两个比例中项数，而b比c等于a比b，所以：在a、b间也有两个比例中项数（命题VIII.19、VIII.8）。

已知，b是立方数，所以：a也是立方数（命题VIII.23）。

所以：如果一个数自乘得一个立方数，那么它本身也是立方数。

证完

注 解

假定：a^2是个立方数，因为a^3也是个立方数，所以在它们中有一个比例中项（命题VIII.19）。但我们有比例$a : a^2 = a^2 : a^3$，所以它们也是a和a^2的两个比例中项（命题VIII.8）。又因为a^2是个立方数，所以a也就是一个立方数（命题

VIII.23）。这一命题应用在命题IX.10中。

命题IX.7

如果一个合数乘以任意数得某个数，那么该乘积是立方数。

设：合数a乘以任意数b得c。

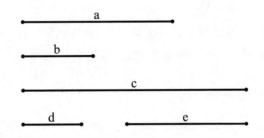

那么我说：c是个立方数。

因为：a是合数，它被某个数d测尽，令d测尽a的次数为e，也就是说，d相加e次得a，或者说，按照e的单位数，d测尽a（定义VII.13）。

因为：d用e次测尽a，所以：e乘以d得a。所以，a是d、e的积。

又因为：a乘以b得c，而a是d、e的乘积，于是：d、e的乘积乘以b得c（定义VII.15）。

所以：c是立方数，而d、e、b是它的边。

所以：如果一个合数乘以任意数得某个数，那么该乘积是立方数。

证完

注 解

最低有两个因子的数是平面数;最低有三个因子的数是立方数。

命题IX.8

如果一个成连续比例的数列开始于一个单位，那么从单位起的第三个是平方数，且以后每隔一个就是平方数；第四个是立方数，以后每隔两个是立方数；第七个是立方数同时也是平方数，以后每隔五个是立方数同时也是平方数。

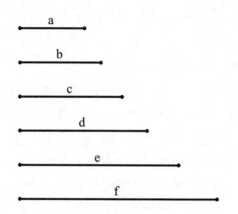

设：a、b、c、d、e、f从一个单位开始，并成连续比例。

那么我说：从单位开始后的第三个数b是个平方数，以后每隔一个为平方数；第四个数c是立方数，以后每隔两个是立方数；第七个数f同时是立方数也是平方数，以后每隔五个是立方数同时是平方数。

因为：该单位比a等于a比b，于是：该单位测尽数a与a测尽b有相同的次数。依照a中的单位数，单位测尽a。同理：a也测尽b（定义VII.20）。

所以：a自乘得b。所以：b是平方数。

又因为b、c、d是连比数，而b是平方数，于是：d也是平方数，同理，f也是平方数（命题VIII.22）。

类似地，我们也可以证明，每隔一个数

为平方数。

我还要进一步说：从单位开始后的第四个数c，是立方数，并且以后每隔两个都是立方数。

因为：单位比a等于b比c，于是：单位测尽数a的次数等于b测尽c。

根据a中的单位数，单位测尽a。同理：b也测尽c。所以：a乘以b得c。那么因为：a自乘得b，a乘以b得c，所以：c是立方数。

那么因为：c、d、e、f是成连比例，而c是立方数，于是：f也是立方数。

同时它已经被证明是平方数，于是：从单位开始后的第七个数既是立方数也是平方数。同理，我们也可以证明其后每隔五个数

达·芬奇的自动车

从平时打发时间的娱乐中，达·芬奇汲取了其中的基础经验并将其化为建筑或科学原理。他画出越来越复杂的机械结构，这都是一些从绞车、滑轮、杠杆、楔子和螺丝这样简单传统的系统出发的真正的机器。研究各种变体，将抽象的几何构图用于实用，再从美学的角度考虑如何将它们组装成不同的样子。

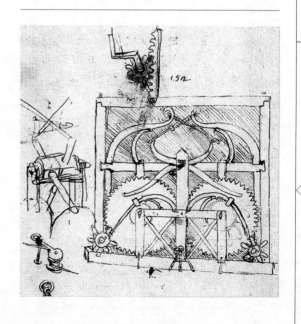

既是立方数也是平方数（命题VIII.23）。

所以：如果一个成连续比例的数列开始于一个单位，那么从单位起的第三个是平方数，且以后每隔一个就是平方数；第四个是立方数，以后每隔两个是立方数；第七个是立方数同时也是平方数，以后每隔五个是立方数也是平方数。

证完

注 解

在以下连比中：

1、a、a^2、a^3、a^4、a^5、a^6、a^7等等，

每隔二个：a^2、a^4、a^6、a^8等等是一个平方数；

每隔三个：a^3、a^6、a^9、a^{12}等等是一个立方数；

每隔六个：a^6、a^{12}、a^{18}、a^{24}等等是一个平方数兼立方数。

这一命题应用在下五个命题中。

命题IX.9

从一个单位开始的数列成连续比例，如果接在单位后的数是平方数，那么其余的数也是平方数；如果接在单位后的数是立方数，那么其余的数也是立方数。

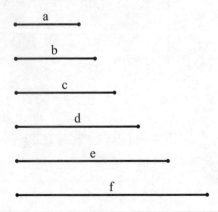

设：a、b、c、d、e、f是从一个单位开始的成连续比例的数，a是紧接在单位后的数，是一个平方数。

那么我说：其余的数皆为平方数。

因为：可以证明从单位开始后的第三个数b是平方数，并每隔一个也为平方数（命题IX.8）。

那么我说：其余的数皆为平方数。

因为：a、b、c成连比，而a是平方数，于是：c也是平方数。

又因为：b、c、d成连比，而b是平方数，于是：d也是平方数。类似地，我们也能证明其余各数也为平方数（命题VIII.22）。

再一步，设a为立方数。

那么我说：其余的数也皆为立方数。

因为已经证明了从单位开始后的第四个数c是立方数，并每隔两个皆为立方数（命题IX.8）。

那么我说：其余各数皆为立方数。

因为：单位比a等于a比b，所以：单位测尽a与a测尽b有相等的次数。根据a的单位数，单位测尽a。同理，a也测尽b。于是：a自乘得b。

又，a是立方数，而，如果立方数自乘得某个数，那么其乘积也是立方数，于是：b也是立方数（命题VIII.23）。

同理，e也是立方数。同理，所有余下的数皆是立方数。

所以：从一个单位开始的数列成连续比例，如果接在单位后的数是平方数，那么其余的数也是平方数；如果接在单位后的数是立方数，那么其余的数也是立方数。

证完

注 解

这一命题说，如果一个数是一个平方数，那么该数的幂也是平方数，立方数也一样。

以下的定理是这一定理的逆定理。

命题IX.10

从单位开始的数列成连续比例，如果单位后的数不是平方数，那么除了单位后面的第三个数以及每隔一个数以后的数外的其余各数皆不是平方数；又，如果单位后面的数不是立方数，那么除了从单位起第四个数以及每隔两个数以后的数以外，其余各数皆不是立方数。

设：a、b、c、d、e、f是从一个单位开始的成连比的数列，单位后面的数a不是平方数。

那么我说：除了第三个数以及每隔一个数以后的数外，皆不是平方数。

假如可能，令：c是平方数，但b也是平方数，于是：b比c等于一个平方数比一个平方数（命题IX.8）。

又，b比c等于a比b，于是：a比b是一个

平方数比一个平方数，于是：a和b是相似平面数（命题VIII.26）。

而b是平方数，于是：a也是平方数，这与假设相反。

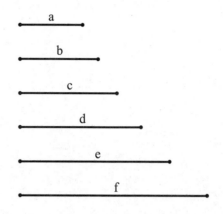

于是：c不是平方数。

同理，我们可以证明除了第三个数以及每隔一个数以后的数外没有平方数。

再，令：a不是立方数。

蜘蛛的路径

正方体上有一只蜘蛛，它要沿着正方体的每一边爬行，并且每一边来回走两趟，但不走两次相同的路线。如将正立方体展示在平面上，聪明的蜘蛛便从正立方体的底边"1"开始出发一直到"24"结束。

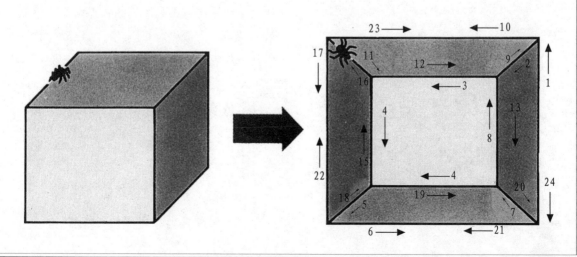

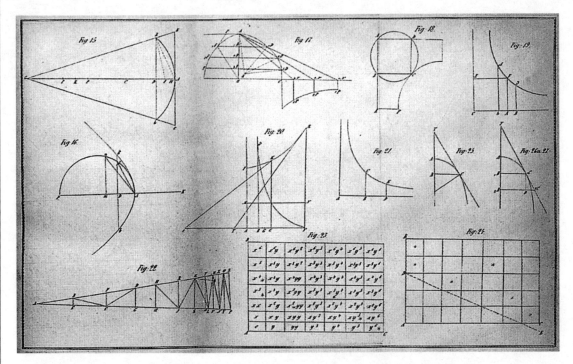

无穷小微积分

近代微积分的酝酿主要发生于17世纪上半叶。该时期所有的科学大师都在致力于寻求解决微积分学的新的数学工具，特别是描述运动与变化的无穷小算法。1666年10月，牛顿发表了《流数简论》，这是历史上第一篇系统的微积分文献。《流数简论》反映了牛顿微积分的运动背景。他从确定面积的变化率入手，通过反微分计算面积以及面积计算与求切线问题的互逆位，而以往数学家们都以曲线作为微积分的主要对象。图为《流数简论》中的一页。

那么我说：除了第四个数以及每隔两个数以后的数外皆不是立方数。

假如可能，令d为立方数。

那么：c也是立方数，因为它是从单位开始的第四个数。又，c比d等于b比c，于是：b比c是一个立方数比一个立方数的比值。于是：b也是立方数（命题IX.8、VIII.25）。

又因为：单位比a等于a比b，根据a中的单位数，单位测尽a。同理：a也测尽b。于是：a自乘得立方数b。

而，如果一个数自乘得一个立方数，那么它自己也是个立方数。

所以：a也是一个立方数。这与假设相反。所以：d不是立方数。

类似地，我们可以证明除了第四个数以及每隔两个数以后的数以外的其余数皆不是立方数（命题IX.6）。

所以：从单位开始的数列成连续比例，如果单位后的数不是平方数，那么除了单位后面的第三个数以及每隔一个数以后的数外的其余各数皆不是平方数。

又，如果单位后面的数不是立方数，那么除了从单位起第四个数以及每隔两个数以后的数以外，其余各数皆不是立方数。

证完

注 解

这一定理是前一定理的逆定理。

命题IX.11

如果从单位开始的数列成连比，那么较小数测尽较大数，得到的是数列中的某一个数。

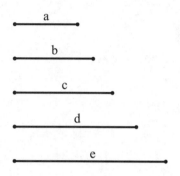

设：b、c、d、e是从单位 a 开始的连比数。

那么我说：用b、c、d、e的最小数b测尽e，得到c或d。

因为：单位a比b等于d比e，于是：单位a测尽b与d测尽e有相等次数。于是：由更比，该单位a测尽d与b测尽e的次数相等（命题VII.15）。

又，根据a中的单位数，单位a测尽d。同理，b也测尽e。于是：较小的数b测尽较大的数e，得到给定成比例的数中的一个数d（命题VII.15）。

所以：如果从单位开始的数列成连比，那么较小数测尽较大数，得到的是数列中的某一个数。

证完

推 论

这一命题也表明：由单位开始的成连续比例的数列中的任意一数测尽它以后的某个数得到一个数，比数是被测尽数以前的某一数。

注 解

这一命题及其推论说，a^k 除以 a^n 等于 a^{n-k}。

推论应用于下一个命题中。

命题IX.12

如果从单位开始的任意多的数形成连比，那么无论有几个质数测尽最后一个数，该质数也测尽单位之后的那个数。

设：a、b、c、d从单位开始，形成连比。

复制的星座图

数学在天文学中的应用历史最为久远。早在河谷文明时期，早期人类积累的数学知识便为天文计算和历法编制提供了有力的工具。在随后的发展中，数学更是常常与天文学紧密地交织在一起。从观测未知的星星到绘制星空图，数学起着关键作用。图为1774年，天文学家赫歇尔绘制的星座图，图中的星星有五个尖尖的突出点。

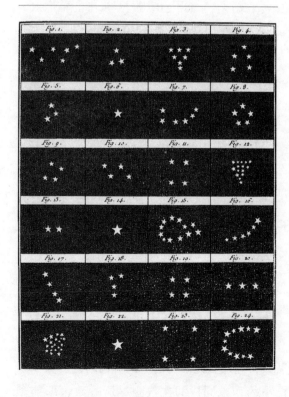

那么我说：测尽d的质数同样也测尽a。

令：d被任意一个质数e所测尽。

那么我说：e同样也测尽a。

假定不是。

因为：e是质数，而任何质数是与它量不尽的数互质的，所以：e和a是互质数，又，因为e测尽d，令：e用f次测尽d，于是：e乘以f得d（命题VII.29）。

又因为：a测尽d，根据在c中的单位数，所以：a乘以c得d（命题VII.29）。

再，e乘以f得d，于是：a与c的乘积等于e与f的乘积（命题IX.11及其推论）。

于是：a比e等于f比c。而a和e是互质数，互质数是最小的。又有相同比的数中最小的，以同样的次数测尽那些数，即前项测尽前项，后项测尽后项。所以：e测尽c，令其测尽的次数为g（命题VII.19、VII.21、VII.20）。

所以：e乘以g得c。

再，由前述的理论，a乘以b得c。所以：a和b的乘积等于e和g的乘积（命题IX.11及其推论）。

所以：a比e等于g比b。而a和e是互质数，互质数是最小的。又有相同比的数中最小的，以同样的次数测尽那些数，即前项

测尽前项，后项测尽后项。所以：e测尽b。

令其测尽的数为h，于是：e乘以h得b（命题VII.19、VII.21、VII.20）。

又，a自乘得b，于是：e和h的乘积等于a的平方。于是：e比a等于a比h（命题IX.8、VII.19）。

而a和e是互质数，质数是最小的。又有相同比的数中最小的，以同样的次数测尽那些数，即前项测尽前项，后项测尽后项。于是：e测尽a，即前项测尽前项。但是，e又测不尽a。这是不可能的（命题VII.21、VII.20）。

所以：e和a不是互质数，所以：它们是互为合数。而互为合数可被某数测尽（定义VII.14）。

又因为：e是被假设成的质数，而一个质数不会被它以外的任何数所测尽，所以：e测尽a、e，所以：e测尽a。

而，它也测尽d，所以：e测尽a、d。同样，我们也可以证明，无论有几个质数能测尽d，这些质数也就能测尽a。

所以：如果从单位开始的任意多的数形成连比，那么无论有几个质数测尽最后一个数，该质数也测尽单位之后的那个数。

证完

注 解

这一命题说，如果质数p除尽a的乘方a^k，那么它也除尽a。

假定一个质数p除尽a的乘积a^k。假定p除不尽a。那么p与a是互质数（命题VII.29）。从这一命题（a^k/p）：a^{k-1} = a：p中我们可以看出，比例（a^k/p）：a^{k-1}可以

化简为最小数组a：p（命题VII.21）。所以：p能除尽a^{k-1}（命题VII.20）。

重复应用化简步骤直到p能除尽a，便实现了目标。

这一命题应用于下一命题中。

命题IX.13

如果从单位开始的几个数成连续比例，紧接单位的是质数，那么除了这些成比例的数以外，任何数都不能测尽其中最大的数。

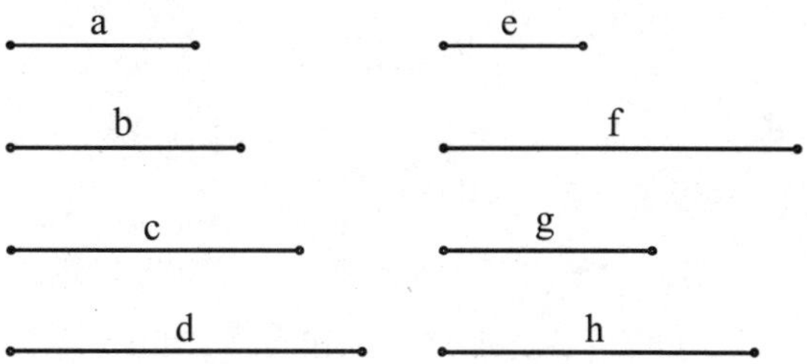

设：a、b、c、d是从单位开始的成连续比例的数，a是紧接于单位的质数。

那么我说：它们中最大数d，不可能被除了a、b或c以外的任何数所测尽。

假定可能，设其被e所测尽，e不等于a、b、c中的任何一个。

那么，e不是质数，因为如果e是质数并测尽d，那么它也可以测尽a。a为质数，然而它不等于a。这是不可能的。

所以：e不是质数，所以：它是合数（命题IX.12）。

又，任何合数皆可以被某个质数测尽，所以：e被某个质数所测尽（命题VII.31）。

我进一步说：它只能被a所测尽，其他任何数皆不可能。

如果e被其他数所测尽，而e测尽d，那么其他数测尽d，于是：它也测尽质数a。然而它不等于a。这显然是不可能的，于是：质数a测尽e（命题IX.12）。

又因为：e测尽d，设其测尽d得f。

那么我说：f不等于a、b、c中的任何一个数。

假如f等于a、b、c中的其中一个，并测尽d得e。那么a、b、c中的一个也测尽d得e。

而a、b、c中的一个测尽d得a、b、c中的一个。于是：e也等于a、b、c中的一个。这与假设矛盾（命题IX.11）。

所以：f不等于a、b、c中的一个。

类似地，我们可以证明出，f被a所测尽；f不是质数。

万尼瓦尔·布什

万尼瓦尔·布什（1890—1974年），美国科学家，被誉为“大科学的先驱”。他发明了解决差分程序的计数机，解决了数学家和科学家复杂差分程序的难题。

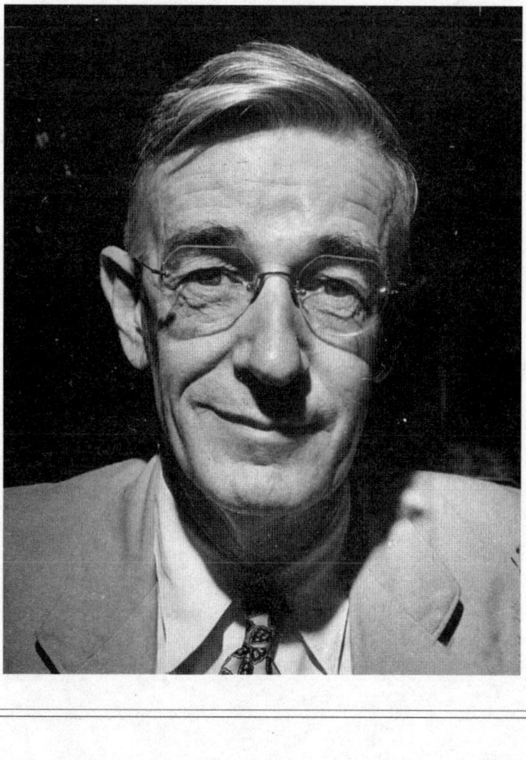

假如f是质数，并测尽d，那么它也测尽质数a。然而它不等于a。这是不可能的。所以：f不是质数。所以：f是合数（命题IX.12）。

又，任何合数可以被某一个质数所测尽。所以：f被某个质数所测尽（命题VII.31）。

我进一步说：它只能被a所测尽，而不是其他质数。

因为，如果有别的质数测尽f，而f测尽d，那么别的质数也测尽d。于是：它也测尽质数a。然而它不同于a。这是不可能的。所以：只有质数a测尽f（命题IX.12）。

又因为e测尽d得f，所以e乘以f得d。但，更有a乘以c也得d。于是：a和c的乘积等于e和f的乘积（命题IX.11）。

所以，a比e等于f比c（命题VII.19）。

而a测尽e，于是：f也测尽c。

令f测尽c得g。

类似地，我们能证明出g不等于a、b中的任何一个，并被a测尽。又，因为f测尽c得g，于是：f乘以g得c。

又，a乘以b得c，于是：a、b的乘积等于f、g的乘积，所以，a比f等于g比b（命题IX.11、VII.19）。

又，a测尽f，于是：g也测尽b，令其测尽b得h。

类似地，那么，我们也能证明出h不等于a。

那么因为：g测尽b得h，于是：g乘以h得b。而a自乘得到b，于是：h和g的乘积等于a的平方（命题IX.8）。

所以：h比a等于a比g。而a测尽g，所以：h也测尽质数a，然而h不等于a，这是荒谬的（命题VII.19）。

旧约全书　列王纪上　第七章

在柱上、各高五肘，柱顶上有装修的网子和搀成的练索、每项七个。个柱顶都是如此。邱子的柱顶径四肘、刻着百合花。两柱顶的鼓肚上、挨着网子各有两行石榴遮盖柱顶、两行共有二百。他将两根柱子立在殿廊前、右边立一根名叫雅斤、左边立一根名叫波阿斯。在柱顶上刻着百合花、造柱子的工就完毕了。○他又铸一个铜海、样式是圆的、高五肘、径十肘、圆三十肘。在海边之下、周围有野瓜的样式、每肘十枚、共有两行、是铸海的时候铸上的。海是安在十二只铜牛上、三只向北、三只向西、三只向南、三只向东、海在牛上、牛尾都向内。海厚一掌、边如杯边、又如百合花、可容二千罢特。○他用铜制造十个盆座、每座长四肘、宽四肘、高三肘、座的造法是这样、四面有心子、心子在边子当中。心子上有狮子和牛、并基路伯、边子以上有小座、狮子和牛以下有垂下的璎珞。每座有四个铜轮和铜轴、小座的四角上在盆以下有铸成的盆架、其旁都有璎珞。小座高一肘、口是圆的、彷佛作的、径一肘半、口是雕的、口面有雕工、心子是方的不是圆的。四个轮子在心子以下、轮轴与座相连、每轮高一肘

四百十五

古代世界的圆周率

在古代世界，实际上长期使用 π＝3 这个数值。最早有文字记载的是基督教《旧约圣经》中《列王纪》第7章，其中说到所罗门王建造宫殿时铸了一个圆柱形容器，这个容器高为2.5米，直径为5米，圆周长为15米，很显然，π在这里被用做3。

所以：最大数d除了被数a、b或c测尽以外，不可能被其他数所测尽。

所以：如果从单位开始的几个数成连续比例，紧接单位的是质数，那么除了这些成比例的数以外，任何数都不能测尽其中最大的数。

证完

注 解

这一命题说，仅能除尽一个质数的乘方的数是该质数的较小幂。

这一证明过程包含化简步骤，同前一个命题一样。假定一个数e可以除尽一个质数p的乘方p^k，但e不等于p的任何较低幂。

首先要注意的是，e不可能是质数，因为，它除尽p就不可能是质数（命题IX.12）。

那么e是一个合数，于是，某个质数q能除尽e（命题VII.31）。那么q也能除尽p^k，这意味着q能除尽p。所以，能除尽e的仅有质数是p。

下面的证明是反复化简乘方k。意味着e不是1，它可以被p除尽，设g是e/p。那么，g能除尽p^{k-1}，但并不是p的任何较低的乘方。于是，系统的论据可以应用，继续如此，直到某个数能除尽p，但不是1或者p。这是矛盾的。所以，仅能除尽一个质数的乘方的数是该质数的较小幂。

这一命题应用在命题IX.32和IX.36中。

命题IX.14

如果一个数是被质数能测尽的最小数，那么除了原来测尽它的数以外，任何别的质数不可能测尽它。

设：数a是被质数b、c、d所测尽的最小数。

那么我说：a只能被b、c或d所测尽，而不可能被别的质数所测尽。

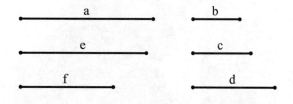

透视仪

无论是古代的原始资料、中世纪文化遗产，还是文艺复兴初期工匠们的经验，它们都与数学知识息息相关，也为达·芬奇所用。他所做的都是关于如何把有关绘画、机械方面的应用与几何结合起来的研究。达·芬奇所憎恶的人是没有使用任何技巧而胡乱作画的所谓的艺术家。达·芬奇认为：没有几何知识，任何人都不可能成为真正的艺术家。正是由于掌握了数学技能，达·芬奇成为能安然坐于数学和艺术两个编年史上的仅有的几个人之一。

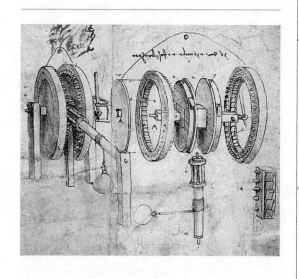

丘利克雷

德国数学家丘利克雷(1805—1859年)对数论、数学分析和数学物理有突出贡献，是解析数论的创始人之一。在分析学方面，丘利克雷是最早倡导严格化方法的数学家之一。他于1837年提出函数是x与y之间的一种对应关系的现代观点。在数论方面，他是高斯思想的传播者。1863年，丘利克雷撰写了《数论讲义》，对高斯划时代的著作《算术研究》作了明晰的解释并有所创见，这使高斯的思想得以广泛传播。1837年，他构造了丘利克雷级数。1838至1839年，他得到确定二次型类数的公式。1846年，他使用抽屉原理阐明代数数域中单位数的阿贝尔群结构。

假如可能，设其被质数e所测尽，再设e不等于b、c、d中的任何一个。

那么因为：e测尽a，设e测尽a得f。于是：e乘以f得a。而a被质数b、c、d所测尽。

但是，如果两个数相乘得另一个数，一个质数可以测尽该乘积，那么该质数也可以测尽原始乘数中的一个。

于是：b、c、d中的每个数测尽e或f中的一个（命题VII.30）。

又，它们测不尽e，因为e是质数，且不等于b、c、d中的任何一个。

于是：它们测尽f。而f小于a。这是不可能的，因为a被假设为被b、c、d所测尽的最小数。

所以：除了b、c、d以外，没有质数可以测尽a。

所以：如果一个数是被质数能测尽的最小数，那么除了原来测尽它的数以外，任何别的质数不可能测尽它。

证完

注 解

这一命题陈述了一组质数的最小公倍数是不能被另外的质数除尽的。最小公倍数事实上是那些质数的乘积，但这一点并没有提及。

证明是清晰的，依赖于命题VII.30，即如果一个质数除尽一个乘积，那么它也除尽某个乘数。

命题IX.15

如果三个数成连比，且是与它们有同样比值的最小数组，那么其中任意两数的和与其余一数互质。

设：a、b、c三个数成连比，并是与它们有同样比值的数组中的最小的数组。

那么我说：a、b、c中任意两数的和与余

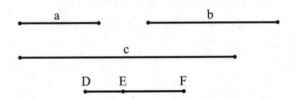

下的数互质，即a加b之和是c的互质数，b加c是a的互质数，a加c是b的互质数。

令：作DE和EF两数，使其为与a、b、c有同比值的最小数（命题VIII.2）。

那么：DE自乘得a，再乘以EF得b，又，EF自乘得c（命题VIII.2）。

那么因为：DE和EF是最小数，于是：它们是互质数。但是，如果两个数是互质数，那么它们的和也是每个数的互质数，于是：DF是DE、EF的互质数（命题VII.22、VII.28）。

又，DE也是EF的互质数，所以：DF、DE是EF的互质数。

而，如果两个数与任意一数互质，那么它们的乘积也是该数的互质数，于是：DF和DE的乘积是EF的互质数。于是：FD和DE的乘积也是EF平方的互质数（命题VII.24、VII.25）。

但是，FD和DE的乘积是DE的平方加DE与EF的乘积的和，所以：DE的平方与DE、EF的乘积之和是EF平方的互质数（命题II.3）。

又，DE的平方是a，DE、EF的乘积是b，EF的平方是c。于是：a与b之和是c的互质数。

类似地，我们也能证明出b、c之和是a的互质数。

我再说：a与c之和也是b的互质数。

因为DF分别是DE、EF的互质数，于是：DE的平方也是DE、EF之积的互质数（命题VII.24、VII.25）。

又，DE、EF的平方之和加DE、EF乘积的两倍等于DF的平方，于是：DE、EF的平方之和加DE、EF乘积的两倍是DE、EF乘积

的互质数（命题II.4）。

于是：DE、EF的平方与DE、EF的乘积的二倍之和是DE、EF的乘积的互质数。

所以：DE、EF的平方是DE、EF乘积的互质数。

又，DE的平方是a，DE和EF的乘积是b，EF的平方是c。

所以：a、c的和是b的互质数。

所以：如果三个数成连比，且是与它们有同样比值的最小数组，那么其中任意两数的和与其余一数互质。

证完

牛顿的望远镜

在牛顿时代，以当时的技术水平来说，要制造出折射望远镜所需要的小曲面镜是非常困难的。牛顿的仪器最引人注意的地方是小巧。仪器愈小巧，在操作时就愈不容易震动。物体成像时，镜身震动往往造成物像框边晃动，以致影像不清楚。所以，物像能不能稳定而清晰，比把物体放大还要重要。图中的望远镜有一个球状的基座，然后以金属支架与镜身连接，如此一来，镜筒可以朝任何方向瞄准。

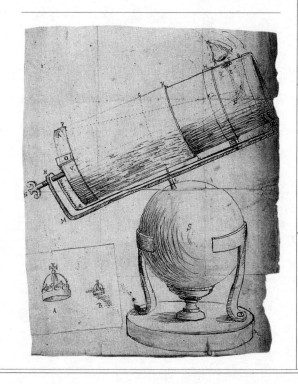

注 解

设a、b、c 是三个成连比的数，那么根据命题VIII.2，它们的排列是：

$a = d^2$，$b = de$，$c = e^2$，

这里d和e 是互质数，于是它们的和d＋e，与d 、e互质（命题VII.28）。

现在，因为d 、d＋e 与e互质，所以，它们的乘积$d^2 + de$ 也与e互质（命题VII.24），所以也与e^2 互质（命题VII.25）。于是，a＋b 与c互质。

同样，b＋c 与a互质。

又，因为d＋e 与d 、e皆是互质的，所以它的平方数$(d + e)^2$与乘积de 也是互质的（命题VII.24、VII.25）。即是$d^2 + e^2 + 2de$ 与de互质。减去2de 可以推断$d^2 + e^2$ 与de是互质的。于是b 与a＋c是互质的。

命题IX.16

如果两个数是互质数，第一个数比第二个数不等于第二个与任何另外的数相比。

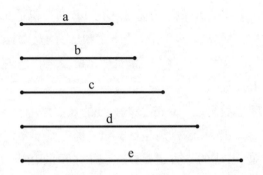

设：两个数a和b是互质数。

那么我说：a比b不等于b比任何另外的数。

假如可能，a比b等于b比c。

那么因为：a和b互质，互质的数也是最小数，且最小的数测尽与它们有相同比值的数的次数相等，前项测尽前项且后项测尽后项（命题VII.21、VII.20）。

所以，a测尽b。

又，它又测尽自身，于是：a测尽互质数a、b。这是荒谬的。

所以：a比b不等于b比c。

所以：如果两个数是互质数，第一个数比第二个数不等于第二个与任何另外的数相比。

证完

注 解

设：a和b是互质数，那么比率a：b是最小数对。假定比率等于b：c，那么比率a：b的前项a，可以除尽比率b：c的前项，即b。但是a 除不尽b，因为它们是互质数。

这一命题应用在命题IX.18中。

命题IX.17

如果有成连续比的数组，它们的两端互质，那么第一个比第二个不等于最后一个比任何另外一个数。

设：a、b、c、d是成连比的数，它们的两端a、d互质。

那么我说：a比b 不等于d比任何一个别

的数。

假设，a比b等于d比e，那么：由更比得，a比d等于b比e（命题VII.13）。

而，a和d是互质数，互质数是最小的数组，最小的数组测尽与它们有同比值的数组有相等的次数，前项测尽前项，后项测尽后项。于是：a测尽b。且a比b等于b比c，于是：b也测尽c。于是：a也测尽c（命题VII.21、VII.20）。

又因为：b比c等于c比d，而b测尽c，所以：c也测尽d。

而a测尽c，于是：a也测尽d。而它又自测尽，于是：a测尽质数a、d。这是不可能的。

所以：a比b不等于d比任何别的数。

所以：如果有成连续比的数组，且它们的两端互质，那么第一个比第二个不等于最后一个比任何另外一个数。

证完

注 解

这一命题归纳了前一命题，它说，在连比中最小数对不可能扩展。

假定一个连比有最小数对，第一项a与末项d互质，并有比率a：b。假设它能扩展到e，于是a：b = d：e。交替地，a：d = b：e。因为第一比率a：d是最小数对，所以a能除尽b。于是每个项能除尽跟进的项。因此a除尽d。但这是不可能的。因为a和d是互质数，所以连比不可能扩展。

命题IX.18

给定两个数，考察它们是否能求出第三个比例数。

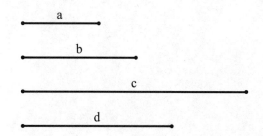

设：a和b是给定的两个数，现在要求的是考察找出第三个比例数是否可能。

因为：a和b要么是互质数，要么不是。如果它们是互质数，则找出它们中的第三个比例数是不可能的（命题IX.16）。

再令：a和b不是互质数，b自乘得c，那么：a要么测尽c，要么测不尽它。

首先，令a测尽c得d，于是：a乘以d得c。又，b自乘得c，于是：a和d的乘积等于b的平方。

于是：a比b等于b比d，于是：第三个比例数d在a、b之间被发现出来（命题VII.19）。

再，令a测不尽c。

那么我说：在a、b之间不可能找出第三个比例数。

假如可能，令d是那个第三比例数，那么：a和d的乘积等于b的平方，而b的平方是c，于是：a和d的乘积等于c。

于是：a乘以d得c。于是：a测尽c得d。

而根据假设，a测不尽c，这是荒谬的。

史蒂芬·霍金

史蒂芬·霍金（1942— ）是20世纪享有国际盛誉的伟人之一，被誉为继爱因斯坦之后世界上最著名的科学家、思想家和最杰出的理论物理学家。霍金所担任的职务是剑桥大学有史以来最为崇高的教授职务，那是牛顿和狄拉克担任过的卢卡逊数学教授。患卢伽雷氏症的霍金被禁锢于轮椅上达现在40之久，但他却超越了相对论、量子力学、大爆炸理论而迈入创造宇宙的"几何之舞"。尽管他无助地坐在轮椅上，他的思想却出色地遨游广袤的时空，解开了宇宙之谜。

所以：当a测不尽c时，数对a、b不可能找出第三个比例数。

注 解

第三个比例数d比a和b必然满足于a : b = b : d。于是d必满足于b^2/a。于是当第三个比例数a能除尽b^2时生成第三个比例。这一结论欧几里得在本命题中发现。

命题IX.19

给定三个数，考察它们是否能找到第四个成比例的数。

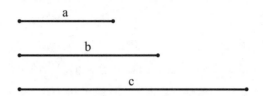

设：a、b、c是给定的三个数，现在要求考察是否能找到它们的第四个比例。

（这一命题的希腊原文已被损坏。）

注 解

第四个比例数d比a、b和c必然满足于a : b = c : d。于是d必将满足于bc/a。于是当a能除尽bc时生成第四个比例数。

命题IX.20

预先给定几个质数，那么有比它们更多的质数。

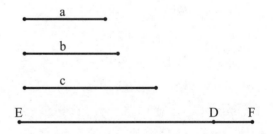

设：a、b、c是预先给定的质数。

那么我说：有比a、b、c更多的质数存在。

令：作最小数DE，使它被a、b、c所测尽，在DE上增加单位DF。

那么：EF要么是质数，要么不是。

首先，令其为质数。那么：质数a、b、c和EF被发现出来，多于质数a、b、c。

再令：EF不为质数。那么它被另外的质数所测尽，令其被g所测尽（命题VII.31）。

那么我说：g不等于a、b、c。

假设g等于a、b、c之一。

那么因为：a、b、c测尽DE，于是：g也测尽DE。而它也测尽EF。于是：g便是测尽其余值的数，即单位DF，这是荒谬的。

所以：g不等于a、b、c。且为质数，于是：质数a、b、c和g被发现出来，多于预先给定的质数a、b、c。

所以：预先给定几个质数，那么有比它们更多的质数。

证完

注 解

假定有一些有限的质数，设m是它们的最小公约数。

假设数m+1。它不能是质数，因为它大于所有质数。

所以它是质数，根据命题 VII.31，每个质数 g 能除尽它。但 g 不可能是任何质数，因为它们都能除尽m且不能除尽m+1。

所以，质数是有限的等导致矛盾；所以，质数是不可能有限的。

命题IX.21

偶数相加，其和也为偶数。

A ————— B ————— C ————————— D ——— E

设：众偶数为AB、BC、CD、DE，将它们加到一起。

那么我说：其和AE是偶数。

因为AB、BC、CD、DE中每一个都是偶数，那么：每个都可以被平分，所以：其和AE也可以被平分。而可以分成两个相等部分的数是偶数。所以：AE是偶数（定义VII.6）。

所以：偶数相加，其和也为偶数。

证完

注 解

从这一命题开始，欧几里得开始研

地球周长

亚历山大大学派的优秀代表厄拉多塞（约284—192年）是第一个测量地球周长的人，其所用方法之简单和测量结果之准确令人惊叹。在S点，夏至日中午的阳光直射地面，因为太阳此刻正位于天顶。在A点，一座方尖碑的影子说明太阳与天顶的角度为7°左右，即周长的1/50。这个角度代表了两处间的纬度之差，而两点间的丈量距离为180米。

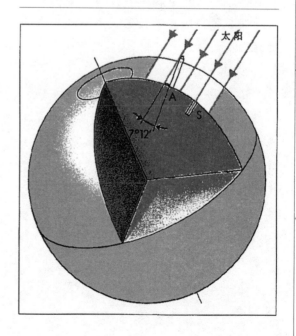

究偶数和奇数。从本命题开始直到命题IX.34结束。这些命题的陈述可能是《原本》最古老的部分，可以回溯到毕达哥拉斯时代。除了命题IX.31 以外，其余命题的证明不依赖于别的命题。命题IX.31 讨论质数，之所以插入这里是因为它涉及奇数。

这一命题的证明暗示数相加与顺序无关的原则，比如，a 和b 两个偶数相加，首先a 分成两个相等的部分a＝c＋c，b 也分成两个相等的部分b＝d＋d，所以：

$$a+b=(c+c)+(d+d)。$$

为了得到a＋b可以分成两个相等的部分，我们需要：

$$a+b=(c+d)+(c+d)。$$

这里，每一项有不同的顺序。但是顺序却不起作用。这是欧几里得的一个暗中假设。

现代数学处理相加数有两个方式，其一是交换性，顺序的任意交换不影响相加的结果：

$$a+b=b+a。$$

其二是联合性，联合性更为精妙，当处理a＋b＋c 三个数相加时，仍然存在选择哪两个数首先相加，你既可以选择a＋b得d，然后d＋c 得最后结果，也可以首先选择b＋c 得e，而后a＋e 得最后的结果。但结果相等。以下等式两边的括号可以移动：

$$(a+b)+c=a+(b+c)。$$

这一命题应用在下两个命题及命题IX.28中。

命题IX.22

奇数相加，如果它们的个数是偶数，那么其和为偶数。

A———B———C———————D——E

设：AB、BC、CD、DE是奇数，把它们加在一起。

那么我说：其和AE为偶数。

因为：AB、BC、CD、DE是奇数，如果从它们每个中减去一个单位，那么余下的每一个数是偶数。于是：它们的和是偶数。而单位的个数是偶数个，所以：其和AE也是偶数（定义VII.7、命题IX.21）。

所以：奇数相加，如果它们的个数是偶数，那么其和为偶数。

证完

注 解

这一命题的证明缺乏正确性。

本命题应用于下一命题中。

命题IX.23

奇数相加，如果它们的个数是奇数，那么其和也为奇数。

A———B———C———————D—E

设：把奇数AB、BC、CD相加，它们的个数是奇数。

那么我说：其和AD也是奇数。

令：从CD中减去单位DE，那么：差CE是偶数（定义VII.7）。

而，CA也是偶数，于是：和AE也是偶数（命题IX.22、IX.21）。

又，DE是单位，于是：AD是奇数（定义VII.7）。

所以：奇数相加，如果它们的个数是奇数，那么其和也为奇数。

证完

注 解
这一命题应用于命题IX.29和IX.30中。

命题IX.24
如果偶数减去偶数，那么差是偶数。

A ————————— C ——————— B

设：从偶数AB中减去偶数BC。

那么我说：差CA是偶数。

因为：AB是偶数，于是：它可以被平分。同理，BC也可以被平分为两个部分。于是：余值CA也可以被平分为两个部分，且CA是偶数（定义VII.6）。

所以：偶数减去偶数，那么差是偶数。

证完

注 解
这一命题应用于下五个关于比例的前四个命题中。

命题IX.25
如果从一个偶数中减去一个奇数，那么差是奇数。

A ————————— C ——————— D — B

设：从偶数AB中去奇数BC。

那么我说：差CA是奇数。

令：从BC中减去单位CD，于是：DB是偶数（定义VII.7）。

而，AB也是偶数，于是：差AD也是偶数。而CD是一个单位，于是：CA是奇数（命题IX.24、定义VII.7）。

所以：如果从一个偶数中减去一个奇数，那么差是奇数。

证完

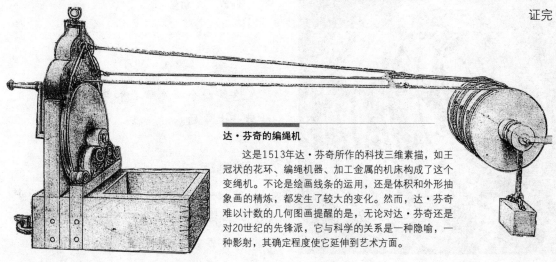

达·芬奇的编绳机

这是1513年达·芬奇所作的科技三维素描，如王冠状的花环、编绳机器、加工金属的机床构成了这个变绳机。不论是绘画线条的运用，还是体积和外形抽象画的精炼，都发生了较大的变化。然而，达·芬奇难以计数的几何图画提醒的是，无论对达·芬奇还是对20世纪的先锋派，它与科学的关系是一种隐喻，一种影射，其确定程度使它延伸到艺术方面。

注 解

这一命题是第二个研究偶数和奇数相互相减的命题（共四个）。

命题IX.26

如果奇数减去一个奇数，那么，差是偶数。

A ——————— C ——— D — B

设：从奇数AB中减去一个奇数BC。

那么我说：差CA是偶数。

因为：AB是奇数，减去单位BD，那么：差AD是偶数。同理，CD也是偶数，于是：差CA也是偶数（定义VII.7、命题

无 穷

这是一幅表现生命生长和消亡过程的图，我们可以看到图中所用的螺线有所不同。它们分布在一个球面上，从中可以看出埃舍尔的思想总是不满足于停留在平面上，他总想使它拓展到空间。旋涡的中心各在遥远的两极，无穷小的鱼从一极逐渐张大，然后又逐渐在另一极缩小到无穷小，可以认为，这其实反映了"无穷"的思想。

IX.24）。

所以：如果从奇数中减去一个奇数，那么，差是偶数。

证完

注 解

这一命题应用在命题IX.29中。

命题IX.27

如果从奇数中减去一个偶数，那么差是奇数。

A — D ——————— C ——————— B

设：从奇数AB中减去偶数BC。

那么我说：差CA是奇数。

令：减去单位AD，于是：DB是偶数（定义VII.7）。

又，BC也是偶数。

于是：余值CD是偶数，于是：CA是奇数（命题IX.24，定义VII.7）。

所以：如果从一个奇数中减去一个偶数，那么差是奇数。

证完

注 解

这是四个研究偶数和奇数相互相减的最后一道命题。

命题IX.28

如果一个奇数与一个偶数相乘，那么其乘积是偶数。

设：奇数a与偶数b相乘得c。

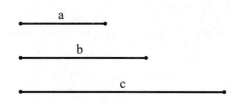

那么我说：c是偶数。

因为：a乘以b得c，于是：在a中有多少个单位，c也就由多少个等于b的数相加而成（定义VII.15）。而b是偶数，于是：c是偶数之和。

而，如果偶数相加，和也是偶数，于是：c是偶数（命题IX.21）。

所以：如果一个奇数与一个偶数相乘，那么其乘积是偶数。

证完

注 解

一命题是研究偶数和奇数相乘的两道命题的第一个，第三道命题，两个偶数的乘积被遗漏。

在这一定理的证明中，假定a是奇数是没有用的。这一命题或许该这样陈述：任意一数乘以偶数，其乘积是偶数。

这一命题应用在命题IX.31中。

命题IX.29

如果一个奇数与另一个奇数相乘，那么其乘积是奇数。

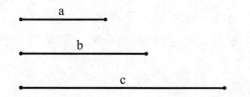

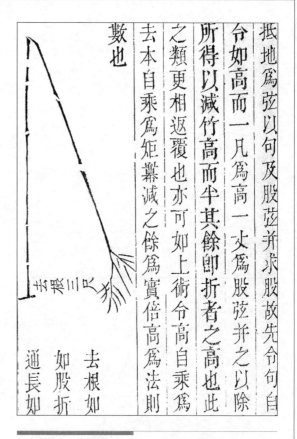

《九章算术》中的破竹问题

《九章算术》的每个问题由陈述、数值答案及解题方法三个部分组成。其大部分问题来自于现实生活，如土地分割、财物分配、大型建筑物的营作等。图为《九章算术》中的"破竹问题"。该问题中得到的直角三角形被用于包括毕达哥拉斯定理等许多问题中。

设：奇数a乘以奇数b得c。

那么我说：c是奇数。

因为：a乘以b得c，那么：a中有多少个单位，c就由多少个等于b的数相加而成。又，a、b的每一个皆为奇数，那么：c是由奇数相加而成的，其相加的个数也是奇数。于是：c是奇数（定义VII.15、命题IX.23）。

所以，如果一个奇数与另一个奇数相乘，那么其乘积是奇数。

证完

注 解

完成这一命题，偶数和奇数的加、减、乘的研究也完成了。尚余下几个关于偶数和奇数的命题。

命题IX.30

如果一个奇数测尽另一个偶数，那么它也测尽它的一半。

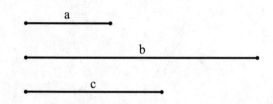

设：奇数a测尽偶数b。

那么我说：它也测尽b的一半。

因为：a测尽b，设a测尽b得c。

那么我说：c不是奇数。

假设可能。设c是奇数。那么，因为：a测尽b得c，于是：a乘以c得b。于是：b是由奇数相加而成的，且其相加的个数为奇数。

所以：b是奇数，这是荒谬的，因为已经假设它是偶数。所以：c不是奇数，c是偶数（命题IX.23）。

所以：a测尽b为偶数次数。同理，它也测尽它的一半。

所以：如果一个奇数测尽另一个偶数，那么它也测尽它的一半。

证完

注 解

这一命题应用在下一命题中。

命题IX.31

如果一个奇数与某数互质，那么该数也与某数的两倍互质。

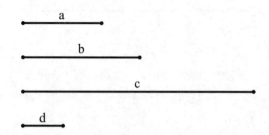

设：奇数a与数b互质，c为b的两倍。

那么我说：a与c也互质。

假设，它们不是互质数，那么：某个数测尽它们。

令：数d测尽它们。

因为：a是奇数，于是：d也是奇数。又因为：奇数d测尽c，而c是偶数，于是：d也测尽c的一半（命题IX.28、IX.30）。

而，b是c的一半，于是：d测尽b。而它也测尽a。于是：d测尽互质数a和b。这是不可能的。

所以：a不能不与c互质。所以：a和c是互质数。

所以：如果一个奇数与某数互质，那么该数也与某数的两倍互质。

证完

注 解

这一命题可以归纳为"如果两个数与任意一个数互质，那么它们的乘积与它也互质"。这是VII.24的命题。

命题IX.32

从2开始连续两倍起来的数列，它们中的每一个，只能是偶倍偶数。

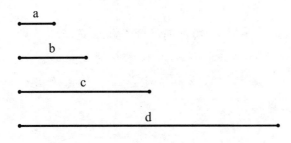

设：b、c、d是从a为2开始连续两倍起来的数列。

那么我说：b、c、d只能是偶数的偶倍数。

因为：b、c、d的每一个是偶倍偶数，因为每个是从2开始的两倍数。

那么我说：它也只能是偶数的偶倍数。

设一个单位。那么因为：从单位开始成连续比例的数，且数a是紧接单位后的质数，那么：d是a、b、c、d的最大数，它就不会被除了a、b、c以外的任何数所测尽。而a、b、c中的每个数皆为偶数，于是：d只能是偶倍偶数（命题IX.13、命题VII.8）。

类似地，我们也能证明出b和c也是偶数的偶倍数。

所以：从2开始连续两倍起来的数列，它们中的每一个，只能是偶倍偶数。

证完

注 解

偶数的偶倍数只能是2的乘积：4、8、16、32等等。

这一命题的替代证法用了命题IX.30，只是步骤更简洁。

命题IX.33

如果一个数的一半是奇数，那么它只能是偶倍奇数。

设：a的一半是奇数。

（此处为一条线段，标注为 a）

微积分的第一本著作

在《自然哲学的数学原理》的题为"量的初始比和最终比的方法"中，牛顿给出了微积分和积分的几何说明。作为微积分的第一本著作，牛顿通过几何证明直接给出了一般结果而没有经过严格的代数证明。牛顿并不是第一个研究微积分的人，但他却是第一个确立了微积分坚实框架的人。在这一体系下，微分与积分是可逆转的，而且他利用无穷级数扩展了可处理函数的范围。图为《自然哲学的数学原理》卷1，命题1，定理1。该定理表示了从某一固定点出发的向心力影响下的质点轨迹。牛顿证明了这样的质点所扫过的面积与质点花费的时间成正比，从而推广了开普勒的第二定律。

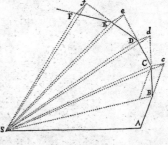

那么我说：a仅是偶倍奇数。

很明显，它是偶倍奇数，因为它的一半是奇数，此奇数测尽原数是一个偶次数（定义VII.9）。

我进一步说：它只能是奇数的偶数倍。

如果它也是偶倍偶数，那么它被一个偶数所测尽，并得到一个偶数。于是：它的一半也被一个偶数所测尽。然而它是奇数，这是荒谬的（定义VII.8）。

所以：a是偶倍奇数。

培根的研究

作为一位中世纪的哲学家和科学家，这幅玻璃镶嵌画将有"奇博士"之称的罗杰·培根（约1220—1292年）所研究的对象基本全部包罗进来了。它们有天象、闪电、炼金术、火药、显微镜等等。培根长期在牛津大学从事科学研究，他对实验科学的看法已很接近近代的见解。一直以来，培根都被教会作为"异端"而遭长期监视和监禁。

所以：如果一个数的一半是奇数，那么它只能是偶倍奇数。

证完

注 解

说一个数是偶倍奇数仅仅是指它是奇数的偶倍数，而不是偶数的偶倍数。这一命题可以这样陈述：这类数是奇数的两倍。

命题IX.34

如果一个数既不是从2开始的连续两倍起来的数，它的一半也不是奇数，那么它是偶倍偶数，也是偶倍奇数。

$$a$$

设：偶数a既不是从2开始的偶倍数，它的一半也不是奇数。

那么我说：a既是偶倍偶数，也是偶倍奇数。

因为：显然，a是偶数的偶倍数，因为它的一半不是奇数（定义VII.8）。

我进一步说：它也是奇数的偶倍数。

如果我们平分a，再平分它的一半，继续这样做下去，我们将得到某些奇数，它测尽a，并得到一个偶数。如果不是这样，我们将得到2，而a将是从2开始的两倍数。这与假设是矛盾的。

所以：a是偶倍奇数。

而我们已经证明，它是偶倍偶数。所以：a既是偶数的偶倍数也是偶倍奇数。

所以：如果一个数既不是从2开始的连

续两倍起来的数，它的一半也不是奇数，那么它是偶倍偶数，也是偶倍奇数。

证完

命题IX.35

如果众数成连比，从第二个和最后一个中减去等于第一个的数，那么从第二个数得的差比第一个数等于从最后一个数得的差比最后一个数以前各项之和。

达朗贝尔

法国著名的物理学家、数学家和天文学家达朗贝尔（1717—1783年）一生研究了大量课题，完成了涉及多个科学领域的论文和专著，其中最著名的是八卷巨著《数学手册》。数学是达朗贝尔研究的主要课题，他是数学分析、三角级数理论、流体力学的主要开拓者。另外，达朗贝尔在复数的性质、概率论、力学、天文学等方面都有所研究，达朗贝尔为推动数学的发展做出了重要的贡献。

设：a、BC、d、EF是从最小数a开始的成连比的数列，从BC、EF中减去等于a的数BG、FH。

那么我说：GC比a等于EH比a、BC、d之和。

令：作FK等于BC，FL等于d。

那么因为FK等于BC，其中FH等于BG，于是：差HK等于GC。

又因为：EF比d等于d比BC，再等于BC比a，同时d等于FL，BC等于FK，而a等于FH，于是：EF比FL等于LF比FK，再等于FK比FH。由分比得，EL比LF等于LK比FK，再等于KH比FH（命题VII.11、VII.13）。

因为：前项之一比后项之一等于前项之和比后项之和，所以：KH比FH等于EL、LK、KH之和比LF、FK、HF之和（命题VII.12）。

又，KH等于CG，FH等于a，又，LF、FK、HF之和等于d、BC、a之和，所以：CG比a等于EH比d、BC、a之和。

所以：从第二个数得到的差比第一个数等于从最后一个数得到的差比最后一个数以前各数之和。

所以：如果众数成连比，从第二个和最后一个中减去等于第一个的数，那么从第二个数得的差比第一个数等于从最后一个数得的差比最后一个数以前各项之和。

证完

注 解

这一命题说，如果一个序列数a_1、a_2、a_3、$\cdots$、a_n、a_{n+1}成比例：

$$a_1 : a_2 = a_2 : a_3 = \cdots = a_n : a_{n+1}$$

那么：

$$(a_2 - a_1) : a_1 = (a_{n+1} - a_1) : (a_1 + a_2 + \cdots + a_n)。$$

这一结论给出了处理多项式相加的方法，如下的命题如：

$$a_1 + a_2 + \cdots + a_n = a_1 \frac{a_{n+1} - a_1}{a_2 - a_1}$$

如果我们用a 表示第一项，用r表示比率，那么这也给出了一个常见的公式：

$$a + a_r + a_r^2 + \cdots + a_r^{n-1} = a\,\frac{r^n - 1}{r - 1}$$

这一证明解释为代数概念为：

$a = a_1$ $BG = FH = a_1$，

$BC = a_2$ $GC = a_2 - a_1$，

$\cdots\cdots$ $EH = a^{n+1} - a_1\, a_2 : a_1。$

$d = a_n$，

$EF = a_{n+1}。$

对于每一个命题来说，首先：

$$a_{n+1} : a_n = a_n : a_{n-1}，$$

根据命题VII.11分别可得：

$$(a_{n+1} - a_n) : (a_n - a_{n-1}) = a_n : a_{n-1}，$$

那么由更比：

$$(a_{n+1} - a_n) : a_n = (a_n - a_{n-1}) : a_{n-1}。$$

于是得出结论：

$$(a_{n+1} - a_n) : a_n = (a_n - a_{n-1}) : a_{n-1} = \cdots = (a_2 - a_1) : a_1。$$

又据命题VII.12，前项之和比后项之和比率相等，所以：

$$(a_{n+1} - a_n + a_n - a_{n-1} + \cdots + a_2 - a_1) :$$
$$(a_n + a_{n-1} + \cdots + a_2 + a_1) = (a_2 - a_1) : a_1。$$

而 $a_{n+1} - a_n + a_n - a_{n-1} + \cdots + a_2 - a_1 = a_{n+1} - a_1$。

于是得出：

$$(a_{n+1} - a_1) : (a_n + a_{n-1} + \cdots + a_2 + a_1) = (a_2 - a_1) : a_1。$$

这一命题应用在下一命题中。

命题IX.36

如果从单位开始的几个数成续两倍比，且所有数的和形成质数，又，其和与最后一个数相乘得到某个数，那么，该乘积是个完全数。

设：a、b、c、d是一个比值为2的连比，所有数的和是质数，e为其和，e乘以d得FG。

那么我说：FG是完全数。

因为：无论a、b、c、d有多少个，那么：就设同样多个数e、HK、l、m。

于是：由首末比得，a比d等于e比m。于是：e、d的乘积等于a、m的乘积。而e和d的乘积是FG，于是：a、m的乘积是FG（命题于是：a乘以m得FG，于是：根据a中的单位数，m测尽FG。而a是2，所以：FG是m的两倍。

而m、1、HK、e是连续比值为2的数，于是：e、HK、1、m、FG是两倍比例的连比数。

令：从HK和最后一个数FG中减去等于第一个e的数HN和FO，那么：第二个的差数比第一个数等于最后一个差数比它之前的数之和。所以：NK比e等于OG比m、1、KH、e之和（命题IX.35）。

又，NK等于e，于是：OG也等于m、1、HK、e之和。而FO也等于e，且e等于a、b、c、d与单位之和，所以，FG等于e、HK、1、m与a、b、c、d以及单位之和。且被它们所测尽。

我进一步说：FG不被除了a、b、c、d、e、HK、1、m和单位以外的任何数所测尽。

假定可能，令某个数p测尽FG，且p不等于a、b、c、d、e、HK、1、m中的任何数。

设p测尽 FG的次数等于在q中的单位数，于是：q乘以p得FG。

而e乘以d得FG，于是：e比q等于p比d（命题VII.19）。

又因为：a、b、c、d是从单位开始的连续比例数，那么：d不能被除了a、b、c以外的任何数所测尽（命题IX.13）。

又，假设，p不等于a、b、c，那么p测不尽d。而p比d等于e比q，于是：e也测不尽q（定义VII.20）。

又，e是质数，而任意质数与它测不尽的数是互质数。所以：e与q是互质数（定义VII.29）。

又，互质数也是最小数组，而最小数组测尽与它们有相等比值的数组的次数相等，前项测尽前项，后项测尽后项，而e比q等于p比d，所以：e测尽p的次数等于q测尽d的次数（命题VII.21、VII.20）。

又，d不被除了a、b、c以外的任何数所测尽，所以：q等于a、b、c中的一个，令其

希罗喷泉

亚历山大的希罗的作品包括几何学、光学和机械学，他还是机械学的创始人。在《机械学》一书中，他描述了好几种简单的机器，还有几种巧妙的装置。比如图中简要表现的喷泉：A缸中的水通过吸管a流入球B，并压缩里面的空气，又通过吸管b进入球C并压缩里面的空气，压缩空气通过管g将水压出A缸，形成喷泉。

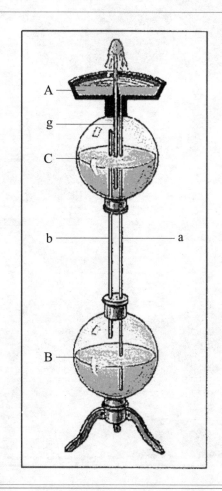

与b相同。

而，无论b、c、d有多少个数，设e、HK、l与它个数相等。

又，因为：e、HK、l与b、c、d有相等的比值，于是，由首末比得，b比d等于e比l（命题VII.14）。

所以：b与l的乘积等于d与e的乘积。而d与e的乘积等于q与p的乘积，所以：q与p的乘积也等于b与l的乘积（命题VII.19）。

所以：q比b等于l比p。而q等于b，所以：l也等于p。这是不可能的。因为p已假设

为不等于被设定的任何数（命题VII.19）。

所以：除了a、b、c、d、e、HK、l、m和单位外，任何数都不可能测尽FG。

又，FG已经被证明等于a、b、c、d、e、HK、l、m和单位之和，一个完全数是等于它自己的所有部分的和。所以：FG是完全数（定义VII.22）。

所以：如果从单位开始的几个数成连续两倍比，且所有数的和形成质数，又，其和与最后一个数相乘得到某个数，那么，该乘积是个完全数。

证完

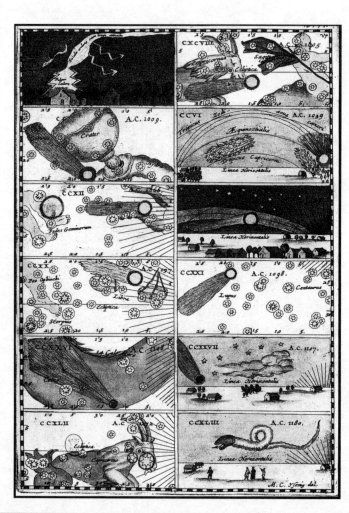

注 解

假定从1开始的2的多次幂之和是一个质数，设p是2的乘积数，s是它们的和，s为质数。

$$s = 1 + 2 + 2^2 + \cdots + 2^{p-1}。$$

2的最后乘积是2^{p-1}，因为其和是从1开始的，它是2^0。

在欧几里得的证明中，a代表2，b代表2^2，c代表2^3，而d被假定为2的最后乘积，于是，它代表2^{p-1}。又，e代表它们的和s，FG是e和d的乘积。所以

彗星种种

彗星是绕太阳运行的一种天体，形状特别，远离太阳时，为发光的云雾状小斑点；接近太阳时，由彗核、彗发和彗尾组成。彗核由比较密集的固体块和质点组成，其周围的云雾状光辉叫做"彗发"。彗核和彗发总称"彗头"。彗头外围有氢原子云，范围达一百零七公里。彗星体积非常庞大，彗尾长达数千万甚至上亿公里。彗星的轨道多数是双曲线和抛物线，肉眼能看见的彗星很少。目前最早观测彗星的记录是公元前11世纪的中国。

它代表 $s2^{p-1}$，我们用n来表示：

$n = s2^{p-1}$。

目标是证明n是一个完全数。

在证明的第一步，欧几里得发现每个n的约数可以加到n，这就出现两个序列：

$1, 2, 2^2, \cdots, 2^{p-1}$ 和 $s, 2s, 2^2s, \cdots, 2^{n-2}s$。

在他的证明中，后者表示为e、HK、l和最后的m。

很明显，它们的每一个皆是 n 的约数，其后欧几里得证明它们是 n 的唯一约数。用前面的命题 IX.35，欧几里得发现连比之和 $s + 2s + 22s + \cdots + 2n\text{-}2s$，是 $2n\text{-}1s - s$。而 s 是 $1 + 2 + 22 + \cdots + 2p\text{-}1$ 之和，因此：

$n = 2^{n-1}s = 1 + 2 + 2^2 + \cdots + 2^{p-1} + s + 2s + 2^2s + \cdots + 2^{n-2}s$。

于是，n是约数之和。

现在，余下的仅是证明它们是n的唯一约数，如果n是它的全部约数之和，那么它是完全数。

接下来的证明有些困难，依靠命题 IX.13，这一命题暗示了 2^{p-1} 的唯一因子是 2 的乘积，所以 2^{p-1} 的所有因子被找到。这里是否为欧几里得的原版本，还存在着疑问。假定n个因子如ab，a不是如上所述的n的约数。在欧几里得的证明中，p代表a，q代表b。

因为a 除尽 $s\ 2^{p-1}$，但除不尽2的乘积，s是质数，所以s除尽a。于是b必然是2的乘积。而a必然是2的乘积乘以s。而所有的2的乘积乘以s 是上述的约数。所以，上述序列包含所有约数。

第十卷　无理量

　　公元前500年，古希腊毕达哥拉斯学派的弟子希勃索斯发现一个惊人的事实：一个正方形的对角线与其一边的长度是不可公约的，比如，若正方形边长是1，则对角线的长度不是一个有理数。这一不可公约性与毕达哥拉斯学派"万物皆为数"（指有理数）的哲理大相径庭，以至于引起了该学派领导者的惊恐和恼怒。希勃索斯也因此遭到百般折磨，终被沉舟身亡。不可公约的本质是什么，长期以来众说纷纭。15世纪，意大利达·芬奇称之为"无理的数"。

　　本卷讨论无理量，即不可公约的线段。这是很难读懂的一卷。

几何抽象

　　蒙德里安的作品主要是几何符号式的绘画风格，他在平面上把横线和竖线结合起来，形成直角或长方形，并在其中加入红黄蓝三原色。他的艺术被称之为"冷抽象艺术""几何抽象艺术"。

本卷提要

※定义X.1，可公约量的定义。

※命题X.1，竭尽性原则。

※命题X.2，一个不可公约量的描述。

※命题X.9，正方形可公约与长度可公约的性质与关系问题。

※命题X.12，公约性的传递。

勾股圆方图

勾股各自乘，并而开除之，这是勾股定理在中国的最早记载。最早提出勾股定理的是公元前六七世纪一个叫陈子的人，他大约和毕达哥拉斯同时代或更早。当时陈子认为地是平的，他从太阳向地平面作垂线，垂足叫做日下点，太阳、日下点、观测点三者构成一个直角三角形。从观测点到日下为勾，日下点至太阳的距离为股，勾、股各自乘，相加后开方，就可得到观测点到太阳的距离。后赵君卿在《周髀》一书中给予了定理的证明。图中就是赵君卿《勾股圆方图》的注。

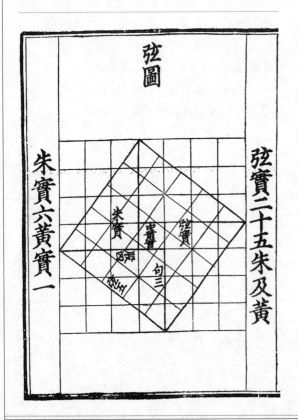

※命题X.29引理1，找出两个平方数，它们的和也是个平方数。

定义（一）

定义X.1 能被同一量测尽的量称可公约量，而不能被同一量测尽的量称为不可公约量。

定义X.2 当一些以线段为边的正方形能被同一个面测尽时，这些线段被称为正方可公约。当一些线段上的正方形不能被同一面测尽时，这些线段被称为正方不可公约。

定义X.3 由以上定义可证，给定一条线段，那么该线段的直线分别存在无穷个可公约线与不可公约线，一些是其长不可公约，一些是其正方不可公约。给定的线段被称为有理线段。凡可公约线段，无论是长可公约还是正方可公约都称为有理线段；不可以公约的称为无理线段。

定义X.4 给定线段上的正方形称为有理的。可公约此面积的称为有理的；不可公约的称为无理的；凡构成无理面的线段称为无理线段，即其面为正方形时指的是它们的边，当面为其他直线图形时，则指其与其面相等的正方形的边。

注 解

定义X.1

两个同类量a和b，如果有另一个同类量c同时是二者的倍数，那么两个量是可公约的。这即是说，有数字m和n，该二数呈nc = a，mc = b。参考定义V.5关于相等比例的定义（同时也是命题）。如果两个量不可公约，那么它们被称为不可公约数。

命题X.2到X.8以及其后的其他几个命题处理可公约量和不可公约量。特别在命题X.5和X.6中，陈述了如果两个量的比率是两个数的比率，那么这两个量是可公约的。举例说，如果nc = a，mc = b，那么量的比率a：b同于数之比即m：n。反之，如果a：b = m：n，那么a的一部分1/n^{th}等于b的一部分1/m^{th}。

数的比率在现代数学中称为有理数，同时另一种比率称为无理数。不幸的是，欧几里得在定义3中定义"有理的"和"无理的"不同于现代数学。

定义X.2

注意这一定义仅仅适用于线段，即是说仅线段方可说成是"正方可公约"的，当然，可公约线段也是正方可公约的，但正方可公约的线却不就是可公约的线。换个词语说是"仅正方可公约"。这一现象的著名例子是正方形的边a和对角线b。它们是正方可公约的，因为b上的正方形是a上的正方形的两倍（根据命题I.47），但它们是不可公约的线段。用现代术语表述，我们说2的平方根不是有理数。

定义X.3

这一定义的证明在命题X.10中涉及到，这一命题涉及仅正方可公约且正方不可公约的线段。

欧几里得使用"有理"和"无理"这个词不同于现代数学，也不同于他之前

ELÉMENS
DE LA
PHILOSOPHIE
DE NEUTON,
Mis à la portée de tout le monde.
Par MR. DE VOLTAIRE.

A AMSTERDAM,
Chez ETIENNE LEDET & Compagnie.
M. DCC. XXXVIII.

拉格朗日的《分析力学》

18世纪的数学家们创立的分析力学的最终成就是拉格朗日方程。拉格朗日的分析力学是由分析的方法推出包括固体力学和流体力学在内的所有力学。他发明的变分法正是分析力学的重要工具。1788年，《分析力学》正式出版，拉格朗日在书中提出了著名的拉格朗日方程。由虚功原理和达朗贝尔原理可以得到所谓的"力学普遍方程"。在此基础上，拉格朗日进一步引进了广义坐标、广义速度和广义力，将力学普遍方程改造成适用于几乎一切力学系统的拉格朗日方程。

和之后的数学家。其词义分别等于"可公约"和"不可公约"两个词。但是当应用在线段中时欧几里得又使它们等于正方可公约和正方不可公约。首先，一条线段被选择为一个标准，于是，如果它是正方可公约的，另一条线段被称为有理线，相反则是无理的。于是，在一

条标准线段上的正方形的对角线是有理的，即使它与标准线不可公约，因为它与它是正方可公约的。

定义X.4

虽然欧几里得在线段上使用不寻常的"有理线段"说法，但在处理面时，却使用通常方法。根据欧几里得的说法，如果一个面与一个标准的正方形可公约，那么这个面是有理面，反之则是无理面。

命题X.1

在两个不等量中，从较大的量中减去一个大于它的一半的量，再从余量中减去大于该余量一半的量，依次减下去，那么必得到一个余量，其值小于较小的量。

设：AB和c是两个不等量，AB较大。

那么我说：从AB中减去大于自己一半的量，再从其余量中减去大于余量一半的量，依次减下去，那么最后将得到一个余量小于c。

因为c的若干倍总可以大于AB（参考定义V.4）。

设DE是c的若干倍。

将DE分成等于c的部分DF、FG、GE。从AB中减去BH，BH大于它的一半，再从AH减去大于自己的一半的HK，依次减下去，直至分AB的个数等于分DE的个数。

然后，被分得的AK、KH、HB的个数等于DF、FG、GE的个数。

那么因为：DE大于AB，又从DE中减去小于它一半的EG，再从AB中减去大于它一半的BH，于是：其余值GD大于余值HA。

又因为GD大于HA，从GD中减去它的一半GF，再从HA中减去大于它的一半HK，于是余值DF大于余值AK。

又，DF等于c，于是：AK小于c。

所以：量AB的余量AK小于原来较小的量c。

所以：在两个不等量中，从较大的量中减去一个大于它的一半的量，再从余量中减去大于该余量一半的量，依次减下去，那么必得到一个余量，其值小于较小的量。

类似地可以证明，如果从大量中累减所余之半，命题也成立。

证完

注 解

证明从两个量c和AB开始，声明c中的某个量大于AB。定义V.4对于这一陈述并未定义。欧几里得在命题III.16中证明一个弓形角小于任何直线角，且认为如果量c是一个弓形角，量AB是一个直线角，那么，没有c的量大于AB。但是，他没有限定这一命题仅仅为某些特殊类型的量。

这一命题是卷XII穷举法的基础。并未用在卷X中的其余命题之中，其实，放在卷XII的开始部分更为合适。这一方法应用在涉及圆的面和立体的体积的命题中。特别应用在命题XII.2、XII.5、XII.10、XII.11、XII.12和XII.16中。

命题X.2

如果从两个不等量中连续大量减小量，直到余量小于小量，再从小量中减去余量，直到小于余量，依次下去，当所余的量不能测尽它前面的量时，则该二量不可公约。

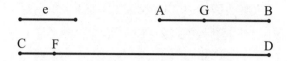

设：有两个不等量为AB、CD，AB较小，连续从较大的量中减去较小的量，直到余量小于小量，再从小量中减去余量，直到小于余量，依次下去，直到所余的量不能测尽它前面的量。

那么我说：AB和CD是不可公约量。

假定它们是可公约的，那么就有某个量可以测尽它们，令其为e。

令：AB测尽FD，余CF，并小于AB；CF测尽BG，余AG，小于CF；依次下去，直到其余量小于e。

假设这已作出，余量AG小于e。

那么因为：e测尽AB，同时AB测尽DF，于是：e也测尽FD，而它也测尽整个CD，于是：e也测尽CF。而CF测尽BG，于是：e也测尽BG。

但它也测尽整个AB，于是：它也测尽余量AG。则大测尽小。这是不可能的。

所以：没有量可以测量AB和CD。所以：量AB和CD是不可公约的（定义X.1）。

所以：如果从两个不等量中连续大量减小量，直到余量小于小量，再从小量中减去余量，直到小于余量，依次下去，当所余的量不能测尽它前面的量时，则该二量不可公约。

证完

注解

欧几里得运算法，首先应用在命题VII.1中，在本命题中再次应用。从大量中反减小量。命题VII.1涉及互质数。它相似于这一命题，但它的结论是不同的。

下面是一个不可公约量的例子。

设：在命题IV.10中，有36° – 72° – 72°的三角形ABC。这个三角形应用在下一命题IV.11中以建正五边形。当边AC减去底边BC，余量是相似三角形BCD的底边CD。同样，当新三角形的底边CD从它

宇宙中的螺旋

目前人类所认识的宇宙是物质在三维空间和一维时间中有秩序运动的事物。宇宙的本质可以用螺旋纹加以形象地表现出来。综观自然宇宙，螺旋构造最能表现出时间、空间和物质所包含的内在哲理。无论是自然的物质哲理还是人间的精神哲理，人类认识的世界都像螺旋构造所显示的那样存在着循环规律、对补性质和变异法则。

的边BD中减除，其余量DE也是另一个较小的相似三角形CDE的边。

于是：当我们从AB和BC开始的线，形成无限序列的连续比：

AB：BC = BC：CD = CD：DE = DE：EF = …

所以：根据这一命题，AB和BC两个量是不可公约的。

在C点切分线段AB，使AB：BC成定义VI.3中的比率，分AB成中外比。现代数学把这一比率叫做"黄金比率"。

这一命题应用在下一命题中。

命题X.3

给定两个可公约量，可以找到它们的最大公约量。

设：给定的两个可公约量为AB、CD，AB较小。

现在要求的是，找出AB和CD的最大公约量。

AB要么测尽CD，要么不。

如果AB测尽CD，且测尽它自己，那么AB就是AB和CD的公约量，这也表明，它是最大的，因为一个比AB更大的量不能测尽AB。

再令AB测不尽CD。

因为，如果连续从大量中减去小量直到余量小于小量，再从小量中连续减去余量直

到小于余量，这样一直下去，则总有一个余量测尽它前面的一个。因为AB和CD是不可公约量（命题X.2）。

令：AB测尽CD，余下EC小于AB；EC测尽AB，余下AF小于CE；AF测尽CE。

那么因为：AF测尽CE，同时CE测尽FB，于是：AF也测尽FB。而它也测尽它自己。于是：AF也测尽整个AB。而AB测尽DE，于是：AF也测尽DE，而它也测尽CE，于是它也测尽整个CD。

所以：AF是AB和CD的公约量。

我进一步说：它也是最大的。

如果不是，那么总有一个量大于AF，并可以测尽AB和CD，设其为g。那么因为g测尽AB，同时AB测尽ED，于是：g也测尽ED。

而它也测尽整个CD，于是：g测尽余量CE，而CE测尽FB，于是：g也测尽FB。

而它也测尽整个AB，于是：它测尽余量AF，于是：大测尽小，这是不可能的。

所以：没有量大于AF，并可以测尽AB、CD。

所以：AF是AB和CD的最大公约量。

所以：我们求出了两个可公约量AB和CD的最大公约量。

证完

推 论

由此可得，如果一个量能测尽两个量，它也能测尽它们的最大公约量。

注 解

这一命题与命题VII.3相同，相同的

图，相同的推论，只是使用的术语略为不同。

这一命题和推论应用在下一个命题中。

命题X.4

给定三个可公约量，能找到它们的最大公约量。

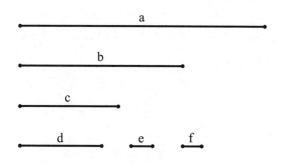

哥德巴赫

哥德巴赫（1690—1764年），德国数学家，主要从事微分方程和级数理论的研究。著名的"哥德巴赫猜想"就是由他提出。1742年6月7日，哥德巴赫给当时侨居俄国的数学家欧拉写了一封信，信中问道："是否任何不小于6的偶数均可表示为2个奇数之和？"这就是至今仍未被世人彻底解决的哥德巴赫猜想，数学家们简称为"1+1"命题。

设：a、b、c是三个给定的可以公约的量。

现在要求的是：找出a、b、c的最大公约量。

令：a、b的最大公约量为d（命题X.3）。

那么：d要么测尽c，要么不。

首先，令其测尽。

那么因为d测尽c，同时它也测尽a和b，于是：d是a、b、c的一个公约量。很显明，它也是最大的，因为，大于d的量不能测尽a和b。

再一步，令其测不尽c。

那么我说：首先，c和d是可公约量。

因为：a、b、c是可公约量，有某个量可以测尽它们，当然，它也能测尽a和b，于是：它也能测尽a和b的最大公约量，即d（命题X.3、推论）。

又，它也测尽c，于是：所述的量测尽c和d，于是：c和d是可公约量。

现在，设c、d最大公约量已经得到，设为e（命题X.3）。

因为：e测尽d，同时d测尽a和b，于是：e也测尽a和b，而它也测尽c，于是：e测尽a、b、c，于是：e是a、b、c的公约量。

我进一步说：它也是最大的。

因为，假如可能，令某个量f大于e，并测尽a、b、c。

那么因为：f测尽a、b、c，它也测尽a和b，于是：f也测尽a、b的最大的公约量（命题X.3、推论）。

而a、b、c的最大公约量是d，所以f测尽d。

而f也测尽c，所以：f测尽c和d。所以：f也测尽c和d的最大公约量。而那是e，所以：f测尽e，大测尽小，这是不可能的（命题X.3、推论）。

所以：没有量大于e，可以测尽a、b、c。所以：e是a、b、c的最大公约量，如果d测不尽c，则e是a、b、c的最大公约量；而d测尽c，那么d便是最大的公约量。

所以：给定三个可公约量，能找到它们的最大公约量。

证完

推 论

这一命题也显明，如果一个量测尽三个量，那么它也测尽它们的最大公约量。

注 解

这一命题同于命题VII.3。

命题X.5

两个可公约量的比同于一个数与另一个数的比。

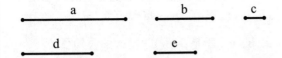

设：a和b是两个可公约量。

那么我说：a与b的比值是两个数的比值。

因为：a和b是可公约量，某个量c可以测尽它们。

令：c测尽a的次数等于在d中的单位数，且等于c测尽b的次数等于在e中的单位数。

因为：根据d中的单位数，c测尽a。同理，该单位也测尽d。于是：该单位测尽d的次数等于c测尽a的次数。

所以：c比a同于该单位比d，所以：由反比例，a比c同于d比该单位（定义VII.20、命题V.7及其推论）。

又因为：根据e中的单位数，c测尽b。同理，该单位也测尽e，所以：该单位测尽e的次数同于c测尽b的次数。所以：c比b同于该单位比e。

而已经证明，a比c同于d比该单位，所以：由首末比得，a比b同于数d比e（命题V.22）。

所以：可公约量a和b的相互比等于数d与e的相互比。

所以：两个可公约量的比同于一个数与另一个数的比。

证完

注 解

如果a = mc，b = nc，那么a：b = m：n。

这一命题用在X.8中，是兑换命题。下一命题是这一命题的逆命题。

命题X.6

如果两个量的比是两个数的比，那么该量是可公约量。

设：两个量a和b的比等于数d和e的比。

那么我说：量a和b是可公约量。

令：分a成若干相等部分，使其等于d中的单位数；c等于它们中的一个，f为若干个

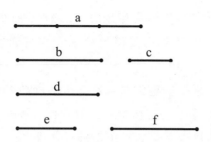

等于c的量，等于e中的单位量。

因为：在a中有若干个c，等于d中的单位数，所以：无论单位是d的怎样的一部分，那么c也是a的怎样的一部分。所以：c比a同于该单位比d（定义VII.20）。

而该单位测尽d，于是：c也测尽a。又因为c比a同于该单位比d，所以：由反比，a比c同于数d比该单位（命题V.7及其推论）。

又因为：在f中有若干量等于c同于e中的单位量，所以：c比f同于该单位比e（定义VII.20）。

而已经证明，a比c同于d比该单位，所以：由首末比得，a比f同于d比e（命题V.22）。

而d比e同于a比b，所以：a比b也等于a比f（命题V.11）。

所以：a比b与a比f的比值相等。所以：b等于f（命题V.9）。

而c测尽f，所以：c也测尽b。且也测尽a，所以：c测尽a和b。

所以：a与b可以公约。

所以：如果两个量的比是两个数的比，那么该量是可公约量。

证完

推 论

这一命题表明，如果有两个数如d、e和一条线段a，那么可以作一条线段f，使a比f同于d比e。

又：如果取a、f的比例中项b，那么a比f等于a上的正方形比b上的正方形，即第一线段比第三线段同于第一线段上的直线图形比第二条线段上与之相似的图形（命题V.19及

甲骨数学

距今5000年左右，人类历史上开始先后出现一些不同的书写记数方法，随之逐步形成较为成熟的记数系统，如古埃及公元前3400年左右的象形数字，公元前2400年古巴比伦的楔形数字。公元前500年左右，人类关于书写记数的方法已经发展得相当完善。图为中国商代的甲骨文，它使用了十进乘法累数制记数。十进乘法累数制是对人类文明的特殊贡献。

其推论）。

又：a比f同于d比e，于是：d比e等于在a上的直线图形比在b上的直线图形。

证完

注 解

如果a：b＝m：n，那么，假定c等于a/m，可以推出 a＝mc 及 b＝nc。

这一命题假定量是可分的。然而并不是所有的量都是可分的。比如一个60°的角，按照欧几里得的分法，就不能被三等分。

这一命题从本卷的下一个命题开始频繁使用。也用在命题XIII.6中。推论也频繁使用在本卷从X.10开始的命题中。

命题X.7

不可公约量的比不同于两个数的比。

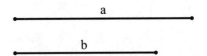

设：a和b是不可公约量。

那么我说：a比b不同于两个数的比。

如果a比b同于两个数的比，那么a与b是可公约量（命题X.6）。

而它们不是，所以：a比b不同于两个数的比。

所以：不可公约量的比不同于两个数的比。

证完

注 解

这一命题是上一命题的对换命题。应用在命题X.11中。

命题X.8

如果两个量的比不等于两个数的比，那么该量是不可公约量。

设：a和b两个量的比不同于两个数的比。

花剌子米《代数学》

"代数学"一词来自阿拉伯数学家花剌子米著作的书名。《代数学》全名是《还原与对消计算概要》。代数学是算术的发展，它的特点是引进了未知数，并对未知数加以运算，根据问题的条件列出方程，然后解方程求出未知数的值。另外，在代数中既然要对未知数加以运算，就必须用符号把它表示出来，那么未知数、符号、方程就是代数的基本特征。

（图：线段 a、b）

那么我说：a和b是不可公约量。

因为，如果它们是可公约量，那么a比b是两个数之比（命题X.5）。

而它不是，所以：a和b是不可公约量。

所以：如果两个量的比不等于两个数的比，那么该量是不可公约量。

证完

注 解

这一命题是命题X.5的对换命题。在命题X.11中被频繁利用。

命题X.9

两条可公约量的线段上的正方形之比是两个平方数的比；如两正方形之比同于两个平方数之比，那么其边是可公约量。两条不可公约的线段上的正方形之比，不同于两个平方数之比；如两正方形之比不同于两平方数之比，那么其边是不可公约量。

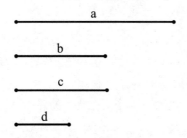

设：a和b是在长度上可公约的两线段。

那么我说：a上的正方形比b上的正方形，同于两个平方数之比。

因为：a与b是在长度上可公约的，所

以：a比b同于两个数之比。设其比值为c比d（命题X.5）。

那么因为：a比b等于c比d，同时，a上的正方形与b上的正方形的比值是a比b的平方，因为，相似图形的比值是它们对应边比值的平方，又，c的平方比d的平方是c与d比值的平方，因为，在两个平方数之间有一个比例中项，且平方数比平方数是对应边比值的平方，所以：在a上的正方形比在b上的正方形同于c的平方比d的平方（命题Ⅵ.20及其推论、命题Ⅷ.11）。

再，设a上的正方形比b上的正方形如同c的平方比d的平方。

那么我说：a与b在长度上是可公约量。

因为：a上的正方形比b上的正方形同于c的平方比d的平方，同时，a上的正方形比b上的正方形是a比b的平方，且c的平方比d的平方是c比d的平方。

所以：a比b同于c比d，所以：a与b是长度可公约量（命题X.6）。

再令：a与b在长度上是不可公约量。

那么我说：a上的正方形比b上的正方形不同于两个平方数之比。

如果a上的正方形比b上的正方形同于两个平方数之比，那么：a与b又是可公约量。

但是它们不可公约，所以：a上的正方形比b上的正方形不同于两个平方数之比。

最后，令：a上的正方形比b上的正方形不是两个平方数之比。

那么我说：a与b是不可公约量。

因为，如果a与b可公约量，那么：在a上的正方形比在b上的正方形的比值同于两个平方数之比。

但这不成立，所以：a 与 b 是不可公约量。

所以：两条可公约量的线段上的正方形之比是两个平方数的比；如两正方形之比同于两个平方数之比，那么其边是可公约量。两条不可公约的线段上的正方形之比，不同于两个平方数之比；如两正方形之比不同于两平方数之比，那么其边是不可公约量。

证完

推 论1

这一命题表明：长度可公约的两条线段，它们的正方形也是可公约的；但是正方形可公约的，却不一定在长度上可公约。

引 理

在算术上已证明，两相似平面数之比同于两平方数之比，并且如果两个数之比同于两个平方数之比，那么它们是相似平面数（命题VIII.26及逆命题）。

推 论2

这一命题表明：非相似平面数即它们的边不成比例的数之比，不同于两个平方数之比。

因为，如果是，那么它们是相似平面数，这与假设矛盾。所以，非相似平面数之比不同于两个平方数之比。

注 解

这一命题陈述了线的公约法则，如果线段上的正方形的比是一个平方数比一个平方数，那么它们是可公约的。比如正方形的对角线和正方形的边是不可公约的，

这是因为它们上的正方形的比率是2：1，而2：1不是一个平方数比一个平方数。

这一命题反复应用在本卷中的下一个命题以后，也应用在卷XIII 的命题XIII.6 和XIII.11中。

命题X.10

找出与一条线段不可公约的两条线段，一个是仅长度不可公约，另一个是线段上的正方形不可公约。

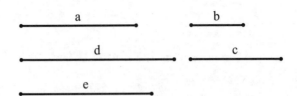

设：a为给定的线段。

现在要求的是：找出两条与a不可以公约的线段，其一仅为长度的不可公约，另一为线段上的正方形不可公约。

令：两条直线b和c，b比c的比值不同于两个平方数之比，即它们不是相似平面数，b比c同于在a上的正方形比在d上的正方形，因为：我们已经知道怎么作出（命题X.6及其推论）。

所以：a上的正方形与d上的正方形是可公约的量（命题X.6）。

又因为：b比c不同于两个正方形的比值，所以：a上的正方形比d上的正方形皆不是两个平方数之比，所以：a在长度上与d不可以公约（命题X.9）。

在a与d之间作一个比例中项e，所以a比d等于a上正方形比e上正方形，但a与d是长度

不可公约的，于是：a上的正方形与e上的正方形也是不可公约的。所以：a与e是正方不可公约量（命题X.11）。

所以：a的两条不可公约的线段d和e被发现，d仅仅在长度上不可公约，而e不仅在长度上同时在正方形上也不可公约。

证完

注 解

这一命题展示了定义XI.3中的线段。取线段d，于是a上的正方形比d上的正方形不是一个平方数比一个平方数。比如，如果a是一个正方形的边，d是该正方形的对角线，那么a上的正方形比d上的正方形的比率是1：2，这不是一个平方数比一个平方数。所以，d与a是正方可公约的（比率d：a是2的平方根）。又，如果e是a和d的比率中项，那么e与a是正方不可公约的（比率e：a是2的四次平方根）。

很明显，这一命题是不真的。首先，它的证明应用了下一个命题。另外，"我们已经知道怎样做了"是显而易见的学生腔。最后，原始手稿中，这一命题没有标记数，而下一个命题的标记数则是命题10。

虽然不真，但这一命题还是有保留的价值，因为它在命题X.27和其他命题中也被利用。

圆锥曲线

所谓圆锥曲线就是用平面在圆锥体上截出的平面图形，这最早由柏拉图学派发现，不过，他们并不知道双曲线有两支。公元前259年，阿波罗尼在他八卷本的《圆锥曲线》中描述了他研究的圆锥曲线的主要成果。阿波罗尼对圆锥曲线的研究水平极高，他用纯几何的方法处理圆锥曲线问题相当复杂。另外，他的工作表现了高超的几何思维能力，是古希腊数学的登峰造极之作。图中的圆锥曲线：（A）双曲线；（B）抛物线；（C）椭圆；（D）圆。

命题X.11

如果四个量成比例，且第一个量与第二个量可公约，那么第三个量与第四个量也可公约；而如果第一个与第二个不可公约，那么第三个与第四个也不可公约。

设：a、b、c、d为四个成比例的量，那么：a比b同于c比d，a与b是可公约量。

那么我说：c与d也是可公约量。

因为：a与b是可公约量，所以：a比b同于两个数之比（命题X.5）。

又，a比b同于c比d，所以：c比d也是两个数之比。所以：c与d是可公约量（命题V.11、X.6）。

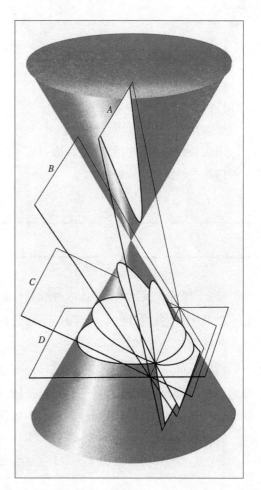

刘 徽

刘徽（250—？），魏晋时数学家。公元263年注《九章算术》九卷，他所撰的《重差》卷被称为《海岛算经》《九章重差图》一卷。他在注《九章算术》中提出很多创见，尤其在割圆术和四面体体积公式的推算中应用极限概念，这是他的重大创造。他正确地计算出圆内接192边形的面积，从而得到圆周率π的近似值为3.14，又计算出圆内接3072边形的面积，从而得到π=3.1416。

注 解

这一命题更为直接的表述是，如果 $a:b=c:d$，第一个比率是数字之比，那么第二个也是；反之则不是。这一命题反复应用在本卷命题X.14以后。也用在前面的一些命题中。显然，这不是欧几里得《原本》的原作。

命题X.12

与同一量可以公约的两个量也可以公约。

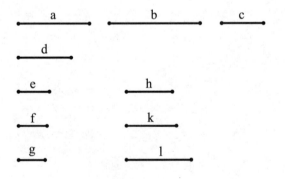

设：a、b每个数与c可以公约。

那么我说：a与b也可以公约。

因为：a与c可以公约，于是：a比c的比值是两个数的比值，令其为d比e。又，因为：c与b是可公约量，于是：c比b的比值同于两个数之比。令其为f比g（命题X.5）。

再设：a与b是不可公约量。

那么我说：c与d也是不可公约量。

因为：a与b是不可公约量，所以：c比d也不是两个数之比（命题X.7）。

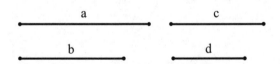

又，a比b同于c比d，于是：c比d的比值也不是两个数之比。所以：c与d是不可公约量（命题V.11、X.8）。

所以：如果四个量成比例，且第一个量与第二个量可公约，那么第三个量与第四个量也可公约；而如果第一个与第二个不可公约，那么第三个与第四个也不可公约。

证完

又，我们给出任意比值数，即d比e、f比g，作数h、k、l，使其成已知比，那么：d比e同于h比k，f比g同于k比l（命题VIII.4）。

因为：a比c同于d比e，同时d比e同于h比k，那么：a比c同于h比k。又，因为：c比b同于f比g，同时，f比g同于k比l，所以：c比b同于k比l（命题V.11）。

而，a比c同于h比k，所以：由首末比得，a比b同于h比l（命题V.22）。

所以：a比b的比值同于两个数之比，所以：a与b是可公约数。

所以：与同一量可以公约的两个量也可以公约。

证完

注 解

这一命题是命题VIII.4的应用。

在本卷下一个命题以后被频繁利用，也应用在命题XIII.11中。

命题X.13

如果两个量是可公约的，其中之一与某个量不可公约，那么另一个量与此量也不可公约。

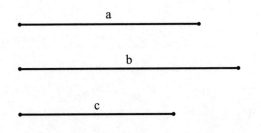

设：a和b是两个可公约量，其中a与某量c不可公约。

那么我说：b也与c不可公约。

如果b与c是可以公约的，同时a与b也是可公约的，那么a与c也是可以公约的（命题X.12）。

而a也与c不可公约，这是不可能的。所以：b与c是不可公约的。

所以：如果两个量是可公约的，其中之一与某个量不可公约，那么余下的量与此量也不可公约。

证完

注 解

这一命题是前一命题的逻辑变式。它在本卷命题X.18以后被频繁利用。

引 理

可以作一条线段，使其上的正方形等于已知的两条不等线段上的正方形之差。

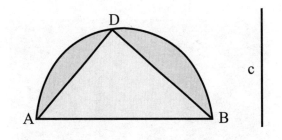

设：AB和c是给定的两条不等线段，AB较大。

现在要求的是：找出一个正方形等于AB上的正方形减去c上的正方形之差。

令：在AB上作半圆ADB，使AD等于c，连接DB（命题IV.1）。

那么很明显，角ADB是直角，且AB上的正方形与AD上的正方形之差等于DB上的正方形（命题III.31、I.47）。

类似地，如果给出两条直线，那么可求得一个线段，使得这条线段上的正方形等于两个已知线段上的正方形之和。

令：AD和DB为给出的两条线段，现在找出一条线段，使其上的正方形等于AD和DB上的正方形之和。

令：AD、BD构成一个直角ADB，连接AB。

显然，AB上的正方形等于AD和DB上的正方形之和（命题I.47）。

证完

约翰·贝努利

约翰·贝努利（1667—1748年），瑞士数学家。他首次系统地阐述了微积分，发展了指数函数论，提出了不定式展开的法则，发现了泰勒级数有关的级数，提出了最速降线问题，发展了变分学。在空间几何方面，他给出了空间坐标的定义，建立了焦散面理论。1701年，在等周问题的解法中，他为后来发展起来的变分法奠定了基础。其主要著作有《微积分教程》。

命题X.14

如果四条线段成比例，且与第一条线上的正方形减去第二条线上的正方形，所得的差相等的正方形的边与第一条线可以公约，那么，与第三条线上的正方形与第四条线上的正方形的差相等的正方形的边与第三条线可以公约。再，如果与第一条线上的正方形减去第二条线上的正方形所得的差的正方形的边与第一条线不可以公约，那么，与第三条线上的正方形减去第四条线上的正方形所得之差相等的正方形与第三条线不可以公约。

设：a、b、c、d是四条成比例的线段，于是：a比b同于c比d，再，a上的正方形大于在b上的正方形，其差等于e上的正方形，c上的正方形大于d上的正方形，其差等于f上的正方形。

那么我说：如果a与e是可公约的，那么c与f也是可公约的，又，如果a与e是不可公约的，那么c与f也是不可公约的。

因为：a比b同于c比d，于是：在a上的正方形比在b上的正方形同于在c上的正方形比在d上的正方形（命题VI.22）。

而，e、b上的正方形之和等于a上的正方形，且d、f上的正方形之和等于c上的正方形。

所以：e、b上的正方形之和比b上的正方形同于d、f上的正方形之和比d上的正方形。

所以：由分比，e上的正方形比b上的正方形同于f上的正方形比d上的正方形。所以：e比b同于f比d。所以：由反比得，b比e同于d比f（命题V.17、VI.22、V.7、推论）。

而，a比b同于c比d，所以：由首末比

得，a比e同于c比f（命题V.22）。

所以：如果a与e是可公约量，那么c与f也是可公约量；而如果a与e是不可公约量，那么c与f也是不可公约量（命题X.11）。

所以：如果四条线段成比例，且与第一条线上的正方形减去第二条线上的正方形的差相等的正方形的边与第一条线可以公约，那么，与第三条线上的正方形与第四条线上的正方形的差相等的正方形的边与第三条线可以公约。再，如果与第一条线上的正方形减去第二条线上的正方形所得的差的正方形的边与第一条线不可以公约，那么，与第三条线上的正方形减去第四条线上的正方形所得之差相等的正方形与第三条线不可以公约。

证完

注 解

现代代数可以阐述这一情况，我们假定a：b＝c：d，那么如果（a^2-b^2）：a是一个数字比率，于是（c^2-d^2）：c也是一个数字比率。因为（a^2-b^2）：a＝（c^2-d^2）：c。

引理同于命题XI.23的引理。这一命题应用在本卷从X.31开始的几个命题中。

命题X.15

如果两个可以公约的量相加，那么其和也分别与各量是可公约量；如果二量之和与其中之一量可以公约，那么该和与两个量也可以公约。

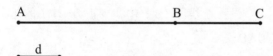

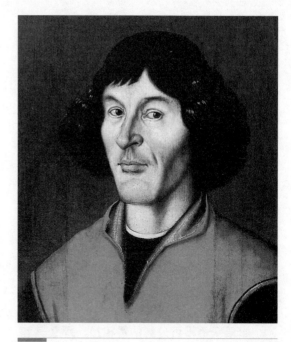
设：两个可公约量为AB、BC，它们相加和为AC。

那么我说：AC分别与AB和BC可以公约。

因为：AB和BC是公约量，那么某个量可以测尽它们，设其为d。

因为：d测尽AB和BC，于是：它也测尽AC，所以：d测尽AB、BC、AC，所以：AC分别与AB和BC是可公约量（定义X.1）。

再令AC与AB是可公约量。

那么我说：AB与BC也是可公约量。

因为AC和AB是可公约量，某个量可以测尽它们。设其为d。

因为：d测尽CA和AB，所以：它也测尽余量BC（定义X.1）。

而它也测尽AB，所以：d测尽AB和BC，所以：AB和BC也是可公约量。

证完

注 解
这一命题是关于总量和差的公约性（通约性）的基础命题。频繁应用在本卷从X.17开始的命题中，也用在命题XIII.11中。

命题X.16
如果两个不可公约的量相加，那么其和与原来二量也是不可公约量；如果其和与其中的一量不可公约，那么与原始的两量也不可公约。

```
A                    B         C
|————————————————————•—————————|

d
|————|
```

设：两个不可公约量AB、BC相加。

那么我说：总量AC与AB、BC中的任何一个也是不可公约的。

因为，如果CA和AB不是不可公约的，那么：总有某个量可以测尽它们，设其为d。

因为：d测尽CA、AB，于是：它也测尽其余量BC，而它也测尽AB，所以：d测尽AB和BC。所以：AB和BC是可公约量。而它们被假设为不是可公约量，这是不可能的。

所以：没有量可测尽CA和AB，所以：CA和AB是不可公约量（定义X.1）。

类似地，我们也可证明AC和CB是不可

公约量，所以：AC分别与AB、BC是不可公约量。

再设：AC与AB、BC中之一是不可公约量。

首先设它与AB是不可公约量。

那么我说：AB和BC也是不可公约量。

因为：如果它们是可以公约的，那么：某个量将可以测尽它们，设其为d。

因为：d测尽AB和BC，所以：d也测尽总量AC。而它也测尽AB，所以：d测尽CA、AB。所以：CA和AB是可公约量，而根据假设，它们也是不可公约量，这是不可能的。

所以：没有量可以测尽AB和BC，所以：AB和BC是不可公约量（定义X.1）。

所以：如果两个不可公约的量相加，那么其和与原来二量也是不可公约量；如果其和与其中的一量不可公约，那么与原始的两量也不可公约。

证完

注 解
这一命题是前一命题的逻辑变式，这里再一次证明。应用在本卷从 X.18开始的几个命题中。

引 理
在一条线上作一个缺少正方形的矩形，那么该矩形等于因为作图而把原线段分成的两段构成的矩形。

设：在线段AB上作缺少正方形DB的矩形AD。

那么我说：AD等于矩形AC与CB之乘积。

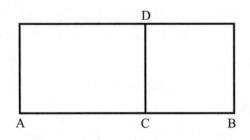

很显然，因为DB是正方形，DC等于CB，AD是AC与CD之积，即AC与CB之积。

证完

命题X.17

如果两条不等线段，在较大的一个上作一个矩形，使之等于小线段上正方形的四分之一而缺少一个正方形，且大线段被分成长度上可以公约的两部分，那么原来大线段上的正方形较小线段上的正方形大一个与大线段可以公约的线段上的正方形。

如果大线段上的正方形较小线段上的正方形大一个与大线段可以公约的线段上的正方形，且在大线段上作一个矩形等于小线段上的正方形的四分之一而缺少一个正方形，那么，大线段上被分成长度可公约的两个部分。

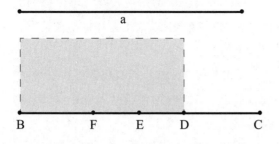

设：a和BC是两条不等线段，其中，BC较大，在BC上建矩形，使之等于较小线段a上的正方形的四分之一，即等于a的一半上的正方形，设其为矩形BD、DC，且BD与DC是可公约的量（引理）。

那么我说：BC上的正方形较a上的正方形大一个与BC可以公约的线段上的正方形。

令：在E点平分BC，使EF等于DE（命题I.10、I.3）。

于是：余量DC等于BF。又，因为：线段BC被E点分为相等的两部分，被D点分为不相等的两部分，于是：BD和DC构成的矩形加上ED上的正方形等于EC上的正方形（命题II.5）。

又，将它们四倍后同样正确，所以：四倍矩形BD、DC构成的矩形加DE上的正方形的四倍，等于EC上的正方形的四倍。

而a上的正方形等于BD、DC所构成的矩

算　盘

作为计算工具的算盘是中国的独创，后于16世纪末传入日本和俄国。日本称算盘为"十露盘"，算珠由扁圆形改成菱形，梁上两珠改为一珠，盘窄而长，档数加至27。俄罗斯的算盘则将若干铁条或木条横镶在木框内，每条穿10珠。这是纯粹的十进位制，直观易懂，后来它被用作儿童学算的工具而流行于全世界。

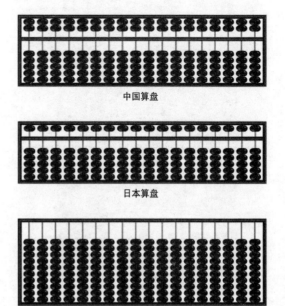

中国算盘

日本算盘

俄罗斯算盘

形的四倍，且DF上的正方形等于DE上的正方形的四倍，因为DF是DE的两倍，又，BC上的正方形等于EC上的正方形的四倍，因为BC是CE的两倍。

所以：a与DF上的正方形之和等于BC上的正方形，所以：BC上的正方形大于a上的正方形，其大于值为一个DF上的正方形。

也可以证明出，BC 与 DF 也是可公约量。

文艺复兴时的建筑

随着文艺复兴新观念的出现，建筑已不再仅仅是一些实践经验的集合，而是形成了一门科学。它的第一个原则，也是最简单的原则，就是必须运用直尺、角尺甚至圆规来绘制建筑的平面图。另外必须掌握多种学科：首先是绘画和透视，同时还有几何、数学基础，专业语言基础，古代柱式及线脚元素等。

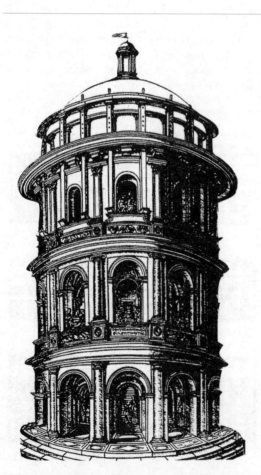

因为：BD与DC是在长度上的可公约量，所以：BC与CD在长度上也是不可公约量（命题X.15）。

又，CD与CD、BF之和在长度上是可公约量，因为CD等于BF（命题X.6）。

所以：BC与BF、CD的和在长度上也是可公约量，所以：BC与余量FD在长度上也是可公约量。所以：BC上的正方形大于在a上的正方形，其大于值等于一个与BC可以公约的线段上的正方形（命题X.12、X.15）。

再设：在BC上的正方形大于a上的正方形，其大于值是与BC可以公约的量的直线上的正方形。在BC上建一个矩形，使之等于在a上的正方形的四分之一且缺少一个正方形，设其是BD和DC构成的矩形。

也可以证明，BD与DC在长度上是可公约的量。

在同一结构中，我们也能类似地证明，BC上的正方形大于a上的正方形，其大于值是与BC可公约的量的一条线段上的正方形（命题X.15）。

所以：BC与FD是在长度上可以公约的量，所以：BC与BF、DC之和也是在长度上可以公约的量。

而BF和DC之和与DC是可以公约的量，所以：BC与CD在长度上也是可以公约的量。

所以：由分比可得，BD与DC在长度上也是可以公约的量（命题X.6、X.12、X.15）。

所以；如果两条不等线段，在较大的一个上作一个矩形，使之等于小线段上正方形的四分之一而缺少一个正方形，且大线段被分成长度上可以公约的两部分，那么原来大线段上的正方形较小线段上的正方形大一个与大线段可以公约的线段上的正方形。如果大线段上的正方形较小线段上的正方形大一个与大线段可以公约的线段上的正方形，且在大线段上作一个矩形等于小线段上的正方形的四分之一而缺少一个正方形，那么，大线段上被分成长度可公约的两个部分。

证完

注 解

代数可描述为，设 b 表示 BC，DC 是 $[b-(b^2-a^2)]/2$，那么该命题的声明是：比率 $b:[b-(b^2-a^2)]/2$ 是一个数与一个数之比。也仅有 $(b^2-a^2):a$ 的比率是一个数与一个数之比。

引理也应用在下一个命题中。这一命题应用在本卷从命题X.54以后的几个命题中。

命题X.18

如果有两条不相等的线段，在大线段上建矩形，使之等于小线段上的正方形的四分之一且缺少一个正方形，如果分大线段为不可公约的部分，那么在大线段上的正方形大于小线段上的正方形，其大于的值等于与大的线段不可公约的量的一条线段上的正方形。如果大线段上的正方形大于小线段上的正方形，且其大于的值是与大线段成不可公约的量的一条线段上的正方形，且大线段上的矩形等于小线段上的正方形的四分之一且缺少一个正方形，那么，它将分它为不可公约的两个部分。

设：a和BC是两条不等线段，其中BC较

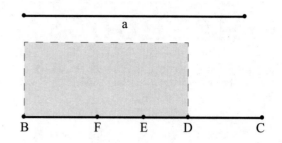

大，在BC上建平行四边形，使之等于在a上的正方形的四分之一且缺少一个正方形，设其为由BD、DC构成的矩形，BD与DC是在长度上不可公约的量（命题X.17、引理）。

那么我说：BC上的正方形大于a上的正方形，其大于的值是与BC不可公约的量的一条线段上的正方形。

在这同一结构中，我们可以类似地证明出BC上的正方形大于a上的正方形，其大于的值等于FD上的一正方形。

因为：BD与DC是在长度上不可公约的，所以：BC与CD也在长度上是不可以公约的（命题X.16）。

而，DC与BF、DC之和是可以公约的量，所以：BC与FB、DC之和是不可以公约的量。所以：BC与FD在长度上也是不可以公约的量（命题X.6、X.13、X.16）。

又，BC上的正方形大于a上的正方形，其大于的值是FD上的正方形，所以：BC上的正方形大于a上的正方形，其大于的值是与BC不可以公约的线段上的正方形。

再，设BC上的正方形大于a上的正方形，其大于的值是与BC不可公约的线段上的正方形。在BC上作矩形，使之等于在a上的正方形的四分之一且缺少一个正方形，设其为BD、DC构成的矩形。

METHODUS
INVENIENDI
LINEAS CURVAS
Maximi Minimive proprietate gaudentes,
SIVE
SOLUTIO
PROBLEMATIS ISOPERIMETRICI
LATISSIMO SENSU ACCEPTL
AUCTORE
LEONHARDO EULERO,
Professore Regio, & Academia Imperialis Scientia-
rum PETROPOLITANÆ Socio.

LAUSANNÆ & GENEVÆ,
Apud MARCUM-MICHAELEM BOUSQUET & Socios.

MDCCXLIV.

欧拉的《求解方法》卷首页

1744年，俄国的数学之父欧拉严格证明了最小作用原理可以用于描述力学的质点运动，例如行星绕太阳的运动。并且这表明他相信能够发现寓于宇宙的每一现象之中的极大或极小原则。此结论载于他的著作《求取具有极大或极小性质之曲线的方法》，简称《求解方法》。这是阐述变分法的第一本教科书，也是数学史上最有名的著作之一。

也可以证明，BD与DC在长度上是不可以公约的量。

在这同一结构中，我们也可以类似地证明，BC上的正方形大于a上的正方形，其大于的值是FD上的正方形。

而BC上的正方形大于a上的正方形，其大于的值是与BC不可公约的线段上的正方形，所以：BC与FD在长度上是不可以公约的量，所以：BC与BF、DC之和也是不可公约量（命题X.16）。

而BF、DC之和与DC在长度上是可公约量，所以：BC与DC在长度上也是不可公约的量，所以：由分比得，BD与DC在长度上也是不可以公约的量（命题X.6 、X.13、X.16）。

所以：如果有两条不相等的线段，在大线段上建矩形，使之等于小线段上的正方形的四分之一且缺少一个正方形，如果分大线段为不可公约的部分，那么在大线段上的正方形大于小线段上的正方形，其大于的值等于与大的线不可公约的量的一条线段上的正方形。如果大线段上的正方形大于小线段上的正方形，且其大于的值是与大线段成不可公约的量的一条线段上的正方形，且大线段上的矩形等于小线段上的正方形的四分之一且缺少一个正方形，那么，它将分它为不可公约的两个部分。

证完

注 解

这一命题是上一命题的逻辑变式。频繁应用在本卷命题X.33以后的命题中。

引 理

因为已经证明在长度上可以公约的线段也总是在正方形上可以公约，同时那些在正方形上可以公约的量却不一定在长度上可以公约，当然，在长度上既可以公约也可以不公约。这表明，如果线段在长度上与一给定的有理线可以公约，它被称为有理的。有理的线段无论在长度上还是在正方形上皆可以公约，因为线段在长度上可以公约必然在正方形上也可以公约。

而，如果线段与给定的有理线在正方

形上可以公约，那么，它在长度上也可以公约。这一情形也被称为有理的。有理线不仅在长度上，而且在正方形上也皆是可以公约的。但如果线段与给定的有理线仅在正方形上可以公约，在长度上不可以公约，这一情况也成为有理的，但仅为正方可公约。

命题X.19

由长度可以公约的两条有理线构成的矩形是有理的。

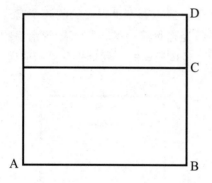

设：矩形AC由两条在长度上可以公约的有理线AB和BC构成。

那么我说：AC是有理的。

令：在AB上作一个正方形AD，那么AD是有理的（命题I.46、定义X.4）。

因为：AB与BC在长度上是可以公约的，同时，AB等于BD，所以：BD与BC在长度上是可以公约的。

又，BD比BC同于AD比AC（命题VI.1）。

所以：AD与AC是可以公约的量（命题X.11）。

而AD是有理的，所以：AC也是有理的（定义X.4）。

所以：由长度可以公约的两条有理线构

成的矩形是有理的。

证完

注 解

这是第一个处理有理线和有理正方形的命题。根据定义XI.3，有某一指派线段作为一个有理线段和正方形的标准，但这一命题并未提及。

在这一命题中，矩形AB和BC的边是有理线，这即意味着这些线段与标准线是正方可公约的，也即是它们上的正方形与标准的正方形是可公约的。同时也假定AB和BC相互可公约。所以矩形AC与AB上的正方形是可公约的，而它与标准正方形可公约，同理，矩形AC也一样。

这一命题应用在命题X.25开始以后的几个命题中。引理应用在命题X.23中。下一个命题是本命题的逆命题，但语言颇晦涩。

命题X.20

如果在一条有理线段上建一个有理矩形，那么其另一边也是有理的，且与原线段是可以公约的量。

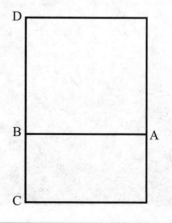

设：有理矩形AC建在AB上，另一边为BC。

那么我说：BC是有理的，并在长度上与AB可以公约。

令：在ΛB上作正方形AD，那么：AD是有理的（命题I.46、定义X.4）。

因为：AC是有理的，所以：AD与AC是可以公约的量。又，AD比AC同于DB比BC，所以：DB与BC也是可以公约的量，而DB等于BA，所以：AB与BC也是可以公约的量（命题VI.1、X.11）。

而AB是有理的，BC于是也是有理的，并在长度上与AB是可以公约的量。

泥版上的楔形符

大多数早期数学文明采用十进制，而美索不达米亚人创造了一套以60进制为主的楔形文字记数系统。这种记数系统有一项较为突出的成就，那就是位值原理，并且它将掌握的位值原理推广到了分数。美索不达米亚人的几何学是在测量实际问题中发展起来的。除了掌握三角形、梯形等平面图形的面积公式和棱柱、平截头方锥等立体图形的体积公式外，勾股定理也得到广泛的应用。在这块泥版上载有单位正方形对角线上$\sqrt{2}$的近似值，其准确到六十进制三位小数。

所以：如果在一条有理线上建一个有理矩形，那么其另一边也是有理的，且与原线段是可以公约的量。

证完

注 解

这一命题是上一命题的逆命题。频繁应用在本卷命题X.26以后的命题中。

命题X.21

仅在正方形上可以公约的两个有理线段构成的矩形是无理的，与该矩形相等的正方形的边也是无理的。后者被称为中项线。

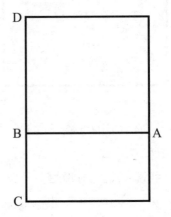

设：矩形AC由仅在正方形上可以公约的有理线AB、BC构成。

那么我说：AC是无理的，等于它的正方形的边是无理的，其后者被称为中项线。

令：在AB上作正方形AD，那么AD是有理的（定义X.4）。

又因为：AB与BC在长度上是不可公约的，因为假定它们仅是正方形可公约，同时AB等于BD，所以：DB与BC也在长度上是不可公约的。

又，DB比BC同于AD比AC，所以：DA与AC是可以公约的（命题VI.1、X.11）。

而DA是有理的，所以：AC是无理的，所以：正方形的边AC也是无理的（定义X.4）。

后者被称为中项线。

证完

注 解

这一命题被频繁应用在本卷下一命题开始的命题中。

引 理

如果有两条线段，那么第一线段比第二线段同于第一线段上的正方形比该两条线段所构成的矩形。

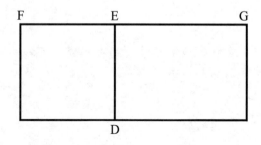

设：FE和EG为给定的两条线段。

那么我说：FE比EG同于FE上的正方形比FE、EG构成的矩形。

令：作FE上的正方形DF，完成GD。

因为：FE比EG同于FD比DG，FD是FE上的正方形，而DG是DE和EG构成的矩形，即FE与EG构成的矩形，所以：FE比EG同于FE上的正方形比FE、EG构成的矩形。

类似地，GE、EF构成的矩形比EF上的正方形，即是GD比FD，且同于GE比EF（命

题VI.1）。

命题X.22

在一条有理线段上建矩形，使其等于中项线上的正方形，那么该矩形的另一边是有理的，且与原有理线段不可以公约。

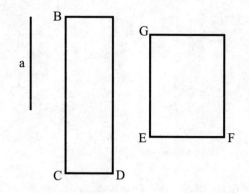

设：a是中项线，CB是有理线，建在BC上的矩形BD等于a上的正方形，CD是矩形的另一边。

那么我说：CD是有理的，并在长度上与CB可以公约。

因为：a是中项线，那么：a上的正方形等于正方可公约量的两条线段构成的矩形（命题X.21）。

令：a上的正方形等于GF，而该正方形也等于BD，于是：BD等于GF。

而BD也与GF等角，而相等并等角的两矩形中，夹等角的两边成反比，所以：BC比EG同于EF比CD（命题VI.14）。

所以：BC上的正方形比EG上的正方形同于EF上的正方形比CD上的正方形（命题VI.22）。

而CB上的正方形与EG上的正方形是可以公约的，因为它们的每条线段是有理的，

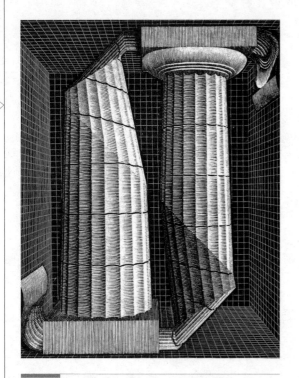

多立克柱

多立克柱是约公元前6世纪时在古希腊确立起来的一种建筑柱式，多立克柱的特点是：柱身粗壮，由下而上逐渐缩小，柱身刻有凹槽，槽背成棱角，柱头没有花纹，比较简单。埃舍尔通过这件作品想要揭示的主题是：绘画是在二维平面上表现三维空间的"骗术"，我们的眼睛总是被经验、心理暗示欺骗，我们固执地以为明亮的地方是因为受到光照，而阴暗的地方是因为光线被阻拦。艺术家提醒我们，主观经验有时会造成很大的错误。

所以：EF上的正方形与CD上的正方形也是可公约的（命题X.11）。

而EF上的正方形是有理的，所以：CD上的正方形也是有理的，所以：CD是有理的（定义X.4）。

又因为：EF与EG在长度上是不可公约的，因为它们仅仅是正方可公约。同时EF比EG同于EF上的正方形比FE、EG构成的矩形，所以：EF上的正方形与FE、EG构成的矩形是不可公约量（引理X.11）。

又，CD上的正方形与EF上的正方形是可公约量，因为，在正方形上的线段是有理的。

又DC和CB构成的矩形与FE与EG构成的矩形是可公约量，因为，它们等于a上的正方形，所以：CD上的正方形与DC、CB构成的矩形是不可公约量（命题X.13）。

又，CD上的正方形比DC、CB构成的矩形同于DC比CB，所以：DC、CB在长度上是不可公约量（引理X.11）。

所以：CD与CB在长度上是有理的，且是不可公约的。

所以：在一条有理线段上建矩形，使其等于中项线上的正方形，那么该矩形的另一边是有理的，且与原有理线段不可公约。

证完

注 解

这一命题被频繁使用在本卷的下一命题开始的命题中。

命题X.23

一条线段与中项线可以公约，该线也是中项线。

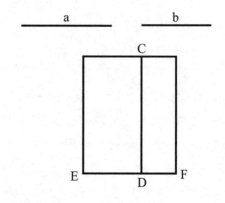

设：a是中项线，b与a可以公约。

那么我说：b也是中项线。

设：CD是给定的一个有理线段，在CD上建矩形CE，使之等于a上的正方形，作宽ED，那么ED是有理线段，并与CD在长度上不可公约。又，在CD上建矩形CF，使之等于b上的正方形，作宽DF。

因为：a与b是可公约量，于是：a上的正方形与b上的正方形也是可公约量。而BC等于a上的正方形，CF等于b上的正方形，所以：EC与CF是可公约量。

又，EC比CF同于ED比DF，所以：ED与DF在长度上是可公约量（命题VI.1、X.11）。

而ED是有理的，并在长度上与DC不可以公约，所以：DF也是有理的，并与DC在长度上不可以公约（命题X.13、定义X.3）。

所以：CD和DF是有理的，并仅仅是正方可以公约。

又，如果一条线段上的正方形等于两条仅正方可公约的有理线段构成的矩形，那么该线段是中项线，所以与CD、DF构成的矩形相等的正方形的边是中项线（命题X.21）。

又，b是等于CD和DF构成的矩形的正方形的边，所以：b就是中项线。

所以：一条线段与中项线可以公约，该线也是中项线。

证完

注 解

这一命题应用在命题 X.67 和X.104中，推论应用在命题X.33以及其他命题中，也应用在命题 X.27 中。

命题X.24

由长度可公约的两中项线构成的矩形是中项面。

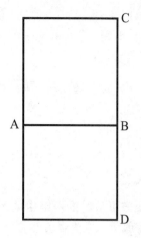

设：矩形AC由两长度可公约的中项线AB和BC构成。

那么我说：AC是中项面。

令：作AB上的正方形AD，那么：AD是中项面。

《莉拉沃蒂》棕榈叶手抄本

《莉拉沃蒂》是古印度数学家、天文学家婆什迦罗（1114—1185年）所著的代表印度数学最高水平的著作之一，《莉拉沃蒂》在给出算学中的名词术语后，讨论了关于整数与分数的四则运算和开方之法、各种计算法则和技巧、利率计算、数列计算、平面与立体图形的度量计算等。图为《莉拉沃蒂》的棕榈叶手抄本。

又因为：AB与BC是在长度上可公约的，同时AB等于BD，于是：DB与BC是在长度上可以公约的，所以：DA与AC是可公约的（命题VI.1、X.11）。

而DA是中项面，所以：AC也是中项面（命题X.23、推论）。

所以：由长度可公约的两中项线构成的矩形是中项面。

命题X.25

由仅正方可公约的两条中项线构成的矩形，或为有理面，或为中项面。

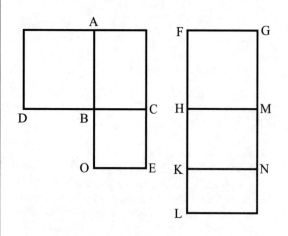

设：矩形AC是由仅正方可公约的AB、BC构成的。

那么我说：AC要么是有理面，要么是中项面。

令：在AB、BC上作正方形AD、BE，那么：AD、BE是中项面。

令：作有理线FG，作矩形GH等于AD，其宽为FH；在HM上作矩形MK等于AC，宽为HK；同样，在KN上作矩形NL等于BE，宽为KL。那么FH、HK、KL便在同一线上。

因为AD、BE皆为中项面，而AD等于GH，同时BE等于NL，所以：矩形GH和NL也是中项面。

又，它们都是建在有理线FG上的，于是：每条直线FH、KL皆是有理线，并与FG在长度上不可以公约（命题X.22）。

又因为：AD与BE是可以公约的，所以：GH与NL是可以公约的，而GH比NL同于FH比KL，所以：FH与KL在长度上是可以公约量（命题VI.1、X.11）。

所以：FH和KL是有理线，并在长度上可公约，所以：FH和KL构成的矩形是有理的。

又因为：DB等于BA，同时OB等于BC，所以：DB比BC同于AB比BO。

而DB比BC同于DA比AC，又，AB比BO同于AC比CO，所以：DA比AC同于AC比CO（命题VI.1）。

而AD等于GH，AC等于MK，又CO等于NL。所以：GH比MK同于MK比NL。所以：FH比HK同于HK比KL。所以：FH与KL构成的矩形等于HK上的正方形（命题VI.1、V.11、VI.17）。

而FH和KL构成的矩形是有理的，所以：HK上的正方形也是有理的。

所以：HK是有理的，而，如果它与FG在长度上是可以公约的，那么：HN是有理的，而，如果HK与FG在长度上是不可公约的，那么HK、HM是仅仅正方可公约量，所以：HN是中项面（命题X.19、X.21）。

所以：HN要么是有理面，要么是中项面。而HN等于AC，所以：AC要么是有理面，要么是中项面。

所以：由仅正方可公约的两条中项线构成的矩形，或为有理面，或为中项面。

证完

命题X.26

两个中项面之差是无理面。

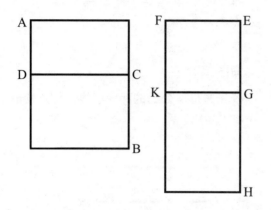

如果可能，设中项面AB与中项面AC之差是DB。作有理线EF，在EF上作矩形FH等于AB，宽为EH。

在FH中减去矩形FG，使之等于AC，那么：余量BD等于余量KH。

而DB是有理线，所以：KH也是有理线。

因为：矩形AB、AC皆是中项面，而AB等于FH，同时AC等于FG，所以：矩形FH、FG也皆是中项面。

它们是建在有理线EF上的，所以：线段HE和EG是有理线，并与EF在长度上不可公约（命题X.22）。

因为：DB是有理面，且等于KH，所以：KH是有理面，又，它是建在有理线段EF上的，所以：GH是有理的，并与EF在长度上可以公约（命题X.20）。

又，EG也是有理线条，且与EF在长度

上不可以公约，所以：EG与GH在长度上是不可以公约的（命题X.13）。

又，EG比GH同于EG上的正方形比EG、GH构成的矩形，所以：EG上的正方形和EG与GH构成的矩形是不可公约的（命题X.11）。

又，EG、GH上的正方形与EG上的正方形是可以公约的，因为，两者皆为有理面，又，EG、GH构成矩形的两倍与EG、GH构成的矩形是可公约量，因为它是它的两倍，

DIOPHANTI
ALEXANDRINI
ARITHMETICORVM
LIBRI SEX,
ET DE NVMERIS MVLTANGVLIS
LIBER VNVS.

CVM COMMENTARIIS C. G. BACHETI V. C.
& observationibus D. P. de FERMAT Senatoris Tolosani.

Accessit Doctrinæ Analyticæ inuentum nouum, collectum
ex varijs eiusdem D. de FERMAT Epistolis.

TOLOSÆ,
Excudebat BERNARDVS BOSC, è Regione Collegij Societatis Iesu.
M. DC. LXX.

所以：EG、GH上的正方形之和与EG与GH构成的矩形的两倍是不可公约量（命题X.6、X.13）。

所以：EG、GH上的正方形之和加EG、GH构成的矩形的两倍即是EH上的正方形，与EG、GH上的正方形是不可公约的（命题II.4、X.16）。

又EG和GH上的正方形是有理面，所以：EH上的正方形是无理面（定义X.4）。

世界的构型

古代科学家把有关圆和球的一些观念用于构造得以解释空中行星、恒星运动的数学模型。毕达哥拉斯假定，诸恒星悬挂在一个透明的球面上，球面每天绕着一根通过地球的轴线旋转。另外七颗古老行星——太阳、月亮、水星、火星、木星、金星和土星也都分别悬挂在各自的运动球面上。毕达哥拉斯的行星、天空概念后来发展成天体运动理论，形成16世纪天文学的基础。

所以：EH是无理的，而它又是有理的，这是不可能的。

所以：两个中项面之差是无理面。

证完

注 解

这一命题应用在本卷命题X.42开始的几个命题中。

命题X.27

仅正方形可公约的两中项线，可以构成一个有理矩形。

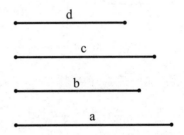

设：两条线a、b仅正方可公约，在a、b之间作一个比例中项比c，使a比b同于c比d（命题X.10、VI.13、VI.12）。

那么因为：a和b是有理的，并是仅正方可公约，那么：a和b构成的矩形，即c上的正方形便是中项面，所以：c是中项线（命题VI.17、X.21）。

又因为：a比b同于c比d，而a和b是仅正方可公约量，所以：c和d也是仅正方可公约量（命题X.11）。

而c是中项线。那么：d也是中项线（命题X.23）。

所以：c和d是仅正方可公约的中项线。

我进一步说：它们也是有理矩形。

因为：a比b同于c比d，那么，由更比得，a比c同于b比d（命题V.16）。

而a比c同于c比b，于是：c比b同于b比d，于是：c和d构成的矩形等于b上的正方形。而b上的正方形是有理面，所以：c和d构成的矩形也是有理面。

所以：仅正方形可公约的两中项线，可以构成一个有理矩形。

证完

命题X.28

仅正方可公约的两条中项线，可构成中项矩形。

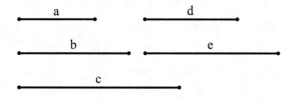

设：有理线a、b、c是仅正方可公约的线，作a、b间的比例中项d，使b比c同于d比e（命题X.10、VI.13、VI.12）。

因为：a、b是有理线，并是仅正方可公约量，那么：a与b构成的矩形，即d上的正方形是中项面，所以：d是中项线（命题VI.17、X.21）。

又因为：b和c是仅正方可公约量，而b比c同于d比e，那么：d和e也是仅正方可公约量（命题X.11）。

又，d是中项线，于是：e也是中项线（命题X.23）。

所以：d和e是仅正方可公约的中项线。

我进一步说：它们也构成一个中项矩形。

因为：b比c同于d比e，那么：由更比得，b比d同于c比e（命题V.16）。

又，b比d同于d比a，所以：d比a同于c比e，所以：a、c构成的矩形等于d、e构成的矩形（命题VI.16）。

又，a、c构成的矩形是中项面，于是：d、e构成的矩形也是中项面（命题X.21）。

所以：仅正方可公约的两条中项线，可构成中项矩形。

证完

注 解

命题本身应用在命题X.75中。

引理1

可以找到两个平方数，它们的和也是平方数。

A ————————— D ————— C ————— B

设：有AB、BC两个数，它们都是偶数或者奇数。那么：无论从偶数中减去一个偶数，还是从奇数中减去一个奇数，其余值是偶数。于是：余值AC是个偶数（命题IX.24、IX.26）。

令：在D点上平分AC，那么AB和BC要么是相似平面数，要么是平方数，而平方数本身也是相似平面数。

现在因为AB和BC的乘积加CD上的正方形等于BD上的正方形。又AB和BC的乘积是正方形，因为已经证明两相似平面的乘积是平方数，所以：两个平方数，AB与BC的乘积以及CD的平方被发现，当它们相加时，得到BD的平方（命题II.6、IX.1）。

又，很明显，另两个平方数也可求出，即BD的平方和CD的平方，它们的差也是一个平方数，即AB、BC的乘积是一个平方数，且无论AB和BC是什么样的相似平面。

但当它们不是相似平面数时，该两个平方数，即BD的平方和DC的平方被发现出来，其差为AB与BC的乘积，它不是一个平方数。

证完

引理2

可以找到两个平方数，它们的和不是一个平方数。

A · G · H · D E F · · · C · B

设：AB和BC的乘积是一个平方数，CA是偶数，D平分CA。

很明显，AB、BC的乘积加CD的平方等于BD的平方（命题X.28、引理1）。

减去单位DE，那么：AB、BC的乘积加CE的平方小于BD的平方。

那么我说：AB、BC的乘积加CE的平方不是一个平方数。

如果它是一个平方数，那么它要么等于BE的平方，要么小于BE的平方，而不可能大于，因为单位是不可以再分的。

首先，如果可能，设AB与BC的乘积加上CE的平方等于BE的平方，GA是单位DE的两倍。

因为：总量AC是总量CD的两倍，在它

们中AG是DE的两倍，所以：余值GC也是余值EC的两倍，所以：GC被E平分。

所以：GB、BC的乘积加CE的平方等于BE的平方（命题II.6）。

而AB、BC的乘积加CE的平方根据假定也等于BE的平方，所以：GB、BC的乘积加上CE的平方等于AB、BC的乘积加CE的平方。

又，如果，减去共同的CE上的平方，那么：AB就等于GB，这是荒谬的。

所以：AB、BC的乘积加CE的平方不等于BE的平方。

我进一步说，它也小于BE的平方。

因为，如果可能，设其等于BF的平方，HA是DF的两倍。

那么现在，HC也是CF的两倍，那么：CH在F点上被平分，同理，HB、BC的乘积加FC的平方等于BF的平方。

而假设AB、BC的乘积加CE的平方也等于BF的平方。

于是：HB、BC的乘积加CF的平方也等于AB、BC的乘积加CE的平方。这是荒谬的。

所以：AB、BC的乘积加CE的平方不小于BE的平方。

又，已经证明它也不等于BE的平方。

所以：AB、BC的乘积加CE的平方不是一个平方数。

所以：可以找到两个平方数，它们的和不是一个平方数。

证完

命题X.29

在仅正方可公约的两有理线上建正方形，大线段上的正方形大于小线段上的正方形，其差为与大线段在长度上可以公约的一条线段的正方形。

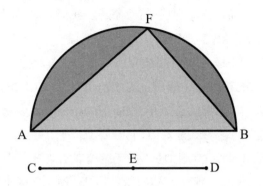

设：AB为有理线，CD和DE是平方数，所以它们的差CE不是平方数（命题X.28、引理1）。

在AB上作半圆AFB，使DC比CE同于BA上的正方形比AF上的正方形，连接FB（命题X.6及其推论）。

因为：BA上的正方形比AF上的正方形同于DC比CE，所以：BA上的正方形比AF上的正方形同于数DC比数CE。所以：BA上的正方形与AF上的正方形是可公约量（命题X.6）。

而，AB上的正方形是有理的，所以：AF上的正方形也是有理的，所以：AF也是有理的（定义X.4）。

又因为：DC比CE不同于一个平方数比一个平方数，则BA上的正方形与AF上的正方形的比不同于一个平方数与一个平方数的比。所以：AB与AF在长度上是不可公约的（命题X.9）。

所以：BA、AF仅是正方可公约有理线。

又因为：DC比CE同于BA上的正方形比AF上的正方形，所以，由换比可得，CD比DE同于AB上的正方形比BF上的正方形（命题V.19、推论、命题III.31、I.47）。

而CD比DE同于一个平方数比一个平方数，所以：AB的平方比BF的平方同于一个平方数比一个平方数，所以：AB与BF是在长度上可以公约的量（命题X.9）。

又，AB上的正方形等于AF、BF上的正方形之和，所以：AB上的正方形大于AF上的正方形，其大于值是与AB可以公约的BF上的正方形。

所以：两条仅正方可公约的有理线段BA、AF被找出来，其中较大的线AB上的正

算 筹

中国古代用算筹进行记数和计算。算筹是用竹、木、骨或铁等材料制成的细棍，将它们布列于算板上，分纵、横两式。据《孙子算经》记载，算筹记数的法则是：凡算之法，先识其位，一纵十横，百立千僵，千十相望，万百相当。《夏侯阳算经》说：满六以上，五在上方，六不积算，五不单张。

方形大于较小线段AF上的正方形，其大于的值是与AB在长度上可以公约的线段BF上的正方形。

证完

注 解

这一命题应用在命题X.31和X.32中。

命题X.30

在仅正方可公约的两条有理线段，大线段上的正方形大于小线段上的正方形，其大于值是与大线段在长度上可以公约的一条线段上的正方形。

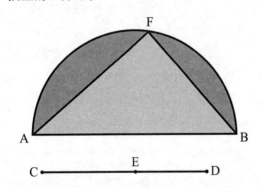

《莉拉沃蒂》手抄本

整个古代和中世纪，南亚次大陆不断处于外族侵扰之下，多民族的交替入侵使古代印度文化包括数学在内呈现出多元化的复杂背景，然而印度数学始终保持着东方数学以计算为中心的实用化特点。另外，婆罗门教、佛教、耆那教的兴起，使印度人在几何方面的工作显得比较薄弱，也形成了古代印度数学发展的浓厚的宗教氛围。图为印度最伟大的数学家和天文学家婆什迦罗的《莉拉沃蒂》手抄本。该书代表了古代印度数学的最高标准。

设：有理线AB，CE和ED是两个平方数，它们的和CD不是平方数。在AB上作半圆AFB，使DC比CE同于BA上的正方形比AF上的正方形。连接FB（命题X.29、引理2、命题X.6、推论）。

那么，类似于前面命题，我们可以证明BA、AF是仅正方可公约有理线段。

因为：DC比CE同于BA上的正方形比AF上的正方形，所以：由换比可得，CD比DE同于AB上的正方形比BF上的正方形（命题V.19、推论、命题III.31、I.47）。

而，CD比DE不同于一个正方形比一个正方形，所以：AB上的正方形比BF上的正方形也不同于一个平方数比一个平方数。所以：AB与BF是在长度上不可公约的量（命题X.9）。

又，AB上的正方形大于AF上的正方形，其大于值是与AB不可公约的线FB上的正方形。

所以：AB和AF是仅正方可公约线段，且AB上的正方形大于AF上的正方形，其大于的值是与AB在长度上不可公约的线FB上的正方形。

所以：在仅正方可公约的两条有理线段，大线段上的正方形大于小线段上的正方形，其大于值是与大线段在长度上可以公约的一条线段上的正方形。

证完

注 解

这一命题应用在下一命题

开始的三个命题之中。

命题X.31

两条仅正方可公约的中项线，构成一个有理矩形，大线段上的正方形大于小线段上的正方形，其大于的值是与大线段在长度上可公约的线段上的正方形。

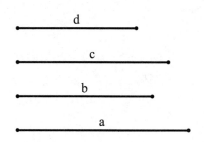

设：两条有理线a和b是仅正方可公约线段，a上的正方形较大，b上的较小，那么其差是与a在长度上可以公约的线段上的正方形（命题X.29）。

令：c上的正方形等于a和b构成的矩形。

那么：a和b构成的矩形是中项面，所以：c上的正方形也是中项面，所以：c也是中项线（命题X.21）。

令：c和d构成的矩形等于b上的正方形。

那么：b上的正方形是有理的，所以：c和d构成的矩形也是有理的。又，因为：a比b同于a、b构成的矩形比b上的正方形，同时，c上的正方形等于a和b构成的矩形，而c和d构成的矩形等于b上的正方形，所以：a比b同于c上的正方形比c、d构成的矩形。

又，c上的正方形比c和d构成的矩形同于c比d。

所以：a比b同于c比d。

又，a与b是仅正方可公约量，所以：c与

d也是仅正方可公约量（命题X.11）。

又，c是中项线，所以：d也是中项线（命题X.23）。

因为：a比b同于c比d，而a上的正方形大于b上的正方形，其差是与a可公约的线段上的正方形，所以：c上的正方形大于d上的正方形，其差是与c可以公约的线段上的正方形（命题X.14）。

所以：仅知两条仅正方可公约的中项线c和d，一个有理矩形被找出来，c上的正方形大于d上的正方形，其差是与c在长度上可公约的线段上的正方形。

类似地，也可以证明出，当a上的正方形大于b上的正方形，其差是与a不可公约的线段上的正方形时，c上的正方形大于d上的正方形，其差是与c不可公约的线段上的正方形（命题X.30）。

所以：两条仅正方可公约的中项线，构成一个有理矩形，大线段上的正方形大于小线段上的正方形，其大于的值是与大线段在长度上可公约的线段上的正方形。

证完

注 解

这一命题应用在命题X.34和X.35中。

命题X.32

两条仅正方可公约的中项线，构成一个中项矩形，大线上的正方形大于小线上的正方形，其差为与大线可公约的线段上的正方形。

设：a、b、c是仅正方可公约的三条有理线，a上的正方形大于c上的正方形，其差是与a可以公约的线段上的正方形。d上的正方形等于a和b构成的矩形（命题X.29）。

那么：d上的正方形是中项面，于是：d也是中项线（命题X.21）。

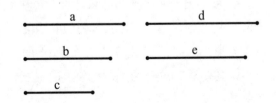

设：d、e构成的矩形等于b、c构成的矩形。

那么因为：a、b构成的矩形比b、c构成的矩形同于a比c，同时d上的正方形等于a、b构成的矩形。又，d、e构成的矩形等于b、c构成的矩形，所以：a比c同于d上的正方形比d、e构成的矩形。

又，d上的正方形比d、e构成的矩形同于d比e，a比c同于d比e。而a与c是仅正方可公约量，所以：d与e也是仅正方可公约量（命题X.11）。

又，d是中项线，所以：e也是中项线（命题X.23）。

又因为：a比c同于d比e，同时a上的正方形大于c上的正方形，其差为与a可以公约的线段上的正方形，所以：d上的正方形大于e上的正方形，其差是与d可以公约的线段上的正方形（命题X.14）。

那么我进一步说：d和e构成的矩形也是中项面。

因为：b、c构成的矩形等于d、e构成的矩形，同时，b、c构成的矩形是中项面，所以：d、e构成的矩形也是中项面（命题X.21）。

所以：两个中项线d、e是仅正方可公约的，且构成中项矩形，大线上的正方形大于小线上的正方形，其差为与大线可公约的线段上的正方形。

类似地又可以证明，当a上的正方形大于c上的正方形，其差为与a可公约的线段上的正方形时，d上的正方形大于e上的正方形，其差是与d可公约的线段上的正方形（命题X.30）。

所以：两条仅正方可公约的中项线，构成一个中项矩形，大线上的正方形大于小线上的正方形，其差为与大线可公约的线段上的正方形。

证完

引 理

设：ABC为一个直角三角形，角A为直角，AD是垂直线。

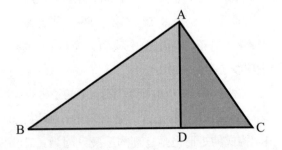

那么我说：CB、BD构成的矩形等于BA上的正方形，BC、CD构成的矩形等于CA上的正方形，BD、DC构成的矩形等于AD上的正方形，BC、AD构成的矩形等于BA、AC构成的矩形。

首先，CB、BD构成的矩形等于BA上的正方形。

因为：在直角三角形中，AD垂直于底边，于是：三角形ABD、ADC皆与三角形ABC相似，且它们彼此相似（命题VI.8）。

因为：三角形ABC相似于三角形ABD，那么：CB比BA同于BA比BD。于是：CB、BD构成的矩形等于AB上的正方形。同理，BC、CD构成的矩形也等于AC上的正方形（命题VI.17）。

因为，如果在一个直角三角形中，直角向边引的线垂直于底边，那么该垂线也是所分底边两段的比例中项线，所以：BD比DA同于AD比DC。

所以：BD、DC构成的矩形等于AD上的正方形（命题VI.8、推论、命题VI.17）。

那么我说：BC、AD构成的矩形也等于BA、AC构成的矩形。因为：如上所述，ABC相似于ABD，那么：BC比CA同于BA比AD（命题VI.4）。

所以：BC、AD构成的矩形等于BA、AC构成的矩形（命题VI.16）。

证完

命题X.33

两条正方不可公约的线段，其上的正方形之和是有理的，它们构成的矩形是中项面。

设：两条正方可公约的有理线段AB和

希尔伯特的《数学基础》

1929年，希尔伯特的《数学基础》第一版问世。 他的著作还包括《希尔伯特全集》《线性积分方程一般理论基础》《几何基础》等，与其他数学家合著的有《直观几何学》《理论逻辑基础》《数学物理方法》等。

BC，AB上的正方形大于BC上的正方形，其差是与AB不可公约的线上的正方形（命题X.30）。

在D点平分BC，在AB上建矩形，使之等于BD或DC上的正方形且缺少一个正方形，设其为AE、EB构成的矩形（命题VI.28）。

在AB上作半圆AFB，作EF与AB成直角，连接AF和FB。

因为：AB和BC是不等线段，AB上的正方形大于BC上的正方形，其差是与AB不可公约的线段上的正方形，同时，在AB上建

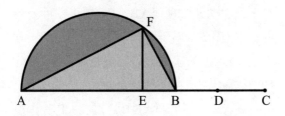

的矩形等于BC上的正方形的四分之一，即是AB的一半的正方形，即为AE和EB构成的矩形。所以：AE与EB是不可公约量（命题X.18）。

又，AE比EB同于BA、AE构成的矩形比AB、BE构成的矩形，同时，BA和AE构成的矩形等于AF上的正方形，AB和BE构成的矩形等于BF上的正方形。所以：AF上的正方形与FB上的正方形是不可公约量。所以：AF、FB是正方不可公约量。

因为：AB是有理的，那么：AB上的正

方形也是有理的，于是：AF、FB上的正方形之和也是有理的（命题I.47）。

又因为：AE和BE构成的矩形等于EF上的正方形，根据假设，AE和EB构成的矩形也等于BD上的正方形，于是：FE等于BD，于是：BC是FE的两倍，于是：AB和BC构成的矩形与AB、EF构成的矩形也是可公约量。

又，AB和BC构成的矩形是中项面，所以：AB和EF构成的矩形也是中项面（命题X.21、X.23、推论）。

而，AB和EF构成的矩形等于AF和FB构成的矩形，所以：AF和FB构成的矩形也是中项面（命题X.32、引理）。而，已经证明，这些线段上的正方形之和也是有理的。

所以：两条正方不可公约的线段AF、FB被找出，其上的正方形之和是有理的，它们构成的矩形是中项面。

证完

注 解

引理的第一部分完成命题I.47，但是其证明依赖卷VI中的相似三角形。

这一命题应用在命题X.39和X.76中。

命题X.34

两条正方不可公约的线，它们的正方形之和是中项面，它们构成的矩形是有理的。

设：两条中项线AB、BC是正方可公约的，它们构成的矩形是有理的，AB上的正方形大于BC上的正方形，其差是与AB不可公约的线段上的正方形（命题X.31）。

在AB上作半圆ADB，再在AB上作矩

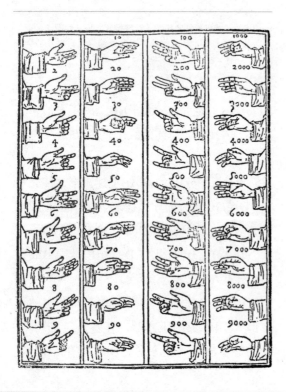

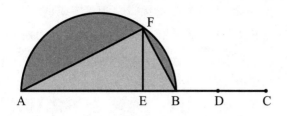

形，使之等于BE上的正方形且缺少一个正方形，及AF、FB构成的矩形，那么：AF、FB在长度上是不可公约的（命题VI.28、X.18）。

从F点作FD，使之与AB形成直角，连接AD、DB。

因为：AF与FB是在长度上不可公约的，所以：BA、AF构成的矩形与AB、BF构成的矩形也是不可公约的（命题X.11）。

又，BA与AF构成的矩形等于AD上的正方形，AB与BF构成的矩形等于DB上的正方形，所以：AD上的正方形与DB上的正方形也是不可公约的。

又因为：AB上的正方形是中项面，所以：AD与DB上的正方形之和也是中项面（命题III.31、I.47）。

又因为：BC是DF的两倍，所以：AB、BC构成的矩形也是AB与FD构成的矩形的两倍。

而，AB、BC构成的矩形是有理的，所以：AB、FD构成的矩形也是有理的（命题X.6）。

而，AB、FD构成的矩形等于AD、DB构成的矩形，所以：AD、DB构成的矩形也是有理的（命题X.33、引理）。

所以：两条正方不可公约的线段AD、DB被发现，它们的正方形之和是中项面，而

它们构成的矩形是有理的。

证完

注 解

这一命题应用在命题X.40中。

命题X.35

两条正方不可公约的线段可以证得，其上的正方形之和是中项面，它们构成的矩形亦为中项面，且该矩形与上述两正方形的和是不可公约量。

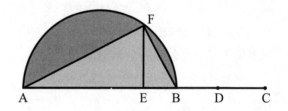

设：两条中项线AB、BC是仅正方可公约的，它们构成中项矩形，AB上的正方形大于BC上的正方形，其差为与AB不可公约的线段上的正方形，在AK上作半圆ADB，作如前所述的图形（命题X.31）。

因为：AF与FB在长度上是不可公约的，于是：AD与DB也是正方形不可公约的量（命题X.18、X.11）。

因为：AB上的正方形是中项面，所以：AD、DB上的正方形之和也是中项面（命题III.31、I.47）。

因为：AF、FB构成的矩形等于BE、DF之一上的正方形，所以：BE等于DF。所以：BC是FD的两倍，所以：AB、BC构成的矩形是AB、FD构成的矩形的两倍。而AB、BC构成的矩形是中项面，所以：AB、FD构

成的矩形也是中项面（命题X.32、推论）。

又，它等于AD、DB构成的矩形，所以：AD、DB构成的矩形也是中项面（命题X.33、引理）。

因为：AB与BC是在长度上不可公约的，同时，CB与BE是可公约的，于是：AB与BE在长度上也是不可公约的，于是：AB上的正方形与AB、BE构成的矩形也是不可公约的（命题X.13、X.11）。

而，AD、DB上的正方形之和等于AB上的正方形，AB、FD构成的矩形，即AD、DB构成的矩形，等于AB、BE构成的矩形。所以：AD、DB上的正方形之和与AD、DB构成的矩形是不可公约的（命题I.47）。

所以：正方不可公约的两条线段AD、DB，其上的正方形之和是中项面，它们构成的矩形亦为中项面，且该矩形与上述两正方形是不公约量。

证完

注 解

这一命题应用在命题X.41和X.78中。

命题X.36

两条仅正方可公约的有理线段相加，其和是无理的，我们称之为二项线。

A ————————— B ————————— C

设：两条仅正方可公约的线段AB、BC相加。

那么我说：其和AC是无理的。

因为：AB与BC是长度上不可公约的，因为它们是仅正方可公约的。

而AB比BC同于AB、BC构成的矩形比BC上的正方形，所以：AB与BE构成的矩形与BC上的正方形是不可公约的（命题X.11）。

又，AB、BC构成的矩形的两倍与AB、BC构成的矩形是可公约的，AB、BC上的正方形之和与BC上的正方形是可公约的，因为AB和BC是仅正方可公约有理线段，所以：AB、BC构成的矩形的两倍与AB、BC上的正方形之和是不可公约量（命题X.6、X.15、X.13）。

又，由合比可得，AB、BC构成的矩形的二倍加AB、BC上的正方形，即AC上的正方形与AB、BC上的正方形之和是不可公约的（命题II.4、X.16）。

因为，AB、BC上的正方形之和是有理的，所以：AC上的正方形是无理的，所以：AC也是无理的。

我们称之为二项线（定义X.4）。

所以：两条仅正方可公约的有理线段相加，其和是无理的，我们称之为二项线。

证完

注 解

这一命题从本卷下一命题开始有大量的应用。

命题X.37

如果仅正方可公约的两条中项线，构成一个有理矩形，那么，两中项线之和是无理的，此线段被称为第一双中项线。

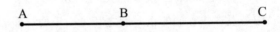

A ————————— B ————————— C

设：两条中项线AB、BC是仅正方可公约线段，构成一个有理矩形。将两线段相加得AC。

那么我说：总量AC是无理的。

因为：AB与BC是在长度上不可公约的，所以：AB、BC上的正方形之和与AB、BC构成的矩形的2倍也是不可公约的，由合比可得，AB和BC上的正方形之和加上AB、BC构成的矩形的2倍，即AC上的正方形，与AB、BC构成的矩形是不可公约的（命题X.36、II.4、X.16）。

又，AB、BC构成的矩形是有理的，因为，根据假设，AB、BC是构成一个有理矩形的两线段，所以：AC上的正方形是无理的。所以：AC是无理的。我们把它称为第一双中项线（定义X.4）。

所以：如果仅正方可公约的两条中项线，构成一个有理矩形，那么，两中项线之和是无理的，此线段被称为第一双中项线。

证完

瞭望塔

在画中地上有一张图纸，图纸上画有一个立方体。立方体中有两个小圆圈，图形边缘是相互交叉的。而在三维的世界中，这种图案是不可能画出来的。

注 解

这一命题应用在命题X.43以及其他几个命题中。

命题X.38

如果仅正方可公约并构成一个中项矩形的两条中项线相加，那么两中项线段之和是无理的，我们称此线段为第二双中项线。

设：两条中项线AB、BC仅正方可公约，并构成一个中项矩形。两线相加。

那么我说：AC是无理的。

令：DE为有理线段，在DE上作矩形DF，使之等于AC上的正方形，DG为宽（命题I.44）。

因为：AC上的正方形等于AB、BC上的正方形与AB、BC构成的矩形的2倍之和，令：EH是在DE上作的矩形等于AB、BC上的正方形之和，那么：余值HF等于AB、BC构成的矩形的2倍（命题II.4）。

因为：AB、BC两条线段皆为中项线，于是：AB、BC上的正方形也是中项面。而，根据假设，AB、BC构成的矩形的2倍也是中项面。又，EH等于AB、BC上的正方形之和，同时，FH等于AB与BC构成的正方形的2倍，所以：EH和HF皆是中项面。

又，它们是建在有理线段DE上的，所以：DH、HG皆是有理线段，并与DE在长度上不可公约（命题X.22）。

因为：AB、BC在长度上不可公约，且AB比BC同于AB上的正方形比AB、BC构成的矩形，所以：AB上的正方形与AB、BC构成的矩形是不可公约的（命题X.11）。

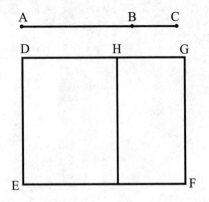

而，AB、BC上的正方形之和与AB上的正方形是可公约的，而，AB、BC构成的矩形的2倍与AB、BC构成的矩形是可公约量（命题X.15、X.6）。

所以：AB、BC上的正方形之和与AB、BC构成的矩形的2倍是不可公约的（命题X.13）。

又，EH等于AB、BC上的正方形之和，且HF等于AB、BC构成的矩形的2倍。

所以：EH与HF是不可公约的，所以：DH与HG也是在长度上不可公约的（命题VI.1、X.11）。

所以：DH、HG是仅正方可公约的有理线段，所以：DG是无理的（命题X.36）。

又，DE是有理的，构成一条无理线段和一条有理线段的矩形是无理面。

所以：面DF是无理的，而与DF相等的正方形的边是无理的（命题 X.20 、定义 X.4）。

而AC是等于DE的正方形的边，所以：AC是无理的。

我们称它为第二双中项线。

所以：如果仅正方可公约并构成一个中项矩形的两条中项线相加，那么两中项线段之和是无理的，我们称此线段为第二双中项线。

证完

注 解

本命题应用在命题X.44和其他几个命题中。

命题X.39

如果两条线段正方不可公约，它们上的正方形相加是有理的；且它们构成中项矩形，那么，此二线是无理的，我们称它为主线。

设：两条直线AB、BC是正方不可公约量，两线相加得AC（命题X.33）。

那么我说：AC是无理的。

因为：AB、BC构成的矩形是中项面，所以：AB、BC构成的矩形的两倍也是中项面（命题X.6、X.23、推论）。

又，AB、BC上的正方形之和是有理

的，所以：AB、BC构成的矩形的两倍和AB与BC上的正方形之和是不可公约的，所以：AB、BC上的正方形之和加上AB、BC构成的矩形的两倍，即是AC上的正方形。也与AB、BC上的正方形之和不可公约。所以：AC上的正方形是无理的，所以：AC也是无理的。

所以：我们称它为主线（命题X.16、定义X.4）。

证完

注　解

这一命题应用在本卷的命题X.57和其他几个命题中。

命题X.40

如果两条线段正方不可公约，它们的正方形之和是中项面，而它们构成的矩形是有理的，并与二线段正方形之和不可公约，那么，两线段之和是无理的。我们称它为两中项面有理面之和的边。

设：两条线段AB、BC是正方不可公约量，它们相加得AC（命题X.34）。

那么我说：AC是无理的。

因为：AB、BC上的正方形是中项面，同时，AB、BC构成的矩形的两倍是有理的，所以：AB、BC上正方形之和与AB、BC构成的矩形的两倍是不可公约的，所以：AC上的正方形与AB、BC构成的矩形的两倍也是不可公约的（命题X.16）。

而，AB与BC构成的矩形的两倍是有理

的，所以：AC上的正方形是无理的（定义X.4）。

所以：AC是无理的。我们称它为两中项面有理面之和的边。

证完

注　解

这一命题应用在本卷的命题X.46和其他几个命题之中。

命题X.41

如果两条正方不可公约线段上的正方形之和是中项面，且它们构成的矩形也是中项面，并与它们的正方形之和不可公约，那么两条线段之和是无理的。我们称该线为两中项面之和的边。

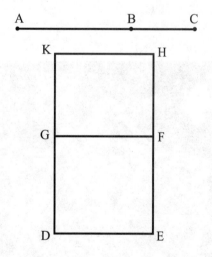

设：两条线段AB、BC是正方不可公约的，它们相加得AC（命题X.35）。

那么我说：AC是无理的。

令：建有理线段DE，在DE上建矩形DF，使之等于AB、BC上的正方形之和。再建矩形GH，使之等于AB、BC构成的矩形的两倍，那么，总量DH等于AC上的正方形（命题II.4）。

现在因为：AB、BC上的正方形之和是中项面，并等于DF，所以：DF也是中项面。而它是建在有理线DE上的，所以：DG与DE是在长度上不可公约的有理线。同理，GK与GF，即DE，也是在长度上不可公约的有理线（命题X.22）。

因为：AB和BC上的正方形之和与AB及BC构成的矩形的两倍是不可公约的，所以：DF与GH是不可公约的，所以：DG与GK也是不可公约的（命题VI.1、X.11）。

又，它们是有理的，所以：DG、GK是仅正方可公约的有理线，所以：DK是被称为二项线的无理线（命题X.36）。

又，DE是有理的，所以：DH是无理的，且与它相等的正方形的边是无理的（定义X.4）。

又，AC是等于HD的正方形的边，所以：AC是无理的。

所以：我们称该线为两中项面之和的边。

证完

注 解

这一命题应用在本卷的命题X.65和其他几个命题之中。

命题X.42

一条二项线仅能在一个点上被分为两个部分。

A ——————————— D — C — B

设：AB是给定的二项线段，在C点上被分割，AC和CB是仅正方可公约的有理线段。

那么我说：AB不可能在另外一点上分割成两条仅正方可公约的线段。

因为，假如可能，令其在D点分割，那么AD和DB也是仅正方可公约的线段。

这表明，AC不同于DB。

否则，AD也就同于CB，而AC比CB同于BD比DA，于是：AB在D点被分割便同于在C点被分割。这与假设是矛盾的。

所以：AC不同于DB。

星

交叉的几何体也常常出现在埃舍尔的作品中，其中最有趣的是埃舍尔的木版画《星》：这是一幅由四面体、八面体、立方体以及其他东西交叉组成的几何体"星"。在多面体内放置一条变色龙的构思给人一种奇异的视觉刺激。数学家们对埃舍尔的作品极为欣赏的另外一个原因就是，一切伟大的数学发现背后都具有与此相同的创意和感性。

同理，点D和点C离中点不相等。

所以：AC、CB上的正方形之和与AD、DB上的正方形之和的差，等于AD、DB构成的矩形的两倍与AC、CB构成的矩形的两倍的差。因为：AC、CB上的正方形加AC、CB构成的矩形的两倍，与AD、DB上的正方形加AD、DB构成的矩形的两倍，都等于AB上的正方形（命题II.4）。

又，AC、CB上的正方形之和与AD、DB上的正方形之和的差是有理面，因为两者都是有理面。所以：AD、DB构成的矩形的两倍与AC、CB构成的矩形的两倍的差也是个有理面。然而，它们是中项面，这是荒谬的，因为：两个中项面的差不可能是有理面（命题X.21、X.26）。

所以：一条二项线不可能在不同的点上分为两段，所以：它只能被一点分为两段。

所以：一条二项线仅能在一个点上被分为两个部分。

证完

注 解
这一命题应用在命题X.47之中。

命题X.43
第一双中项线仅能在一点上被分为两段。

A ————————— D — C ————— B

设：AB为第一双中项线，在C点被分为两段，使得：AC、CB成为两条仅正方可公约的中项线，并可构成一个有理矩形（命题

X.37）。

那么我说：不可能有另外一个点分AB为如此两段。

假如可能有另外一点，令其为D点，那么：AD、DB也是仅正方可公约的中项线，并构成一个有理矩形。

那么因为：AD、DB构成的矩形的两倍与AC、CB构成的矩形的两倍的差，等于AC、CB上的正方形之和与AD、DB上的正方形之和的差。同时，AD、DB构成的矩形的两倍与AC、CB构成的矩形的两倍的差为一个有理面，因为：两者皆为有理面。所以：AC、CB上的正方形之和与AD、DB上的正方形之和的差为一个有理面。然而，它们是中项面，这是荒谬的（命题X.26）。

所以：第一双中项线不可能在不同的点上分为两段，所以：它只能在一个点上被分为两段。

所以：第一双中项线仅能在一点上被分为两段。

证完

命题X.44
一个第二双中项线只可在一点被分为两段。

设：AB为一个第二双中项线，被C点切分，使AB、CB成为两条仅正方可公约线，其构成的矩形是中项面。显然，C不是AB的平分点，因为它们长度上是不可公约的（命题X.38）。

那么我说：没有其他的点可分AB为如此的两段。

斐波那契

斐波那契（约1170—1250年）早年曾随其父到北非师从阿拉伯人学习算学，后又游历地中海沿岸，1202年回意大利写成《算经》。《算经》中记载着一种"兔子问题"：某人在一处有围墙的地方养了一对兔子，假定每对兔子每次生一对小兔，而小兔出生后两个月就能生育。问从这对兔子开始，一年内能繁殖成多少对兔子？对这个问题的回答，导致了著名的斐波那契数列：1，1，2，3，5，8，13，21，…。该数列差为1，以后的每个数都是由它前面两个数相加而得。

假如可能有另外一点，令其为D点，那么：AC、DB是不同的，而AC假设较大，那么：正如我们上面的证明，AD、DB上的正方形之和小于AC、CB上的正方形之和。

假定AD、DB是仅正方可公约的两条中项线。并构成一个有理矩形（命题X.32、引理）。

令：作一条有理线段EF，在EF上作矩形EK等于AB上的正方形，从中减去等于AC、CB上的正方形之和的EG，那么：其余值HK等于AC、CB构成的矩形的两倍。

又，从中减去等于AD、DB上的正方形之和的EL，它已被证明小于AC、CB上的正方形之和，那么：余值MK也等于AD、DB构成的矩形的两倍（命题X.32、引理）。

那么，现在，AC、CB上的正方形是中项面，所以：EG是中项面。

又，它们是作在有理线段EF上的，所以EH与EF在长度上是不可公约的（命题X.22）。

同理，HN与EF在长度上也是不可公约的。

又因为：AC、CB是两条中项线段，并仅正方可公约，于是：AC、CB是在长度上不可公约的。

又，AC比BC同于AC上的正方形与AC、CB构成的矩形之比，于是：AC上的正方形与AC、CB构成的矩形不可公约（命题X.11）。

而AC、CB上的正方形之和与AC上的正方形是可公约的，因为：AC和CB仅正方可公约（命题X.15）。

又，AC、CB构成的矩形的两倍与AC、CB构成的矩形是可公约的（命题X.6）。

所以：AC、CB上的正方形与AC、CB构成的矩形的两倍是不可公约的（命题X.13）。

又，EG等于AC、CB上的正方形之和，而HK等于AC、BC构成的矩形的两倍，所以：EG与HK是不可公约的。所以：EH与HN在长度上也是不可公约的（命题VI.1、X.11）。

又，它们是有理的，所以：EH和HN是有理线段，并仅正方可公约。

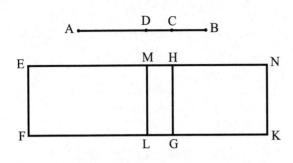

而，如果两条仅正方可公约的有理线段相加，那么其总量是无理的，它被称为二项线（命题X.36）。

所以：EN是一个二项线，在H点上被切分，同理，EM、MN也可证明是有理线，仅正方可公约；EN是在不同的点H、M上被切分的二项线。EH不同于MN，因为AC、CB上的正方形之和大于AD、DB上的正方形之和。

而AD、DB上的正方形之和大于AD、DB构成的矩形的两倍，所以：AC、BC上的正方形之和，即EG，远远大于AD、DB构成的矩形的两倍，即MK，所以：EH也大于MN。所以：EH不同于MN。

所以：一个第二双中项线只可在一点被分为两段。

证完

命题X.45

一条主线仅能在一点上被分为两段。

设：AB为主线，在C点上被切分，使AC、CB成为正方不可公约的。且AC、CB上的正方形之和是有理的，而AC、CB构成的

矩形是中项面（命题X.39）。

那么我说：AB不可能在另一个点上分为如此的两段。

假如可能有另外一点，令其在D点被切分，那么AD、DB是仅正方不可公约的量，而AD、DB上的正方形之和是有理的，但，它们构成的矩形是中项面。

那么因为：AC、CB上的正方形之和，与AD、DB上的正方形之和的差，等于AD、DB构成的矩形的两倍和AC与CB构成的矩形的两倍的差。同时，AC、CB上正方形的和与AD、DB上的正方形之和的差是有理面，因为两者皆是有理面。然而，它们是中项面，这是不可能的（命题X.26）。

所以：一条主线不可能在不同的点上被切分。

所以，AD、DB构成的矩形的两倍，与AC、CB所构成的矩形的两倍之差是有理面。

所以：一条主线仅能在一点上被分为两段。

证完

命题X.46

一个中项面有理面和的边仅能在一点上被分为两段。

设：AB为一条有理面中项面和的边，在C点被切分，那么：AC、CB是正方不可公约量，AC、CB上的正方形之和是中项面，而AC、CB构成的矩形的两倍是有理的（命

题X.40）。

那么我说：没有另外的一个点可以切分AB为如此的两段。

假设可能有另外一点，设它为D点，那么：AD、DB也是正方不可公约量，且AD、DB的正方形之和是中项面，AD、DB构成的矩形的两倍是有理的。

那么因为：AC、CB构成的矩形的两倍与AD、DB构成的矩形的两倍的差，等于AD、DB的正方形之和与AC、CB的正方形之和的差。

同时，AC、CB构成的矩形与AD、DB构成的矩形的两倍之差是有理面，所以：AD、DB上的正方形之和与AC、CB上的正方形之和的差是有理面，然而，它们是中项

面，这是不可能的（命题X.26）。

所以：一个中项面有理面和的边仅能在一点上被分为两段。

证完

命题X.47

一个两中项面之和的边，仅能在一点上被分为两段。

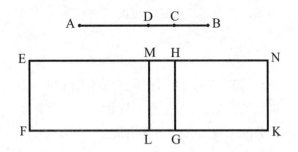

设：AB在C点上被切分，那么：AC、CB是正方不可公约的，AC、CB上的正方形之和是中项面，而AC、CB构成的矩形是中项面，AC、CB构成的矩形与它们上的正方形也是不可公约的（命题X.41）。

那么我说：没有另外的点可以分AB为两段，满足给定的条件。

假设可能有这样一点，令其为D点，那么：AC当然不同于BD，而AC被假设为大。

令：作一条有理线段EF，在EF上作矩形EG等于AC、CB上的正方形之和，并作矩形HK等于AC、CB构成的矩形的两倍，

黛朵女王问题

圆的极大性质颇为有名，在古代已为人们所知。迦太基的黛朵女王欲向努米底亚的国王购买土地，双方达成协议：女王仅仅获得用一张公牛皮可能包围成的那么多土地。女王把"包围"一词理解成尽可能的广泛，她让人把牛皮切成狭条，并把狭条连接起来，做成一条很长的闭合圈，若其宽度小至1/10英寸，则其长度为1000~2000码，所得的面积为25~60英亩。如果皮革的两端固定于一段假想的笔直海岸线上的两点，那么女王甚至会获得更多的土地，这就是被称为"等周问题"的数学课题。

那么：总量EK等于AB上的正方形（命题
II.4）。

又，在EF上作矩形EL，使之等于AD、
DB上的正方形之和，那么：其余值，AD、
DB构成的矩形的两倍，等于余值MK。

又因为：根据假设，AC、CB上正方形
之和是中项面，所以：EG也是中项面。

又，它是建在有理线段EF上的，于是：
HE是有理线段，并与EF在长度上不可公约
（命题X.22）。

同理，HN也是有理线段，并与EF在长
度上是不可公约的，又因为：AC、CB上的
正方形之和与AC、CB构成的矩形的两倍是
不可公约的，所以：EG与GN也是不可公约
的，所以：EH与NH也是不可公约的（命题
VI.1、X.11）。

又，它们是有理的，于是：EH和HN是
有理线段，并是仅正方可公约的。所以：EN
是一条二项线段，并在H点上被切分（命题
X.36）。

同理，我们可以证明EN也在M点被切
分。而EH不同于MN，所以：一条二项线
段被分成了不同的点，这是荒谬的（命题
X.36）。

所以：一个两中项面之和的边，仅能在
一点上被分为两段。

证完

定 义 （二）

定义X.5 给定一条有理线和一个二项
线，将二项线分为两段，大线段上的正方形
大于小线段上的正方形，其差为一个与大线

哥德尔

哥德尔（1906—1976年），奥地利数学家。他于1930
年证明并发现哥德尔不完备定理。他指出：任何一个兼容的
数学形式化理论中，只要它强到足以在其中定义自然数的概
念，就可以在其中构造体系中既不能证明也不能否证的命
题；任何兼容的形式体系不能用于证明它本身的兼容性。哥
德尔不完备定理是现代最深刻的定理之一。哥德尔的逻辑思
维几乎使他不能成为美国公民，因为他在"逻辑地阅读美国
宪法时，发现了其中一些自相矛盾之处"。

段长度可公约的线段上的正方形。

如果大线段与给定的有理线段长度可公
约，那么原二项线被称为第一二项线。

定义X.6 如果短线段与给定的有理线长
度可公约，那么，原二项线称为第二二项线。

定义X.7 如果两线段与给定的有理线段
长度不可公约，那么，原二项线称为第三二
项线。

定义X.8 如果大线段上的正方形大于小线段上的正方形，其差为一个与大线段长度可公约的线段上的正方形，如果大线段与给定的有理线段长度可公约，那么，原二项线被称为第四二项线。

定义X.9 如果小线段与给定的有理线段长度可公约，那么，该二项线称为第五二项线。

定义X.10 两线段皆不可公约，则称为第六二项线。

命题X.48

求第一二项线。

设：两个数AC、CB，AB比BC是一个平方数比一个平方数，但它们的和比CA不是一个平方数比一个平方数（命题X.28、引理）。

设：任意有理线段d，使EF与d在长度上是可公约的。那么：EF也是有理线段。

令：数BA比AC同于EF上的正方形比FG上的正方形（命题X.6、推论）。

而，AB比AC是一个数比一个数，于是：EF上的正方形比FG上的正方形也是一个数比一个数，于是：EF上的正方形与FG上的正方形是可公约的（命题X.6）。

又，EF是有理线，于是：FG也是有理线，因为：BA比AC不是一个平方数比一个平方数，所以：EF上的平方比FG上的平方不

是一个平方数比一个平方数，所以：EF与FG在长度上是不可公约的（命题X.9）。

所以：EF和FG是仅正方可公约的有理线段，所以：EG是二项线（命题X.36）。

那么我说：它也是一个第一二项线。

因为：数BA比AC同于EF上的正方形比FG上的正方形，同时，BA大于AC，所以：EF上的正方形也大于FG上的正方形。

令：FG、h上的正方形之和等于EF上的正方形。

因为，BA比AC同于EF上的正方形比FG上的正方形。

于是：由转换比可得，AB比BC同于EF上的正方形比h上的正方形（命题V.19、推论）。

又，AB比BC是一个平方数比一个平方数，所以：EF上的正方形比h上的正方形也是一个平方数比一个平方数。

所以：EF与h是在长度上可公约的，所以：EF上的正方形大于FG上的正方形，其差为与EF可公约的一条线段上的正方形（命题X.9）。

又，EF和FG是有理的，而EF与d是长度上可公约的。

所以：EG是一个第一二项线。

所以：第一二项线被求出。

证完

命题X.49

求第二二项线。

设：AC、CB两个数，它们的和AB比BC之比是一个平方数比一个平方数。但AB

比AC不是一个平方数比一个平方数。作一条有理线段d，使EF与d在长度上可以公约，于是：EF是有理线段。

作以下比例，使CA比AB同于EF上的正方形比FG上的正方形，那么：EF上的正方形与FG上的正方形是可公约量，所以：FG也是有理线段（命题X.6、推论）。

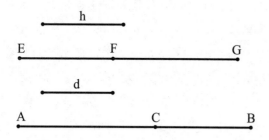

那么，因为：CA比AB不是一个平方数比一个平方数，EF上的正方形比FG上的正方形也不是一个平方数比一个平方数。

所以：EF与FG是在长度上不可公约的，所以：EF和FG是仅正方可公约的有理线。所以：EG是二项线（命题X.9、X.36）。

还可以证明，它是一个第二二项线。

因为：由反比可得，数BA比AC同于GF上的正方形比FE上的正方形，同时，BA大于AC，所以：GF上的正方形大于FE上的正方形（命题V.7、推论）。

令：EF、h上的正方形之和等于GF上的正方形，那么，由换比可得，AB比BC同于FG上的正方形比h上的正方形（命题V.19、推论）。

而，AB比BC是一个正方形比一个正方形，所以：FG上的正方形比h上的正方形是一个平方数比一个平方数。

所以：FG与h是长度可公约的量，所

以：FG上的正方形大于FE上的正方形，其差是一个与FG可以公约的线段上的正方形（命题X.9）。

又，FG、FE是仅正方可公约的有理线，EF与d是长度可公约量。

所以：EG是一个第二二项线。

所以：第二二项线被求出。

证完

伏尔泰《论牛顿物理学》的首页

牛顿的《原理》是对人类心智最有影响力的创造物之一，也是最小作用量原理所切实依靠的坚实支柱。显然，最小作用量原理被当做哲学思想之始源。伏尔泰敏捷的才思、巧妙的笔触对宣扬牛顿的伟大成就颇有助益，他还特地撰写了历史性序文《论牛顿物理学》。

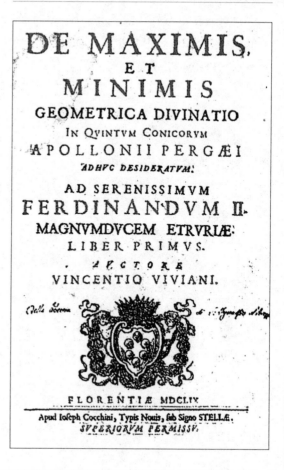

命题X.50

求第三二项线。

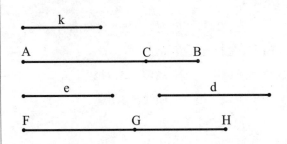

设：两个数AC、CB之和AB比BC是一个平方数比一个平方数，但AB比AC不是一个平方数比一个平方数。

再设：另一个数d不是平方数，d与BA、AC之比皆不是一个平方数比一个平方数。

再设：任意有理线段e，使d比AB同于e上的正方形比FG上的正方形，那么：e上的正方形与FG上的正方形是可公约的量（命题X.6、推论）。

又，e是有理的，所以：FG也是有理的，又因为：d比AB不是一个平方数比一个平方数，e上的正方形比FG上的正方形也不是一个平方数比一个平方数，所以：e与FG是长度不可公约量（命题X.9）。

其次，作出如下比例。

再令：数BA比AC同于FG上的正方形比GH上的正方形，那么：FG上的正方形与GH上的正方形是可公约量（命题X.6、推论）。

又，FG是有理的，所以：GH也是有理的。又因为：BA比AC不是一个平方数比一个平方数，FG上的正方形比HG上的正方形也不是一个平方数比一个平方数，所以：FG

与GH是长度不可公约量（命题X.9）。

所以：FG和GH是仅正方可公约的有理线段，所以：FH是二项线（命题X.36）。

我进一步说：它也是一个第三二项线。

又因为：d比AB同于e上的正方形比FG上的正方形，而BA比AC同于FG上的正方形比GH上的正方形，所以：由首末比可得，d比AC同于e上的正方形比GH上的正方形（命题V.22）。

又，d比AC不是一个平方数比一个平方数，e上的正方形比GH上的正方形也不同于一个平方数比一个平方数。所以：e与GH是在长度上不可公约的（命题X.9）。

因为：BA比AC同于FG上的正方形比GH上的正方形，所以：FG上的正方形大于GH上的正方形。

再令：GH、k上的正方形之和等于FG上的正方形，那么：由转换比可得，AB比BC同于FG上的正方形比k上的正方形（命题V.19、推论）。

而，AB比BC是一个平方数比一个平方数，所以：FG上的正方形比k上的正方形也等于一个平方数比一个平方数。所以：FG与k是在长度上可以公约的（命题X.9）。

所以：FG上的正方形大于GH上的正方形，其差是一个与FG在长度上可以公约的量（命题X.9）。

又，FG、GH是仅正方可公约的有理线段，那么：它们皆在长度上与e不可以公约。

所以：FH是一个第三二项线。

所以：第三二项线被求出。

证完

命题 X.51

求第四二项线。

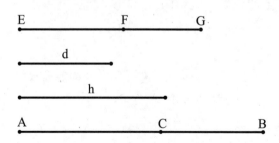

设：两个数AC、CB，它们的和AB比BC、AC都不是一个平方数比一个平方数。

再设：d是有理线段，EF与d在长度上是可公约的，那么：EF也是有理的。

令：数BA比AC同于EF上的正方形比FG上的正方形。那么：EF上的正方形与FG上的正方形是可公约的。所以：FG也是有理的（命题X.6、推论）。

那么因为：BA比AC不是一个平方数比一个平方数，EF上的正方形比FG上的正方形也不是一个平方数比一个平方数，所以：EF与FG是长度上不可以公约的（命题X.9）。

所以：EF和FG是仅正方可公约的有理线，于是：EG是二项线。

那么我进一步说：它也是一个第四二项线。

因为：BA比AC同于EF上的正方形比FG上的正方形，所以：EF上的正方形大于FG上的正方形。

令：FG与h上的正方形之和等于EF上的正方形，那么：由转换比可得，数AB比BC同于EF上的正方形比h上的正方形（命题V.19、推论）。

而AB比BC不是一个平方数比一个平方数，所以：EF上的正方形比h上的正方形也

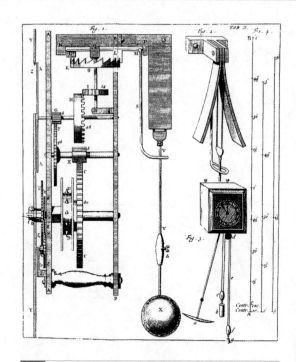

摆钟

如果一个颇重的小球沿某一条轨道无摩擦地滑动，从A滑到B，所花费时间最少，那么这轨道的形状就是一条曲线，即圆的滚动曲线，又叫摆线。荷兰物理学家、数学家惠更斯对该曲线最有趣的性质进行了研究。惠更斯从他发明的摆钟了解到，摆锤摆动一个完整周期所需的时间与摆锤有关。换言之，圆形摆非等时摆，来回摆动不总是花费相同的时间，这就是导致钟摆走时不准的根源。惠更斯发现，等时曲线就是摆线，质点在其上摩擦地滑动，从任意起始点到曲线最低点所花费的时间总是相同的。为此，这位最伟大的时钟制造人设置了如图所示的摆钟，钟摆在一条摆线上摆动。

不是一个平方数比一个平方数。

所以：EF与h是长度上不可公约的。所以：EF上的正方形大于GF上的正方形，其差是一个与EF不可公约的线段上的正方形（命题X.9）。

又，因为：EF、FG是仅正方可公约的有理线段，而EF与d是长度可公约的，所以：EG是一个第四二项线。

所以：第四二项线被求出。

证完

命题X.52

求第五二项线。

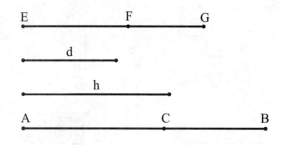

设：两个数AC、CB，AB分别与它们相比，皆不同于一个平方数比一个平方数。设一条任意有理线d，使EF与d可公约。那么EF是有理的。

令：CA比AB同于EF上的正方形比FG上的正方形（命题X.6、推论）。

而CA比AB不是一个平方数比一个平方数，所以：EF上的正方形比FG上的正方形也不是一个平方数比一个平方数。

所以：EF、FG是仅正方可公约的有理线段，所以：EG是个二项线（命题X.36、X.9）。

那么我进一步说：它也是第五二项线。

因为：CA比AB同于EF上的正方形比FG上的正方形，所以：由反比得，BA比AC同于FG上的正方形比EF上的正方形。所以：GF上的正方形大于FE上的正方形（命题V.7、推论）。

再令：EF、h上的正方形之和等于GF上的正方形。那么：由换比可得，数AB比BC同于GF上的正方形比h上的正方形（命题V.19、推论）。

而，AB比BC不同于一个平方数比一个平方数，所以：FG上的正方形比h上的正方

形也不同于一个平方数比一个平方数。

所以：FG与h是不可公约量。所以：FG上的正方形大于FE上的正方形，其差是一个与FG不可公约的线段上的正方形（命题X.9）。

又，GF、FE是仅正方可公约的有理线段，小线段EF与d在长度上可公约。

所以：EG是一个第五二项线。

所以：第五二项线被求出。

证完

命题X.53

求第六二项线。

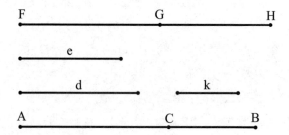

设：两个数AC、CB，它们的和AB分别与它们相比都不是一个平方数比一个平方数。再设另一个非平方数d，与BA、AC的比也不是一个平方数比一个平方数。

再设：e为一条任意有理线，使d比AB同于e上的正方形比FG上的正方形，那么：e上的正方形与FG上的正方形是可公约量，而e是有理的，所以：FG也是有理的（命题X.6、推论）。

那么因为：d比AB不同于一个平方数比一个平方数，e上的正方形比FG上的正方形也不是一个平方数比一个平方数，所以：e与FG是长度上不可公约的（命题X.9）。

又，作BA比AC同于FG上的正方形比GH上的正方形，那么：FG上的正方形与HG上的正方形是可公约量（命题X.6、推论）。

所以：HG上的正方形是有理的。所以：HG是有理的。

又，因为：BA比AC不同于一个平方数比一个平方数，FG上的正方形比GH上的正方形也不是一个平方数比一个平方数，所以：FG与GH是长度上不可公约的（命题X.9）。

所以：FG、GH是仅正方可公约的有理线段。所以：FH是二项线（命题X.36）。

也可以证明，它也是第六二项线。

因为：d比AB同于e上的正方形比FG上的正方形，BA比AC同于FG上的正方形比GH上的正方形，所以：由首末比可得，d比AC同于e上的正方形比GH上的正方形（命题V.22）。

又，d比AC不同于一个平方数比一个平方数，所以：e上的正方形比GH上的正方形也不是一个平方数比一个平方数，所以：e与GH是在长度上不可公约的（命题X.9）。

又，也可以证明，e也与FG是不可以公约的，于是：FG、GH分别与e在长度上是不可以公约的。

又因为：BA比AC同于FG上的正方形比GH上的正方形，所以：FG上的正方形大于GH上的正方形。

再令：GH、k上的正方形之和等于FG上的正方形，那么：由转换比可得，AB比BC同于FG上的正方形比k上的正方形（命题V.19、推论）。

又，AB比BC不同于一个平方数比一个平方数，FG上的正方形比k上的正方形也不同于一个平方数比一个平方数。

所以：FG与k是长度上不可以公约的。

所以：FG上的正方形大于GH上的正方形，其差等于一个与FG在长度上不可以公约的线段上的正方形（命题X.9）。

又FG、GH是仅正方可公约的有理线，它们与e也是在长度上不可公约的有理线。

所以：FH是一个第六二项线。

所以：第六二项线被求出。

证完

引理

设：有两个正方形AB、BC，使它们的边DB、BE在同一条线上，那么，FB也和BG是在同一条线上。

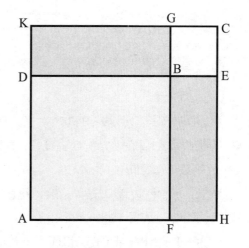

完成平行四边形AC。

那么我说：AC是个正方形，DG是AB、BC之间的比例中项，进一步，DC是AC、CB之间的比例中项。

因为DB等于BF、BE等于BG，所以DE等于FG。

关孝和

关孝和（1642—1708年）是与牛顿、莱布尼茨同时代的日本数学家。他以笔算代替传统的筹算与珠算，开创了日本"和算"。和算的核心"圆理"以无穷级数为基础，计算由各种曲线和曲面围成的面积与体积。它与欧洲早期微积分的某些原理相应。

而，DE分别等于线段AH和KC，又，FG分别等于线段AK和HC，所以：线段AH和KC也分别等于AK和HC（命题I.34）。

所以：平行四边形AC是等边的，并它也是矩形，所以：AC是个正方形。

因为：FB比BG同于DB比BE，同时，FB比BG同于AB比DG，又DB比BE同于DG比BC，所以：AB比DG同于DG比BC（命题VI.1、VI.11）。

所以：DG是在AB、CB的比例中项。

我进一步说：DC也是AC、CB的比例中项。

因为：AD比DK同于KG比GC，因为它们分别相等。由合比可得，AK比KD同于KC比CG，同时，AK比KD同于AC比CD，且AC比CG同于DC比CB，所以：AC比DC同于DC比BC（命题V.18、VI.1、VI.11）。

所以：DC是AC和CB的比例中项。

证完

命题X.54

如果一个面由一个有理线段和第一二项线构成，那么，该面的边是无理线，我们称为二项线的无理线段。

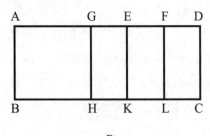

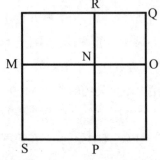

设：面AC是由有理线段AB和第一二项线AD构成。

那么我说：面AC的边是无理线，我们称为二项线的无理线。

因为：AD是一个第一二项线，设E为其分点，AE较大。那么很明显，AE、ED是仅正方可公约的有理线，AE上的正方形大于ED上的正方形，其差是一个与AE可公约的线段上的正方形。且AE与有理线段AB是在长度上可公约的（定义X.5）。

令：在F点上平分ED。

那么因为：AE上的正方形大于ED上的正方形，其差是一个与AE可公约的线段上的正方形。在大线段AE上作一个等于ED上的正方形的四分之一，即等于EF上的正方形，且缺少一个正方形的矩形，那么，AE被分为长度可公约的两段（命题X.17）。

在AE上建AG、GE构成的矩形，使之等于EF上的正方形。那么：AG是与EG在长度上可公约的。

从G、E、F作GH、EK、FL，使之分别平行于直线AB、CD，建正方形SN等于矩形AH，且正方形NQ等于GK。再设MN与NO在一条直线上，那么：RN与NP也是在一条直线上。完成平行四边形SQ，那么：SQ是正方形（命题II.4、引理）。

那么因为：AG、GE构成的矩形等于EF上的正方形，所以：AG比EF同于FE比EG（命题VI.17）。

所以：AH比EL同于EL比KG，所以：EL是AH、GK之间的比例中项（命题VI.1）。

而AH等于SN，GK等于NQ，所以：EL是SN、NQ之间的比例中项。而MR也同样是SN、NQ的比例中项，所以：EL等于MR，所以：它也等于PO（引理）。

而AH、GK也等于SN和NQ，所以：总量AC等于总量SQ，即，它等于MO上的正方形，所以：MO是AC的边。

我进一步说：MO是二项线。

因为：AG与GE是可公约的，所以：

AE与线段AG、GE也是可公约的（命题X.15）。

而根据假设，AE与AB是可公约的，所以：AG、GE与AB也是可公约的（命题X.12）。

又，AB是有理的，所以：直线AG、GE也是有理的，所以：AH、GK构成的矩形是有理的，而AH与GK是可公约的（命题X.19）。

又，AH等于SN，而GK等于NQ，所

庞特里亚金

拓扑学是几何学的一个分支，它与通常的平面几何、立体几何不同，在拓扑学里没有不能弯曲的元素。拓扑学有两个分支偏重于用分析方法来研究，叫做点集拓扑学或分析拓扑学。另一分支偏重于用代数方法来研究，叫做代数拓扑学。俄国数学家庞特里亚金（1908—1988年）在拓扑学方面作出了特殊贡献，著名的"庞特里亚金对偶定理"更新了代数拓扑学的内容，同时也是现代控制论的主要奠基之一。

大使

　　16世纪的欧洲充满了机遇和希望，人们开始着眼于外面的世界。航海和贸易的需求促使数学得以飞速发展，航海需要精确的航海和天文图，贸易则需要有效的会计学、代数学和几何射影学等，对数理论和微积分都有了长足的进步。小霍尔拜因的《大使》中的各种数学仪器既代表了广博的数学知识，也象征着这些知识所赋予的权力。

　　所以：MO是AC边的二项线。

　　所以：如果一个面由一个有理线段和第一二项线构成，那么，该面的边是无理线，我们称为二项线的无理线段。

　　　　　　　　　　　　证完

注 解

　　本命题前的引理已应用在命题X.60和X.11之中，这一命题应用在命题X.71中。

命题X.55

　　如果一个面由一条有理线和第二二项线构成，那么：我们称该面的边是一个第一双中项线的无理线段。

　　设：面ABCD是由有理线段AB和第二二项线AD构成的。

　　那么我说：AC面的边是一个第一双中项线。

　　因为：AD是一个第二二项线，在E点分为两段，且AE是大线。

　　那么：AE、ED是仅正方可公约的有理线段，AE上的正方形大于DE上的正方形，其差是一个与AE可公约的线段上的正方形。

　　小线ED是一个与AB在长度上可公约的

　　以：SN和NQ之和，即是MN、NO上的正方形，它们也是有理的，并可公约。

　　因为：AE与ED是长度上不可公约的，同时AE与AG是可公约的，DE与EF是可公约的，所以：AG与EF也是不可公约的，所以：AH与EL也是不可公约的（命题X.13、VI.1、X.11）。

　　又，AH等于SN，EL等于MR，所以：SN与MR也是不可公约的，而SN比MR同于PN比NR，所以：PN与NR是不可公约的（命题VI.1、X.11）。

　　又，PN等于MN，NR等于NO，所以：MN与NO是不可公约的。

　　又，MN上的正方形与NO上的正方形是可以公约的，并皆为有理的。

　　所以：MN和NO是仅正方可公约的有理线段。

线（定义X.6）。

作：F点平分ED，在AE上建一个缺少正方形的由AG、GE构成的矩形，使之等于EF上的正方形。那么：AG与GE是在长度上可公约的（命题X.17）。

作：过G、E、F作GH、EK、FL，使之分别平行于AB、CD。建正方形SN等于平行四边形AH，而在NQ上的正方形等于GK，再设MN与NO在一条直线上。

那么：RN与NP也在一条直线上。

完成正方形SQ。

前面我们已经证明，MR是SN和NQ的比例中项，并等于EL，MO是面AC的边。

现在要证明MO是第一双中项线。

因为：AE与ED是长度不可公约的，而，ED与AB是可公约的，所以：AE与AB是不可公约的（命题X.13）。

因为：AG与EG是可公约的，所以：AE分别与线段AG、GE也是可公约的（命题X.15）。

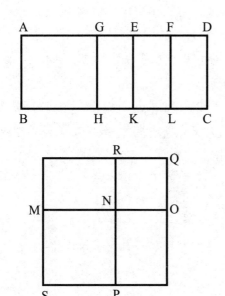

而，AE与AB是在长度上不可公约的，所以：AG、GE与AB也是不可公约的（命题X.13）。

所以：BA、AG以及BA、GE是两对仅正方可公约的有理线段，所以：矩形AH和GK皆为中项面（命题X.21）。

因此，正方形SN、NQ都是中项面，所以：MN、NO也是中项面。

因为：AG与GE是长度上可公约的，所以：AH与GK也是可公约的，即是SN与NQ是可公约的，即MN上的正方形与NO上的正方形是可公约的（命题VI.1、X.11）。

因为：AE与ED是在长度上不可公约的，同时，AE与AG是可公约的，而ED与EF是可公约的。

所以：AG与EF是不可公约的，所以：AH与EL也是不可公约的，即SN与MR是不可公约的，即是PN与NR是不可公约的，即MN与NO在长度上是不可公约的（命题X.13、VI.1、X.11）。

又，MN和NO已被证明皆为中项线，并正方可公约，所以：MN、NO是仅正方可公约的两中项线。

那么我进一步说：它们也构成一个有理矩形。

因为：根据假设，DE是分别与AB、EF线可以公约的，所以：EF与EK也是可公约的（命题X.12）。

又，它们皆是有理线，所以：EL，即MR是有理线，而MR是MN与NO构成的矩形（命题X.19）。

又，如果两个仅正方可公约的中项线构成一个有理矩形，则两中项线的和是无理的，它被称为一个第一双中项线。

所以：MO是一个第一双中项线（命题X.37）。

所以：如果一个面由一条有理线和第二二项线构成，那么：我们称该面的边是一个第一双中项线的无理线段。

证完

注 解

这一命题应用在命题X.71中。

命题X.56

如果一个面由一条有理线和第三二项线构成，那么，该面的边是无理的，我们称它为一个第二双中项线。

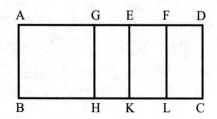

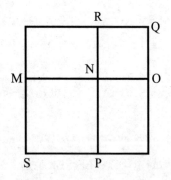

设：面ABCD是由有理线AB和第三二项线AD构成的，在E点分AD为两段，AE较大。

那么我说：AC面的边是无理的，我们称

为第二双中项线。

仿前题建图形。

那么因为：AD是一个第三二项线，所以：AE、ED是仅正方可公约的有理线，AE上的正方形大于ED上的正方形，其差是一个与AE可公约的线段上的正方形，且AE、ED与AB也是长度上可公约的量（定义X.7）。

那么，依照前面的方法可证明MO是面AC的边，而MN和NO是仅正方可公约的中项线。

所以：MO是一个双中项线。

下一步，可以证明，它也是一个第二双中项线。

因为：DE与AB，即DE与EK在长度上是不可公约的，而DE与EF是可公约的，所以：EF与EK是长度上不可公约的（命题X.13）。

又，它们是有理线，所以：FE和EK是仅正方可公约的有理线。

所以：EL，即MR是中项面（命题X.21）。

又，它是由MN、NO构成的，所以：MN、NO构成的矩形是中项面。

所以：MO是一个第二双中项线（命题X.38）。

所以：如果一个面由一条有理线和第三二项线构成，那么，该面的边是无理的，我们称它为一个第二双中项线。

证完

注 解

这一命题应用在命题X.72中。

命题X.57

如果一个面由一个有理线段和第四二项线构成，那么，该面的边是无理的，我们称之为主线的无理线段。

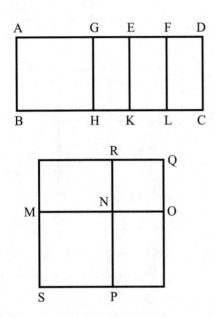

设：面AC是由有理线段AB和第四二项线AD构成的，E点分AD成两段，AE较大。那么我说：面AC的边是无理线段，我们称之为主线的无理线段。

因为：AD是一个第四二项线，所以：AE、ED是仅正方可公约的有理线段，AE上的正方形大于ED上的正方形，其差为一个与AE不可公约的线段上的正方形。而AE是与AB在长度上可公约的（定义X.8）。

令：在F点平分DE，在AE上建AG与GE构成的矩形等于EF上的正方形。那么：AG与GE是在长度上不可公约的（命题X.18）。

作：GH、HK、FL平行于AB，且其余作图如前题。

那么，显然，MO是AC的边。

还可以证明，MO是被称为主线的无理线。

因为：AG与EG是不可公约的，所以：AH与GK是不可公约的，即是，SN与NQ是不可公约的。所以：MN和NO是正方不可公约的（命题VI.1、X.11）。

因为：AE与AB是可公约的，所以：AK是有理的，而它等于MN、NO上的正方形之和。所以：MN、NO上的正方形之和也是有理的（命题X.19）。

因为：DE与AB是在长度上不可公约的，即与KE不可公约的，同时，DE与EF是可公约的，所以：EF与EK是在长度上不可公

约的（命题X.13）。

所以：EK和EF是仅正方可公约的有理线段。所以：LE，即MR是中项面（命题X.21）。

又，它也是由MN和NO构成的，所以：MN、NO构成的矩形是中项面。

又，MN、NO上的正方形之和是有理面，而MN、NO是正方不可公约的。

又，如果，两条正方不可公约的线上的正方形之和是有理的，且它们构成的矩形是中项面，那么该两线段之和是无理的，被称为主线。

所以：MO是无理线段，且是面AC的边（命题X.39）。

所以：如果一个面由一个有理线段和第四二项线构成，那么，该面的边是无理的，我们称之为主线的无理线段。

证完

注 解

这一命题应用在命题X.70中。

命题X.58

如果一个面是由一条有理线段和第五二项线构成，那么，该面的边是无理的，我们称之为中项面有理面和的边的无理线段。

设：面AC是由有理线段AB和第五二项线AD构成的，E分AD为两段，AE较大。

那么我说：AC面的边是无理的，我们称它为中项面有理面和的边的无理线段。

如前作图，那么，MO是面AC的边。

也可以证明MO是一个中项面有理面和的边。

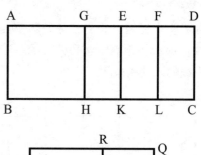

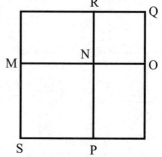

因为：AG与GE是不可公约的，所以：AH与HE也是不可公约的，也即是MN上的正方形与NO上的正方形不可公约。所以：MN、NO是正方不可公约的（命题X.18、VI.1、X.11）。

因为：AD是第五二项线，而ED较小，所以：ED与AB是长度上可公约的（定义X.9）。

而AE与ED是不可公约的，所以：AB与AE也是长度不可公约的。所以：AK，即是MN、NO上的正方形之和，是中项面（命题X.13、X.21）。

因为：DE与AB、EK是长度上可公约的。同时，DE与EF是可公约的，所以：EF与EK也是可公约的（命题X.12）。

又，EK是有理的，所以：EL，即MR，即MN、NO构成的矩形也是有理的（命题X.19）。

所以：MN、NO是正方不可公约的线

段，它们上的正方形之和是中项面，它们构成的矩形是有理的。

所以：MO是一条中项面有理面和的边，即是面AC的边（命题X.40）。

所以：如果一个面是由一条有理线段和第五二项线构成，那么，该面的边是无理的，我们称之为中项面有理面和的边的无理线段。

证完

注 解
这一命题用在命题X.71中。

命题X.59
如果一个面由一条有理线和第六二项线构成，那么，该面的边是无理的，我们称为两中项面和的边的无理线段。

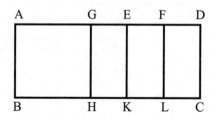

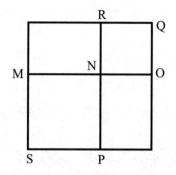

设：ABCD是由有理线AB与第六二项线AD构成的，在E点上分AD，AE较大。那么我说：AC的边是两中项面和的边。

如前题建图形。

很明显，MO是AC的边，且MN与NO是正方不可公约的。

那么因为：EA与AB是长度不可公约的，所以：EA、AB是仅正方可公约的有理线段。所以：AK，即是MN、NO上的正方形之和，并是中项面（命题X.21）。

又因为：ED与AB是长度不可公约的，所以：FE与EK也是不可公约的。所以：FE和EK是仅正方可公约的有理线。所以：

EL，即是MR，也是MN、NO构成的矩形，是中项面（命题X.13、X.21）。

因为：AE与EF是不可公约的，所以：AK与EL也是不可公约的（命题Ⅵ.1、X.11）。

而AK是MN、NO上的正方形之和，而EL是MN、NO构成的矩形，所以：MN、NO上的正方形之和与MN、NO构成的矩形是不可公约的。

又，它们皆为中项面，而MN、NO是正方不可公约的。

所以：MO两中项面和的边，即是AC的边（命题X.41）。

所以：如果一个面由一条有理线和第六二项线构成，那么，该面的边是无理的，我们称为两中项面和的边的无理线段。

证完

注 解
这一命题应用在命题X.72中。

引 理
如果一条线段被分成不等的两部分，那么，两线段上的正方形之和大于它们构成的矩形的两倍。

A   D   C   B

设：线段AB，在C点被分为不等的两部分，AC较大。

那么我说：AC、CB上的正方形之和大于AC、CB构成的矩形的两倍。

设：在D点平分AB。

因为：D是AB上中点，而C不是，于是：AC、CB构成的矩形与CD上的正方形之和等于AD上的正方形，于是：AC、CB构成的矩形小于AD上的正方形。

所以：AC、CB构成的矩形小于AD上的正方形的两倍（命题Ⅱ.5）。

而，AC、CB上的正方形之和等于AD和DC上的正方形之和的两倍，所以：AC、CB上的正方形之和大于AC、CB构成的矩形的两倍（命题Ⅱ.9）。

证完

命题X.60
若一条有理线段上的矩形与一个二项线上的正方形相等，那么，该矩形的另一边是第一二项线。

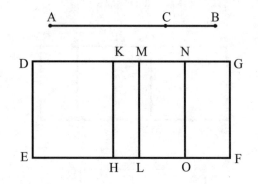

设：AB是二项线，在C点上被分开，AC较大，DE为有理线段。DEFG是建在DE上的矩形，它等于AB上的正方形，DG为另一边。

那么我说：DG是第一二项线。

建在DE上的矩形DH等于AC上的正方形，而KL等于BC上的正方形，那么其余值，即AC、CB构成的矩形的两倍等于MF。

在N点平方MG，作NO平行于ML或GF。那么，矩形MO、NF皆等于AC、CB构成的矩形。那么因为：AB是一个二项线，在C点被分开，于是：AC、CB是仅正方可公约的有理线（命题X.36）。

所以：AC和CB上的正方形是相互可公约的，所以：AC、CB上的正方形之和也是有理的。而，这个和也等于DL。所以：DL是有理的（命题X.15）。

又，它也是建在有理线DE上的，所以：DM是有理的，且与DE是在长度上可公约的（命题X.20）。

又因为：AC、CB是仅正方可公约的，所以：AC、CB构成的矩形的两倍，即MF，是中项面（命题X.21）。

又，它是建在有理线ML上的，所以：MG是有理的，且与ML即DE是在长度上不可公约的（命题X.22）。

而，MD与DE是在长度上可公约的有理线。所以：DM与MG是在长度上不可公约的（命题X.13）。

又，它们也是有理线，所以：DM和MG是仅正方可公约的有理线。所以：DG是二项线（命题X.36）。

也可以证明，它也是一个第一二项线。

因为：AC、CB构成的矩形，是AC、CB构成的正方形的比例中项，所以：MO也是DH、KL的比例中项（命题X.54、引理）。

所以：DH比MO同于MO比KL，即是DK比MN同于MN比MK。所以：DK、KM构成的矩形等于MN上的正方形（命题VI.1、VI.17）。

因为：AC、CB上的正方形是可公约

费希尔

费希尔（1890—1962年），英国统计学家、遗传学家、现代数理统计学的主要奠基人之一。是使统计学成为一门有坚实理论基础并获得广泛应用的主要统计学家之一。他对数理统计学有许多贡献，内容涉及估计理论、假设检验、实验设计和方差分析等重要领域。他用统计方法对遗传学和优生学进行了研究，并作出了许多重要贡献，1952年，他被授予爵士称号。

的，所以：DH与KL也是可公约的，所以：DK与KM也是可公约的（命题VI.1、X.11）。

因为：AC、CB上的正方形之和大于AC、CB矩形的两倍，所以：DL也大于MF，所以：DM也大于MG（命题VI.1、引理）。

又，DK、KM构成的矩形等于MN上的正方形，即等于MG上的正方形的四分之一，而DK与KM是可公约的。又，如果两条不等线段，在大线段上作一个缺少一正方形且等于小线段上正方形四分之一的矩形，且大线段上两部分长度可公约，那么大线上的正方形大于小线段上的正方形，其差是一个与大线段可公约的正方形（命题X.17）。

所以，DM上的正方形比MG上的正方形大，其差是一个与DM可公约的线段上的正方形。

所以：DM、MG是有理的，DM较大，并与DE是在长度上可以公约的有理线段。

所以：DG是一个第一二项线（定义X.5）。

所以：若一条有理线段上的矩形与一个二项线上的正方形相等，那么，该矩形的另一边是第一二项线。

证完

注 解

这一命题应用在命题X.72和X.111中。

命题X.61

建在一条有理线上的矩形与一个第一双中项线上的正方形相等，那么，该矩形的另一边是第二二项线。

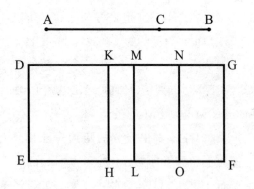

设：AB是一个第一双中项线，在C点上分成两个部分，其中AC较大，设一条有理线段DE，在DE上作矩形DF等于AB上的正方形，DG为宽。

那么我说：DG是一个第二二项线。

如前所述作图。

那么因为：AB是一个第一双中项线，在C点分开，于是：AC、CB是仅正方可公约的两中项线，并包含一个有理矩形，所以：AC、BC上的正方形也是中项面（命题X.37、X.21）。

所以：DL是中项面，又它也是建在有理线DE上的，所以：MD是有理的，且与DE是长度不可公约的（命题X.15、X.23、X.22、推论）。

又因为：AC、CB构成的矩形的两倍是有理的，所以：MF也是有理的。

又，它也是建在有理线ML上的，所以：MG是有理的，且与ML，即DE也是长度上可公约的。所以：DM与MG是长度不可公约的（命题X.20、X.13）。

又，它们是有理的，所以：DM和MG是仅正方可公约的有理线。所以：DG是二项线（命题X.36）。

也可以证明，它也是一个第二二项线。

因为：AC和CB上的正方形之和大于AC、CB构成的矩形的二倍，所以：DL也大于MF，所以：DM也大于MG（命题VI.1）。

因为：AC上的正方形与CB上的正方形是可公约的，所以：DH与KL也是可公约的。所以：DK与KM是可公约的（命题VI.1、X.11）。

又，DK、KM构成的矩形等于MN上的正方形，所以：DM上的正方形大于MG上的正方形，其差为一个与DM可公约的线上的正方形。又，MG与DE是长度可公约的（命题X.17）。

所以：DG是一个第二二项线（定义 X.6）。

所以：建在一条有理线上的矩形与一个第一双中项线上的正方形相等，那么，该矩形的另一边是第二二项线。

证完

注 解

这一命题应用在命题X.72中。

命题X.62

如果一条有理线段上的矩形与一个第二双中项线上的正方形相等，那么，该矩形的另一边是第三二项线。

设：AB是一个第二双中项线，点C分AB为两段，AC较大。设DE为一任意有理线，在DE上建矩形DF等于AB上的正方形，DG为宽。

那么我说：DG是一个第三二项线。

如前所述作图。

那么因为：AB是一个第二双中项线，在C点被切分，所以：AC和CB是正方可公约的两中项线，并构成中项面矩形。所以：AC、CB上的正方形之和也是中项面（命题X.38、X.15、X.23、推论）。

又，它也等于DL，所以：DL也是中项面，又，它是建在有理线DE上的，所以：MD是有理的，且与DE也是长度不可公约的（命题X.22）。

同理，MG是有理的，且与ML，即与DE也是长度上不可公约的，所以：线段

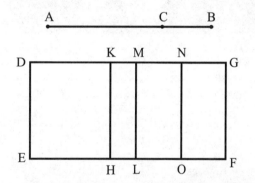

肥皂泡

肥皂泡是轻巧之物，只要维系得法，便是贝努利虚功原理的推理结果。虚功原理要求平衡态的势能为极小。在肥皂泡里，若干数量的空气被包围在极小的曲面里，即被肥皂膜包围起来。这是在所有给定体积的立体中，球面积最小的物理证据。这种结论是圆的极小性，即在所有给定面积的平面图形中，圆的周长是最短的立体类比。图为德布瓦西厄于1799年所画的版画《肥皂泡》。

巴贝奇

英国数学家巴贝奇（1792—1817年）是世界上提出通用程序控制数字计算机设计思想的第一人。巴贝奇在1812年创建"剑桥分析学会"，对19世纪英国数学的复兴贡献良多。巴贝奇为研制他所设计的计算机付出了后半生的主要精力和财产，甚至不惜辞去荣誉极高的卢卡斯教授席位。

DM、MG是有理的，且与DE是长度上不可公约的。

因为：AC与CB是长度上不可公约的，而AC比CB同于AC上的正方形比AC、CB构成的矩形，所以：AC上的正方形与AC、CB构成的矩形是不可公约的（命题X.11）。

因此：AC、CB上的正方形之和与AC、CB构成的矩形的两倍是不可公约的，DL与MF是不可公约的。所以：DM与MG也是不可公约的（命题X.12、X.13、VI.1、X.11）。

又，它们是有理的，所以：DG是二项线（命题X.36）。

也可证明，它是一个第三二项线。

类似地，我们可以推断，DM大于MG，且DK与KM是可公约的。

又，DK、KM构成的矩形等于MN上的正方形，所以：DM上的正方形大于MG上的正方形，其差为一个与DM可公约的线段上的正方形。

又线段DM、MG皆与DE在长度上不可公约。

所以：DG是一个第三二项线（定义X.7）。

所以：如果一条有理线段上的矩形与一个第二双中项线上的正方形相等，那么，该矩形的另一边是第三二项线。

证完

注 解

这一命题应用在命题X.72中。

命题X.63

如果一条有理线段上的矩形与一条主线上的正方形相等，那么，该矩形的另一边是第四二项线。

设：AB是一条主线，C点分AB为两段，AC大于CB，设DE是一条有理线段，在DE上建矩形DF等于AB上的正方形，宽为DG。

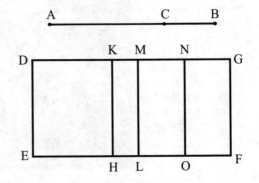

那么我说：DG是一个第四二项线。

如前所述作图形。

因为：AB是一条主线，C点分开AB，所以：AC、CB是正方不可公约线段，且它们上的正方形之和是有理的，而由它们构成的矩形是中项面（命题X.39）。

因为：AC、CB上的正方形之和是有理的，于是：DL是有理的。于是：DM也是有理的，并与DE在长度上可公约（命题X.20）。

又因为：AC、CB构成的矩形的两倍，即MF，是中项面，且它是建在有理线ML上的，所以：MG也是有理的，并与DE在长度上不可公约（命题X.22）。

所以：DM、MG也是长度不可公约的。所以：DM、MG是仅正方可公约的有理线。所以：DG是二项线（命题X.13、X.36）。

其次可证明DG也是一个第四二项线。

类似以上方法，我们也能证明DM大于MG，DK、KM构成的矩形等于MN上的正方形。

因为：AC上的正方形与CB上的正方形是不可公约的，所以：DH与KL也是不可公约的，所以：DK与KM也是不可公约的（命题VI.1、X.11）。

而，如果有两条不等线段，在大线段上的矩形等于小线段上正方形的四分之一且缺少一个正方形，且它分它为不可公约的两部分，那么，大线段上的正方形大于小线段上的正方形，其差是一个与大线段在长度上不可公约的线段上的正方形。

所以：DM上的正方形大于MG上的正方形，其差是一个与DM不可公约的线段上的

正方形（命题X.18）。

又，DM和MG是正方可公约的有理线，而DM与给定的有理线DE是可公约的。所以：DG是一个第四二项线（定义X.8）。

所以：如果一条有理线段上的矩形与一条主线上的正方形相等，那么，该矩形的另一边是第四二项线。

证完

注 解

这一命题应用在命题X.72中。

命题X.64

一条有理线段上的矩形与一个中项面有理面和的边之上的正方形相等，那么，该矩形的另一边是第五二项线。

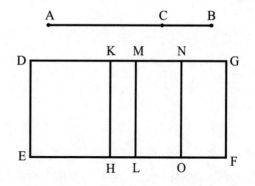

设：AB是一条中项面有理面和的边，点C分AB为两段，AC较大，设DE为一条有理线，在DE上建矩形DF等于AB上的正方形，DG为宽。

那么我说：DG是一个第五二项线。

按如上所述作图。

因为：AB是在C点被分开的一条中项面有理面和的边，所以：AC、CB是正方不可公约的线，它们之上正方形的和是中项面，

黎 曼

黎曼（1826—1866年），德国数学家，黎曼几何学的创始人，复变函数论创始人之一。他引入三角级数的理论，从而指出积分论的方向，奠定了近代解析数论的基础。他最初引入黎曼面和流形的概念，对近代拓扑学影响很大。在微分几何方面，继高斯之后建立了黎曼几何学，为广义相对论提供了数学工具。

而它们构成的矩形是有理的（命题X.40）。

那么因为：AC、CB上正方形之和是中项面，所以：DL是中项面。所以：DM是有理的，且与DE是长度不可公约的（命题X.22）。

又因为：AC和CB构成的矩形的两倍，即MF，是有理的；所以：MG是有理的，并与DE是可公约的量（命题X.20）。

所以：DM与MG是长度不可公约的。所以：DM、MG是仅正方可公约的有理线段。所以：DG是二项线（命题X.13、X.36）。

那么我进一步说：它也是第五二项线。

因为：可以类似地证明，DK、KM构成的矩形等于MN上的正方形，而DK与KM是长度上不可公约的。所以：DM上的正方形大于MG上的正方形，其差是一个与DM不可公约的线段上的正方形（命题X.18）。

又，DM、MG是仅正方可公约的，且较小的MG与DE是在长度上可公约的。所以：DG是一个第五二项线。

所以：一条有理线段上的矩形与一个中项面有理面和的边之上的正方形相等，那么，该矩形的另一边是第五二项线。

证完

注 解

这一命题应用在命题X.72中。

命题X.65

一个两中项面和边上的正方形与建在一条有理线上的矩形相等，那么，该矩形的另一条边是第六二项线。

设：AB是两中项面和的边，在C点被分开，AC大于CB，设DE为一条有理线段，在DE上建矩形DF等于AB上的正方形，DG为宽。

那么我说：DG是一个第六二项线。
根据上述作图形。

因为：AB是在C点被分的两中项面和的边，所以：AC、CB是正方可公约的线段，且它们上的正方形之和是中项面，而它们构成的矩形是有理面，进一步，它们上的正方形之和与它们为边的矩形是不可公约的（命题X.41）。

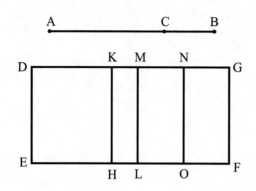

所以：依据以前的证明，矩形DL、MF皆为中项面。又，它们是建在有理线DE上的，所以：线段DM、MG与DE是长度不可公约的有理线段（命题X.22）。

因为：AC、CB上的正方形之和与AC、CB构成的矩形的两倍是不可公约的，所以：DL与MF是不可公约的。

所以：DM、MG也是不可公约的（命题VI.1、X.11）。

所以：DM、MG是仅正方可公约的有理线，所以：DG是二项线（命题X.36）。

那么我进一步说：它是一个第六二项线。

类似地，我们也可证明DK、KM构成的矩形等于MN上的正方形，而DK与KM是长度不可公约的量，同理，DM上的正方形大于MG上的正方形，其差为一个与DM在长度上不可公约的线上的正方形。

又，线段DM、MG与已给定的有理线DE都不是长度上可公约的。

所以：DG是一个第六二项线。

所以：两个中项面之和的边之上的正方形是建在一条有理线上的矩形，那么，该矩形的另一条边是第六二项线（定义X.10）。

证完

注 解

这一命题应用在命题X.72中。

命题X.66

一条线段与一个二项线在长度上可公约，那么，该线段本身也是二项线，并是同级的。

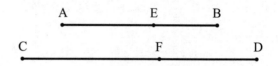

设：AB是二项线，CD与AB是长度可公约的。

那么我说：CD也是二项线，并与AB同级。

因为：AB是二项线，在E点分开，令AE较大，那么，AE、EB是仅正方可公约的有理线（命题X.36）。

作比例，使AB比CD同于AE比CF，那么：其余值EB比余值FD同于AB比CD（命题VI.12、V.19）。

而AB与CD是长度可公约的，所以：AE与CF、EB与FD都是可公约的（命题X.11）。

又，AE、EB是有理的，所以：CF、FD也是有理的。

又，AE比CF同于EB比FD，所以：由换比可得，AE比EB同于CF比FD（命题V.11、V.16）。

而AE、EB是仅正方可公约的，所以：CF、FD是仅正方可公约的（命题X.11）。

又，它们也是有理的，所以：CD是二项线（命题X.36）。

那么我进一步说：它与AB也是同级。

因为：AE上的正方形大于EB上的正方形，其差为一个与AE可公约的或者不可公约的线段上的正方形。

那么，如果AE上的正方形大于EB上的正方形，其差为一个与AE可公约的线段上的正方形，那么，CF上的正方形也大于FD上的正方形，其差为一个与CF可公约线段上的正方形（命题X.14）。

又，如果AE与给定的有理线可公约，那么：CF也与它可公约。所以：AB和CD皆是第一二项线，即它们是同级的（命题X.12、定义X.5）。

又，如果EB与给定的有理线可公约，那么：FD也与它可公约。所以：CD与AB是

罗塞塔石碑

古埃及的象形文字曾作为一个不解之谜长期困扰着史学家们。1799年，拿破仑的远征军在距亚历山大城不远的古港口罗塞塔发现一块石碑。石碑上用希腊文、埃及僧侣文和象形文镌刻着同一内容的铭文，这使得精通希腊文的学者找到了解读古埃及文字的钥匙，为人们通过阅读象形文或僧侣文文献，认识并理解包括数学在内的古埃及文明打开了大门。

同级的，皆为第二二项线（命题X.12、定义X.6）。

又，如果AE、EB与给定的有理线不可公约，那么：CF、FD也与它不可公约。所以：AB、CD皆是第三二项线（命题X.13、定义X.7）。

又，如果AE上的正方形大于EB上的正方形，其差是一个与AE不可公约的线段上的正方形，那么：CF上的正方形也大于FD上的正方形，其差是一个与CF不可公约的线段上的正方形（命题X.14）。

又，如果AE与给定的线段可公约，那么：CF也与它可公约，因此，AB、CD是第四二项线（定义X.8）。

又，如果EB与给定的有理线可公约，那么FD也可公约，因此：AB、CD是第五二项线（定义X.9）。

又，如果AE、EB与给定的有理线都不可公约，那么：CF或FD与给定的有理线也可公约，因此：AB和CD是第六二项线（定义X.10）。

所以：一条线段与一个二项线在长度上可公约，那么，该线段本身也是二项线，并是同级的。

证完

命题X.67

一条线段与一个双中项线可公约，那么该线段也是双中项线，并且是同级的。

设：AB为双中项线，CD与AB是长度上可公约的。

那么我说：CD也是双中项线，并与AB同级。

因为：AB是双中项线，在E点被分为两段。所以，AE、EB是仅正方可公约的两中项线。

作比例，使AB比CD同于AE比CF，那么：其余值EB比余值FD同于AB比CD（命题V.19）。

又，AB与CD是长度可公约的，所以：AE、EB与CF、FD分别可公约（命题X.11）。

又，AE、EB是中项线，所以：CF、FD也是中项线（命题X.23）。

因为：AE比EB同于CF比FD，AE、EB是仅正方可公约量，所以：CF、FD也是仅正方可公约量（命题V.11、X.11）。

A —— E —— B

C —— F —— D

而它们也被证明了是中项线，所以：CD是双中项线。

我还要进一步说：它与AB在同一级。

因为：AE比EB同于CF比FD，所以：AE上的正方形比AE、EB构成的矩形同于CF上的正方形比CF、FD构成的矩形。所以：由更比可得，AE上的正方形比CF上的正方形同于AE、EB构成的矩形比CF、FD构成的矩形（命题V.16）。

而AE上的正方形与CF上的正方形是可公约的，所以：AE、EB构成的矩形与CF、FD构成的矩形是可公约的。

所以：如果AE、EB构成的矩形是有理的，那么：CF、FD构成的矩形也是有理的。因此，CD和AB皆是一个第一双中项

瑞士法郎上的欧拉

欧拉（1707—1783年），瑞士数学家、力学家、天文学家、物理学家。他还是变分法的奠基人，复变函数论的先驱者，理论流体动力学的创始人。另外，他在数论和微分方程等方面也有重大成就。他所著的《无穷小分析引论》对微积分的发展以及后来傅立叶级数的产生都有相当大的影响。欧拉的《全集》有74卷之多。

线，而如果AE、EB构成的矩形是中项面，那么：CF、FD构成的矩形也是中项面，所以：CD、AB各是一个第二双中项线（命题X.37、X.23、推论、X.38）。

所以：一条线段与一个双中项线可公约，那么该线段也是双中项线，并且是同级的。

证完

命题X.68

一条与主线可公约的线段本身也是主线。

A —— E —— B

C —— F —— D

设：AB是条主线，CD与AB是可公约的。

那么我说：CD也是条主线。

令：E点分AB为两段，那么：AE、EB是正方可公约的两条线段，且它们上的正方

形之和是有理的，由它们构成的矩形是中项面（命题X.39）。

根据前述作图。

因为：AB比CD同于AE比CF，同于EB比FD，所以：AE比CF同于EB比FD（命题V.11）。

而AB与CD是可公约的，所以：AE、EB与CF、FD分别也是可公约的（命题X.11）。

因为：AE比CF同于EB比FD，由更比可得，AE比EB同于CF比FD；由合比，AB比BE同于CD比DF（命题V.16、V.18）。

所以：AB上的正方形比BE上的正方形同于CD上的正方形比DF上的正方形（命题VI.20）。

同理，我们也可证明，AB上的正方形比AE上的正方形同于CD上的正方形比CF上的正方形。

所以：AB上的正方形比AE、EB上的正方形的和同于CD上的正方形比CF、FD上的正方形的和，所以：由更比可得，AB上的正方形比CD上的正方形也同于AE、EB上的正方形的和比CF和FD上的正方形的和（命题V.16）。

又，AB上的正方形与CD上的正方形是可公约的，所以：AE、EB上的正方形的和与CF、FD上的正方形的和也是可公约的。

又，AE、EB上的正方形之和是有理的，所以：CF、FD上的正方形之和也是有理的。

同理，AE、EB构成的矩形的两倍与CF、FD构成的矩形的两倍可公约，而AE、EB构成的矩形的两倍是中项面，所以：CF、FD构成的矩形的两倍也是中项面（命题

X.23、推论）。

所以：CF、FD是正方不可公约的，它们上的正方形的面积之和是有理的，而由它们构成的矩形是中项面。

所以：CD是无理线段，被称为主线（命题X.39）。

所以：一条与主线可公约的线段本身也是主线。

证完

命题X.69

一条线段与一条中项面有理面和的边可公约，那么，该线段也是一条有理线与中项面有理面和的边。

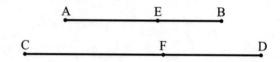

设：AB是中项面有理面和的边，CD与AB是可公约的。

可以证明，CD也是中项面有理面和的边。

令：在E点分AB，那么：AE、EB是正方不可公约的线段，且它们上的正方形的和是中项面，而构成的矩形是有理面（命题X.40）。

根据上述作图。

那么我们也可同样证明，CF、FD是正方不可公约的，且AE、EB上的正方形之和与CF、FD上的正方形之和是可公约的，并AE、EB构成的矩形与CF、FD构成的矩形是可公约的，所以：CF、FD上的正方形之和也是中项面，且CF、FD构成的矩形是有理的，

所以：CD是一条中项面有理面和的边。

所以：一条线段与一条中项面有理面和的边可公约，那么，该线段也是一条有理线与中项面有理面和的边。

证完

命题X.70

一条线段与两中项面和的边可公约，那么，它也是两中项面和的边。

$$A \quad\quad E \quad\quad B$$
$$C \quad\quad\quad F \quad\quad D$$

设：AB是两中项面和的边，而CD与AB是可公约的。

也可以证明，CD也是两中项面和的边。

因为：AB是两中项面和的边，并在E点被分为两段，所以：AE、EB是正方不可公约的，且它们上的正方形之和是个中项面，且它们构成的矩形也是中项面，那么，AE、EB上的正方形之和与AE、EB构成的矩形是不可公约的（命题X.41）。

根据上述作图。

我们同样也可证明，CF、FD是正方不可公约的，且AE、EB上的正方形之和与CF、FD上的正方形之和是可公约的，AE、EB构成的矩形与CF、FD构成的矩形也是可公约的。

所以：CF、FD上的正方形之和是中项面，CF、FD构成的矩形也是中项面。进一步，CF、FD上的正方形之和与CF、FD构成的矩形是不可公约的。

所以：CD是两中项面和的边。

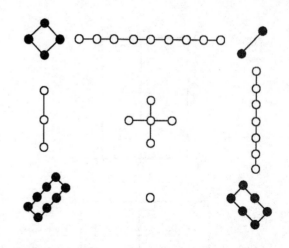

洛书图

中国人对幻方的兴趣主要是因为它与占卜有关。传说公元前3000年，大禹得到了两个纵横图表的幻方。一个得之于从黄河腾飞而出的龙马，马背上画有从一到十组成的方阵，称为"河图"。另一个得之于黄河支流的洛河里浮出的神龟，龟壳上有由一到九的点组成的三行纵横图，称之为"洛书"，洛书图是世界上最古老的幻方，其中，纵、横、斜任何一条直线上的数字之和均为十五。

所以：一条线段与两中项面和的边可公约，那么，它也是两中项面和的边。

证完

命题X.71

如果一个有理面和一个中项面相加，可产生四条无理线，即一个二项线，或者一个第一双中项线，或者一个主线，或者一个中项面有理面和的边。

设：AB是有理面，CD是中项面。

那么我说：与AD面相等的正方形的边也是一个二项线或者一个第一双中项线或者一个主线或者是一个中项面有理面和的边。

因为：AB要么大于CD，要么小于CD。

首先，令 AB 大于 CD，设：有理线段EF，在 EF 上建矩形 EG 等于 AB，EH 为另一

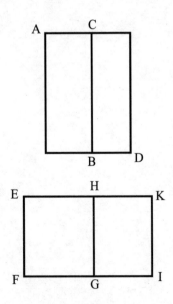

条边；在 HG 上作矩形 HI 等于 DC，HK 是另一边。

那么因为：AB 是有理面，且等于 EG，所以：EG 也是有理面。且它是建在 EF 上的。

莫兰的乘法计算装置

塞缪尔·莫兰（1650—1654年）设计的乘法计算装置被当做是世界上第一个可以进行乘法运算的机器。如今在南肯辛顿科学博物馆陈列着这种算术机。

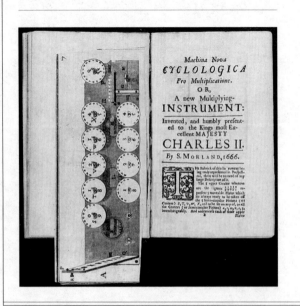

EH 为宽。于是：EH 是有理的，且与 EF 是长度上可公约的（命题 X.20）。

又因为：CD 是中项面，且等于 HI，所以：HI 也是中项面。且它是建在有理线 EF 上的，HK 为宽，所以：HK 是有理的，且与 EF 是长度不可公约的（命题 X.22）。

因为：CD 是中项面，同时，AB 是有理面，所以：AB 与 CD 是不可公约的，所以：EG 与 HI 是不可公约的。

又 EG 比 HI 同于 EH 比 HK，所以：EH 与 HK 也是在长度上不可公约的（命题 VI.1、X.11）。

又，它们都是有理的，所以：EH、HK 是仅正方可公约的有理线。所以：EK 是一条二项线，并在 H 点被分为两段（命题 X.36）。

因为：AB 大于 CD，同时 AB 等于 EG，CD 等于 HI，所以：EG 也大于 HI。所以：EH 也大于 HK。所以：EH 上的正方形大于 HK 上的正方形，其差等于与 EH 是长度可公约的或者不可公约的一条线段上的正方形。

首先，令 EH 上的正方形大于 HK 上的正方形，其差是一个与 EH 长度可公约的线段上的正方形。

那么：较大的线 HE 与给定的有理线 EF 是长度上可公约的，所以：EK 是一个第一二项线（定义 X.5）。

又，EF 是有理的，但，如果一个面由一条有理线和第一二项线构成，那么与此面相等的正方形的边是二项线（命题 X.54）。

所以，与 EI 相等的正方形的边是二项线，于是与 AD 相等的正方形的边也是二项线。

又，令 EH 上的正方形大于 HK 上的正方形，其差为一个与EH不可公约的线段上的正方形。

那么：较大线EH与给定的有理线EF是长度可公约的，所以：EK是一个第四二项线（定义X.8）。

又，EF是有理的，而如果一个面由一条有理线和第四二项线构成，那么，其面的边是无理的，被称为主线，所以：与面EI相等的正方形的边是主线；所以：与面AD相等的正方形的边也是主线（命题X.57）。

又，令：AB小于CD。

那么：EG也小于HI，所以：EH也小于HK。

那么：HK上的正方形大于EH上的正方形，其差是一个与HK可公约或者不可公约的线段上的正方形。

首先，令HK上的正方形大于EH上的正方形，其差是一个与HK长度可公约的线段上的正方形。

那么：较小线EH与给定的有理线段EF是在长度上可公约的，所以：EK是一个第二二项线（定义X.6）。

又EF是有理的，但，如果一个矩形面由一条有理线和第二二项线构成，那么：与这个矩形相等的正方形的边是一个第一双中项线，所以：与面EI相等的正方形的边是一个第一双中项线，所以：与面AD相等的正方形的边也是一个第一双中项线（命题X.55）。

又，令：HK上的正方形大于HE上的正方形，其差为一个与HK上可公约的线段上的正方形。

又，较小线EH与给定的有理线EF是可公约的，所以：EK是一个第五二项线（定

义X.9）。

又，EF是有理的，而，如果一个面由一条有理线和第五二项线构成，那么：与此面相等的正方形的边是一个中项面有理面和的边（命题X.58）。

所以：与面EI相等的正方形的边是一个中项面有理面和的边，所以：与面AD相等的正方形的边也是一个中项面有理面和的边。

所以：如果一个有理面和一个中项面相加，可产生四条无理线，即一个二项线，或者一个第一双中项线，或者一个主线，或者一个中项面有理面和的边。

证完

命题X.72

如果将两个不可公约的中项面相加，那么，将产生两无理线段，即要么是一个第二双中项线，要么是两个中项面之和的一条边。

设：两中项面AB、CD是不可公约的，

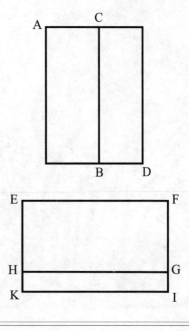

令它们相加。

那么我说：与面AD相等的正方形的边要么是一个第二双中项线，要么是个两中项面和的边。

因为：AB要么大于CD，要么小于CD。

首先，令AB大于CD。

令：给定有理线EF，在EF上建矩形EG等于AB，EH为宽；矩形HI等于CD，HK为宽。

那么因为：AB、CD皆为中项面，所

塔塔利亚

意大利数学家塔塔利亚（1499—1557年）没有受过什么正式的教育，全靠自学掌握了数学。他在一次回答一位同行提出的问题时，发现了三次方程的解法。由于当时学者们不公开自己的研究成果，另外一个发现三次方程解法的是费罗的学生费奥，在怀疑之余，他便向塔塔利亚提出挑战，要求各自解出对方给定的30个三次方程，结果塔塔利亚大获全胜。

以：EG、HI也皆是中项面。

而它们是建在有理线段EF上的矩形，EH、HK为其宽，所以：EH、HK的每一个是有理的，且与EF在长度上是不可公约的（命题X.22）。

因为：AB与CD不可公约，而AB等于EG，CD等于HI，所以：EG与HI是不可公约的。

又，EG比HI同于EH比HK，所以：EH与HK是长度上不可公约的（命题VI.1、X.11）。

所以：EH、HK是仅正方可公约的有理线段，所以：EK是二项线（命题X.36）。

又，EH上的正方形大于HK上的正方形，其差是一个与EH可公约或者不可公约的线段上的正方形。

首先，令EH上的正方形大于HK上的正方形，其差为一个与EH在长度上可公约的线段上的正方形。

那么：EH或者HK与给定的有理线EF是长度上不可公约的，所以：EK是一个第三二项线（定义X.7）。

又，EF是有理的，而，如果一个矩形面由一条有理线和第三二项线构成，那么，与此面相等的正方形的边是一个第二双中项线，所以：与EI，即AD相等的正方形的边是一个第二双中项线（命题X.56）。

其次，设EH上的正方形比HK上的正方形大，其差是一个与EH不可公约的线段上的正方形。

那么，线段EH、HK与EF是长度上不可公约的，所以：EK是一个第六二项线（定义X.10）。

所以：如果一个矩形面由有理线和第六二项线构成，那么，与该面相等的正方形的边是一个两中项面和的边，所以：与面AD相等的正方形的边也是一个两中项面和的边（命题X.59）。

所以：如果将两个不可公约的中项面相加，那么，将产生两无理线段，即要么是一个第二双中项线，要么是两个中项面之和的一条边。

证完

附加命题

二项线和它之后的无理线段，既不同于中项线，也不相互相同。

因为：如果在一条有理线段上建与中项线上正方形相等的矩形，那么该矩形的另一边是有理的，且与原有理线段是长度上不可公约的（命题X.22、X.60）。

如果在一条有理线段上建与二项线上正方形相等的矩形，那么矩形的另一边是第一二项线（命题X.60）。

如果在一条有理线段上建与第一双中项线上的正方形相等的矩形，那么该矩形的另一边是第二二项线（命题X.61）。

如果在一条有理线段上建与第二双中项线上的正方形相等的矩形，那么该矩形的另一边是第三二项线（命题X.62）。

如果在一条有理线段上建与主线上的正方形相等的矩形，那么该矩形的另一边是第四二项线（命题X.63）。

如果在一条有理线段上建与中项面有理面和的边上的正方形相等的矩形，那么该矩

形的另一边是第五二项线（命题X.64）。

如果在一条有理线段上建与两中项面和的边上的正方形相等的矩形，那么该矩形的另一边是第六二项线（命题X.65）。

以上所述的矩形的另一边，既与第一条有理线不同，又彼此不同；与第一条有理线不同，因为它们是有理的，且又彼此不同，是因为它们不同级。所以：这些无理线段彼此不同。

命题X.73

如果从一条有理线段中减去与该线仅正方可公约的有理线段，那么，其余值是无理线段，我们称之为余线。

设从有理线段AB中减去与AB仅正方可公约的有理线段BC。

那么我说：AC是无理线段，我们称之为余线。

因为：AB与BC是长度不可公约的，AB比BC同于AB上的正方形比AB、BC构成的矩形，所以：AB上的正方形与AB、BC构成的矩形是不可公约的（命题X.11）。

但AB、BC上的正方形之和与AB上的正方形可公约，AB、BC构成的矩形的两倍与AB、BC构成的矩形是可公约的（命题X.15、X.6）。

又因为：AB、BC上的正方形之和等于AB、BC构成的矩形的两倍加上CA上的正方形，所以：AB、BC上的正方形之和也与AC

上的正方形是不可公约的（命题Ⅱ.7、X.13、X.16）。

又，AB、BC上的正方形之和是有理的，所以：AC是无理的。

我们称AC为余线（定义X.4）。

证完

注 解

这一命题在本卷命题X.75以后被大量使用。也用在命题XIII.6和XIII.11之中。

命题X.74

如果从一个中项线减去与此线仅正方可公约的中项线，且以此两中项线构成的矩形是有理面，那么，余线段是无理的，我们称之为第一中项余线。

```
A                    C                    B
●────────────────────●────────────────────●
```

设从中项线AB中减去与AB仅正方可约的中项线BC，且AB、BC构成的矩形是有理的。

那么我说：其余值AC是无理的，我们称之为第一中项余线。

因为：AB、BC是中项线，AB、BC上的正方形也是中项面。而AB、BC构成的矩形的两倍是有理的，所以：AB、BC上的正方形之和与AB、BC构成的矩形的两倍是不可公约的。

所以：AB、BC构成的矩形的两倍与余值AC上的正方形也是不可公约的，因为，如果总量与分量的量值不可公约，那么：原始量值也是不可公约的（命题Ⅱ.7、X.16）。

又，AB、BC构成的矩形的两倍是有理的，所以：AC上的正方形是无理的，所以：AC是无理的。

我们称ＡＣ为第一中项余线（定义X.4）。

证完

注 解

这一命题应用在本卷命题X.80开始以后的几个命题之中。

命题X.75

如果从一条中项线减去一个与它仅正方可公约，且又与原中项线构成的矩形为中项面的中项线，那么，所余线段是无理的，我们称其为第二中项余线。

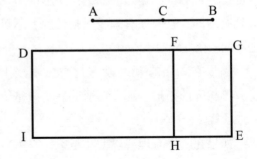

设，从中项线AB上减去与AB仅正方可公约的中项线段CB，AB、BC构成的矩形是中项面（命题X.28）。

那么我说：余值AC是无理的，我们称AC为第二中项余线。

令：给定有理线段DI，在DI上作矩形DE等于AB、BC上的正方形之和，DG为另一边。

在DI上作DH等于AB、BC构成的矩形的两倍，DF为宽。

于是：余值FE等于AC上的正方形（命题

II.7）。

因为：AB、BC上的正方形是中项面，并可公约。所以：DE也是中项面（命题X.15、X.23、推论）。

DE也是有理线段DI上的矩形，DG为另一边，于是：DG是有理的，并与DI是长度上不可公约的（命题X.22）。

又因为：AB与BC构成的矩形是中项面，所以：AB与BC构成的矩形的两倍也是中项面，并等于DH，所以：DH也是中项面（命题X.23、推论）。

又，它是建在有理线段DI上的，DF为宽，于是：DF是有理的，并与DI在长度上不可公约（命题X.22）。

因为：AB、BC是仅正方可公约的，所以：AB与BC是长度不可公约的。所以：AB上的正方形与AB、BC构成的矩形也是不可公约的（命题X.11）。

AB、BC上的正方形之和与AB上的正方形是可公约的，AB、BC构成的矩形的两倍与AB、BC构成的矩形是可公约的，所以：AB、BC的矩形的两倍与AB、BC上的正方形之和是不可公约的（命题X.15、X.6、X.13）。

又，DE等于AB、BC上的正方形之和，DH等于AB、BC构成的矩形的两倍，所以：DE与DH是不可公约的。而DE比DH同于GD比DF，所以：GD与DF是不可公约的（命题VI.1、X.11）。

又，它们皆是有理的，所以：GD、DF是仅正方可公约的有理线段，所以：FG是一个余线（命题X.73）。

纳皮尔

纳皮尔（1550—1617年），英国数学家，以发明对数运算而著称。纳皮尔最初的研究始于1594年，其动机是寻求一种球面三角计算的简便方法。1614年，纳皮尔出版了第一本对数专著《奇妙的对数表的描述》，他的另一著作《奇妙对数规则的结构》发表于1619年，书中详细阐述了对数计算和造对表的方法。对数被誉为缩短计算时间而使天文学家延长寿命的方法，对整个科学的发展起了重要作用。

又，DI是有理的，而一个由有理线段和无理线段构成的矩形是无理的，且与该矩形相等的正方形的边也是无理的（命题X.20）。

又，AC是FE的边，所以：AC是无理的。我们称其为第二中项余线。

证完

注 解

这一命题应用在本卷X.81开始以后的几个命题之中。

命题X.76

如果从一条线段中减去一条与该线段是正方不可公约的线段，且它们上的正方形的和是有理的，而它们构成的矩形是中项面，那么，余线段是无理的，我们称之为次线。

从AB中减去与AB正方不可公约的量BC，满足给定的条件（命题X.33）。

那么我说：余值AC是无理线，我们称之为次线。

因为：AB、BC上的正方形之和是有理的，同时AB、BC构成的矩形的两倍是中项面，所以：AB、BC上的正方形之和与AB、BC构成的矩形的两倍是不可公约的，变化可得，AB、BC上的正方形之和与余量，即AC上的正方形，是不可公约的。

但是，AB、BC上的正方形都是有理的，所以：AC上的正方形是无理的，所以：AC是无理的（命题II.7、X.16）。

A
C
B

又，AB、BC上的正方形是有理的，所以：AC上的正方形是无理的，所以：AC是无理的。我们称之为次线。

证完

注 解

这一命题应用在本卷X.82开始以后的几个命题之中。

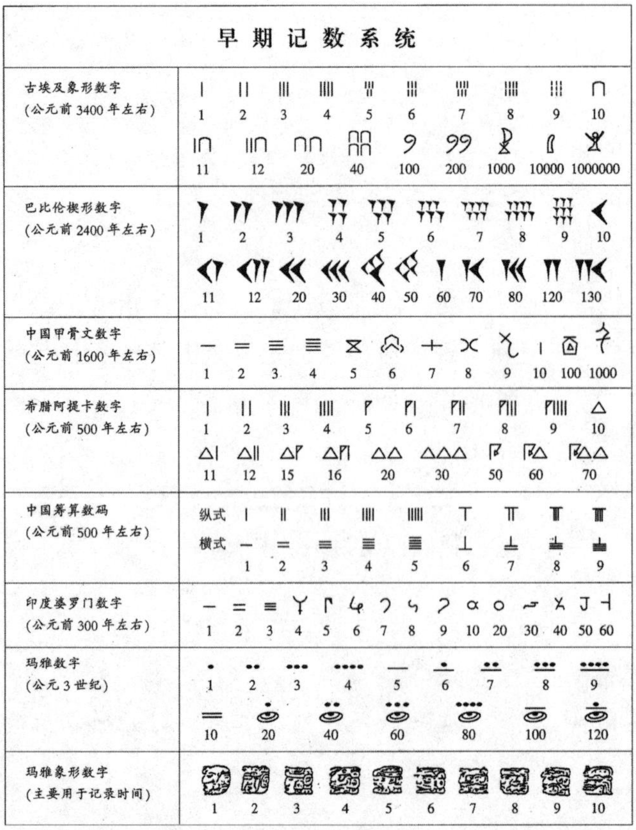
早期记数系统
古埃及象形数字
（公元前3400年左右）
1 2 3 4 5 6 7 8 9 10
11 12 20 40 100 200 1000 10000 1000000
巴比伦楔形数字
（公元前2400年左右）
1 2 3 4 5 6 7 8 9 10
11 12 20 30 40 50 60 70 80 120 130
中国甲骨文数字
（公元前1600年左右）
1 2 3 4 5 6 7 8 9 10 100 1000
希腊阿提卡数字
（公元前500年左右）
1 2 3 4 5 6 7 8 9 10
11 12 15 16 20 30 50 60 70
中国筹算数码
（公元前500年左右）
纵式
横式
1 2 3 4 5 6 7 8 9
印度婆罗门数字
（公元前300年左右）
1 2 3 4 5 6 7 8 9 10 20 30 40 50 60
玛雅数字
（公元3世纪）
1 2 3 4 5 6 7 8 9
10 20 40 60 80 100 120
玛雅象形数字
（主要用于记录时间）
1 2 3 4 5 6 7 8 9 10

命题X.77

从一条线段上减去与该线段正方不可公约的量，且该量与原线段上的正方形的和是中项面，但它们构成的矩形的两倍是有理的，那么，余量是无理的，我们称其为中项面有理面差的边。

早期记数系统

关于数字起源的探索是一段通向人类生活与文化起源的艰难历程。数字记录的最早物证始于南部非洲，数概念的形成与火的使用一样古老，大约发生于三十万年以前，它对人类文明的意义也决不亚于火的使用。对数的认识导致了结绳记数和刻痕记数。距今五千年左右，人类历史上开始先后出现一些不同的书写记数方法，随之逐步形成各种较为成熟的记数系统。在这些记数系统中，除巴比伦楔形数字采用六十进制外，其他均属十进制数系。记数系统的出现使数之间的书写运算成为可能，初等算术也在几个古老的文明地区发展起来。

从线段AB中减去与AB不可公约的线段BC，满足给定的条件。

那么我说：余量AC是无理线段。

因为：AB、BC上的正方形之和是中项面，同时，AB、BC构成的矩形的两倍是有理的，所以：AB、BC上的正方形之和与AB、BC构成的矩形的两倍是不可公约的。

所以：余量，即AC上的正方形，与AB、AC构成的矩形的两倍也是不可公约的（命题II.7、X.16）。

AB、BC矩形的两倍是有理的，所以：AC上的正方形是无理的，所以：AC是无理的。我们称AC为中项面有理面差的边。

证完

注 解

这一命题应用在本卷X.83开始以后的几个命题之中。

命题X.78

如果从一条线段中减去与该线段正方不可公约的线段，且该量与原线段上的正方形之和是中项面。且由它们构成的矩形的两倍也是中项面，它们上的正方形之和与它们构成的矩形的两倍不可公约，那么，余量是无理的，我们称其为两中项面差的边。

从线段AB中减去与AB正方不可公约的线段BC，满足给定条件（命题X.35）。

那么我说：余量AC是无理的，我们称其为两中项面差的边。

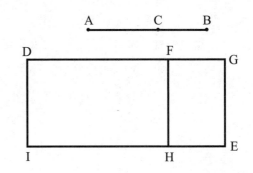

建一条有理线段DI，在DI上建DE等于AB、BC上的正方形之和。DG为另一边。又作矩形DH等于AB、BC构成的矩形的两倍，那么：余量FE等于AC上的正方形，所以：AC是等于EF的正方形的边。

那么因为：AB、BC上的正方形之和是中项面，且等于DE，所以：DE是中项面。

又，它也是建在有理线DI上的，DG为另一边；所以：DG是有理的，并与DI在长度上不可公约（命题X.22）。

又因为：AB、BC构成的矩形的两倍是中项面，并等于DH，所以：DH是中项面。

又，它是建在有理线段DI上的，DF为另一边；所以：DF也是有理的，且与DI在长度上是不可公约的（命题X.22）。

因为：AB、BC上的正方形之和与AB、BC构成的矩形的两倍是不可公约的。所以：DE与DH也是不可公约的。

又，DE比DH同于DG比DF，所以：DG与DF是不可公约的（命题X.11、VI.1）。

又，它们皆是有理的，所以：GD、DF是仅正方可公约的有理线段。

所以：FG是一个余线（命题X.73）。

又，FH是有理的，但是由一条有理线段和余线构成的矩形是无理的，且与该矩形相等的正方形的边是无理的（命题X.20）。

又，AC是与EF相等的正方形的边，所以：AC是无理的。我们称其为两中项面差的边。

证完

注 解

这一命题应用在本卷X.84开始以后的几个命题之中。

命题X.79

只有一条有理线段，当它与余线相加时，该线段与总线段成正方可公约。

A   B   C D

设：AB为余线，BC与之相加，于是AC、CB是仅正方可公约的有理线段（命题X.73）。

那么我说：没有另外的有理线段加到AB上，能使该线段与总线段仅正方可公约。

如果还有另外的线段符合条件，令BD是加入的线段，那么：AD、DB是仅正方可公约的有理线段（命题X.73）。

那么因为：AB、DB上的正方形之和与AD、DB构成的矩形的两倍之差等于AC、CB上的正方形之和与AC、CB构成的矩形的两倍之差，因为两者超出的是同一个量，即AB上的正方形。所以：变更后可得，AD、DB上的正方形之和与AC、CB上的正方形之和的差，等于AD、DB构成的矩形的两倍与AC、CB构成的矩形的两倍之差（命题II.7）。

又，AD、DB上的正方形之和减去AC、CB上的正方形之和，其差为一个有理面，因为：它们皆是有理面，所以：AD、DB构成的矩形的两倍减去AC、CB构成的矩形的两倍，其差为一个有理面。这是不可能的，因为：它们皆是中项面，而一个中项面减去一个中项面不可能得一个有理面（命题X.21、X.26）。

所以：没有另外的有理线段加到AB上，能使该线段与总线段仅正方可公约。

所以：只有一条有理线段与一条余线相加能使该线段与总线段成仅正方可公约的量。

所以：只有一条有理线段，当它与余线相加时，该线段与总线段成正方可公约。

证完

注 解

这一命题应用在命题X.81和X.84中。

命题X.80

只有一条中项线与一条第一中项余线相加，能使该中项线与总线成仅正方可公约的量，且它们构成的矩形是有理的。

A   B   C D

设：AB是一条第一中项余线，BC与AB相加，那么，AC、CB是仅正方可公约的两中项线，且AC、CB构成的矩形是有理的（命题X.74）。

那么我说：没有另外的线段与AB相加，能使该线段与总线段仅正方可公约。

螺旋面的结构原理颇易理解，如果取一直线段L，使其与一固定轴A垂直相交，使L以恒定速度围绕A轴旋转，同时使L与A轴的交点以恒定速度沿A移动，这两种运动的合成导致L线段的螺旋运动，被L扫过的曲面就是螺旋面。它在1776年已为人们所熟知，螺旋面的平均曲率为零。建筑师建造旋转楼梯正是采用螺旋面的形式。

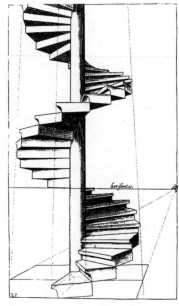

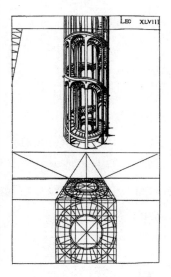

假定，还有另外能加的线段BD，那么：AD、DB是仅正方可公约的中项线，AD、DB构成的矩形是有理的（命题X.74）。

那么因为：AD和DB上的正方形之和与AD、DB构成的矩形的两倍之差，也等于AC、CB上的正方形之和与AC、CB构成的矩形的两倍之差。

因为，它们超过的是同一个量，即AB上的正方形，所以变更后，AD、DB上的正方形之和与AC、CB上的正方形之和的差，也等于AD、DB构成的矩形的两倍与AC、CB构成的矩形的两倍之差（命题II.7）。

又，AD、DB构成的矩形的两倍与AC、CB构成的矩形的两倍之差是一个有理面，因为它们皆是有理面。

所以：AD、DB上的正方形之和与AC、CB上的正方形之和的差也是有理面。这是不可能的，因为它们皆是中项面，而一个中项面减去一个中项面不可能得有理面（命题X.15、X.23推论、X.26）。

所以：只有一条中项线与一条第一中项余线相加，能使该中项线与总线成仅正方可公约的量，且它们构成的矩形是有理的。

证完

命题X.81

只有一条中项线与一条第二中项余线相加，能使该中项线与总线仅正方可公约，且它们构成的矩形是中项面。

设：AB是一个第二中项余线，BC与AB相加，那么AC、CB是仅正方可公约的中项线，AC、CB构成的矩形是中项面（命题X.75）。

那么我说：没有另外的中项线与AB相加能使该中项线与总线成仅正方可公约量，且它们构成的矩形是中项面。

假定还有另外一条中项线符合条件，设它为BD，令BD、AB相加，那么AD、DB也是仅正方可公约的中项线，AD、DB构成的矩形是中项面（命题X.75）。

给定一条有理线段EF，在EF上作EG等于AC、CB上的正方形之和，宽为EM。作HG等于被减去的AC、CB构成的矩形的两倍，宽为HM。那么：余量EL等于AB上的正方形。

所以：AB是与EL相等的正方形的边（命题II.7）。

又，EF上建EI等于AD、DB上的正方形之和，EN为宽。而EL也等于AB上的正方形，所以：余量HI等于AD、DB上的矩形的两倍（命题II.7）。

又因为：AC、CB是中项线，所以：AC、CB上的正方形也是中项面，且它们的和等于EG，所以：EG也是中项面（命题X.15、X.23推论）。

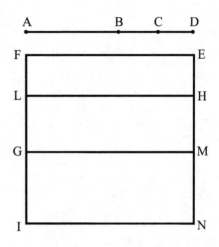

庞斯列

在19世纪以前，射影几何一直是在欧几里得几何的框架下被研究的。射影几何真正变革为具有独立目标与方法的科学开始于拿破仑远征军的工兵中尉庞斯列（1788—1867年）。1812年，他在俄国被俘，在狱中，庞斯列以炭代笔在监狱的墙壁上谱写了射影几何的新篇章。他的《论图形的射影性质》，开辟了19世纪射影几何的黄金时代。

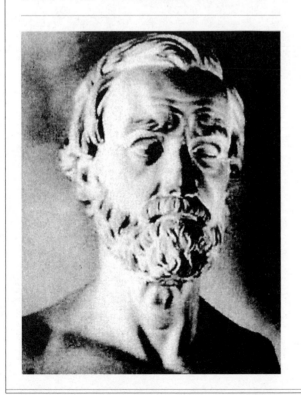

又，它也是建在有理线EF上的，EM为宽，所以：EM是有理的，且与EF是长度不可公约的（命题X.22）。

又因为：AC、CB是中项面，AC、CB的矩形的两倍也是中项面，且等于HG，所以：HG也是中项面（命题X.23推论）。

又，它是建在有理线EF上的，HM为宽，所以：HM也是有理的，且与EF是长度不可公约的（命题X.22）。

因为：AC、CB是仅正方可公约的，所以：AC、CB是长度不可公约的。

又，AC比CB同于AC上的正方形比AC、CB构成的矩形，所以：AC上的正方形与AC、CB构成的矩形是不可公约的（命题X.11）。

又，AC、CB上的正方形之和与AC上的正方形是可公约的，同时AC、CB构成的矩形的两倍与AC、CB构成的矩形是可公约的。所以：AC、CB上的正方形之和与AC、CB构成的矩形的两倍是不可公约的（命题X.6、X.13）。

又，EG等于AC、CB上的正方形之和，

同时，GH等于AC、CB构成的矩形的两倍，所以：EG与HG是不可公约的。

又，EG比HG同于EM比HM，所以：EM与MH是长度不可公约的（命题Ⅵ.1、X.11）。

又，它们皆是有理的，所以：EM和MH是仅正方可公约的有理线段，所以：EH是一条余线，且HM与之相加（命题X.73）。

同理，我们也能证明HN也与之相加，所以：不同的线段与余线相加，且它们与总线成仅正方可公约的量，这是不可能的（命题X.79）。

所以：只有一条中项线与一条第二中项余线相加，能使该中项线与总线成仅正方可公约的量，且它们构成的矩形是中项面。

证完

命题X.82

只有一条线段与次线相加，使该线段与总线成正方不可公约量，它们上的正方形之和是有理的，它们构成的矩形的两倍是中项面。

设：AB是次线，BC与之相加，那么AC、CB是正方不可公约的，它们上的正方形之和是有理的，以它们为边构成的矩形的两倍是中项面（命题X.76）。

那么我说：没有另外的线段与AB相加，能满足以上的条件。

如果可能，令它为BD，那么，AD、DB皆是正方不可公约的量，皆满足以上条件（命题X.76）。

那么因为：AD、DB上的正方形之和与AC、CB上的正方形之和的差，也等于AD、DB构成的矩形的两倍与AC、CB构成的矩形的两倍之差，同时，AD、DB上的正方形之和与AC、CB上的正方形之差为一个有理面，因为它们皆是有理面，所以：AD、DB构成的矩形的两倍与AC、CB构成的矩形的两倍之差也是有理面，这是不可能的，因为它们皆是中项面（命题X.26）。

所以：只有一条线段与次线相加，使该线段与总线成正方不可公约量，它们上的正方形之和是有理的，它们构成的矩形的两倍是中项面。

证完

命题X.83

只有一条线段与一个中项面有理面差的边相加，能使该线段与总线段成正方不可公约的量，它们上的正方形之和是中项面，它们构成的矩形的两倍是有理面。

设：AB是一个中项面有理面差的边，BC是加到AB上的线段，那么AC、CB是正方不可公约的线段，且满足上述条件（命题X.77）。

那么我说：没有另外的线段与AB相加能满足以上条件。

如果有一条另外的线段，令线段BD能满足，那么AD、DB是正方不可公约的线段，能满足给定的条件（命题X.77）。

如前所述，AD、DB上的正方形与AC、CB上的正方形之差也等于AD、DB构成的矩形的两倍与AC、CB构成的矩形的两倍之差，同时，AD、DB构成的矩形的两倍与AC、CB构成的矩形的两倍之差是一个有理面，因为它们皆是有理面。所以：AD、DB上的正方形之和与AC、CB上的正方形之和的差是一个有理面。这是不可能的，因为它们皆是中项面（命题X.26）。

所以：只有一条线段与一个中项面有理面差的边相加，能使该线段与总线段成正方不可公约的量，它们上的正方形之和是中项面，它们构成的矩形的两倍是有理面。

证完

命题X.84

只有一条线段与两中项面之差相加，能使该线段与总线段正方不可公约，且它们上的正方形之和是中项面，它们构成的矩形的两倍是中项面，且与它们上的正方形之和不可公约。

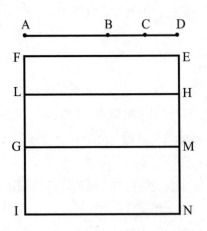

设：AB为两中项面差的边，BC与之相加，那么AC、CB是正方不可公约的线段，且满足上述的条件（命题X.78）。

那么我说：没有另外的线段与AB相加能满足以上的条件。

如果存在另外的线段，令其为BD与AB相加能满足，那么AD、DB也是正方不可公约的量，AD、DB上的正方形之和是中项面，且AD、DB构成的矩形的两倍也是中项面。AD、DB上的正方形之和与AD、AB构成的矩形的两倍是不可公约的（命题X.78）。

设定一条有理线段EF，在EF上作为EG等于AC、CB上的正方形之和，EM为另一边。又在EF上作HG等于AC、CB构成的矩形的两倍，HM为另一边，那么：余量，即AB上的正方形等于EL。所以：AB是与EL相等的正方形的边（命题II.7）。

又，建EI等于AD、DB上的正方形之和，EN为另一边。

而，AB上的正方形也等于EL，所以：余量，即AD、DB构成的矩形的两倍等于HI（命题II.7）。

那么因为：AC、CB上的正方形之和是中项面，并等于EG，所以：EG也是中项面。而它也是建在有理线EF上的，所以：EM是有理的，并与EF是长度上不可公约的（命题X.22）。

又因为：AC、CB构成矩形的两倍是中项面，且等于HG，所以：HG也是中项面。而它是建在有理线段EF上的，所以：HM是有理的，并与EF是长度不可公约的（命题X.22）。

因为：AC、CB上的正方形与AC、CB构成的矩形的两倍不可公约，所以：EG与HG也是不可公约的。所以：EM与MH也是长度不可公约的（命题VI.1、X.11）。

又，它们皆是有理的，所以：EM、MH 是仅正方可公约的有理线段，所以：EH 是一个余线，另一条余线 HM 与之相加（命题 X.73）。

同理，我们也能证明 EH 也是条余线，且 HN 是加到它上面的余线。所以：不同的有理线段加到一条余线上，且与总线段仅正方可公约，这已被证明是不可能的（命题 X.79）。

所以：只有一条线段与两中项面之差相加，能使该线段与总线段正方不可公约，且它们上的正方形之和是中项面，它们构成的矩形的两倍是中项面，且与它们上的正方形之和不可公约。

证完

库默尔

在高斯之后，对代数数论做出重要贡献的是德国数学家库默尔（1810—1893年）。他引进了一种新的代数数论，从而推广了高斯的复整数理论。为了使普遍数论的一些结果推广到代数数论时仍能成立，库默尔在1844至1847年间进一步创立了理想数理论。后来，德国数学家戴德金又把库默尔的工作推广到一般的代数数域，从而创立了现代代数理论。

定 义（三）

定义 X.11 给定一条有理线和余线，如果总线段上的正方形大于加线上的正方形，其差为一个与总线段长度可公约的线段上的正方形，且总线段与给定的有理线段长度可公约，此余线称为第一余线。

定义 X.12 如果加线段与给定的有理线可公约，总线段上的正方形大于加线上的正方形，其差为一个与总线段可公约的线段上的正方形，此余线称为第二余线。

定义 X.13 如果总线段和加线段两者皆与给定的有理线长度不可公约，且总线段上的正方形大于加线上的正方形，其差为一个与总线段可公约的线段上的正方形，此余线称为第三余线。

定义 X.14 又，总线段上的正方形大于加线段上的正方形，其差为一个与总线段不可公约的线段上的正方形。此外，总线段与给定的有理线长度可公约，此余线称为第四余线。

定义 X.15 如果加线段，与已知有理线段是长度可公约的，则此线称为第五余线。

定义 X.16 如果全线段及加线段两者与给定有理线段都是长度不可公约的，则此余线称为第六余线。

命题X.85

求第一余线。

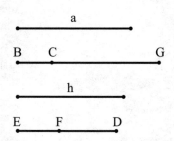

设：给定一条有理线段a，使BG与a在长度上可公约，那么BG也是有理线段。

再设：给定两个平方数DE、EF，它们

AUTOGRAPH LETTER OF LEIBNIZ

First page of a letter to Christian Wolf, dated February 10, 1712

的差FD不是一个平方数。

那么：ED、DF的比值是一个平方数比一个平方数。

作比例，ED比DF同于BG上的正方形比GC上的正方形，那么：BG上的正方形与GC上的正方形是可公约的（命题X.6推论、X.6）。

又，BG上的正方形是有理的，所以：GC上的正方形也是有理的，所以：GC也是有理的。

因为：ED比DF不同于一个平方数比一个平方数，所以：BG上的正方形比GC上的正方形的比值也不是一个平方数比一个平方数，所以：BG与GC是长度不可公约的（命题X.9）。

又，二者皆是有理的，于是：BG、GC是仅正方可公约的，所以：BC是一条余线（命题X.73）。

那么我说：它也是一个第一余线。

为此，设h上的正方形是BG上正方形与GC上正方形的差。

那么因为：ED比FD同于BG上正方形比GC上的正方形，所以：由换比可得，DE比EF同于GB上的正方形比h上的正方形（命题V.19推论）。

又，ED比EF同于一个平方数比一个平方数，因为每个都是平方数，所以：GB上的正方形与h上的正方形的比值也是一个平方数比一个平方数。所以：BG与h是长度可公约的（命题X.9）。

又，BG上的正方形大于GC上的正方形，其差为一个h上的正方形。

所以：BG上的正方形大于GC上的正方

形，其差是一个与BG是长度可公约的线段上的正方形。

又，总线段BG与给定的有理线段a是长度可公约的。

所以：BC是一个第一余线。所以：第一余线BC被找出来（定义X.12）。

证完

命题X.86
求第二余线。

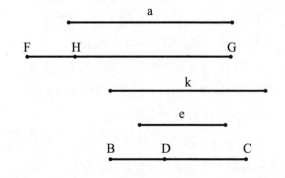

设：给定一条有理线段a，使GC与a长度可公约。那么：GC是有理线段。再给定两个平方数DE、EF，它们的差DF不是平方数。

作比例，FD比DE同于CG上的正方形比GB上的正方形（命题X.6推论）。

那么：CG上的正方形与GB上的正方形可公约（命题X.6）。

又，CG上的正方形是有理的，所以：GB上的正方形也是有理的。所以：BG是有理线段，又，因为：GC上的正方形比GB上的正方形不是一个平方数比一个平方数，所以：CG与GB是长度上不可公约的（命题X.9）。

又，它们皆是有理的，所以：CG、GB是仅正方可公约的有理线段。所以：BC是一条余线（命题X.73）。

我们进一步说：它也是一条第二余线。

令：h上的正方形是BG上的正方形与GC上的正方形之差。

因为：BG上的正方形比GC上的正方形同于数ED比DF，所以：由换比可得，BG上的正方形比h上的正方形同于DE比EF（命题V.19推论）。

又，DE和EF每个数皆是平方数，所以：BG上的正方形比h上的正方形同于一个平方数比一个平方数。所以：BG与h长度可公约（命题X.9）。

又，BG上的正方形大于GC上的正方形，其差为h上的一个正方形。所以：BG上的正方形大于GC上的正方形，其差为一个与BG长度可公约的有理线段上的正方形。

又，CG与给定的有理线段a是可公约的，所以：BC是一个第二余线（定义X.12）。

所以：第二余线被求出来。

证完

命题X.87
求第三余线。

设：给一条有理线段a，建三个数e、BC、CD，它们的相互比值不是一个平方数

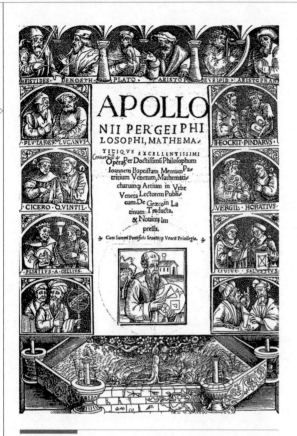

阿波罗尼文集

在希腊数学家看来，基本的数学法则是把一些简单的几何结构构成越来越复杂的几何结构。于是希腊人从具有令人中意的那种极小性质的直线和圆出发，构成比较复杂的曲线。而对这些曲线，特别是圆锥曲线的主要研究成果由佩尔加的阿波罗尼给出，他在他的著作《圆锥曲线》中描述了这些成果。

比一个平方数，但CB比BD同于一个平方数比一个平方数。

作比例，令e比BC同于a上的正方形比FG上的正方形，令BC比CD同于FG上的正方形比GH上的正方形（命题X.6推论）。

因为：e比BC同于a上的正方形比FG上的正方形，所以：a上的正方形与FG上的正方形是可公约的（命题X.6）。

又，a上的正方形是有理的，所以：FG上的正方形也是有理的，所以：FG是有理的。

因为：e比BC不是一个平方数比一个平方数，所以：a上的正方形比FG上的正方形也不同于一个平方数比一个平方数，所以：a与FG是长度不可公约的（命题X.9）。

又因为：BC比CD同于FG上的正方形比GH上的正方形，所以：FG上的正方形与GH上的正方形是可公约的（命题X.6）。

而FG上的正方形是有理的，所以：GH上的正方形也是有理的，所以：GH是有理的。

又因为：BC比CD不是一个平方数比一个平方数，所以：FG上的正方形比GH上的正方形也不是一个平方数比一个平方数，所以：FG与GH是长度不可公约的（命题X.9）。又，两者都是有理的。

所以：FG与GH是仅正方可公约的有理线，所以：FH是一条余线（命题X.73）。

我进一步说：它也是一条第三余线。

因为：e比BC同于a上的正方形比FG上的正方形，BC比CD同于FG上的正方形比HG上的正方形，所以：由首末比可得，e比CD同于a上的正方形比HG上的正方形（命题V.22）。

但是，e比CD不是一个平方数比一个平方数，a上的正方形比GH上的正方形也不是一个平方数比一个平方数，所以：a与GH是长度上不可公约的（命题X.9）。

所以：FG或者GH与给定的有理线段a皆是长度不可公约的。

设：k上的正方形等于FG上的正方形与GH上的正方形之差。

因为：BC比CD同于FG上的正方形比

GH上的正方形，所以：由换比可得，BC比BD同于FG上的正方形比k上的正方形（命题V.19推论）。

而BC比BD是一个平方数比一个平方数，所以：FG上的正方形比k上的正方形也是一个平方数比一个平方数。

所以：FG与k是长度可公约的。FG上的正方形大于GH上的正方形，其差为一个与FG可公约的线段上的正方形（命题X.9）。

又，FG或GH皆是与给定的有理线段a不是长度可公约的，所以：FH是一个第三余线（定义X.13）。

所以：第三余线FH被求证出来。

证完

命题X.88

求第四余线。

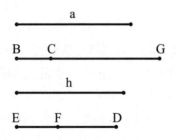

给定有理线段a，BG与a是长度上可公约的，所以BG也是有理线段。设，两个数DF、FE，且总量DE与它们每个的比不是一个平方数比一个平方数。

作比例，DE比EF同于BG上的正方形比GC上的正方形，那么，BG上的正方形与GC上的正方形是可公约的（命题X.6推论、X.6）。

又，BG上的正方形是有理的，所以：

GC上的正方形也是有理的，所以：GC是有理的。

那么因为：DE比EF不是一个平方数比一个平方数，所以：BG上的正方形比GC上的正方形也不是一个平方数比一个平方数。

所以：BG与GC是长度不可公约的（命题X.9）。

又，它们皆是有理的，所以：BG、GC是仅正方可公约的有理线段。所以：BC是一条余线（命题X.73）。

设：h上的正方形等于BG上的正方形与GC上的正方形之差。

因为：DE比EF同于BG上的正方形比GC上的正方形，所以：由换比可得，ED比DF同于GB上的正方形比h上的正方形（命题V.19推论）。

又，ED比DF不是一个平方数比一个平方数，GB上的正方形比h上的正方形也不是一个平方数比一个平方数。所以：BG与h是长度不可公约的（命题X.9）。

又，BG上的正方形大于GC上的正方形，其差为一个h上的正方形，所以：BG上的正方形大于GC上的正方形，其差为一个与BG长度不可公约的有理线段上的正方形。

又，总线段BG与给定的有理线段a是长度可公约的量，所以：BC是一个第四余线。

于是：第四条余线被求证出来（定义X.14）。

证完

命题X.89

求第五余线。

给定有理线段a，设CG与a是长度可公约的，那么，CG是有理的。

给定两个数DF、FE，且使DE与DF、FE的比值不是一个平方数比一个平方数。再作比例，FE比ED同于CG上的正方形比GB上的正方形。

那么：GB上的正方形也是有理的，所以：BG也是有理的（命题X.6）。

那么因为：DE比EF同于BG上的正方形比GC上的正方形，同时，DE比EF不是一个平方数比一个平方数，所以：BG上的正方形比GC上的正方形也不是一个平方数比一个平方数。所以：BG与GC是长度上不可公约的（命题X.9）。

又，它们皆是有理的，所以：BG、GC是仅正方可公约的有理线段。所以：BC是一条余线（命题X.73）。

我进一步说：它也是一个第五余线。

设：h上的正方形等于BG上的正方形与GC上的正方形之差。

因为：BG上的正方形比GC上的正方形同于DE比EF，所以：由换比可得，ED比DF同于BG上的正方形比h上的正方形（命题V.19推论）。

又，ED比DF不是一个平方数比一个平方数，BG上的正方形比h上的正方形也不是一个平方数比一个平方数，所以：BG与h是长度不可公约的（命题X.9）。

又，BG上的正方形大于GC上的正方形，其差为h上的正方形，所以：GB上的正方形大于GC上的正方形，其差为一个与GB长度上不可公约的有理线段上的正方形。

又，CG与给定的有理线段a是长度上可公约的，所以：BC是一个第五余线（定义X.15）。

于是：第五余线被求证出来。

证完

命题X.90
求第六余线。

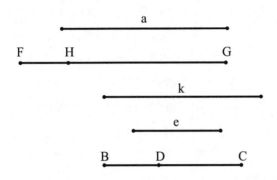

给定有理线a，给定三个数e、BC、CD，且它们的相互比不是一个平方数比一个平方数，再设CB比BD也不是一个平方数比一个平方数。

作比例，使e比BC同于a上的正方形比FG上的正方形，BC比CD同于FG上的正方形比GH上的正方形（命题X.6推论）。

那么因为：e比BC同于a上的正方形比FG上的正方形，所以：a上的正方形与FG上的正方形是可公约的（命题X.6）。

又，a上的正方形是有理的，所以：FG上的正方形也是有理的，所以：FG也是有理的。

因为：e比BC不是一个平方数比一个平方数，所以：a上的正方形比FG上的正方形也不是一个平方数比一个平方数，所以：a与FG是长度不可公约的（命题X.9）。

又因为：BC比CD同于FG上的正方形比GH上的正方形，所以：FG上的正方形与GH上的正方形是可公约的（命题X.6）。

又，FG上的正方形是有理的，所以：GH上的正方形也是有理的，所以：GH也是有理的。

因为：BC比CD不是一个平方数比一个平方数，所以：FG上的正方形比GH上的正方形也不是一个平方数比一个平方数。所以：FG与GH是长度不可公约的（命题X.9）。

又：两者都是有理的，所以FG、GH是仅正方可公约的有理线段；因此，FH是一个余线。

我进一步说：它也是一个第六余线。

因为：e比BC同于a上的正方形比FG上

卡尔丹

卡尔丹（1507—1576年）是米兰的一位医生和教师。塔塔利亚战胜费奥的消息激起他对三次方程极大的兴趣。卡尔丹将塔塔利亚的解法写入自己的著作《大法》中，所以该方程有时也被称为卡尔丹公式。在《大法》中，卡尔丹将塔塔利亚的方法推广到一般情形，并补充了几何证明。

世界体系

　　13世纪，经院哲学的集大成者托马斯·阿奎那（1225—1274年）综合了亚里士多德和基督教的宇宙观，在月球、太阳、行星和恒星之外又加上一个不停自转的新星球。上帝在一群天使的协助下，守护着自己创造出来的宇宙。天使住在行星和太阳下，担任上天真正的机械师，推动星球运转。

的正方形，而BC比CD同于FG上的正方形比GH上的正方形，所以：由首末比可得，e比CD同于a上的正方形比GH上的正方形（命题V.22）。

　　又，e比CD不是一个平方数比一个平方数，所以：a上的正方形比GH上的正方形也不是一个平方数比一个平方数。所以：a与GH是长度不可公约的。所以：线段FG、GH皆与有理线a不是长度可公约的（命题X.9）。

　　令：k上的正方形等于FG上的正方形与GH上的正方形之差。

　　因为：BC比CD同于FG上的正方形比GH上的正方形，所以：由换比可得，CB比BD同于FG上的正方形比k上的正方形（命题V.19推论）。

　　又，CB比BD不是一个平方数比一个平方数，所以：FG上的正方形比k上的正方形也不是一个平方数比一个平方数，所以：FG与k是长度不可公约的（命题X.9）。

　　又，FG上的正方形大于GH上的正方形，其差为一个k上的正方形，所以：FG上的正方形大于GH上的正方形，其差为一个与FG长度不可公约的线段上的正方形（定义X.16）。

　　又，线段FG、GH与所给出的有理线段不是可公约的，所以，FH是一个第六余线。

　　于是：第六余线被求证出来。

证完

命题X.91

　　如果一个面是由一条有理线和一个第一余线构成的，那么，与该面相等的正方形的边是一个余线。

　　设：面AB是由有理线段AC和第一余线AD构成的。

　　那么我说：与该面相等的正方形的边是一个余线。

　　因为：AD是一个第一余线，设DG是它的加线段，

　　那么：AG、GD是仅正方可公约的有理线段，且总线段AG与给定的有理线段AC是可公约的。

　　又：AG上的正方形大于GD上的正方

形，其差为一个与AG是长度可公约的线段上的正方形（命题X.73、定义X.12）。

所以：如果在AG上建矩形，使之等于DG上的正方形的四分之一且缺少一个正方形，那么：它被分为可公约的两个部分（命题X.17）。

在E点平分DG，在AG上建矩形，使之等于EG上的正方形且缺少一个正方形的矩形AF、FG，于是：AF与FG是可公约的。

过点E、F、G作EH、HI和GK平行于AC。

那么因为：AF与FG是长度可公约的，所以：AG分别与线段AF、FG也是长度可公约的（命题X.15）。

又，AG与AC是可公约的，所以：AF与FG皆与AC是长度可公约的（命题X.12）。

又，AC是有理的，所以：AF、FG也皆

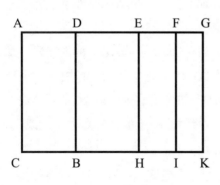

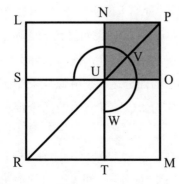

是有理的，所以：AI、FK构成的矩形也是有理的（命题X.19）。

那么因为：DE与EG是长度可公约的，所以：DG分别与DE、EG也是可公约的（命题X.15）。

又，DG是有理的，并与AC长度不可公约，所以：DE、EG皆与AC是长度不可公约的有理线段，所以：DH、EK构成的矩形是中项面（命题X.13、X.21）。

现在，作正方形LM等于AI，从中减去与它有共同角LPM的正方形NO等于FK，那么：LM、NO的对角线在一条直线上（命题VI.26）。

令：PR为它们的对角线，并作图。

因为：AF、FG构成的矩形等于EG上的正方形，所以：AF比EG同于EG比FG（命题VI.17）。

而AF比EG同于AI比EK，而EG比FG同于EK比KF，所以：EK是一个AI、KF间的比例中项（命题VI.1、V.11）。

又，前面已经证明，MN也是LM、NO之间的比例中项，而AI等于LM，KF等于NO。所以：MN也等于EK，而EK等于DA，且MN等于LO；所以，DK等于折尺形UVW和NO的和。

而AK也等于LM、NO之和，所以：余值AB等于ST。

又，RT等于LN，所以：LN上的正方形等于AB，所以：LN是与AB相等的正方形的边。

其次可证明LN是一条余线。

因为每一个矩形AI、FK是有理的，且

它们分别等于IM、NO，所以每个正方形LM、NO，即分别为LP、PN上的正方形，也是有理的，因此，LP、PN也是有理的。

又因为，DH是中项面，且等于LO，所以LO也是中项面。

于是，因为LO是中项面，而NO是有理的，所以LO与NO不可公约。

又，LO比NO同于LP比PN，所以：LP与PN是长度不可公约的（命题VI.1、X.11）。

又，它们皆是有理的，所以：LP、PN是仅正方可公约的有理线段，所以：LN是一个

高斯论文

表面张力理论常常被称做毛细理论。高斯在1830年发表的论文"流体之平衡态理论的普遍原理"中阐发了毛细理论。高斯提出：人们可用虚功原理，亦即用变分原理表征液体表面的平衡态。对于给定在所有虚拟位置中达到了极小面积，就可得出小曲面理论。

PRINCIPIA GENERALIA

THEORIAE

FIGVRAE FLVIDORVM

IN STATV AEQVILIBRII

AVCTORE

CAROLO FRIDERICO GAVSS

GOTTINGAE,
SVMTIBVS DIETERICHIANIS.
MDCCCXXX.

余线（X.73）。

又，它是与面AB相等的正方形的边，所以：与面AB相等的正方形的边是一个余线。

所以：如果一个面是由一条有理线和一个第一余线构成的，那么，与该面相等的正方形的边是一个余线。

证完

注 解

这一命题应用在命题X.108中。

命题X.92

如果一个面是由一条有理线段与一个第二余线构成的，那么，与该面相等的正方形的边是一个中项线的第一余线。

设：面AB是由有理线段AC和第二余线AD构成的。

那么我说：与AB相等的正方形的边是一个第一中项余线。

设：DG是加到AD上的加线段，那么：AG和GD是仅正方可公约的有理线段，且加线DG与给定的有理线段AC是可公约的。同时，总线段AG上的正方形大于加线GD上的正方形，其差为一个与AG长度可公约的线段上的正方形（命题X.73、定义X.12）。

因为：AG上的正方形大于GD上的正方形，其差为一个与AG可公约的线段上的正方形，所以：如果建在AG上的矩形等于GD上的正方形的四分之一，并缺少一个正方形，那么：它分AG为可公约的两个部分（命题X.17）。

那么，在E点平分DG，在AG上建矩形等于EG上的正方形，并缺少一个正方形，令

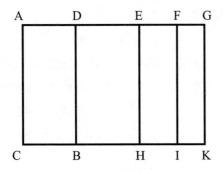

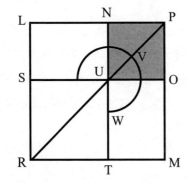

其为AF、FG构成的矩形，那么：AF、FG是长度可公约的。

所以：AG分别与AF、FG也是长度可公约的（命题X.15）。

又，AG是有理的，并与AC长度不可公约，所以：AF、FG分别与AC也是长度不可公约的。所以：AI、FK是中项面（命题X.13、X.21）。

又因为：DE与EG是可公约的，所以：DG分别与直线DE和EG也是可公约的（命题X.15）。

又，DG与AC是长度可公约的。

所以：矩形DH、EK是有理的（命题X.19）。

建正方形LM等于AI，减去等于FK的并与LM有公共角LPM的正方形NO，那么：LM和NO上的正方形在同一对角线上（命题

VI.26）。

设：PR为其对角线。并作图。

因为：AI、FK是中项面。并分别等于LP、PN上的正方形，LP、PN上的正方形也是中项面。所以：LP、PN也是仅正方可公约的两中项线。

因为：AF、FG的矩形等于EG上的正方形，所以：AF比EG同于EG比FG，同时，AF比EG同于AI比EK，而EG比FG同于EK比FK，所以：EK是AI、FK之间的比例中项（命题VI.17、VI.1、V.11）。

又，MN也是LM、NO上的比例中项，而AI等于LM，同时FK等于NO。所以：MN也等于EK。

而DH等于EK，LO等于MN，所以：总量DK等于折尺形UVW与NO之和。

那么因为：总量AK等于LM、NO之和，且DK等于折尺形UVW与NO之和，所以：余量AB等于TS。

又，TS等于LN上的正方形，所以：LN上的正方形等于面AB，所以：LN是与AB相等的正方形的边。

我进一步说：LN是一个第一中项余线。

因为：EK是有理的，并等于LO，所以：LO即LP与PN构成的矩形，是有理的。

又，NO已经被证明是中项面，所以：LO与NO是不可公约的。

又，LO比NO同于LP比PN，所以：LP、PN是长度不可公约的（命题VI.1、X.11）。

所以：LP、PN是仅正方可公约的中项线，且构成一个有理矩形，所以：LN是一个第一中项余线（命题X.74）。

且，它是与面AB相等的正方形的边。

所以：与面AB相等的正方形的边是一个第一中项余线。

所以：如果一个面是由一条有理线段与一个第二余线构成的，那么，与该面相等的正方形的边是一个中项线的第一余线。

证完

注 解
这一命题应用在命题X.109中。

命题X.93
如果一个面由一条有理线段和一条第三余线构成，那么，与该面相等的正方形的边是一个第二中项余线。

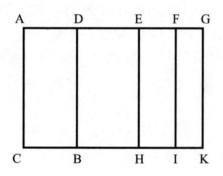

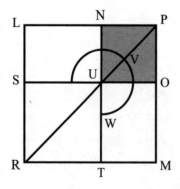

设：面AB是由有理线AC和第三余线AD构成的。

那么我说：与AB相等的正方形的边是一个第二中项余线。

设：DG是加在AD上的加线段。那么：AG、GD是仅正方可公约的有理线段，AG、GD分别与给定的有理线段AC不是长度可公约的，同时，AG上的正方形大于加线DG上的正方形，其差为一个与AG可公约的线段上的正方形（定义X.7）。

那么，因为：AG上的正方形大于GD上的正方形，其差为一个与AG可公约的线段上的正方形，所以：如果在AG上建矩形，使之等于DG上的正方形的四分之一，并缺少一个正方形，那么：它分AG为可公约的两个部分（命题X.17）。

在E点平分DG，在AG上建矩形，使之等于EG上的正方形并缺少一个正方形，设其为AF、FG构成的矩形。过点E、F、G作EH、FI、GK平行于AC。

那么：AF、FG是可公约的。所以：AI与FK也是可公约的（命题VI.1、X.11）。

因为：AF、FG是长度可公约的，所以：AG分别与直线AF、FG是长度可公约的（命题X.15）。

又，AG是有理的，并与AC是长度不可公约的，所以：AF、FG也是有理的且与AC是长度不可公约的（命题X.13）。

所以：AI与FK是中项面（命题X.21）。

又因为：DE与EG是长度可公约的，所以：DG分别与线段DE、EG是长度可公约的（命题X.15）。

又，GD是有理的，并与AC在长度上不可公约的，所以：线段DE、EG也是有理的，并与AC在长度上不可公约。所以：DH与EK构成的矩形是中项面（命题X.13、X.21）。

因为：AG、GD是仅正方可公约的，所以：AG与GD是长度不可公约的。

又，AG与AF是长度可公约的，DG与EG也是长度可公约的。所以：AF与EG是长度不可公约的（命题X.13）。

又，AF比EG同于AI比EK，所以：AI与EK是不可公约的（命题VI.1、X.11）。

现在，建正方形LM等于AI，又作正方形NO等于FK且它与LM有公共角LPM。那么：LM和NO在同一对角线上（命题VI.26）。

设：PR为其对角线，并作图。

那么因为：AF、FG等于EG上的正方形，所以：AF比EG同于EG比FG（命题VI.17）。

又，AF比EG同于AI比EK，EG比FG同于EK比FK，所以：AI比EK同于EK比FK，所以：EK是AI、FK的比例中项（命题VI.1、VI.11）。

又，MN也是LM、NO上的正方形的比例中项，而AI等于LM，且FK等于NO，所以：EK也等于MN。

又，MN等于LO，且EK等于DH，所以：总量DK也等于折尺形UVW与NO的和。

又，AK等于LM、NO之和，所以：余值AB等于ST，即LN上的正方形，所以：LN是与面AB相等的正方形的边。

那么我说：LN是一个第二中项线。

因为：AI、FK已被证明为中项面，并分别等于LP、PN上的正方形，所以：LP和PN上的正方形也是中项面，所以：LP和PN是中项线。

因为：AI与FK是可公约的，所以：LP

挑战哥德巴赫猜想

1953年，中国数学家华罗庚组织了哥德巴赫猜想讨论班，这个讨论班后来产生了丰硕的成果。1957年，王元证明了{2，3}，1962年，潘承洞证明了{1，5}，1965年，邦别里证明了{1，3}，一年后，中国数学家陈景润宣布证明了{1，2}，并于1973年发表详细证明。陈景润的结果被认为是"筛法理论的光辉顶点"。图为华罗庚及其弟子陈景润。

上的正方形与PN上的正方形也是可公约的（命题VI.1、X.11）。

又，因为：已经证明，AI与EK是不可公约的，所以：LM与MN也是不可公约的，即LP上的正方形与LP、PN构成的矩形是不可公约的，于是：LP与PN也是长度不可公约的（命题VI.1、X.11）。

所以：LP、PN是仅正方可公约的两中项线。

那么我说：它们也构成一个中项面。

因为：EK已被证明为中项面，并等于LP、PN构成的矩形，所以：LP与PN构成的矩形也是中项面，所以：LP、PN是仅正方可公约的两中项线，并构成一个中项面。

所以：LN是一个第二中项余线，并是面AB的边（X.75）。

所以：与面AB相等的正方形的边是一个第二中项余线。

所以：如果一个面由一条有理线和一个第三余线构成，那么，与该面相等的正方形的边是一个第二中项余线。

证完

注 解

这一命题应用在命题X.110中。

命题X.94

如果一个面由一条有理线段与一条第四余线构成，那么，与该面相等的正方形的边是次线。

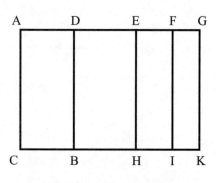

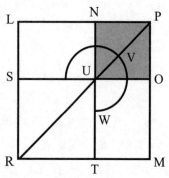

设：有理线段AC与第四余线AD构成面AB。

那么我说：与面AB相等的正方形的边是次线。

令：DG是加在AD上的加线段，于是：AG、GD是仅正方可公约的有理线段，AG与给定的有理线段AC是长度可公约的，且总线段AG上的正方形大于加线段DG上的正方形，其差为一个与AG长度不可公约的线段上的正方形（定义X.14）。

因为：AG上的正方形大于GD上的正方形，其差为一个与AG长度不可公约的线段上的正方形，所以：如果在AG上建矩形，使之等于DG上的正方形的四分之一并缺少一个正方形，那么：它分AG为不可公约的两段（命题X.18）。

在E点平分DG，在AG上建矩形，使之等于EG上的正方形并缺少一个正方形，设其为AF、FG构成的矩形；那么：AF与FG是长度不可公约的。

过E、F、G点作EH、FI、GK平行于AC、BD。

因为：AG是有理的，且与AC是长度可公约的，所以：总线段AK是有理的（命题X.19）。

又因为：DG与AC是长度不可公约的，且它们皆是有理线段，所以：DK是中项面（命题X.21）。

又因为：AF与FG是长度不可公约的，所以：AI与FK是不可公约的（命题VI.1、X.11）。

现在，建正方形LM等于AI，又作正方

形NO等于FK有且它与LM公共角LPM。

所以：LM、NO上的正方形是在同一条对角线上。设它们的对角线为PR。并作图（命题Ⅵ.26）。

因为：AF、FG构成的矩形等于EG上的正方形，所以：AF比EG同于EG比FG（命题Ⅵ.17）。

又，AF比EG同于AI比EK，又EG比FG同于EK比FK，所以：EK是AI、FK的比例中项（命题Ⅵ.1、V.11）。

又，MN也是LM、NO的比例中项，而AI等于LM，且FK等于NO，所以：EK也等于MN。

又，DH等于EK，LO等于MN，所以：总量DK等于折尺形UVW与NO的和。

那么，因为：总量AK等于LM、NO之和，且DK等于折尺形UVW与正方形NO之和，所以：余量AB等于ST，即LN上的正方形，所以：LN是与面AB相等的正方形的边。

那么我说：LN是被称为次线的无理线段。

因为：AK是有理的，并等于LP、PN上的正方形之和，所以：LP、PN上的正方形之和是有理的。

又因为：DK是中项面，且DK等于LP、PN构成的矩形的两倍，所以：LP、PN构成的矩形的两倍是中项面。

又因为：AI已经被证明与FK是不可公约的，所以：LP上的正方形与PN上的正方形也是不可公约的。

所以：LP、PN是正方不可公约的有理线段，且它们上的正方形之和是有理的，它们

构成的矩形的二倍是中项面。

所以：LN是被称为次线的有理线段，它也是与面AB相等的正方形的边（命题X.76）。

所以：与面AB相等的正方形的边是次线。

所以：如果一个面由一条有理线段与一条第四余线构成，那么，与该面相等的正方形的边是次线。

证完

科尔莫戈罗夫

　　科尔莫戈罗夫（1903—1987年）是前苏联数学家中的卓越代表，他同时也是莫斯科数学家中占突出地位的领头人物。概率论无疑是科尔莫戈罗夫科学生涯中最重要的成就。但他的贡献远不止于此，还涉及函数论、调和分析、拓扑学、动力系统、微分方程、泛函分析、流体力学、控制论、信息论、数理逻辑、数学等与数学史相关的众多领域。

注 解

这一命题应用在命题X.108中。也应用在命题XIII.11中。

命题X.95

如果一个面是由一条有理线段与一条第五余线构成，那么，与该面相等的正方形的边是一个中项面有理面差的边。

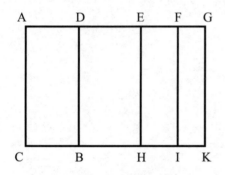

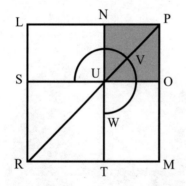

设：面AB是由一条有理线段AC与第五余线AD构成的。

那么我说：与面AB相等的正方形的边是一个中项面有理面差的边。

令：DG是AD上的加线段，那么：AG、GD是仅正方可公约的两有理线段，加线GD与给定的有理线段AC是长度可公约的，总线AG上的正方形大于加线段DG上的正方形，其差为一个与AG不可公约的线段上的正方形

（定义X.15）。

所以：如果在AG上建矩形，使之等于DG上的正方形的四分之一并缺少一个正方形，那么：它分AG为不可公约的两部分（命题X.18）。

在E点平分DG，在AG上建矩形，使之等于EG上的正方形并缺少一个正方形，设其为AF、FG构成的矩形，那么：AF与FG是长度不可公约的。

现在，因为：AG与CA是长度不可公约的，且它们皆是有理的，所以：AK是中项面（命题X.21）。

又因为：DG是有理的，并与AC是长度可公约的，所以：DK是有理的（X.19）。

现在，作正方形LM等于AI，又作正方形NO等于FK，且它与LM有公共角LPM。那么：LM、NO是在同一条对角线上。

设对角线为PR，且作图（命题VI.26）。

同样，我们可证明LN是与面AB相等的正方形的边。

那么我说：LN是一个中项面有理面差的边。

因为：AK已经被证明是个中项面，并等于LP、PN上的正方形之和，所以：LP、PN上的正方形之和是中项面。

又因为，DK是有理的，且等于LP、PN构成的矩形的两倍，于是后者也是有理的。

又因为，AI与FK是不可公约的，所以LP上的正方形与PN上的正方形也是不可公约的。所以LP、PN是正方不可公约的两条线段，且它们上的正方形的和是中项面，但由LP、PN构成的矩形的两倍是有理的。

所以：余量LN是被称为中项面有理面差

的边的无理线段，它也是与面AB相等的正方形的边（命题X.77）。

所以：与面AB相等的正方形的边是一个中项面有理面的差。

所以：如果一个面是由一条有理线段与一条第五余线构成，那么，与该面相等的正方形的边是一个中项面有理面的差的边。

证完

注 解

这一命题应用在命题X.109中。

命题X.96

如果一个面由一条有理线段与一个第六余线构成，那么，与该面相等的正方形的边是两中项面差的边。

设：面AB是由有理线段AC与第六余线AD构成的。

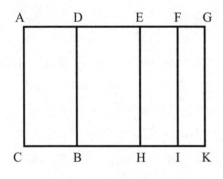

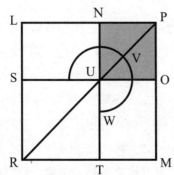

《机械汇编》卷首

文艺复兴时期，阿基米得的观念在意大利广为人知，许多博学之士都采纳阿基米得关于力学体系的重心概念以及他的其他力学观念。他们思索：一个两端固定的较重的链条，其平衡位置可能会怎样？他们确定，链条平衡态必定由其重心的最低位置表征。1690年，约翰·贝努利发现了随意悬挂的链条的精确数学形态，此形态用一条称做悬链线的曲线描绘，该曲线在数学上对应于双余弦曲线。

那么我说：与面AB相等的正方形是一个两中项面差的边。

令：DG是AD的加线段，那么：AG、GD是仅正方可公约的两有理线段，它们与给定的有理线段AC不是长度可公约。

且，总线段AG上的正方形大于加线段DG上的正方形，其差为一个与AG长度不可公约的线段上的正方形（定义X.16）。

蒂博·拉多

19世纪，对于许多特殊曲线（其中大部分是多边形），普拉蒂奥已求得圆盘形解，并找到了许多特殊的极小曲面。1931年，匈牙利数学家蒂博·拉多（1859—1965年）得出了普拉蒂奥普遍圆盘形解，并解出了许多其他极小曲面问题。此后，拉多的一项最重要的成就是解决了广义普拉蒂奥问题，并且，这个面积最小的曲面没有自交叉线。可以说，普拉蒂奥问题就如哥德巴赫猜想一样，是个科学现象的经验归纳。

因为：AG上的正方形大于GD上的正方形，其差为一个与AG长度不可公约的线段上的正方形。所以：如果在AG上建矩形，使之等于DG上的正方形的四分之一并缺少一个正方形，那么：它分AG为不可公约的两个部分（命题X.18）。

在E点平分DG，在AG上建矩形，使之等于EG上的正方形并缺少一个正方形，设其

为AF、FG构成的矩形，那么：AF与FG是长度不可公约的。

而，AF比FG同于AI比FK，所以：AI与FK是不可公约的（命题X.11）。

因为：AG、AC是仅正方可公约的两有理线段，所以：AK是中项面，又因为：AC、DG是长度不可公约的有理线段，DK也是中项面（命题X.21）。

现在，因为：AG和GD是仅正方可公约的。所以：AG与GD是长度不可公约的。

又AG比GD同于AK比KD，所以：AK与KD是不可公约的（命题VI.1、X.11）。

现在，建正方形LM等于AI，又作正方形NO等于FK，并有公共角LPM，那么：LM、NO有相同的对角线（命题VI.26）。

令PR为其对角线，并作图，那么，同样，我们也能证明LN是与面AB相等的正方形的边。

那么我说：LN是一个两中项面之差的边。

因为：AK已被证明是中项面，并等于LP、PN上的正方形之和，所以：LP、PN上的正方形之和是中项面。又，因为DK已被证明是中项面，并等于LP、PN构成的矩形的两倍，所以：LP与PN构成的矩形的两倍也是中项面。

因为：AK已被证明与DK是不可公约的，所以：LP、PN上的正方形之和也与LP、PN构成的矩形的两倍是不可公约的。又因为：AI与FK是不可公约的，所以：LP上的正方形与PN上的正方形也是不可公约的。

所以：LP、PN是正方不可公约的线段，它们上的正方形之和是中项面，它们构成的

矩形的两倍是中项面，进一步，它们上的正方形之和与它们构成的矩形的两倍也是不可公约的。

所以：LN是被称为两中项面差的无理线段，它是与面AB相等的正方形的边，所以：与面AB相等的正方形的边是一个中项面与一个中项面之差（命题X.78）。

所以：如果一个面由一条有理线段与一个第六余线构成，那么，与该面相等的正方形的边是两中项面之差的边。

证完

注 解
这一命题应用在命题X.110中。

命题X.97

在有理线段上作一个矩形使它等于一个余线上的正方形，那么，其另一边是第一余线。

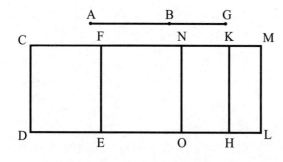

设：AB是条余线，CD是有理线段，在CD上建矩形CE，使之等于AB上的正方形，CF为宽。

那么我说：CF是一个第一余线。

令：BG是AB上的加线，那么：AG、GB是仅正方可公约的有理线段（命题X.73）。

在CD上建矩形CH等于AG上的正方形，再建KL，使之等于BG上的正方形。

那么：总量CL等于AG、GB上的正方形之和，且CE等于AB上的正方形，所以：余量FL等于AG、GB构成的矩形的两倍（命题II.7）。

在N点平分FM。过N点作NO，使之平行于CD，那么：FO、LN构成的矩形等于AG、GB构成的矩形。

现在，因为：AG、GB上的正方形都是有理的，DM等于AG、GB上的正方形之和，所以：DM是有理的。

又，DM是建在有理线段CD上的，并以CM为宽，所以：CM是有理的，并与CD长度可公约（命题X.20）。

又因为：AG、GB构成的矩形的两倍是中项面，且FL等于AG、GB构成的矩形的两倍，所以：FL是中项面。

且它是建在有理线段CD上的，并以FM为宽，所以：FM是有理的，并与CD长度不可公约（命题X.22）。

因为：AG和GB上的正方形是有理的，同时AG、GB构成的矩形的两倍是中项面，所以：AG、GB上的正方形之和与AG、GB构成的矩形的两倍是不可公约的。

又，CL等于AG、GB上的正方形之和，且FL等于AG、GB构成的矩形的两倍，所以：DM与FL是不可公约的。

又，DM比FL等于CM比FM，所以：CM与FM是长度不可公约的（命题VI.1、X.11）。

又，它们是有理的，所以：CM、MF是仅正方可公约的有理线段，所以：CF是一条余线（命题X.73）。

我进一步说：它也是一条第一余线。

因为：AG、GB构成的矩形是AG、GB上的正方形的比例中项，CH等于AG上的正方形，KL等于BG上的正方形，NL等于AG、BG构成的矩形，所以：NL也是CH、KL的比例中项。所以：CH比NL同于NL比KL。

勒贝格

勒贝格（1875—1941年），法国数学家，主要贡献是测度和积分理论。勒贝格采用了无穷个区间来覆盖点集，这使许多特别的点集的测度有了定义。在定义积分时，他采取划分值域而不是划分定义域的方法使积分归结为测度，从而使黎曼积分的局限性得到突破，由此进一步发展了积分理论。他的理论为20世纪的许多数学分支，如泛函分析、概率论、抽象积分论、抽象调和分析等奠定了基础。

又，CH比NL同于CK比NM，NL比KL同于NM比KM，所以：CK、KM构成的矩形等于NM上的正方形，即是FM上的正方形的四分之一（命题VI.1、VI.17）。

因为：AG上的正方形与GB上的正方形是正方可公约的，所以：CH与KL也是正方可公约的。

又，CH比KL同于CK比KM，所以：CK与KM是可公约的（命题VI.1、X.11）。

因为：CM和MF是两条不等线段，在CM上建CK、KM构成的矩形，使之等于FM上的正方形的四分之一且缺少一个正方形，同时CK与KM是可公约的。

所以：CM上的正方形大于MF上的正方形，其差为一个与CM长度可公约的线段上的正方形（命题X.17）。

又，CM与给定的有理线段CD是长度可公约的，所以：CF是一个第一余线（定义X.12）。

所以：在有理线段上作一个矩形使它等于一个余线上的正方形，那么，其另一边是第一余线。

证完

注 解

这一命题应用在命题 X.111中。也应用在命题XIII.6中。

命题X.98

在有理线段上建矩形等于第一中项余线上的正方形，那么其另一边是一条第二余线。

设：AB是一条第一中项余线，且CD是有理线段，在CD上作矩形CE，使之等于AB

上的正方形，CF是另一边。

那么我说：CF是一条第二余线。

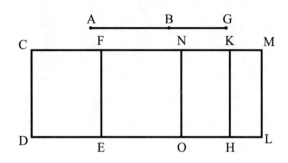

令：BG是AB的加线段，那么：AG、GB是仅正方可公约的两中项线，它们构成一个有理矩形（命题X.74）。

在CD上建矩形CH等于AG上的正方形，CK为另一边，再建矩形KL等于GB上的正方形，KM为另一边。

所以：总量CL等于AG、GB上的正方形之和，所以：CL也是中项面（命题X.15、X.23、推论）。

又，它也是建在一条有理线段CD上的，并以CM为宽，所以：CM是有理的，并与CD长度不可公约（命题X.22）。

现在，因为：CL等于AG、GB上的正方形之和，且AB上的矩形等于CE，所以：余下的AG、GB构成的矩形的两倍等于FL（命题II.7）。

又，AG、GB构成的矩形的两倍是有理的，所以：FL是有理的。

又，它也是建在有理线段FE上的，并以FM为另一边，所以：FM是有理的，且与CD也是长度可公约的（命题X.20）。

现在，因为：AG、GB上的正方形之和，即CL是中项面，同时，AG、BG构成的

矩形的两倍，即FL，是有理的，所以：CL与FL是不可公约的。

又，CL比FL同于CM比FM，所以：CM与FM是长度不可公约的（命题VI.1、X.11）。

又，它们皆是有理的，所以：CM和MF是仅正方可公约的有理线段，所以：CF是一个余线（命题X.73）。

我进一步说：它也是一个第二余线。

在N点分FM，过N作NO，使之平行于CD，那么：FO、NL构成的矩形等于AG、GB构成的矩形。

那么，因为：AG与GB构成的矩形是AG、GB上的正方形的比例中项，AG上的正方形等于CH，AG、GB构成的矩形等于NL，且BG上的正方形等于KL，所以：NL也是CH、KL的比例中项，所以：CH比NL同于NL比KL。

又，CH比NL同于CK比NM，而NL比KL同于NM比MK，所以：CK比NM同于NM比KM，所以：CK、KM构成的矩形等于NM上的正方形，即FM上的正方形的四分之一（命题VI.1、V.11、VI.17）。

因为：CM、MF是两个不等线段，CK、KM构成的矩形是建在大线段CM上的，并等于MF上的正方形的四分之一且缺少一个正方形，且分CM为可公约的两段，所以：CM上的正方形大于MF上的正方形，其差为一个与CM长度可公约的线段上的正方形（命题X.17）。

又，加线FM与给定的有理线段CD是长度可公约的，所以：CF是一个第二余线（定义X.12）。

所以：在有理线段上建矩形等于第一中项余线上的正方形，那么其另一边是一条第二余线。

证完

注 解
这一命题应用在命题X.111中。

命题X.99
建在一条有理线段上的矩形，等于第二中项余线上的正方形，那么另一条边是一条第三余线。

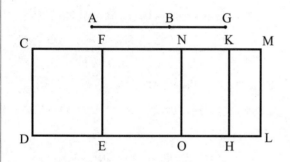

设：AB是一个第二中项余线，CD是有理线段，在CD上建矩形CE等于AB上的正方形，CF为另一边。

那么我说：CF是一个第三余线。

令：BG是AB的加线段，所以：AG、GB是仅正方可公约的中项线，并构成一个矩形为中项面（命题X.75）。

在CD上建矩形CH等于AG上的正方形，CK为另一边，在KH上建矩形KL等于BG上的正方形，KM为另一边，那么：总量CL等于AG、GB上的正方形之和，所以：CL也是中项面（命题X.15、X.23、推论）。

又，CL是建在有理线段CD上的，CM为

另一边，所以：CM是有理的，并与CD是长度不可公约的（命题X.22）。

那么，现在：总量CL也等于AG、GB上的正方形之和，且CE等于AB上的正方形，所以：LF等于AG、GB构成的矩形的两倍（命题II.7）。

在N点平分FM，作NO平行于CD，那么：矩形FO、NL分别等于AG、GB构成的矩形。

又，AG、GB构成的矩形是中项面，所以：FL也是中项面。

又，它也是建在有理线段EF上的，并以FM为宽，所以：FM也是有理的，且与CD也是长度不可公约的（命题X.22）。

因为：AG、GB是仅正方可公约的，所以：AG与GB是长度不可公约的，所以：AG上的正方形与AG、GB构成的矩形是不可公约的（命题VI.1、X.11）。

又，AG、GB上的正方形之和与AG上的正方形是可公约的，且AG、GB构成的矩形的两倍与AG、GB构成的矩形是可公约的，所以：AG、GB上的正方形之和与AG、GB构成的矩形的两倍是不可公约的（命题X.13）。

又，CL等于AG、GB上的正方形之和，且FL等于AG与GB构成的矩形的两倍，所以：CL与FL也是不可公约的。

又，CL比FL同于CM比FM，所以：CM、FM是长度不可公约的（命题VI.1）。

又，它们都是有理的，所以：CM、MF是仅正方可公约的有理线段，所以：CF是一个余线（命题X.73）。

那么我进一步说：它也是一个第三余线。

因为：AG上的正方形与GB上的正方形是可公约的，所以：CH与KL也是可公约的，所以：CK与KM也是可公约的（命题VI.1、X.11）。

因为：AG、GB构成的矩形是AG、GB上的正方形的比例中项，CH等于AG上的正方形，KL等于GB上的正方形，NL等于AG与GB构成的矩形，所以：NL是CH、KL的比例中项，所以：CH比NL同于NL比KL。

又，CH比NL同于CK比NM，NL比KL同于NM比KM，所以：CK比MN同于MN比KM。所以：CK、KM构成的矩形等于MN上的正方形，即是FM上的正方形的四分之一（命题VI.1、V.11）。

又因为：CM、MF是两条不等线段，且在CM上建等于FM上正方形的四分之一且缺少一正方形的矩形，且分CM为可公约的两段，于是：CM上的正方形大于MF上的正方形，其差为一个与CM可公约的线段上的正方形（命题X.17）。

又，线段CM、MF与给定的有理线段CD长度不可公约，所以：CF是一个第三余线。

所以：建在一条有理线

段上的矩形，等于第二中项余线上的正方形，那么另一条边是一条第三余线（定义X.13）。

证完

注 解

这一命题应用在命题X.111中。

命题X.100

建在一条有理线段上的矩形等于次线上的正方形，则其另一边是第四余线。

设：AB为一条次线，CD为一条有理线段，在CD上建矩形CE等于AB上的正方形，CF为另一边。

那么我说：CF是第四余线。

令：BG为AB的加线段，那么：AG、GB是正方不可公约的线段。

AG、GB上的正方形之和是有理面，而AG、GB构成的矩形的两倍是中项面（命题X.76）。

小约翰·福布斯·纳什

美国数学家纳什（1928— ）成为2001年奥斯卡最佳影片《美丽心灵》的主角的原型。纳什在博弈论方面的数学研究使他赢得了1994年度诺贝尔经济学奖。他提出的非合作对策的"纳什均衡"，是当今经济学中"双赢"概念的理论基础。

大卫·希尔伯特

大卫·希尔伯特（1862—1943年），德国数学家，早期研究代数不变式论、代数数论、几何基础，后来又研究变分法、积分方程、函数空间和数学物理方法等。1899年出版《几何基础》一书，把欧几里得几何学整理为从公理出发的纯粹演绎系统，并把注意力转移到公理系统的逻辑结构，成为近代公理化思想的代表作。1900年，他在国际数学家大会上提出23个数学问题，后来被统称为"希尔伯特问题"，这对20世纪的数学研究有很大影响。

在CD上建矩形CH等于AG上的正方形，CK为另一边，建矩形KL等于BG上的正方形，KM为另一边，那么：总量CL等于AG、GB上的正方形之和。

又，AG、GB上的正方形之和是有理的，所以：CL也是有理的。又，它也是建在有理线段CD上的，CM为另一边，所以：CM也是有理的，并与CD长度可公约（命题X.20）。

因为：总量CL等于AG、GB上的正方

形之和，且CE等于AB上的正方形，所以：余量FL等于AG、GB构成的矩形的两倍（命题II.7）。

在N点平分FM。过N点作NO，使之平行于直线CD、ML，那么：矩形FO、NL等于AG、GB构成的矩形。

又因为：AG、GB构成的矩形的两倍是中项面，并等于FL，所以：FL也是中项面。又，它也是建在有理线段FE上的，FM为另一边，所以：FM是有理的，并与CD长度不可公约（命题X.22）。

因为：AG、GB上的正方形之和是有理的，同时，AG、GB构成的矩形的两倍是中项面，所以：AG、GB上的正方形之和与AG、GB构成的矩形的两倍是不可公约的。

又，CL等于AG、GB上的正方形之和，且FL等于AG、GB构成的矩形的两倍，所以：CL与FL是不可公约的。

而CL比FL同于CM比MF，所以：CM、MF是长度不可公约的（命题VI.1、X.11）。

又，它们都是有理的，所以：CM、MF是仅正方可公约的有理线段，所以：CF是一个余线（命题X.73）。

我进一步说：它也是一个第四余线。

因为：AG、GB是正方不可公约的，所以：AG上的正方形与GB上的正方形也是不

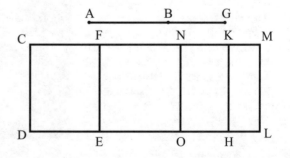

可公约的。

又，CH 等于 AG 上的正方形，KL 等于 GB 上的正方形，所以：CH 与 KL 是不可公约的。

又，CH 比 KL 同于 CK 比 KM，所以：CK 与 KM 是长度不可公约的（命题Ⅵ.1、Ⅹ.11）。

因为：AG、GB 构成的矩形是 AG、GB 上的正方形的比例中项，AG 上的正方形等于 CH，GB 上的正方形等于 KL，AG、GB 构成的矩形等于 NL，所以：NL 是 CH、KL 的比例中项，所以：CH 比 NL 同于 NL 比 KL。

又，CH 比 NL 同于 CK 比 NM，而 NL 比 KL 同于 NM 比 KM，所以：CK 比 MN 同于 MN 比 KM（命题Ⅵ.1、Ⅴ.11）。

所以：CK、KM 构成的矩形等于 MN 上的正方形，即等于 FM 上的正方形的四分之一（命题Ⅵ.17）。

因为：CM、MF 是两条不等线段，CK、KM 构成的矩形是作在 CM 上等于 MF 上的正方形的四分之一且缺少一个正方形，它分 CM 为不可公约的两段，所以：CM 上的正方形大于 MF 上的正方形，其差为一个与 CM 不可公约的线段上的正方形（命题Ⅹ.18）。

又，总线 CM 与给定的有理线段 CD 是长度可公约的，所以：CF 是一个第四余线（定义Ⅹ.14）。

所以：建在一条有理线段上的矩形等于次线上的正方形，则其另一边是第四余线。

证完

注 解

这一命题应用在命题Ⅹ.111中。

命题Ⅹ.101

一条有理线段上建的矩形等于中项面有理面差的边上的正方形，那么，其另一边是一个第五余线。

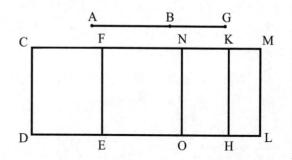

设：线段 AB 是一个中项面有理面差的边，CD 是一条有理线段，在 CD 上建矩形 CE 等于 AB 上的正方形，CF 为另一边。

那么我说：CF 是一个第五余线。

令：BG 是 AB 上的加线段，那么：AG、GB 是正方不可公约的线段，它们上的正方形之和是中项面，且 AG、GB 构成的矩形的两倍是有理面（命题Ⅹ.77）。

在 CD 上建矩形 CH 等于 AG 上的正方形，建 KL 等于 GB 上的正方形，那么：总量 CL 等于 AG、GB 上的正方形之和。

又，AG、GB 上的正方形之和是中项面。

所以：CL 是中项面。

又，它也是建在有理线段 CD 上的，CM 为另一边，所以：CM 是有理的，且与 CD 是不可公约的（命题Ⅹ.22）。

因为：总量 CL 等于 AG、GB 上的正方形之和，其中，CE 等于 AB 上的正方形，所以：余量 FL 等于 AG、GB 构成的矩形的两倍（命题Ⅱ.7）。

在 N 点平分 FM，过 N 点作 NO 平行于

CD、ML，那么：矩形FO、NL等于AG、GB构成的矩形。

又因为：AG、GB构成的矩形的两倍是有理的，并等于FL，所以：FL是有理的。

又：它也是建在有理线段EF上的，FM为另一边，所以：FM是有理的，并与CD是长度可公约的（命题X.20）。

现在，因为CL是中项面，FL是有理面，所以：CL与FL是不可公约的。

代数与几何的结合

笛卡儿《几何学》的发表突破了纯几何的方法。这一重要的研究是《方法论》的附录。《方法论》的目的是建立一个通向正确认识物质世界和精神世界的关于科学的哲学。用数学语言来正确描述宇宙，需要数学语言本身建立在一个坚实的基础之上。《几何学》论述了代数与几何的结合，即解析几何，笛卡儿证明了几何构造与代数演绎的等价性。图为牛顿的"三度曲线列举"中的一页，展示了代数与几何的结合已达到相当高的水平，曲线上的点由满足给定方程的坐标（x，y）给出。

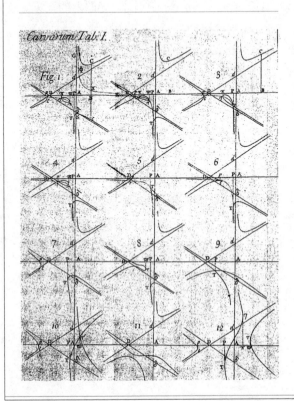

又，CL比FL同于CM比MF，所以：CM与MF是长度不可公约的（命题VI.1、X.11）。

又，它们皆是有理的，所以：CM、MF是仅正方可公约的有理线段，所以：CF是一个余线（命题X.73）。

我进一步说：它也是一个第五余线。

同样地，我们也能证明CK、KM构成的矩形等于NM上的正方形，即FM上的正方形的四分之一。

又因为：AG上的正方形与GB上的正方形是不可公约的，同时，AG上的正方形等于CH，GB上的正方形等于KL，所以：CH与KL是不可公约的。

又，CH比KL同于CK比KM，所以：CK与KM是长度不可公约的（命题VI.1、X.11）。

又，CM、MF是两条不等线段，在CM上作一个矩形等于FM上的正方形的四分之一，并缺少一个正方形，它分CM为不可公约的两段，所以：CM上的正方形大于MF上的正方形，其差为一个与CM不可公约的线段上的正方形（命题X.18）。

又，加线段FM与给定的有理线段CD是可公约的，所以：CF是一个第五余线（定义X.15）。

所以：一条有理线段上建的矩形，等于中项面有理面差的边上的正方形，那么，其另一边是一个第五余线。

证完

注解

这一命题应用在命题X.111中。

命题X.102

在一条有理线段上建矩形等于两中项面差的边上的正方形，那么，其另外一边是一个第六余线。

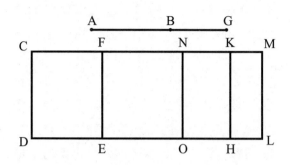

设：AB是两中项面差的边，CD是一条有理线段，在CD上建矩形CE等于AB上的正方形，CF为另一边。

那么我说：CF是一个第六余线。

令：BG是AB上的加线段，那么：AG、GB是正方不可公约的，它们上的正方形之和是中项面，AG、GB构成的矩形是中项面，AG、GB上的正方形之和与AG、GB构成的矩形的两倍是不可公约的（命题X.78）。

现在，在CD上建矩形CH等于AG上的正方形，CK为另一边，再建KL等于BG上的正方形，那么：总量CL也等于AG、GB上的正方形之和，所以：CL也是中项面。

又，它也是建在有理线段CD上的，CM为另一边，所以：CM是有理的，并与CD在长度上不可公约（命题X.22）。

因为：CL等于AG、GB上的正方形之和，其中：CE等于AB上的正方形，所以：余量FL等于AG、GB构成的矩形的两倍，而AG、GB构成矩形的两倍是中项面，所以：FL也是中项面（命题II.7）。

又，它也是建在有理线段FE上的，FM为另一边，所以：FM是有理的，并与CD是长度不可公约的（命题X.22）。

因为：AG、GB上的正方形之和与AG、GB矩形的两倍是不可公约的，CL等于AG、GB上的正方形之和，且FL等于AG、GB构成的矩形的两倍，所以：CL与FL是不可公约的。

又，CL比FL同于CM比MF，所以：CM与MF是长度不可公约的，又，它们皆是有理的（命题VI.1、X.11）。

所以：CM、MF是仅正方可公约的有理线段，所以：CF是一余线（命题X.73）。

我进一步说：它是一条第六余线。

因为：FL等于AG、GB构成的矩形的两倍，在N点平分FM，过N点作NO平行于CD，所以：矩形FO、NL等于AG、GB构成的矩形。

AG、GB是正方不可公约的，所以AG上的正方形与GB上的正方形是不可公约的。但是CH等于AG上的正方形，KL等于GB上的正方形，所以CH与KL是不可公约的。

又，CH比KL同于CK比KM。

所以：CK与KM是不可公约的（命题VI.1、X.11）。

因为：AG、GB构成的矩形是AG、GB上的正方形的比例中项，CH等于AG上的正方形，KL等于GB上的正方形，NL等于AG、GB构成的矩形，所以：NL也是CH、KL的比例中项。

所以：CH比NL同于NL比KL。又，因为同理，CM上的正方形大于MF上的正方形，其差为一个与CM不可公约的线段上的正方形（命题X.18）。

所以：它们皆与给定的有理线段CD不可公约，所以：CF是一个第六余线（定义X.16）。

所以：在一条有理线段上建矩形等于两中项面差的边上的正方形，那么，其另外一边是一个第六余线。

证完

注 解

这一命题应用在命题X.111中。

命题X.103

一条与余线是长度可公约的线段仍是余线，且两者是同级。

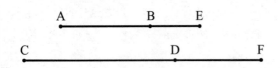

设：AB是一条余线，CD与AB是长度可公约的。

那么我说：CD也是条余线，并与AB是同级。

因为：AB是一条余线，

令：BE是它的加线段，于是：AE、EB是仅正方形可公约的有理线段（命题X.73）。

作比例，使BE比DF等于AB比CD，那么：一个比一个同于前项和比后项和，所以：总线段AE比总线段CF同于AB比CD（命题VI.12、V.12）。

又，AB与CD是长度可公约的，所以：AE与CF也是长度可公约的，而BE与DF也是

长度可公约的（命题X.11）。

又，AE、EB是仅正方可公约的有理线段，所以：CF、FD也是仅正方可公约的有理线段（命题X.13）。

现在，因为：AE比CF同于BE比DF，所以：由更比可得，AE比EB同于CF比FD，又，AE上的正方形大于EB上的正方形，其差为一个与AE可公约或者不可公约的线段上的正方形（命题V.16）。

如果，AE上的正方形大于EB上的正方形，其差为一个与AE可公约的线段上的正方形，那么：CF上的正方形也大于FD上的正方形，其差为一个与CF可公约的线段上的正方形（命题X.14）。

又，如果AE与给定的有理线段长度上可公约，那么：CF与它们也就可公约；如果BE与所给定的有理线段长度可公约，那么DF与它们也可公约；再，如果线段AE、EB与所给定的有理线段不可公约，那么，线段CF、FD也就不可公约（命题X.12、X.13）。

又，如果AE上的正方形大于EB上的正方形，其差为一个与AE不可公约的线段上的正方形，则：CF上的正方形也就大于FD上的正方形，其差为一个与CF不可公约的线段上的正方形（命题X.14）。

又，如果AE与给定的有理线段长度可公约，那么CF与它们也可公约；如果EB与所给定的有理线段可公约，那么DF与它们也可公约；再，如果AE、EB与所给定的有理线段皆不可公约，那么，CF和FD与它们也不可公约。所以：CD是一个余线，并与AB在同一级（命题X.12、X.13）。

所以：一条与余线是长度可公约的线段

仍是余线，且两者是同级。

证完

命题X.104

与一条中项余线是长度可公约的线段，也是中项余线，且它们在同一级。

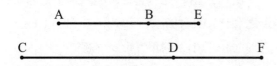

设：AB是一条中项余线，CD与AB长度可公约。

那么我说：CD也是一条中项余线，并与AB在同一级。

因为：AB是一条中项余线，令：EB是它的加线段。

那么：AE、EB是仅正方可公约的中项线（命题X.74、X.75）。

作比例，使AB比CD同于BE比DF，那么：AE与CF也是可公约的，BE与DF也是可公约的（命题VI.12、V.12、X.11）。

而，AE、EB是仅正方可公约的中项线，所以：CF、FD也是仅正方可公约的中项线（命题X.23、X.13）。

所以：CD是一条中项余线（命题X.74、X.75）。

那么我进一步说：它也与AB在同一级。

因为：AE比EB同于CF比FD，所以：AE上的正方形比AE、EB构成的矩形同于CF上的正方形比CF、FD构成的矩形。

又，AE上的正方形与CF上的正方形可公约，所以：AE、EB构成的矩形与CF、FD构成的矩形也可公约（命题V.16、X.11）。

所以：如果AE、EB构成的矩形是有理的，那么：CF、FD构成的矩形也是有理的，而如果AE与EB构成的矩形是中项面，那么，CF与FD构成的矩形也是中项面（定义X.4、命题X.23、推论）。

所以：CD是一个中项余线，并与AB在同一级（命题X.74、X.75）。

所以：与一条中项余线是长度可公约的线段，也是中项余线，且它们在同一级。

证完

拉格朗日《分析力学》卷首

法国数学家、力学家和天文学家拉格朗日1788年出版了《分析力学》一书。继牛顿的《自然哲学的数学原理》之后，该书把新发展的数学分析应用在质点和刚体力学中，奠定了分析力学的基础。

命题X.105

与一条次线可公约的线段也是次线。

设：AB是一条次线，CD与AB可公约。

那么我说：CD也是条次线。

作与前述相同的图形，那么，因为：AE、EB是正方不可公约的，所以：CF、FD也是正方不可公约的（命题X.76、X.13）。

现在，因为：AE比EB同于CF比FD，所以：AE上的正方形比EB上的正方形同于

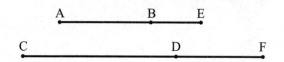

CF上的正方形比FD上的正方形（命题V.12、V.16、VI.22）。

所以：由合比可得，AE、EB上的正方形之和比EB上的正方形同于CF、FD上的正方形之和比FD上的正方形（命题V.18）。

又，BE上的正方形与DF上的正方形是可公约的，所以：AE、EB上的正方形之和与CF、FD上的正方形之和也是可公约的（命题V.16、X.11）。

又，AE、EB上的正方形之和是有理的，所以：CF、FD上的正方形之和也是有理的（命题X.76、定义X.4）。

又，因为：AE上的正方形比AE、EB构成的矩形同于CF上的正方形比CF、FD构成的矩形，同时，AE上的正方形与CF上的正方形是可公约的。

所以：AE、EB构成的矩形与CF、FD构成的矩形也是可公约的。

又，AE、EB构成的矩形是中项面，所以：CF、FD构成的矩形也是中项面（命题X.76、X.23、推论）。

所以：CF和FD是正方不可公约的，它们上的正方形之和是有理的，而它们构成的矩形是中项面，所以：CD是次线（命题X.76）。

所以：与一条次线可公约的线段也是次线。

证完

阿基米得螺旋

阿基米得不仅是天赋非凡的数学家，而且是一位在机械工程上富有创造才能的人。他既受同时代人的赞扬，又为后来的著作家所称道。在他的各项发明中，有一种扬水机械，即所谓的"阿基米得螺旋"。埃及人用其灌溉田地，西班牙人用其从矿井里抽水。此木刻画取自吉斯帕·西雷迪的一篇论文。西雷迪对建筑颇有兴趣，他把"阿基米得螺旋"用于田地的灌溉和沼泽地的排水。

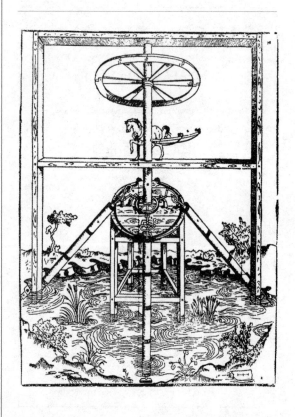

命题X.106

与一个中项面有理面差的边可公约的线段，也是一个中项面有理面差的边。

设：AB是一个中项面有理面差的边，CD与AB可公约。

那么我说：CD也是一个中项面有理面差的边。

令：BE是AB上的加线段，于是：AE、EB是正方不可公约的线段，AE、EB上的正方形之和是中项面，它们所构成的矩形是有理面（命题X.77）。

如前述作相同图。

类似前面的方法，那么我们能证明，CF与FD的比值同于AE与EB的比值，AE、EB上的正方形之和与CF、FD上正方形之和可公约。且AE、EB构成的矩形与CF、FD构成的矩形可公约，所以：CF、FD也是正方不可公约的线段，它们上的正方形之和是中项面，而它们构成的矩形是有理的。

所以：CD是一个中项面有理面差的边（命题X.77）。

所以：与一个中项面有理面差的边可公约的线段，也是一个中项面有理面差的边。

证完

命题X.107

与两中项面差的边可公约的线段，也是两中项面之差。

设：AB为一个两中项面差的边，CD与AB可公约。

那么我说：CD也是两中项面差的边。

令：BE是AB上的加线段。那么：AE和EB是正方不可公约的，它们上的正方形的和是中项面，它们构成的矩形是中项面，并且，它们上的正方形之和与它们构成的矩形是不可公约的（命题X.78）。

现在，如前所证，AE、EB分别与CF、FD是可公约的，AE、EB上的正方形之和与CF、FD上的正方形之和是可公约的，AE、EB构成的矩形与CF、FD构成的矩形是可公约的，所以：CF、FD是正方不可公约的，它们上的正方形之和是中项面，且由它们构成的矩形是中项面，且更有，它们上的正方形的和与它们构成的矩形是不可公约的，所以：CD是个两中项面之差（命题X.78）。

所以：与两中项面差的边可公约的线段，也是两中项面之差。

证完

命题X.108

从一个有理面中减去一个中项面，那么，与余面相等的正方形的边是两条无理线段之一，它要么是一条余线，要么是一条次线。

设：从有理面BC中减去一个中项面BD。

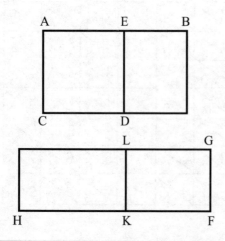

那么我说：与余面EC相等的正方形的边是两条无理线段之一，它或者是一条余线，或者是一条次线。

给定有理线段FG，在FG上建矩形GH等于BC，再建GK等于减去的DB，那么：余量EC等于LH。

因为BC是有理面，BD是中项面，而BC等于GH；BD等于GK，所以GH是有理面，且GK是中项面。

因为：它们皆是建在有理线段FG上的，所以：FH是有理的，且与FG是长度可公约的，同时，FK是有理的，并与FG是长度不可公约的，所以：FH与FK是长度不可公约的（命题X.20、X.22、X.13）。

所以：FH、FK是仅正方可公约的有理线，所以：KH是一条余线，且，KF是它的加线段（命题X.73）。

现在，HF上的正方形大于FK上的正方形，其差为一个与HF可公约或不可公约的线段上的正方形。

首先，设HF上的正方形较FK上的正方形大一个与它可公约线段上的正方形。

那么：总线段HF与给定的有理线FG是长度可公约的。

所以：KH是一个第一余线（定义X.12）。

又，与一个由一条有理线段和一条第一余线构成的矩形相等的正方形的边，是一条余线，所以：与LH相等的正方形的边，即与EC相等的正方形的边，是一条余线（命题X.91）。

又，如果，HF上的正方形大于FK上的正方形，其差为一个与HF不可公约的线段上的正方形，同时，总线段FH与给定的有理线段FG是长度可公约的，那么：KH是一个第四余线（定义X.14）。

又，与一个由一条有理线段和一个第四余线构成的矩形相等的正方形的边是一条次线（命题X.94）。

所以：从一个有理面中减去一个中项面，那么，与余面相等的正方形的边是两条无理线段之一，它要么是一条余线，要么是一条次线。

证完

命题X.109

如果从一个中项面中减出一个有理面，那么，与余面相等的正方形的边是两条无理线段之一，它要么是一个第一中项余线，要么是一个中项面有理面差的边。

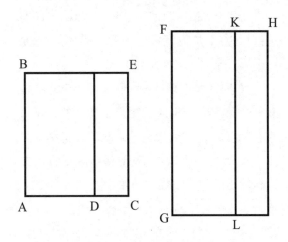

设：从中项面BC中减去有理面BD。

那么我说：与余面EC相等的正方形的边是两条无理线段之一，它要么是一个第一中项余线，要么是一个中项面有理面差的边。

给定有理线段FG，作出这些面，那么：FH是有理的，并与FG是长度不可公约的，

雅可布·斯坦纳

瑞士数学家斯坦纳（1796—1863年）的主要成就在几何方面，这位十四岁才学会读书写字的农家子弟建立了射影几何的严密系统，被誉为"现代的阿波罗尼""欧几里得以来最伟大的几何学家"。1832年，斯坦纳完成了重要著作《有关几何图形相关性的系统研究》，从此他的名声如日中天，并被柏林大学聘为名誉教授。1834年，他被选为柏林科学院院士。

同时，KF是有理的，并与FG是长度可公约的，所以：FH、FK是仅正方可公约的有理线段（命题X.13）。

所以：KH是一个余线，且FK是它的加线段（命题X.73）。

现在，HF上的正方形大于FK上的正方形，其差为一个与HF可公约或不可公约线段上的正方形。

如果HF上的正方形比FK上的正方形大一个与HF可公约的线段上的正方形，同时加线段FK与给定的有理线段FG是长度可

公约的，那么：KH是一个第二余线（定义X.12）。

又，FG是有理的，所以：与LH相等的正方形的边，即与EC相等的正方形的边，是一个第一中项余线（命题X.92）。

又，如果HF上的正方形大于FK上的正方形，其差是与HF不可公约的线段上的正方形，同时，加线FK与给定的有理线段FG是长度可公约的，那么：KH是一个第五余线，所以：与EC相等的正方形的边是一个中项面有理面差的边（定义X.15、命题X.95）。

所以：如果从一个中项面中减出一个有理面，那么，与余面相等的正方形的边是两条无理线段之一，它要么是一个第一中项余线，要么是一个中项面有理面差的边。

证完

命题X.110

如果从一个中项面减去一个与此面不可公约的中项面，那么，与余面相等的正方形的边是两无理线段之一，它要么是一个第二中项余线，要么是一个两中项面差的边。

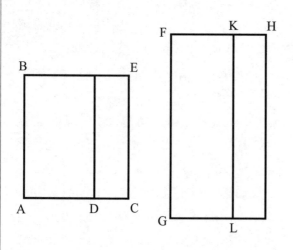

如前图，设从中项面BC中减去一个与BC不可公约的量BD。

那么我说：与EC相等的正方形的边是两条无理线段之一，它要么是一个第二中项余线，要么是两中项面差的边。

因为：矩形BC和BD是中项面，而BC与BD是不可公约的，所以：线段FH、FK是有理的，并与FG是长度不可公约的（命题X.22）。

因为：BC与BD是不可公约的，即GH与GK是不可公约的，所以：HF与FK也是不可公约的（命题VI.1、X.11）。

所以：FH、FK是仅正方可公约的有理线段。所以：KH是一个余线（命题X.73）。

那么，如果FH上的正方形大于FK上的正方形，其差为一个与FH可公约的线段上的正方形，同时，线段FH、FK是与给定的有理线段FG不是长度可公约的，那么，KH是一个第三余线（定义X.13）。

又，KL是有理线段，而由一条有理线段和一个第三余线构成的矩形是无理的，又，与它相等的正方形的边是无理的，被称为第二中项余线，所以：与LH相等的正方形的边，即与EC相等的正方形的边是一个第二中项余线（命题X.93）。

又，如果FH上的正方形大于FK上的正方形，其差为一个与FH不可公约的线段上的正方形，同时，线段HF、FK与FG皆不是长度可公约的，于是：KH是一个第六余线（定义X.16）。

又，与由一条有理线段和第六余线构成的矩形相等的正方形的边是一个两中项面差的边（命题X.96）。

所以：与LH，即EC相等的正方形的边是两中项面差的边。

所以：如果从一个中项面减去一个与此面不可公约的中项面，那么，与余面相等的正方形的边是两无理线段之一，要么是一个第二中项余线，它要么是一个两中项面差的边。

证完

命题X.111

余线与二项线是不同类的。

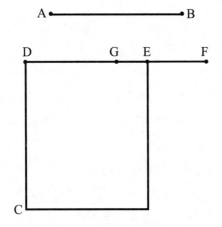

设：AB是余线。

那么我说：AB是与二项线不同类的。

如果可能，假设它们同类，给定有理线段DC，在DC上建矩形CE等于AB上的正方形，DE为其另一边。

那么，因为：AB是一个余线，DE是一个第一余线（命题X.97）。

设：EF是DE的加线段，那么，DF、FE是仅正方可公约的有理线段，DF上的正方形大于FE上的正方形，其差为一个与DF可公约的线段上的正方形。且DF与给定的有理线段DC是长度上可公约的（定义X.12）。

又因为：AB是二项线，所以：DE是第一二项线（命题X.60）。

在G点分DE为两段，令DG较大，那么，DG、GE是仅正方可公约的，DG上的正方形大于GE上的正方形，其差为一个与DG可公约的线段上的正方形。且大线段DG与给定的有理线段DC是长度可公约的（定义X.5）。

上帝创世

古希腊人怀着深厚的几何情结，其中尤以苏格拉底和柏拉图师徒为最。物质的速朽性、无常性使他们联想到人的身体，再进一步联想到人的精神属性，这时他们看到了几何学的特别属性：不受时空的腐蚀，永恒且绝对。这吻合了柏拉图的绝对理念，只有上帝是绝对的。于是，几何学可以修筑通往上帝的天梯，让人一窥他创世最初的想法。图为上帝七天创世时的情景。

所以：DF与DG也是长度可公约的。所以：余量GF与DF也是长度可公约的（命题X.12、X.15）。

又，DF与EF是长度不可公约的，所以：FG与EF也是长度不可公约的（命题X.13）。

所以：GF、FE是仅正方可公约的。所以：EG是余线，但它也是有理线，这是不可能的（命题X.73）。

所以：余线不可能与二项线同类。

综 述

余线和它以下的无理线既不同于中项线，也彼此不同。

因为，如果在一个有理线段上建与中项线上的正方形相等的矩形，那么另一边是有理的，且与原有理线段长度不可公约（命题X.22）。

同时，如果在一个有理线段上建一个与余线上正方形相等的矩形，那么矩形另一边为第一余线（命题X.97）。

如果在一条有理线段上建与第一中项余线上的正方形相等的矩形，那么，矩形另一边是第二余线（命题X.98）。

如果在一条有理线段上建与第二中项余线上的正方形相等的矩形，那么，矩形另一边为第三余线（命题X.99）。

如果在一条有理线段上建与一条次线上的正方形相等的矩形，那么，矩形另一边为第四余线（命题X.100）。

如果在一条有理线段上建与一个中项面有理面差的边上的正方形相等的矩形，那么，矩形另一边为第五余线（命题X.101）。

如果在一条有理线上建与一个两中项面差的边上的正方形相等的矩形，那么，矩形另一边为第六余线（命题X.102）。

因为以上得到的矩形的另一边与第一个不同，并彼此不同，与第一个不同，因为它是有理的；彼此不同，因为它们不同级；显然，这些无理线段本身也是互不相同的。

又，余线已被证明与二项线不同类（命题X.111）。

但是，如果在有理线段上建等于余线以下的线段上的正方形，其矩形另一边依次为相应级的余线，同样，在有理线段上建等于二项线以下的线段上的正方形，其矩形另一边依次为相应级的二项线，这样，余线以下的无理线段不同，二项线以下无理线段也不同，所以：共有十三条无理线段：

中项线；二项线；第一双中项线；第二双中项线；主线；中项面有理面的边；两中项面和的边；余线；第一中项余线；第二中项余线；次线；中项面有理面差的边；两中项面差的边。

证完

命题X.112

在二项线上作矩形等于一个有理线段上的正方形，则矩形的另一边为一余线，该余线的两段与二项线的两项可公约，且有同比，且余线与二项线有相同的级。

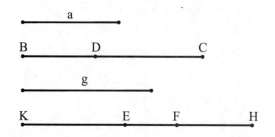

设：a为一条有理线段，BC为二项线，DC较大，BC、EF构成的矩形等于a上的正方形。

那么我说：EF是一条余线，它的两段与CD、DB是可公约的，并有相同的比，且，EF与BC有相同的级。

再，令BD、g构成的矩形等于a上的正方形。

那么，因为：BC、EF构成的矩形等于BD、g构成的矩形，所以：CB比BD同于g比EF，而CB大于BD，所以：g也就大于EF（命题VI.16、V.14）。

令EH等于g，那么CB比BD同于HE比EF，所以：由分比可得，CD比BD同于HF比FE（命题V.17）。

作比例，使HF比FE同于FK比KE，那么：总量HK比总量KF同于FK比KE，因为：前项之一比后项之一同于全部前项和比全部后项和（命题V.12）。

又，FK比KE同于CD比DB，所以：HK比KF同于CD比DB（命题V.11）。

又，CD上的正方形与DB上的正方形

布 尔

19世纪中叶，代数学开拓了另一个完全不同的领域：布尔代数。英国数学家布尔（1815—1864年）的学历仅是小学毕业，他是一位自学成才的数学家。布尔的逻辑代数首先是作为一种类演算建立起来的，类也就是集合。布尔建立类的符号表示和运算定律。在他的系统中，大部分运算规律在形式上类似于普通的代数规则。在施罗德的《逻辑代数讲义》中，布尔代数更是发展到了顶峰。

是可公约的，所以：HK上的正方形与KF上的正方形是可公约的（命题X.36、VI.22、X.11）。

又，HK上的正方形比KF上的正方形同于HK比KE，因为：三条线段HK、KF、KE是成比例的。

所以：HK与KE是长度可公约的，所以：HE与EK也是长度可公约的（定义V.9、命题X.15）。

现在，因为：a上的正方形等于EH与BD

构成的矩形，同时，a上的正方形是有理的，所以：EH与BD构成的矩形也是有理的。

又，它也是建在有理线BD上的，所以：EH是有理的，并与BD是长度可公约的，所以：与EH可公约的EK也是有理的，并与BD长度可公约（命题X.20）。

那么因为：CD比DB同于FK比KE，同时，CD、DB是仅正方可公约的，所以：FK、KE也是仅正方可公约的。

而KE是有理的，所以：FK也是有理的（命题X.11）。

所以：FK、KE是仅正方可公约的有理线段。

所以：EF是一个余线（命题X.73）。

现在，CD上的正方形大于DB上的正方形，其差是一个与CD可公约或不可公约的线段上的正方形。

如果CD上的正方形大于DB上的正方形，其差为一个与CD可公约线段上的正方形，那么：FK上的正方形也大于KE上的正方形，其差为一个与FK可公约的线段上的正方形（命题X.14）。

而如果，CD与给定的有理线段长度可公约，那么：FK与该线段可公约；如果BD与给定的有理线段也可公约，那么KE也与它可公约；反之，CD、DB与给定的有理线段不可公约，那么：FK、KE也与它不可公约（命题X.11、X.12）。

又，如果CD上的正方形大于DB上的正方形，其差为一个与CD不可公约的线段上的正方形，那么：FK上的正方形也大于KE上的正方形，其差为一个与FK不可公约的线段上的正方形（命题X.14）。

又，如果CD与给定的线段可公约，那么：FK与它也可公约；如果BD与给定的有理线段可公约，那么：KE与它也可公约；但如果CD、DB与给定的有理线段不可公约，那么FK、KE与它也不可公约。

于是：FE是一个余线，它们的两段FK、KE与二项线的两段CD、DB是可公约的，又，它们的比相同，且EF与BC有相同的级。

所以：在二项线上作矩形等于一个有理线段上的正方形，则矩形的另一边为一余线，该余线的两段与二项线的两项可公约，且有同比，且余线与二项线有相同的级。

证完

注 解

注意，证明的开始部分不是命题 V.14 的调用，而是它的交替形式。参见 V.14 的注解。

命题X.113

在余线上建一个等于有理线段上的正方形的矩形，那么矩形另一边是个二项线，且二项线的两段与余线的两段是可公约的，且它们的比相同，二项线与余线有相同的级。

设：a是有理线段，BD是余线，BD、KH构成的矩形等于a上的正方形，那么当有理线a上的正方形建在余线BD上时，KH是它

的另一边。

那么我说：KH是一个二项线，它的两段与余线BD的两段可公约，并有相同比，且KH与BD有相同的级。

令：DC是BD上的加线段，那么：BC、CD是仅正方可公约的有理线段。

令：BC与g构成的矩形也等于a上的正方形（命题X.73）。

但是，a上的正方形是有理的，所以：BC、g构成的矩形也是有理的。又，它是建在有理线段BC上的，所以：g是有理的，并

《自然哲学的数学原理》

《自然哲学的数学原理》一书的中心内容是论述了牛顿在数学上的伟大创造即微积分，并且应用这个创造解决了天体运动及其他相关问题。爱因斯坦曾赞美说："只有微分定律的形式才能完全满足近代物理学家对因果性的要求。微分定理的明晰概念是牛顿最伟大的成就之一。"图为牛顿在《原理》一书中的亲笔修改稿。

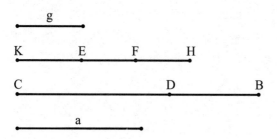

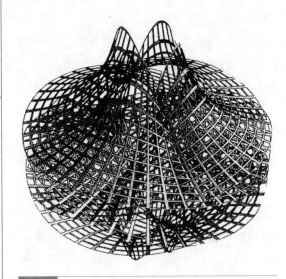

黎曼曲面

　　伯恩哈德·黎曼是一位普通牧师的儿子，他用最通俗的语言描述以几何为主的研究成果。这与欧几里得的规尺法完全不同。黎曼定义几何学为关于流形的研究。流形是带有坐标系以及定义两点间最短距离的度量公式的任意维的有界或无界空间。对于黎曼来说，几何本质上是由一个n维有序数组的集合与该集合上特定的规则组成的。他的这一思想推广了空间的意义，而且变量间的任意关系都可认为是"空间"。黎曼的报告迎来了前景广阔的新几何的诞生。他被称为"新欧几里得"。

与BC长度可公约（命题X.20）。

　　现在，因为：BC、g构成的矩形等于BD、KH构成的矩形，所以：CB比BD同于KH比g，而BC大于BD，所以：KH也大于g（命题VI.16、V.14）。

　　作KE等于g，于是：KE与BC是长度可公约的。

　　因为：CB比BD同于HK比KE，所以：由换比可得，BC比CD同于KH比HE（命题V.19、推论）。

　　作比例，使KH比HE同于HF比FE，于是：余量KF比FH同于KH比HE，即是BC比CD（命题V.19）。

又，BC、CD是仅正方可公约的，所以：KF、FH也是仅正方可公约的（命题V.11）。

　　因为：KH比HE同于KF比FH，同时，KH比HE同于HF比FE，所以：KF比FH同于HF比FE，于是：第一个比第三个同于第一个上的正方形比第二个上的正方形，所以：KF比FE同于KF上的正方形比FH上的正方形（命题V.11、定义V.9）。

　　又，KF上的正方形与FH上的正方形是可公约的，因为：KF、FH是正方可公约的，所以：KF与FE是长度可公约的，所以：KF与KE也是长度可公约的（命题X.11、X.15）。

　　又，KE是有理线段，并与BC是长度可公约的（命题X.12）。所以KF也是有理的且与BC是长度可公约的。

　　因为：BC比CD同于KF比FH，由更比可得，BC比KF同于DC比FH（命题V.16）。

　　又，BC与KF是可公约的。

　　所以：FH与CD也是长度可公约的（命题X.11）。

　　又，BC、CD是仅正方可公约的有理线段，所以：KF、FH是仅正方可公约的有理线段，所以：KH是二项线（定义X.3、命题X.36）。

　　现在，如果BC上的正方形大于CD上的正方形，其差为一个与BC可公约的线段上的正方形，那么：KF上的正方形也大于FH上的正方形，其差为一个与KF可公约的线段上的正方形（命题X.14）。

　　又，如果BC与给定的有理线段长度可公

约，那么，KF与所给定的有理线段也是长度可公约；如果CD与所给定的有理线段长度可公约，那么，FH与它也可公约；而如果BC、CD与给定的有理线段不是长度可公约的，那么，KF、FH也不可公约。

又，如果BC上的正方形大于CD上的正方形，其差为一个与BC不可公约线上的正方形，那么，KF上的正方形也大于FH上的正方形，其差为一个与KF不可公约的线段上的正方形（命题X.14）。

又，如果BC与给定的有理线段长度可公约，那么KF与它也是长度可公约；如果CD与给定的有理线段长度可公约，那么，FH与

它也是长度可公约；而如果BC、CD与给定的有理线段不是长度可公约，那么，KF、FH与它也不是长度可公约。

所以：KH是二项线，且它的两段KF、FH与余线的两段BC、CD是可公约的，并有相同比，且KH与BD有相同的级。

笛卡儿给瑞典女王授课

作为一名天才数学家，笛卡儿把代数运用于几何学，创立了一门分支学科，即如今众所周知的分析几何或解析几何学。他还发明了坐标，因此两条坐标线被称为笛卡儿坐标。笛卡儿认为：数学之所以具有确定性，源于数学的论证是从那些最简单和最低限度的前提出发，并遵循逻辑步骤的演绎过程，从而使整个世界出乎意料的以全新的形象呈现在我们眼前。除了数学和逻辑外，一切皆不确定。图为笛卡儿正在为瑞典女王克里丝蒂娜授课。

所以：在余线上建一个等于有理线段上的正方形的矩形，那么矩形另一边是个二项线，且二项线的两段与余线的两段是可公约的，且它们的比相同，二项线与余线有相同的级。

证完

命题X.114

如果一个矩形由一条余线和一条二项线构成，且余线的两段与二项线的两段可公约，并有相同比，那么，与此矩形相等的正方形的边是有理的。

设：由AB、CD构成的矩形中，AB为余线，CD为二项线，CE是CD的大段，二项线的两段CE、ED与余线的两段AF、FB可公约，并有相同比，与AB、CD构成矩形相等的正方形的边为g。

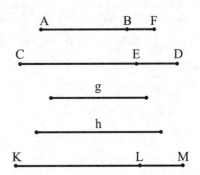

那么我说：g是有理的。

给定有理线段h，在CD上建矩形等于h上的正方形，KL为另一边，那么：KL是余线。

令：两段KM、ML与二项线的两段CE、ED可公约，并有相同比（命题X.112）。

而，CE、ED与AF、FB也可公约，并有相同比，所以：AF比FB同于KM比ML。

所以：由更比可得，AF比KM同于BF比LM。所以：余量AB比余量KL同于AF比KM（命题V.19）。

又，AF与KM是可公约的。

所以：AB与KL也是可公约的（命题X.12、X.11）。

又，AB比KL同于CD、AB构成的矩形比CD、KL构成的矩形，所以：CD、AB构成的矩形与CD、KL构成的矩形也可公约（命题VI.1、X.11）。

巴比伦天文学家

从亚述帝国末期到希腊时期，巴比伦人最伟大的成就是分析了太阳和月亮的运动。当时的天文学家们用工字形函数高度精确地逼近按正弦曲线周期变化的太阳和月亮。工字形函数被当做上升和下降数列进行算术处理。巴比伦人绘制了许多算术表，这种使用了算术插值法的表衍生出了太阳和月亮的星历表。依据这些星历表，可以预测出三年以后的娥眉月。

又，CD、KL构成的矩形等于h上的正方形，所以：CD、AB构成的矩形与h上的正方形是可公约的。

又，g上的正方形等于CD、AB构成的矩形，所以：g上的正方形与h上的正方形是可公约的。

又，h上的正方形是有理的，所以：g上的正方形也是有理的。

所以：g是有理的，且它也是与CD、AB构成的矩形相等的正方形的边。

所以：如果一个矩形由一条余线和一条二项线构成，且余线的两段与二项线的两段可公约，并有相同比，那么，与此矩形相等的正方形的边是有理的。

证完

推 论

这一命题也向我们表明，两无理线段构成的矩形也可以是一个有理面。

命题X.115

从一条中项线所产生的无穷个无理线，没有任何一个与以前的无理线段相同。

设：a为中项线。

那么我说：从a产生的无穷个无理线段中，没有一个与以前的无理线段相同。

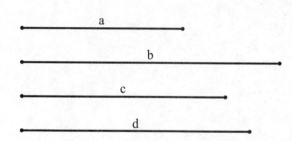

给定一条有理线段b，令c上的正方形等于b、a构成的矩形，那么，c是无理的，因为：一条无理线和有理线构成的矩形是无理的（定义X.4、命题X.20）。

又，它也与前面的线段不同，因为：以前任意一个无理线段上的正方形都不等于一个有理线段上的矩形，而这个矩形的另一边是中项线。

又，令：d上的正方形等于b、c构成的矩形，那么：d上的正方形是无理的（命题X.20）。

所以：d是无理的，且它也不同于以前任意的无理线段，因为：在有理线段上建等于以前任一无理线段上的正方形的矩形，而另一边不是c（定义X.4）。

类似地，如果将这种排列无限继续下去，显然，从一条中项线能产生无穷多条无理线段，且没有一条能与前面的任意一条相同。

所以：从一条中项线所产生的无穷个无理线，没有任何一个与以前的无理线段相同。

证完

第十一卷　立体几何

在一个直角三角形中，两个直角边上的正方形的面积之和等于斜边上的正方形的面积。这就是毕达哥拉斯定理，也叫勾股定理。中国《周髀算经》记载，公元前1100年，周大夫商高指出，夏禹治水（约公元前21世纪）时已经知道用3∶4∶5的办法来构成直角三角形。公元前7世纪左右，中国陈子阐释了用勾股定理测日的方法："若同邪（同斜）至日者，以日下为勾，日高为股，勾股各自乘，并而开方除之，得邪至日……十万里。"

本卷论述立体几何。

各个部分

康定斯基以精妙的构图技巧，在画面的各个部分以不同的色彩描绘着各种重叠与变化。每一个部分都有自己的法则，每一个法则又在这个整体中发挥着巨大的冲击力，从而使整幅图充满梦幻般的视觉感。

本卷提要

※定义XI.14，球体的定义。

※定义XI.25，正多面体的定义。

※命题XI.3，两个平面的交集是一条直线。

※命题XI.6，两条垂直于同一平面的直线相互平行。

※命题XI.11、XI.12，作垂直于一个平面的直线。

基普

　　早在远古时代，人类就已具备了识别事物多寡的能力。这样原始的数觉，经过漫长的演进，逐渐形成了"数"的概念。当对数的认识越来越明确时，人们感到有必要以一定的方式来表达事物的这一属性，于是就产生了记数。这是古代南美印加部落用来记事的绳结，当时人们称之为基普。较粗的绳子上拴有各色的细绳，细绳上各种不同的结表示不同的事物和数目。

※命题XI.14，两个垂直于同一直线的平面相互平行。

※命题XI.23，怎么建一个立体角。

※命题XI.39，棱柱的量。

定 义

定义XI.1 立体有长、宽和高。

定义XI.2 立体之表为面。

定义XI.3 一条直线与平面相交，当平面上与之相交的所有直线皆与它成直角时，称该直线与平面成直角。

定义XI.4 在两相交平面之一内作直线与交线成直角，当此直线与另一平面成直角时，则称两平面相交成直角。

定义XI.5 一条直线与平面相交，过直线上一点向平面作垂线，那么该直线与连接交点和垂足的连线所形成的角，称为直线与平面的倾角。

定义XI.6 在两个相交平面的交线上任取一点，经过此点在两个平面内作交线的垂线，二垂线所夹的锐角成为两平面的倾角。

定义XI.7 一对平面倾角与另一对平面倾角相等时，称它们有相似倾角。

定义XI.8 总不相交的两个平面称为平行平面。

定义XI.9 相等个数的相似平面构成的立体图形称为相似立体图形。

定义XI.10 相似且相等并个数相等的平面构成的立体图形称为相似且相等的立体图形。

定义XI.11 不在同一平面内多于两条线

且交于一点的线全体构成的图形称为立体角。换句话说，由不在同一个平面内且多于两个，又交于一点的平面角所构成的图形称为立体角。

定义XI.12 几个交于一点的面及另外一个构成的图形，在此面与交点之间的部分称为棱锥。

定义XI.13 棱柱是一个立体图形，它由一些平面构成，其中两个面相对、相等、相似、平行，且其他各面为平行四边形。

定义XI.14 固定一个半圆的直径，旋转半圆到起点位置时所形成的图形称为球。

定义XI.15 球的轴是半圆绕成球时的不动直径。

定义XI.16 球心是半圆的圆心。

定义XI.17 球的直径是过球心的任意直线被球面所截出的线段。

定义XI.18 固定直角三角形的一条直角边，旋转直角三角形到起点位置，所形成的图形称为圆锥。

如果固定的一直角边与另一直角边相等，所形成的圆锥称为直角圆锥；如果小于另一边，则称为钝角圆锥；如果大于另一边则称为锐角圆锥。

定义XI.19 直角三角形绕成圆锥时，不动的那条直角边称为圆锥的轴。

定义XI.20 直角三角形的另一边经旋转后所成的圆面称为圆锥的底。

定义XI.21 固定矩形的一边，绕这一边旋转矩形到起点位置，所形成的图形称为圆柱。

定义XI.22 矩形绕成圆柱时的不动边，称为圆柱的轴。

穆斯林的宇宙论

公元7世纪阿拉伯半岛的伊斯兰国家掀起一股翻译狂潮。他们把当时所有能够搜集到的文献翻译成阿拉伯文，以至今日在阿拉伯的数学中我们可以窥见印度及希腊思想对其产生的影响。阿拉伯人综合和发展了前人的研究，并诱发了基础性的研究，特别是代数学和几何学。明确认识到几何问题可以用代数方式来表示，几何方法可以转化为代数算法等思想皆是阿拉伯人的贡献。图为16世纪洛克曼的土耳其手稿《历史的珍宝》。手稿描绘了穆斯林的宇宙论，每个"行星"都对应一位先知，包括摩西和耶稣。越过黄道十二宫和月宫，可以看到天使的天国、天堂之门及推动宇宙的天使们。

定义XI.23 矩形绕成圆柱时，相对的两边旋转成的两个圆面，称为圆柱的底。

定义XI.24 圆柱或圆锥，如果它们轴与底的直径成比例，圆柱称为相似圆柱，圆锥称为相似圆锥。

定义XI.25 六个相等的正方形构成的立体图形，称为立方体。

定义XI.26 八个全等的等边三角形所构成的立体图形，称为正八面体。

定义XI.27 二十个全等的等边三角形构成的立体图形，称为正二十面体。

定义XI.28 十二个相等的等边且等角的五边形所构成的立体图形，称为正十二面体。

命题XI.1

一条直线不可能一部分在平面内，而另一部分在平面外。

如果一条直线可能一部分在平面内，另

一部分在平面外。设直线ABC的AB部分在平面内，而BC部分在平面外。

于是：在平面内的直线AB，就有一条直线可以和它连成同一条直线，设其为BD，于是：AB便是两条直线ABC和ABD的共同部分，这是不可能的，因为：如果我们以B为圆心以AB为半径作圆，那么，两条直径切出不相等的圆弧。

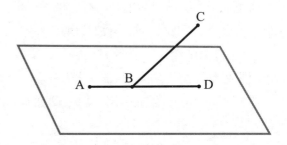

所以：一条直线不可能一部分在平面内，而另一部分在平面外。

证完

注 解

在本命题中，欧几里得混淆了直线与线段的概念，以至于在证明过程中把"线段"也当成直线了。在以下许多命题中也有类似现象。

命题XI.2

两条相交直线，在一个平面内，它们构成的三角形，也皆在一个平面内。

设：两条直线AB和CD相交于E点。

那么我说：AB、CD是在一个平面内，且每个三角形也在一个平面内。

在BC和EB上任选一点F和G，连接CB、FG，再作FH和GK。

那么我说：首先，三角形ECB是在一个平面内。

因为，如果三角形ECB的一部分，三角形FHC或者三角形GBK，在一个平面内，余下的部分在平面外，那么，直线EC或者EB也就会一部分在平面内，一部分在平面外。

又，如果三角形ECB的一部分FCBG在原平面内，而余下的部分在另一平面内，那么，直线EC、EB的一部分也就在原平面内，而余下的部分在另一平面。这已被证明是荒谬的（命题XI.1）。

所以：三角形ECB是在一个平面内。

又，无论三角形ECB在哪样一个平面内，EC和EB也与它在同一平面内；又，EC和EB所在的平面，也是AB和CD所在的平面（命题XI.1）。

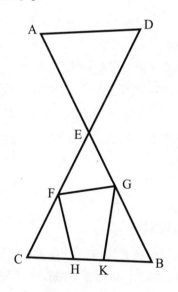

所以：直线AB和CD位于一个平面内，且每个三角形也位于同一平面内。

所以：两条相交直线，在一个平面内，它们构成的三角形，也皆在一个平面内。

证完

命题XI.3

两平面相交，其交集是一条直线。

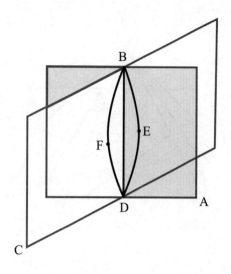

设：AB和BC两个平面相交，DB是其交集。

那么我说：DB是条直线。

因为，如果不是直线，设从D到B在平面AB上连接的直线为DEB，在平面BC上连接的直线为DFB。

那么：两条直线DEB和DFB有相同的端点，并显然构成一个面，这是荒谬的。

所以：DEB和DFB不是直线。

同样，我们可以证明，除平面AB、BC的交线外，没有任何线能连接从D到B。

所以：两平面相交，其交集是一条直线。

证完

命题XI.4

如果一条直线与另两条相交直线垂直于交点上，那么，它也与两相交线所在的平面垂直。

设：一直线EF，与两直线AB、CD在交

点E上，构成直角。

那么我说：EF也与AB、CD所在的平面成直角。

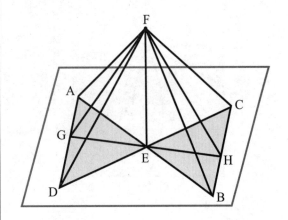

切分AE、EB、CE、ED，使它们相互相等，且过E点任意引一直线GEH，连接AD、CB。取EF上任意一点F，再连接FA、FG、FD、FC、FH、FB（命题XI.2、I.3）。

现在，因为，两线段AE、ED分别等于两线段CE、EB，并且夹角也相等。所以：底边AD等于底边CB，三角形AED等于三角形CEB，于是：角DAE等于角EBC（命题I.15、I.4）。

又，角AEG也等于角BEH，所以：AGE和BEH是有两个角及夹边分别相等的两个三角形，夹边即AE、EB。所以：其余的边也相等，即GE等于EH，AG等于BH（命题I.15、I.26）。

又因为：AE等于EB，同时FE是直角处的公共边。所以：底边FA等于底边FB（命题I.4）。

同理，FC等于FD。

又因为：AD等于CB，FA也等于FB，两条边FA、AD与两条边FB、BC分别相等，且

已证明底边FD等于底边FC。所以：角FAD等于角FBC（命题I.8）。

又，因为已经证明AG等于BH，且FA也等于FB，两边FA、AG与两边FB、BH相等，且角FAG已被证明等于角FBH。所以：底边FG等于底边FH（命题I.4）。

又，因为：GE已被证明等于EH，且EF是公共边，两边GE、EF等于两边HE、EF，且底边FG等于底边FH。所以：角GEF等于角HEF（命题I.8）。

所以：角GEF和HEF皆是直角。

所以：FE过E与直线GH成直角。

同理，我们已经证明FE和已知平面与它相交的一切直线皆成直角。

而一条直线与平面相交，当平面上与之相交的点上的所有线皆与它成直角时，称该直线与平面成直角（定义XI.3）。所以，FE与平面成直角。

而该平面经过AB、CD。

所以：FE与过AB、CD的平面成直角。

所以：如果一条直线与两条相交直线垂直于交点上，那么，它也与两相交线所在的平面垂直。

证完

命题XI.5

如果一条直线与三条交于一点的直线形成直角，那么，该三条直线在一个平面上。

设：一条直线AB与三条直线BC、BD、BE交于一点B，并与它们成直角。

那么我说：BC、BD、BE是在同一个平面。

因为，假定它们不在同一平面，令：BD、BE在一个平面，而BC在另一个平面，

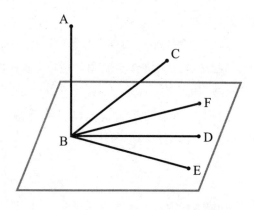

过AB和BC作一个平面（命题XI.3）。

那么：它与原平面的交集是一条直线，令其为BF，于是：三条直线AB、BC、BF是在同一个平面，即过AB、BC的平面。

现在，因为：AB与直线BD、BE成直角，所以：AB也与BD、BE所在的平面成直角（命题XI.4）。

又，过BD、BE的平面是原平面，所以：AB与原平面成直角。

于是：AB也与原平面内过B点的所有直线成直角（定义XI.3）。

又，在原平面内的BF与AB相交，所以：角ABF是直角。又，根据假设，角ABC也是直角，所以：角ABF等于角ABC，且，它们在同一平面，这是不可能的。

所以：直线BC不在平面以外。所以：三条直线BC、BE、BD是在同一平面上。

所以：如果一条直线与三条交于一点的直线形成直角，那么，该三条直线在一个平面上。

证完

命题XI.6

如果两条直线与同一平面成直角，那么，该两直线平行。

设：AB、CD与同一已知平面成直角。

那么我说：AB平行于CD。

令：它们与已知平面交于B、D点。

连接BD，在已知平面内作DE与BD成直角，再取DE等于AB（命题I.11、I.3），连接BE、AE及AD。

《莫佩蒂》卷首

1744年，瑞士数学家及自然科学家欧拉严格证明了最小作用量原理可以用于描述保守力场中的质点运动。1746年，普鲁士科学院院长莫佩蒂也发表了论评最小作用量的论文，并声称拥有该原理的优先权。图为1753年出版的《莫佩蒂》卷首页，除了有论述最小作用量原理的论文外，还收集了当时就最小作用量原理的归属进行争论的论文。

Vollständige
Sammlung
aller
Streitschriften,
die neulich
über das vorgebliche Gesetz der Natur,
von der kleinsten Kraft, in den Wir-
kungen der Körper,
zwischen dem
Herrn Präsidenten von Maupertuis
zu Berlin,
Herrn Professor König in Holland,
und andern mehr, gewechselt
worden.

Unparteyisch ins Deutsche übersetzet.

Maxima de MINIMO nascitur Historia!

Leipzig,
bey Bernhard Christoph Breitkopf.
1753.

现在，因为：AB与已知平面成直角，它也和该平面内与此直线相交的一切直线成直角（定义XI.3）。

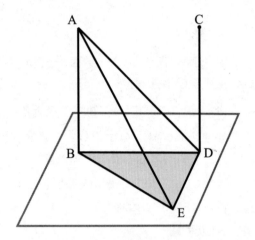

又，直线BD、BE在已知平面内，并与AB相交，所以：角ABD和ABE是直角。同理，角CDB和CDE也是直角。

又因为：AB等于DE，且BD是公共边，所以：AB、BD两边等于ED、DB两边。且它们各自交成直角。所以：底边AD等于底边BE（命题I.4）。

又，因为：AB等于DE，同时AD等于BE，AB、BE两边等于ED、DA两边，且AE是它们的公共底边，所以：角ABE等于角EDA（命题I.8）。

又，角ABE是直角，所以：角EDA也是直角。所以：ED与DA成直角。

又，它也与直线BD、DC成直角。所以：ED与三条线BD、DA、DC成直角。所以：三条线BD、DA、DC在同一个平面内（命题XI.5）。

又，无论BD、DA在一个什么样的平面内，AB也在同一平面内，因为，每个三角形

在同一平面内（命题XI.2）。

所以：直线AB、BD、DC在同一个平面内，角ABD、BDC皆为直角，所以：AB平行于CD（命题I.28）。

所以：如果两条直线与同一平面成直角，那么，该两直线平行。

证完

命题XI.7

两条平行线上各取一点，连接该两点的直线与原两平行线在同一平面内。

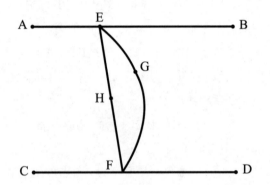

设：AB、CD为两条平行线，在它们上任意取两点E、F，连接它们。

那么我说：连接E、F两点的直线与二平行线在同一平面内。

假设它们不在同一平面，设两点E、F的连接线在另外一个平面内，设其为EGF，过EGF作一平面，它与二平行线所在的平面交于一条直线，令其为EF（命题XI.3）。

于是：两直线EGF和EF构成一个面，这是不可能的，所以：从E到F的连线不在平面外。

所以：E、F所在的直线在平行线AB、CD所在的平面内。

所以：两条平行线上各取一点，连接该两点的直线与原两平行线在同一平面内。

证完

命题XI.8

两条平行线中的一条与一平面成直角，那么，另一条也与该平面成直角。

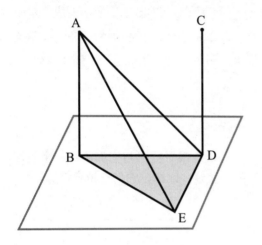

设：AB、CD是两条平行线，其中的一条AB与给定平面成直角。

那么我说：CD也与给定的同一平面成直角。

令：AB、CD与给定平面相交于B、D两点，连接BD，那么AB、CD、BD是在同一平面内（命题XI.7）。

在已知平面内作DE，使之与BD成直角，再使DE等于AB，再连接BE、AE、AD（命题I.11、I.3）。

现在，因为：AB与已知平面成直角，所以：AB也和平面上与它相交的所有直线成直角，所以：角ABD、ABE是直角（定义XI.3）。

又，因为：直线BD与平行线AB、CD相交，所有：角ABD、CDB之和等于两个直角（命题I.29）。

又，角ABD是直角，所以：角CDB也是直角，所以：CD与BD成直角。

又，因为：AB等于DE，而BD是公共边，AB、BD两边等于ED、DB两边，且角ABD等于角EDB，因为：它们皆是直角，所以：底边AD等于底边BE（命题I.4）。

又，因为：AB等于DE，且BE等于AD，于是AB、BE两边分别等于ED和DA两边，

纪念牛顿《原理》的邮票

　　牛顿的《自然哲学的数学原理》因有牛顿微积分学说最早的公开表述而成为数学史上的划时代著作。全书从三条基本的力学定律出发，运用微积分工具，严格地推导证明了包括开普勒行星运动三大定律在内的一系列结论，并且将微积分应用于流体运动、声、光、潮汐、彗星乃至宇宙体系，充分显示了这一全新数学工具的威力。该书被爱因斯坦誉为：无比辉煌的演绎成就。

卡尔·维尔斯特拉斯

维尔斯特拉斯（1815—1897年），德国分析学家，对复变函数论、幂级数、椭圆函数、连续性、二次型以及变分学贡献很大。1842至1855年间，与数学界在没有任何接触的情况下，维尔斯特拉斯独立发展出一套全新且严密的分析方法，使他得以描述一种连续而又不可微的函数，从而完全推翻了关于这些概念的直观方法。1841年，维尔斯特拉斯首先引用 "‖" 为绝对数值符号，且沿用至今，成为现今通用的绝对值符号。

AE是它们的公共底边，所以：角ABE等于角EDA（命题I.8）。

又，角ABE是直角，所以：角EDA也是直角，所以：ED与AD成直角。

又，它也与DB成直角，所以：ED也与过BD和DA的平面成直角（命题XI.4）。所以：ED也与经过BD、DA平面内的与它们相交的任何直线成直角。

而DC也在BD、DA决定的平面内，因

为：AB、BD是在BD、DA决定的平面内，且DC也在AB、BD决定的平面。

所以：ED与DC成直角，于是：CD与DE也成直角。而CD与BD也成直角。所以：CD与二直线DE和DB在交点D处成直角。

所以：CD与过DE、DB的平面成直角（命题XI.4）。又，过DE、DB的平面是给定的平面，所以：CD与给定的平面成直角。

所以：两条平行线中的一条与一平面成直角，那么，另一条也与该平面成直角。

证完

命题XI.9

两条直线平行于与它们不在一个平面内的同一直线，那么，它们互相平行。

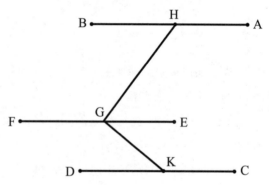

设：直线AB、CD平行于EF，但它和它们不在同一平面内。

那么我说：AB也平行CD。

令：在EF上任取一点G，在EF、AB所在的平面内过G点作GH，使之与EF成直角，在EF、CD所在的平面内作GK与EF成直角（命题I.11）。

现在：因为，EF与GH、GK成直角，所以：EF也与过GH、GK的平面成直角（命题

XI.4）。

又，EF与AB平行，所以：AB也与经过HG、GK的平面成直角（命题XI.8）。

同理，CD也与经过HG、GK的平面成直角，所以：直线AB、CD都与过HG、GK的平面成直角。

又，如果两条直线与同一平面成直角，那么，二直线平行，所以：AB平行于CD（命题XI.6）。

所以：两条直线平行于与它们不在一个平面内的同一直线，那么，它们互相平行。

证完

命题XI.10

两条相交直线平行于不在同一平面的另两条相交直线，那么，它们构成的夹角相等。

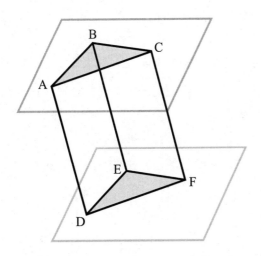

设：AB、BC为两条相交直线，平行于不在同一平面内的另两条相交直线DE、EF。

那么我说：角ABC等于角DEF。

切取AB、BC、ED、EF，使它们相互相等，连接AD、CF、BE、AC、DF（命题

I.3）。现在，因为：BA平行并等于ED，所以：AD也平行并等于BE。

同理，CF也平行并等于BE（命题I.33）。

于是：直线AD、CF平行并等于BE。而两条不在一个平面内的直线平行于同一直线，那么，它们互相平行，所以：AD平行并等于CF（命题XI.9）。

又，AC、DF与它们相连，所以：AC也平行并等于DF（命题I.33）。

现在，因为：AB、BC两边等于DE、EF两边，且底边AC等于底边DF，所以：角ABC等于角DEF（命题I.8）。

所以：两条相交线直线平行于不在同一平面的另两条相交直线，那么，它们构成的夹角相等。

证完

命题XI.11

从平面外的一点可向已知平面作一垂线。

设：A为给定的平面外的一点。

现在要求，从A点向已知平面作垂线。

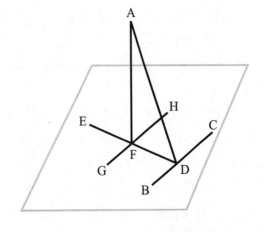

牛顿的宇宙

牛顿认为，一个受万有引力支配的宇宙应当是无边无际的。倘若它有界限，那么引力可能会处于一个中心位置，从而使整个宇宙都朝这地方坍塌，然后再形成一个巨大的团块。牛顿决定论中的宇宙像时钟般运转，一切东西都受严谨精确的数学定律支配，上帝不必再插手人事，只要在上好宇宙的发条后，从远方看它运转即可。

在给定的平面内作任意直线BC，从A点作AD垂直于BC（命题I.12）。

如果AD垂直于已知平面，于是，所求的直线已经作出。

而如果不是，从D点在已知平面内作DE，使之与BC垂直，再从A点作AF，使之垂直于DE，再从F点作GH，使之平行于BC（命题I.11、I.12、I.31）。

现在，因为：BC与直线DA、DE成直角，所以：BC与过ED、DA的面也成直角（命题XI.4）。

又，GH平行于它，而两条平行线中的一条与一平面成直角，那么，另一条也与该平面成直角。

所以：GH与经过ED、DA的平面也成直角（命题XI.8）。

所以：GH与经过ED、DA平面内并与GH相交的一切直线成直角（定义XI.3）。

又，AF与GH相交，并在经过ED、DA的平面内，所以GH与FA成直角，所以：FA与GH也成直角。且AF也与DE成直角，所以：AF与直线GH、DE皆成直角。

又，如果一条直线与两条相交直线垂直于交点上，那么，它也与两相交线形成的平面垂直。所以：FA与经过ED、GH的平面成直角。

又，经过ED、GH的平面是给定的平面，所以：AF与给定的平面成直角。

所以：从平面外的一点可向已知平面作一垂线。

证完

命题XI.12

过已知平面内的一个已知点可作该平面的垂线。

设：给定平面上的点A。

现在要求的是：作出一条直线与平面成

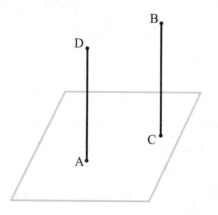

直角。

从平面外任意一点B，作BC，使之垂直于平面；再过A点作AD平行于BC（命题XI.11、I.31）。

那么，因为：AD、BC是两条平行线，其中之一的BC与给定的平面成直角，所以：另一条AD也与该平面成直角（命题XI.8）。

所以：已知平面内的点A，作出了直线AD与该平面成直角。

所以：过已知平面内的一个已知点可作该平面的垂线。

证完

命题XI.13

过平面内的一点，不可能在同一侧作出两条与该平面垂直的直线。

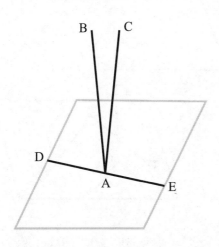

假设过一点能够作出两条线，在平面同侧，从点A作出了两条垂直于该平面的直线AB、AC。

过A点作经过BA、AC的平面，它们相交于一条直线，令其为DAE（命题XI.3）。

于是：直线AB、AC和ADE是在同一平面上。且，因为CA与已知平面成直角，它也与已知平面内与它相交的任何直线成直角（定义XI.3）。

又，DAE与CA相交，并在已知的平面内，所以：角CAE是直角。同理，角BAE也是直角，所以：角CAE等于角BAE。

又，它们在同一平面内，这是不可能的。

所以：在一个平面内的一点上，不可能在同一侧作出两条与该平面垂直的直线。

证完

命题XI.14

与同一直线成直角的两个面是平行的。

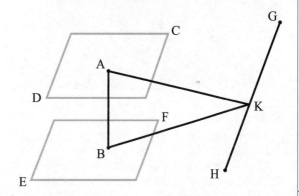

设：直线 AB 与两个平面 CD、EF 成直角。

那么我说：两个平面是平行的。

假如不是这样，那么延长它们必然相交。令其相交，交集是一条直线，令其为GH（定义XI.8、命题XI.3）。

在GH上任取一点K，连接AK、BK。

因为：AB与平面EF成直角，所以：AB与BK也成直角，BK是平面EF上的延伸线。

所以：角ABK是直角。同理，角BAK也是直角（定义XI.3）。

祖冲之

祖冲之（429—500年），中国南北朝时代南朝的科学家。他推算出圆周率π的值在3.1415926和3.1415927之间，并提出了π约率2217和密率355/113，密率值比欧洲早一千多年。他编制的《大明历》，首先考虑到岁差问题的计算，对于运行周期的数据比当时的其他历法更为准确。另外，他改造了指南车，制作出水碾磨、千里船等。其数学著作有《缀术》和《九章术义注》。

于是：在三角形ABK中，角ABK与角BAK之和等于两个直角，这是不可能的（命题I.17）。

所以：平面CD、EF延伸后不能相交，所以：平面CD、EF平行（定义XI.8）。

所以：与同一直线成直角的两个面是平行的。

证完

命题XI.15

两相交直线平行于不在同一平面的另两相交直线，那么，两对相交直线构成的平面相互平行。

设：两相交直线AB、BC平行于不在同一平面的另两相交直线DE、EF。

那么我说：AB、BC构成的平面平行于DE、EF构成的平面。

过B作直线BG垂直于经过DE、EF的平面（命题XI.11）。

过G作GH平行于ED，作GK平行于EF（命题I.31）。

现在，因为：BG与经过DE、EF的平面成直角，那么：它与经过DE、EF平面并与它相交的任何直线成直角（定义XI.3）。

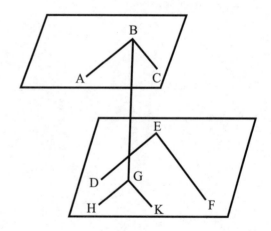

但是，直线GH、GK与BG相交，并过DE、EF的平面，所以：角BGH和BGK是直角。

又，因为BA平行于GH，所以：角GBA、BGH之和是两个直角（命题XI.9、I.29）。

又，角BGH是直角，所以：角GBA也是

直角，所以：GB与BA成直角。同理，GB与BC也成直角。

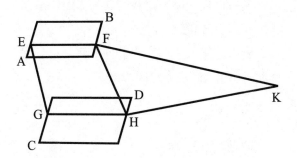

又因为：直线GB与两相交的直线BA、BC成直角，所以：GB也与经过BA、BC的平面成直角（命题XI.4）。

又，与同一直线成直角的两个面是平行的。所以：经过AB、BC的平面平行于经过DE、EF的平面（命题XI.14）。

所以：两相交直线平行于不在同一平面的另两相交直线，那么，两对相交直线构成的平面相互平行。

证完

命题XI.16

两个平行平面被另一平面所切，那么，两条交线是平行的。

设：两平行平面AB、CD被平面EFHG所切，EF、GH是它们的交线（命题XI.3）。

那么我说：EF平行于GH。

假设两交线不平行，那么：延长EF、GH，它们必然相交，或在F、H一侧，或者在E、G一侧。

首先，令其在F、H一侧相交于K点。

现在，因为：EFK在平面AB上，所以：EFK上的所有点在平面AB上，而K是直线EFK上的一个点，所以：K在平面AB上，同理，K也在平面CD上，所以：平面AB、CD延长后相交（命题XI.1）。

又，它们不相交，因为：根据假设，它们是平行的。所以：如果在F、H一方上延长直线EF、GH，它们不相交。

同理，我们也能证明在E、G方向上延长直线EF、GH，它们也不相交。

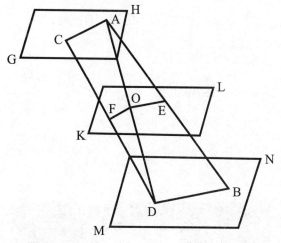

又，在两方都不相交的直线是平行的。

所以：EF平行于GH。

所以：两个平行平面被另一平面所切，那么，两条交线是平行的。

证完

命题XI.17

如果两直线被平行平面所切，那么，所切得的线段有相同的比。

设：两条直线AB、CD被平行的平面GH、KL、MN所切，切点分别是A、E、B和C、F、D。

那么我说：线段AE比EB等于CF比FD。

连接AC、BD、AD，使AD与平面KL相交于O点，连接EO和FO。

那么，因为两个平行平面KL、MN被平面EBDO所切，所以它们的交线EO平行于BD。同理，因为两平行平面GH、KL被平面AOFC所切，所以它们的交线AC平行于OF（命题XI.16）。

又，因为：线段EO平行于BD，BD为三角形ABD的一边，所以：成比例地，AE比EB等于AO比OD，又，因为：直线FO平行于

CA，CA为三角形ADC的一边，成比例地，AO比OD等于CF比FD（命题VI.2）。

又，已经证明AO比OD等于AE比EB，所以：AE比EB等于CF比FD（命题V.11）。

所以：如果两直线被平行平面所切，那么，所切得的线段有相同的比。

证完

命题XI.18

如果一条直线与一个平面成直角，那么经过该直线的所有平面与该平面也成直角。

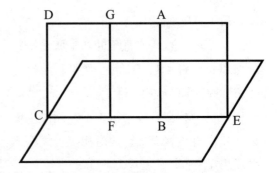

设：直线AB与给定的平面成直角。

那么我说：过直线AB的所有平面也与该平面成直角。

令：过直线AB建平面DE，CE为平面DE与已知平面的交线。

在CE上任取一点F。从F作FG，使之与DE平面内的CE成直角（命题I.11）。

现在，因为：AB与给定的平面成直角，所以：AB也与给定平面内与它相交的任何直线成直角，所以：AB也与CE成直角，所以：角ABF是直角（定义XI.3）。

又，角GFB也是直角，所以：AB平行于FG（命题I.28）。

又，AB与给定的平面成直角，所以：

FG也与给定的平面成直角（命题XI.8）。

又，在两相交平面之一内作直线与交线成直角时，则两平面成直角。而平面DE内的直线FG与交线CE成直角，已经证明也与给定平面成直角，所以：DE与给定平面成直角（定义XI.4）。

同理，也可以证明经过AB的所有平面与给定的平面成直角。

所以：如果一条直线与一个平面成直角，那么经过该直线的所有平面与该平面也成直角。

证完

命题XI.19

如果两相交平面与另一平面相交成直角，那么，它们的交线也与该平面成直角。

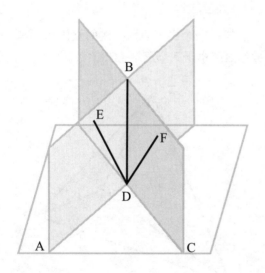

设：两个相交平面AB、BC与一个已知平面相交，BD为其交线。

那么我说：BD与已知平面成直角。

假设不是这样，从D点作DE与AB平面内的AD成直角，再作DF与BC平面内的CD成直

角（命题I.11）。

那么，因为：平面AB与已知平面成直角，且在平面AB内所作的DE与交线AD成直角，所以：DE与已知平面成直角（定义XI.4）。

同样，我们也可证明DF与已知平面也是直角，所以：从同一点D有两条直线在同一侧与已知平面成直角。这是不可能的（命题XI.13）。

所以：除了平面AB、BC的交线DB以

外，没有能从D点作出的直线与已知平面成直角。

所以：如果两相交平面与另一平面相交成直角，那么，它们的交线也与该平面成直角。

证完

命题XI.20

如果一个立体角由三个平面角构成，那么，任意两平面角之和大于第三角。

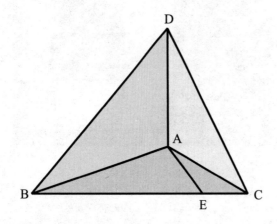

设：立体角A是由平面角BAC、CAD、DAB构成的。

那么我说：BAC、CAD、DAB中的任意两个角之和大于余下的一个角。

如果角BAC、CAD、DAB相互相等，那么，很显然，两角之和大于余下的一个。

如果不相等，令角BAC较大，在经过BA、AC的平面中，过直线AB上的点A建角BAE等于角DAB；使AE等于AD，再过点E引一条直线BEC与直线AB、AC相交于B、C；连接DB、DC（命题I.23、I.3）。

那么因为，DA等于AE，AB是公共边，所以：两条边等于两条边。又，角DAB等于角BAE，所以：底边DB等于底边BE（命题I.4）。

又，因为：BD、DC两边之和大于BC，其中，DB已被证明等于BE，所以：余值DC大于余值EC（命题I.20）。

又，因为：DA等于AE，AC是公共边，底边DC大于底边EC，所以：角DAC大于角EAC（命题I.25）。

而，角BAE等于角DAB，所以：角DAB、DAC之和大于角BAC。

同理，我们也能证明任意两个余下的角之和大于另一个余下的角。

所以：如果一个立体角由三个平面角构成，那么，任意两平面角之和大于第三角。

证完

命题XI.21

任何一个由平面角构成的立体角，其平面角之和小于四个直角（360°）。

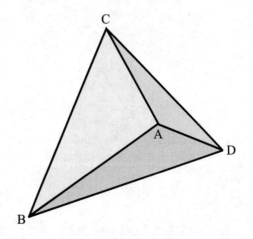

设：A点的角为一个立体角，它是由平面角BAC、CAD和角DAB构成的。

那么我说：角BAC、CAD和角DAB之和小于四个直角。

在直线AB、AC、AD上分别任意取点B、C、D，连接BC、CD、DB。

那么，因为：在B点的立体角是由平面角CBA、ABD、CBD构成的，而任意两个角的和大于其余下的一个角，所以：角CBA、ABD之和大于角CBD（命题XI.20）。

同样，角BCA、ACD之和大于角BCD，角CDA、ADB之和大于角CDB，所以：六个角CBA、ABD、BCA、ACD、CDA、ADB之和大于三个角CBD、BCD、CDB之和。

又，三个角CBD、BDC、BCD之和等于两个直角，所以：六个角CBA、ABD、BCA、ACD、CDA、ADB之和大于两个直角（命题I.32）。

又，因为：三个三角形ABC、ACD、ADB的各个角之和等于两个直角，所以：这三个三角形的九个角CBA、ACB、BAC、ACD、CDA、CAD、ADB、DBA、BAD之和等于六个直角，其中，它们的六个角ABC、BCA、ACD、CDA、ADB、DBA之和大于两个直角。所以：余下的三个角BAC、CAD、DAB构成的立体角，其平面角的和小于四个直角。

所以：任何一个由平面角构成的立体角，其平面角之和小于四个直角。

证完

命题XI.22

如果有三个平面角，任意两角的和大于余下的角，且夹这些角的两边都相等，那么，连接这些相等线段的端点的三条线段可建一个三角形。

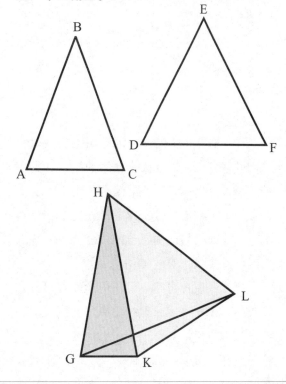

李雅普诺夫

李雅普诺夫（1857—1918年），俄罗斯数学家、物理学家，最初从事流体静力学理论研究，1892开创性地提出求解非线形常微分方程的李雅普诺夫函数法，亦称直接法。由于该方法呈现出明显的几何直观和简明的分析技巧，从而在科学技术的许多领域中得到广泛的应用和发展，奠定了常微分方程稳定性理论的基础，成为研究常微分方程定性理论的重要手段。

设：有三个平面角ABC、DEF、GHK，它们的任意两角的和大于余下的角，于是：ABC、DEF之和大于角GHK，角DEF、GHK之和大于角ABC，且GHK、ABC之和大于角DEF。且线段AB、BC、DE、EF、GH、HK相等。连接AC、DF、GK。

那么我说：可建一个三角形，其边分别等于AC、DF、GK，即线段AC、DF、GK的任意两边的和大于余下的一边。

现在，如果有角ABC、DEF、GHK彼

此相等，即表明，AC、DF、GK也相等，可以作边等于AC、DF、GK的三角形彼此相等（命题I.4、I.1）。

但是，如果它们不相等。在线段HK的H点上建角KHL，使之等于角ABC。令HL等于线段AB、BC、DE、EF、GH、HK中的任意一条。连接KL、GL（命题I.23、I.3）。

那么，因为：AB、BC两边等于KH、HL两边，在B点的角等于KHL，于是：底边AC等于底边KL（命题I.4）。

又因为：角ABC、GHK之和大于角DEF，同时，角ABC等于角KHL，所以：角GHL大于角DEF。

又因为：GH、HL两边等于DE、EF两边，所以：角GHL大于角DEF，所以：底边GL大于底边DF（命题I.24）。

又，GK、KL之和大于GL，所以：GK、KL之和大于DF。

又，KL等于AC，所以：AC、GK之和大于余下的线段DF。

同理，我们也能证明AC、DF之和大于GK，且DF、GK之和大于AC。

所以：可建一个三角形，其边等于AC、DF、GK（命题I.24）。

所以：如果有三个平面角，任意两角的和大于余下的角，且夹这些角的两边都相等，那么，连接这些相等线段的端点的三条线段可建一个三角形。

证完

命题XI.23

在三个平面角中，如果任意两个角的和大于余下的一个角，且三个角之和小于四个

直角，那么，依据这三个角可建一个立体角
（命题XI.20、XI.21）。

设：角ABC、DEF、GHK为给定的三个
平面角，它们的任意两个角的和大于余下的
一个角，且三个角的和小于四个直角。

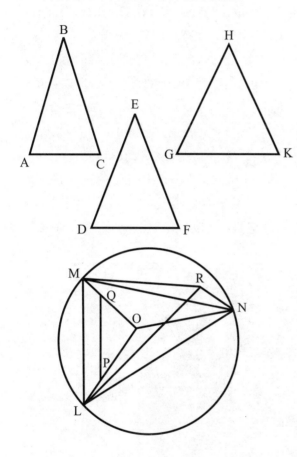

现在要求，建一个立体角，使其等于角
ABC、DEF、GHK。

截分AB、BC、DE、EF、GH、HK，
使它们分别相等，连接AC、DF和GK（命题
I.3）。

那么，可建一个三边分别等于AC、
DF、GK的三角形，因此可建三角形LMN，
使AC等于LM，DF等于MN，GK等于NL（命
题XI.22）。

以O为圆心，作三角形LMN的外接圆
LMN，连接LO、MO、NO（命题IV.5、
III.1）。

那么我说：AB大于LO。

因为：如果不是，AB要么等于LO，要
么小于。

首先，令其相等，于是，因为：AB等
于LO，同时，AB等于BC，LO等于OM，于
是：AB、BC两边分别等于LO、OM两边。
又，根据假设，底边AC等于底边LM，所
以：角ABC等于角LOM（命题I.8）。

同理，角DEF也等于角MON，且角
GHK等于角NOL，所以：ABC、DEF、
GHK三个角之和等于LOM、MON、NOL三
个角之和。

又，LOM、MON、NOL三个角之和等
于四个直角，所以：ABC、DEF、GHK三个
角之和等于四个直角。

又，根据假设，它们的和也小于四个直
角。这是荒谬的。所以：AB不等于LO。

我进一步说：AB小于LO不成立。

因为，如果可能成立，作OP等于AB，
OQ等于BC，连接PQ（命题I.3）。

那么因为：AB等于BC，所以：OP也等
于OQ，于是：余值LP等于QM。

所以：LM平行于PQ，且角LMO也等于
角PQO（命题VI.2、I.29）。

所以：OL比LM等于OP比PQ，由更比
可得，LO比OP等于LM比PQ（命题VI.4、
V.16）。

而LO大于OP，所以：LM也大于PQ，且
LM等于AC，所以：AC大于PQ。

又，因为：AB、BC两条边等于PO、OQ

两条边，且底边AC大于底边PQ，所以：角ABC大于角POQ（命题I.25）。

同理，我们可以证明，角DEF也大于角MON，且角GHK大于角NOL。

所以：三个角ABC、DEF、GHK之和大于三个角LOM、MON、NOL之和。又，根据假设，角ABC、DEF、GHK之和小于四个直角，所以：角LOM、MON、NOL之和远远小于四个直角。而它的和又等于四个直角。这是荒谬的。所以：AB不小于LO。

又已证明是不等的，所以AB大于LO。

再，从点O作OR与圆平面LMN成直角，于是：OR上的正方形等于AB上的正方形减去LO上的正方形。连接RL、RM、RN（命题XI.12、引理）。

那么因为：RO与圆平面LMN成直角，所以：RO也与线段LO、MO、NO皆成直角，又因为：LO等于OM，OR是公共边，且和LO、ON都成直角，所以：底边RL等于底边RM（定义XI.3、命题I.4）。

同理，RN也等于线段RL、RM，所以：三条线段RL、RM、RN相互相等。

又，根据假设，OR上的正方形等于AB上的正方形减去LO上的正方形，所以：AB上的正方形等于LO、OR上的正方形之和。

又，LR上的正方形等于LO、OR上的正方形之和，这是因为，角LOR是直角。所以，AB上的正方形等于RL上的正方形，所以，AB等于RL。

但是，线段BC、DE、EF、GH、HK都

中世纪的巴黎地图

这幅中世纪的巴黎地图给当时的人们提出了一个数学问题：在给定长度的所有可能的闭合曲线中，能否确定一条所围成的内部区域面积最大的曲线？答案是一个圆，其周长即为预定尺度。我们知道，一块小周长的土地，其面积可能要比另外一块大周长的土地大，因此，在交换土地时，我们只需用围绕土地四周所需的时间来测量土地的大小。公元450年，普洛克勒斯在评注欧几里得的《几何原本》第一卷时说明过这种情况，这就是等周问题。等周问题是数学史上最有影响力的问题之一。

等于AB。这时，线段RM、RN等于RL，所以：线段AB、BC、DE、EF、GH、HK中每一条都等于线段RL、RM、RN中任一条（命题I.47）。

因为：LR、RM两边等于AB、BC两边，根据假设，底边LM等于底边AC，所以：角LRM等于角ABC。同理，角MRN等于角DEF，且角LRN等于角GHK（命题I.8）。

所以作出了由角LRM、MRN、LRN在点R构成的立体角，且角LRM、MRN、LRN等于已知角ABC、DEF、GHK。

所以：在三个平面角中，如果任意两个角的和大于余下的一个角，且三个角之和小于四个直角，那么，依据这三个角可建一个立体角（命题XI.20、XI.21）。

证完

引 理

但是，怎样建OR上的正方形，使之等于AB上的正方形减去LO上的正方形呢？

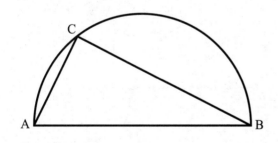

作法如下：

取线段AB、LO，令AB较大，在AB上建半圆ABC，取AC等于线段LO，并不大于直径AB。连接CB（命题IV.1）。

因为：角ACB是半圆ACB内的弓形角，所以：角ACB是直角（命题III.31）。

所以：AB上的正方形等于AC、CB上的正方形之和（命题I.47）。

于是：AB上的正方形减去AC上的正方形等于CB上的正方形。而AC等于LO。所以：AB上的正方形减去LO上的正方形等于CB上的正方形。

所以：如果我们截分OR等于BC，那么，AB上的正方形大于LO上的正方形，所大的部分是OR上的正方形。

命题XI.24

如果一个立体图形是由平行平面构成的，那么：其相对的平面相等且为平行四边形。

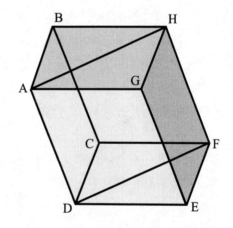

设：立体图形CDHG是由平面AC、GF、AH、DF、BF、AE构成的。

那么我说：相对的面相等且为平行四边形。

因为：BG、CE两个平面被平面AC所截分，于是：它们的交线是平行的。所以：AB平行于DC。又因为：两个平行平面BF、AE被平面AC所截，它们的交线是平行的。所以：BC平行于AD（命题XI.16）。

而AB已被证明平行于DC，所以：AC是平行四边形。同理，我们也可以证明，DF、FG、GB、BF、AE皆为平行四边形。

连接AH、DF。

那么，因为：AB平行于DC，且BH平行于CF，所以：AB、BH两条线段相交，并平行于与它们不在同一平面内的两条相交线DC、CF。所以：它们的夹角相等。

所以：角ABH等于角DCF（命题XI.10）。

又，因为：两边AB、BH等于两边DC和CF，且角ABH等于角DCF，所以：底边AH等于底边DF，且三角形ABH等于三角形DCF（命题I.34、I.4）。

又，平行四边形BG是三角形ABH的两倍，且平行四边形CE是三角形DCF的两倍，所以：平行四边形BG等于平行四边形CE（命题I.34）。

同理，我们也可证明AC等于GF，AE等于BF。

所以：如果一个立体图形是由平行平面构成的，那么：其相对的平面相等且为平行四边形。

证完

命题XI.25

如果一个平行六面体被一个平行于一双相对面的平面所截，那么，底比底等于立体比立体。

设：平行六面体ABCD被平行于两相对面RA、DH的平面FG所截。

那么我说：底AEFV比底EHCF等于立体ABFU比立体EGCD。

向两端延长AH。再任意取若干线段AK、KL等于AE，HM、MN等于EH。完成平行四边形LP、KV、HW、MS及补形立体LQ、KR、DM、MT（命题I.3、I.31）。

那么，因为：线段LK、KA、AE彼此相等，所以：平行四边形LP、KV、AF相互相等，平行四边形KO、KB、AG彼此相等，且LX、KQ、AR彼此相等，因为它们是相对面。

同理，平行四边形EC、HW、MS彼此相等，HG、HI、IN彼此相等，且DH、MY、

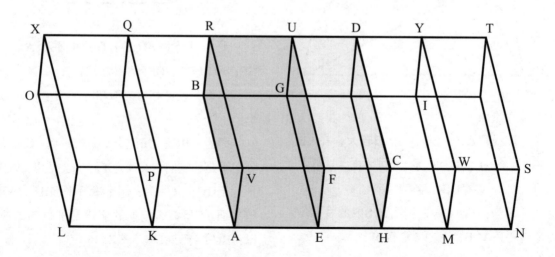

NT彼此相等（命题XI.24）。

所以：在立体LQ、KR、AU中，彼此
有三个平面相等。而三个平面等于它的三个
对面，所以：三个立体LQ、KR、AU彼此相等。
同理，三个立体ED、DM、MT也彼此相等。

所以：无论底边LF是AF的多少倍，立体
LU也是立体AU的相等倍。

同理，无论NF是FH的多少倍，立体NU
也是立体HU的相等倍（定义XI.10）。

又，如果，底边LF等于底边NF，立体
LU也等于立体NU；如果底边LF大于底边
NF，那么：立体LU也大于立体NU。

所以：有四个量值，两个底AF、FH和
两个立体AU、UH，已知底AF和立体AU的
等倍量，即底LF和立体LU，已知底HF和立
体HU的等倍量，即底NF和立体NU。

也已证明，如果底LF大于底FN，那么立
体LU也大于立体NU；如果底相等，立体也
相等；又如果底LF小于FN，立体LU也小于
立体NU。所以：底AF比底FH等于立体AU比
立体UH（定义V.5）。

所以：如果一个平行六面体被一个平行
于一双相对面的平面所截，那么，底比底等
于立体比立体。

证完

命题XI.26

给定一条直线和该直线上的一个点之上
的立体角，可建另一个相等立体角。

设：A是给定直线AB上的一个点，且
在D点处由角EDC、EDF、FDC构成一个立
体角。

人的踪迹

　　这是欧几里得著作全集中的版画。此画描绘罗马建筑师
维特鲁夫所述说的一段情节：希腊哲学家亚里斯提卜因船舶
失事而发现了画在沙滩上的几何图形。他于是鼓励伙伴们
说："朋友，我们大有希望了，因为我看到了人的踪迹。"

现在要求的是：在线段AB上的A点，建
立体角等于D点上的立体角。

在DF上任取一点F，过F作FG平垂直于
过ED、DC的平面，且与平面相交于G。连接
DG（命题XI.11）。

在直线AB的A点上，建角BAL等于角
EDC，建角BAK等于角EDG，且使AK等于
DG，从点K作KH，使它和经过BA、AL的平
面成直角。且设KH等于GF，连接HA（命题
XI.12）。

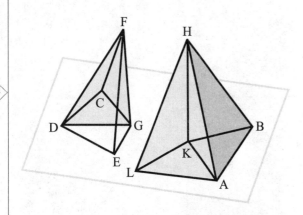

那么我说：在A点的立体角是由角BAL、BAH、HAL组成的，并等于D点由角EDC、EDF、FDC组成的立体角。

截分DE等于AB，连接HB、BK、FE、GE。

那么，因为：FG与已知平面成直角，所以：它也与在该平面内与它相交的所有直线成直角，所以：角FGD、FGE是直角。同理，角HKA、HKB也是直角（定义XI.3）。

又，因为：KA、AB两边分别等于GD、DE两边，且它们也包含相等角，所以：底KB等于底GE。而KH也等于GF，且它们是直角，所以：HB也等于FE，又，因为：AK、KH两边等于DG、GF两边，它们是直角，所以：底AH等于底FD（命题I.4）。

又，AB等于DE，所以：HA、AB两边等于DF、DE两边。又，底HB等于底FE。所以：角BAH等于角EDF。同理，角HAL也等于角FDC（命题I.8）。

又，角BAL也等于角EDC。所以：在线段AB的点A上的立体角等于给定的在D点上的立体角。

证完

命题XI.27

根据一条已知线段上的已知平行六面体，可建一个相似的且有相似位的平行六面体。

设：AB是给定的线段，CD是给定的平行六面体。

现在要求的是：在AB上建一个平行六面体，使之与CD相似且有相似位。

在线段AB的A点上建一个由角BAH、HAK、KAB构成的立体角，使之等于立体角C，于是：角BAH等于角ECF，角BAK等于角ECG，角KAH等于角GCF，于是：EC

比CG等于BA比AK，GC比CF等于KA比AH
（命题XI.26、VI.12）。

所以：由首末比可得，EC比CF等于BA
比AH（命题V.22）。

完成平行四边形HB和补形立体AL。

那么，因为：EC比CG等于BA比AK，
且夹相等角ECG、BAK的边成比例，所以：
平行四边形GE相似于平行四边形KB。同
理，平行四边形KH相似于平行四边形GF，
FE也相似于HB。

所以：立体CD的三个平行四边形相似于
立体AL的三个平行四边形。而前者的三个与
它们对面的平行四边形相似且相等，后面三
个和它们对面的平行四边形也相似且相等。

所以：立体CD相似于立体AL（定义XI.9）。

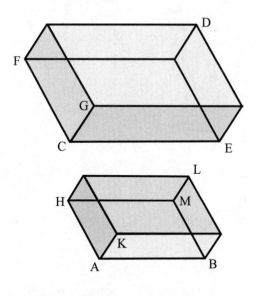

所以：根据一条已知线段上的已知平行
六面体，可建一个相似且有相似位的平行六
面体。

证完

古埃及司绳

按照通常的说法，公元前7世纪到公元前6世纪的数学发端于希腊，此后希腊人创作了一份近乎通用，但直到公元前4世纪才被普遍接受的字母表。而今十分肯定，这得归功于早期希腊哲学家，比如泰勒斯和毕达哥拉斯的数学知识。其实这是由古希腊文明时期之前若干世纪的埃及人和巴比伦人所认知的。人们对埃及数学的了解，主要来源之一是约公元前17世纪的赖因德纸草书。人们了解到，古埃及人已有了十进制，并能很好地做小数计算，也能计算某些几何图形，并有圆周率的取值3.16。图为古埃及负责测量事务的专职人员，他们被称为"司绳"。

命题XI.28

如果一个平行六面体被一个相对面上的
对角线所在的平面所截，那么该平面平分该
六面体。

设：平行六面体AB被相对面上对角线
CF、DE所在的平面CDEF所截。

那么我说：立体AB被平面CDEF所平分。

因为：三角形CGF等于三角形CFB，
而三角形ADE等于三角形DEH，同时平行
四边形CA等于平行四边形EB，因为它们相
对面，又，GE等于CH，所以：两个三角形
CGF、ADE与三个平行四边形GE、AC、CE

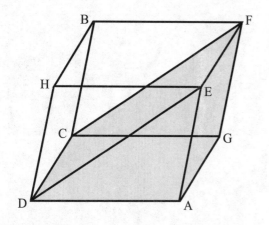

构成的棱柱，等于两个三角形CFB、DEH与三个平行四边形CH、BE、CE构成的棱柱，因为它们是由同样多的相等面构成的（命题

五个柏拉图立体

　　立方体、正四面体、正八面体、正十二面体和正二十面体即"柏拉图立体"。柏拉图认为：标记程序井然的宇宙的这五个立体就是宇宙立体，开普勒把五个正立方体放置于相邻的球面之间。放置的形式为任何一个宇宙球面均内接一个宇宙立体，同时又内接于下一个更高大的立体。这是开普勒伟大的天文学生涯的开端，并表明了他推测性的思维方式，许多大科学家也在其科学探索中仿照这种推测性。

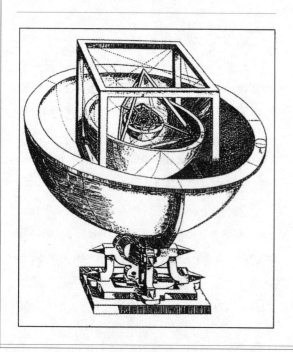

I.34、定义XI.10）。

　　于是，立体AB被平面CDEF所平分。

　　所以：如果一个平行六面体被一个相对面上的对角线所在的平面所截，那么该平面平分该六面体。

证完

命题XI.29

　　同底同高的两个平行六面体，如果它们侧棱的端点在同一直线上，那么它们相等。

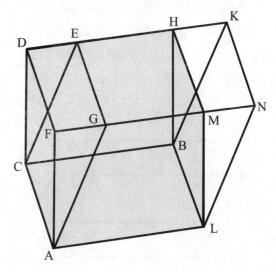

　　设：CM、CN是平行六面体，在同一底AB上，并同高。如果它们侧棱AG、 AF、LM、LN、CD、CE、BH、BK之端点在同一直线FN、DK上。

　　那么我说：立体CM等于立体CN。

　　因为：图形CH、CK是平行四边形，所以：CB等于线段DH，也等于线段EK的每一条。所以：DH也等于EK（命题I.34）。

　　从以上各边减去EH，所以：余值DE等于余值HK。

　　所以：三角形DCE也等于三角形HBK，

而平行四边形DG等于平行四边形HN。

同理，三角形AFG等于三角形MLN（命题I.8、I.4、I.36）。

又，平行四边形CF等于平行四边形BM，CG等于BN，因为它们是相对面。所以：由两个三角形AFG、DCE和三个平行四边形AD、DG、CG构成的棱柱等于由两个三角形MLN、HBK和三个平行四边形BM、HN、BN构成的棱柱（定义XI.10）。

令以平行四边形AB为底，对面是GEHM立体加到每一个棱柱上，于是：立体CM等于立体CN。

所以：同底同高的两个平行六面体，如果它们侧棱的端点在同一直线上，那么它们相等。

证完

命题XI.30

同底同高的平行六面体，如果它们侧棱的端点不在同一直线上，那么它们相互相等。

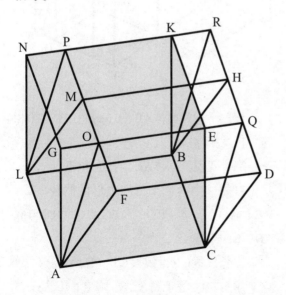

竞赛

欧洲人在数学上的推进是从代数学开始的，它是文艺复兴时期成果最突出、影响最深远的领域，拉开了近代数学的序幕。这主要包括三次、四次方程求解与符号代数的引入两个方面。另外，欧洲数学在代数学上的进步还在于应用了较好的符号体系。这对于代数学本身以及后来分析学的发展，都显得至关重要。正是由于符号体系的建立，才使代数有可能成为一门独立的科学。图为一场计算竞赛，左为用印度-阿拉伯数码的计算者，右为用算盘的计算者，位于他们中间的是仲裁者"算术女神"。

设：CM、CN是平行六面体，它们有公共的底AB，且同高。它们底上的侧棱AF、AG、LM、LN、CD、CE、BH、BK不在同一线上。

那么我说：立体CM等于立体CN。

作NK、DH相交于R，延长FM、GE至P、Q，连接AO、LP、CQ、BR。

那么，以平行四边形ACBL为底的立体CM，FDHM是其相对面，等于以平行四边形ACBL为底的立体CP，OQRP是其相对面；因为，它们是在共同的底ACBL上，并且高相同，而它们的侧棱即AF、AO、LM、LP、CD、CQ、BH、BR的端点在同一直线EP、DR上（命题XI.29）。

又，以平行四边形ACBL为底的立体CP，OQRP是其相对面，且等于以平行四边形ACBL为底的立体CN，GEKN是其相对面。同理，它们在相同的底ACBL上，且有等高，它们的侧棱即AG、AO、CE、CQ、LN、LP、BK、BR的端点在同一线段CQ、NR上（命题XI.29）。

于是：立体CM等于立体CN。

所以：同底同高的平行六面体，如果它

们侧棱的端点不在同一直线上，那么它们相互相等。

证完

命题XI.31

等底等高的平行六面体彼此相等。

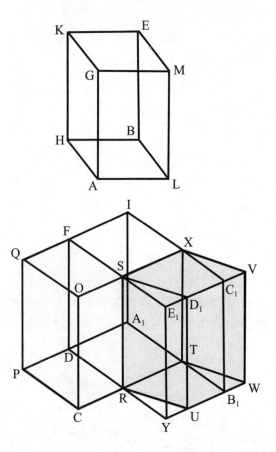

设：平行六面体AE、CF的底AB、CD相等，且高相等。

那么我说：立体AE等于立体CF。

首先，令两个平行四边形的侧棱HK、BE、AG、LM、PQ、DF、CO、RS与底AB、CD成直角。

延长线段CR得线段RT，在线段RT的R点上建角TRU等于角ALB。使RT等于AL，

RU等于LB。完成底RW上的立体XU（命题I.23、I.3、I.31）。

现在，因为：TR、RU两边等于AL、LB两边，且夹角相等，所以：平行四边形RW相等并相似于平行四边形HL。又因为，AL等于RT，LM等于RS，它们交成直角，所以：平行四边形RX等于并相似于平行四边形AM。

同理，LE等于并相似于SU。

所以：立体AE的三个平行四边形相似并等于立体XU的三个平行四边形。而前三个相似并等于三个相对面的平行四边形，后三个相似并等于它们的相对面的平行四边形，所以：总立体AE等于总立体XU（命题XI.24、定义XI.10）。

延长DR、WU相交于Y，过T作A_1TB_1平行于DY，延长PD至A_1，完成补形立体YX、

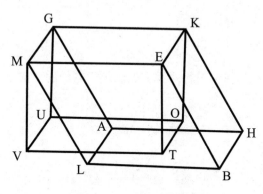

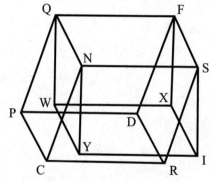

RI（命题I.31）。

于是，以RX为底、YC_1为其相对面的立体XY等于以平行四边形RX为底、UV为其相对面的立体XU。因为它们在同一个底RX上，且有等高，它们的侧棱即RY、RU、TB_1、TW、SE_1、SD_1、XC_1、XV上的端点在一对线段YW、E_1V上。而立体XU等于AE；所以：立体XY也等于立体AE（命题XI.29）。

又，因为平行四边形RUWT等于平行四边形YT，因为它们在同一底RT上并在同一平行线RT、YW之间。且RUWT等于CD，因为，它也等于AB，所以：平行四边形YT也等于CD（命题I.35）。

而，DT是另一个平行四边形，所以：底CD比DT等于YT比DT（命题V.7）。

又，因为：平行六面体CI被平面RF所截，并平行于相对面，所以：底CD比底DT等于立体CF比立体RI（命题XI.25）。

又，底CD比DT等于YT比DT，所以：立体CF比立体RI等于立体YX比RI（命题V.11）。

所以：立体CF、YX与RI的比值相等。所以：立体CF等于立体YX。而YX已经被证明等于AE，所以：AE也等于CF（命题V.9）。

再，设两立体的侧棱AG、HK、BE、LM、CN、PQ、DF、RS与AB、CD不构成直角。

那么我说：立体AE等于立体CF。

过K、E、G、M、Q、F、N、S作KO、ET、GU、MV、QW、FX、NY、SI垂直于给定的平面，再令它们与此平面相交于O、

T、U、V、W、X、Y、I（命题XI.11）。连接OT、OU、UV、TV、WX、WY、YI、IX。

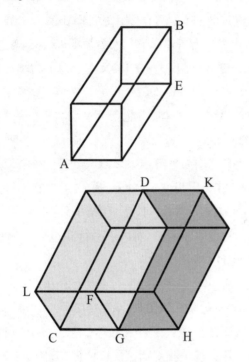

那么，立体KV等于立体QI，因为它们在等底KM、QS上，且有等高，它们的侧棱与它们的底成直角（同上）。

又，立体KV等于立体AE，QI等于CF，因为它们同底等高，同时，它们侧棱的端点不在同一直线上（命题XI.30）。

所以：立体AE也等于立体CF。

所以：等底等高的平行六面体彼此相等。

证完

命题XI.32

等高的两个平行六面体的比等于两底的比。

设：AB、CD为两个等高的平行六面体。

那么我说：立体AB、CD的比等于两底的比，即立体AB比立体CD等于底AE比底CF。

在FG处作FH等于AE，并以FH为底CD为高建一个平行六面体GK（命题I.45、I.31）。

那么，立体AB等于立体GK，因为它们是在等底AE、FH上，并与CD有等高（命题XI.31）。

又，因为：六面体CK被平面DG所截，DG平行于它的相对面，所以：立体CD比立体DH等于底CF比底FH（命题XI.25）。

又，底FH等于底AE，且立体GK等于立体AB，所以：立体AB比立体CD等于底AE比底CF。

所以：等高的两个平行六面体的比等于两底的比。

证完

命题XI.33

相似平行六面体的比等于它们的对应边的三次比。

设：AB和CD是相似平行六面体，AE与CF是对应边。

那么我说：立体AB比立体CD的比值是AE比CF的三次比。

在AE、GE、HE的延长线上作EK、EL、EM，使EK等于CF，EL等于FN，EM等于FR，建平行四边形KL和补形平行六面体KP（命题I.3、I.31）。

现在，因为：KE、EL两边等于CF、FN两边，同时，角KEL等于角CFN，因为：角

AEG也等于角CFN，因为AB、CD是相似立体，所以：平行四边形KL相似并等于平行四边形CN。

同理，平行四边形KM相似并等于CR，EP相似并等于DF。

所以：立体KP的三个平行四边形相似并等于立体CD的三个平行四边形。

而前三个平行四边形相似且等于它们的相对面，后三者也相似并等于它们的相对面，所以：总立体KP也相似并等于总立体CD（命题XI.24、定义XI.10）。

作平行四边形GK，再以平行四边形GK、KL为底，以AB为等高建立体EO、LQ（命题I.31）。

那么，因为：立体AB、CD是相似的，所以：AE比CF等于EG比FN，且等于EH比FR，而CF等于EK，FN等于EL，FR等于EM，所以：AE比EK等于EG比EL，等于HE比EM（定义XI.9）。

又，AE比EK等于平行四边形AG比平行

图 灵

电子计算机是数学与工程技术结合的产物，是抽象数学成果应用的例证，它极大地扩展了数学的应用范围与能力，在推动科学技术进展方面发挥着越来越重要的作用。英国数学家图灵（1912—1954年）不仅提出了理想计算机的概念，而且参与了实际的计算机设计。他参与研制的专用电子计算机因在第二次世界大战中被用于破译德军密码而立下战功。

四边形GK，所以：GE比EL等于GK比KL，且HE比EM等于QE比KM。所以：平行四边形AG比GK等于GK比KL，且等于QE比KM（命题VI.1）。

又，AG比GK等于立体AB比立体EO。GK比KL等于立体OE比立体QL。QE比KM等于立体QL比立体KP，所以：立体AB比EO等于EO比QL，且等于QL比KP（命题XI.32）。

又，如果四个量成连比例，那么，第一与第四量的比等于第一与第二量的比的三次比，所以：立体AB比KP等于AB比EO的三次比（定义V.10）。

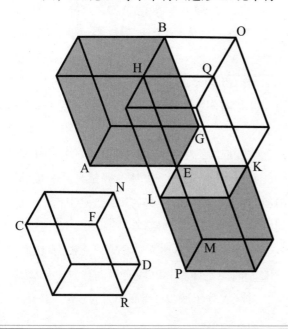

又，AB比EO等于平行四边形AG比GK，且等于线段AE比EK，于是：立体AB比KP也等于AE比EK的三次比（命题VI.1）。

又，立体KP等于立体CD，线段EK等于线段CF，所以：立体AB比立体CD也等于它们的对应边AE比CF的三次比。

所以：相似平行六面体的比等于它们的对应边的三次比。

证完

推 论

如果四条线成连比，那么，第一比第四线段等于第一线段上的平行六面体比与之相似的第二线段上的平行六面体，因为第一比第四线段等于第一比第二线段的三次比。

命题XI.34

在相等的平行六面体中，底与高成逆比例；相反，底与高成逆比例的平行六面体彼此相等。

设：AB、CD为两个平行六面体。

那么我说：平行六面体AB、CD的底和高成逆比例，即底EH比底NQ等于立体CD之高比立体AB之高。

首先，令侧棱AG、EF、LB、HK、CM、NO、PD、QR与底成直角。

那么我说：底EH比底NQ等于CM比AG。

如果底EH等于底NQ，且立体AB等于立体CD，那么，CM等于AG，因为等高的两个平行六面体之比等于两底之比，且底EH比NQ等于CM比AG，这表明，在平行六面体AB、CD中，它们的底与高成逆比（命题

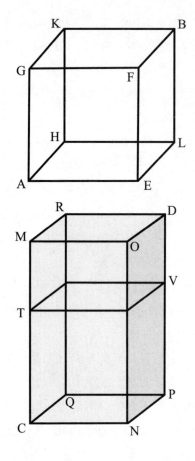

XI.32）。

再，令底EH不等于底NQ，且EH较大。

现在，立体AB等于立体CD，于是：CM也大于AG。

作CT等于AG，以NQ为底（命题I.3、I.31）。在其上作补形平行六面体VC，其高为CT。

现在，因为立体AB等于立体CD，而CV是与它们不同的另一立体，等量与同一量的比也相等，所以：立体AB比立体CV等于立体CD比立体CV（命题V.7）。

又，立体AB比立体CV等于底EH比底NQ，因为立体AB和CV有等高。且立体CD比立体CV等于底MQ比底TQ，且等于CM比

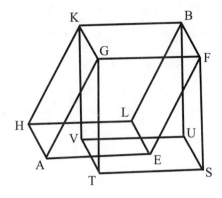

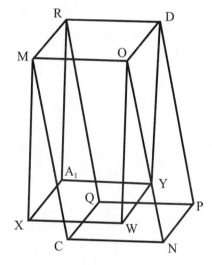

高成逆比，即底EH比底NQ等于立体CD的高比立体AB之高。

　　那么我说：立体AB等于立体CD。

　　再设：侧棱与底面成直角。

　　现在，如果底EH等于底NQ，且底EH比底NQ等于立体CD之高比立体AB之高。于是：CD之高也等于AB之高。

　　又，等底等高的平行六面体相等，所以：立体AB等于立体CD（命题XI.31）。

　　再，令底EH不等于底NQ，EH较大。

　　于是：立体CD之高也大于立体AB之高，即CM大于AG。

　　又，作CT等于AG，建补形平行六面体

CT，所以：底EH比底NQ等于MC比CT（命题XI.32、XI.25、VI.1）。

　　而CT等于AG，所以：底EH比底NQ等于MC比AG。

　　所以：在平行六面体AB、CD中，底与高成逆比例。

　　又，在平行六面体AB、CD中，设底与

《阿卡凯博士的抨击》卷首

　　1750年，瑞士数学家约翰·萨穆埃尔·柯尼希与普鲁士科学院院长莫佩蒂之间爆发了关于变分法的最小作用量原理的归属权的激烈争论。虽然1746年莫佩蒂发表了论述最小作用量原理的论文，但柯尼希坚持认为莱布尼茨已于1707年谈及最小作用量原理。接着，伏尔泰介入争论，并于1752年在其著作《阿卡凯博士的抨击》中攻击莫佩蒂，后者就此停止辩论。

托里拆利

埃万杰利斯坦·托里拆利（1608—1647年），意大利物理学家、数学家，在数学和物理学等许多方面都颇有建树。他最有成效的工作是对空气压强的研究，并因此发明了使他著称于世的气压计。1644年，托里拆利发表了有关几何学和物理学方面的著作，论证了空气具有重量，并对重量和压力等物理概念进行过深刻阐述。他从实际上解决了空气是否有重量和真空是否可能存在的两个重大课题。

CV（命题I.3、I.31）。

因为：底EH比底NQ等于MC比AG，又AG等于CT，所以：底EH比底NQ等于CM比CT。

又，底EH比底NQ等于立体AB比立体CV，因为，立体AB、CV等高，且CM比CT等于底MQ比底QT，且还等于立体CD比立体CV（命题XI.32、VI.1、XI.25）。

所以：立体AB比立体CV等于立体CD比立体CV。

所以：立体AB、CD与CV有相等比值。

所以：立体AB等于立体CD（命题V.9）。

现在，令侧棱FE、BL、GA、HK、ON、DP、MC、RQ与它们的底不成直角。过F、G、B、K、O、M、D、R点作垂线，使与过EH、NQ的平面成直角，并交平面于S、T、U、V、W、X、Y、A_1，建补形立体FV和QA_1（命题X.11）。

那么我说：在这种情况下，如果立体AB、CD相等，那么：底与高成逆比，即底EH比底NQ等于立体CD之高比立体AB之高。

因为：立体AB等于立体CD，AB等于BT，因为它们在同底FK上且有等高，且立体CD等于DX，因为它们也有同底RO且有等高，所以：立体BT也等于立体DX（命题XI.29、XI.30）。

所以：底FK比底OR等于立体DX之高比立体BT之高。而底FK等于底EH，又底OR等于底NQ，所以：底EH比底NQ等于立体DX比立体BT之高（同上）。

又，立体DX、BT与立体DC、BA分别等高，所以：底EH比底NQ等于立体DC之高比立体AB之高。

所以：在平行六面体AB、CD中，底与高成逆比例。

再，在平行六面体AB、CD中，底与高成逆比，即底EH比底NQ等于立体CD之高比立体AB之高。

那么我说：立体AB等于立体CD。

在这同一结构中，因为：底EH比底NQ等于立体CD之高比立体AB之高，又，底EH等于底FK，且NQ等于OR，所以：底FK比底

OR等于立体CD之高比立体AB之高。

而立体AB、CD与立体BT、DX分别有等高，所以：底FK比底OR等于立体DX之高比立体BT之高。

所以：平行六面体BT和DX中，底与高成逆比，所以：立体BT等于立体DX（同上）。

又：BT等于BA，因为它们有同底FK且有等高，且立体DX等于立体DC。所以：立体AB也等于立体CD（命题XI.29、XI.30）。

所以：在相等的平行六面体中，底与高成逆比例；相反，底与高成逆比例的平行六面体彼此相等。

证完

命题XI.35

如果有两个相等的平面角，过其顶点分别在平面外建直线，与原直线分别成等角，在所建二直线上任取一点，从该点向原来角所在的平面作垂线，其垂线与平面的交点和角顶点的连线与面外直线相交成等角。

设：角BAC、EDF是两个相等的直线角，从点A、D作面外AG、DM，使它们和原直线所成的角分别相等，即角MDE等于角

GAB，角MDF等于角GAC。

在AG、DM上任意取点G、M，从点G、M分别作GL、MN，使之分别垂直于过AB、AC的平面，以及过ED、DF的平面，且和两平面各交于L、N。连接LA、ND（命题XI.11）。

那么我说：角GAL等于角MDN。

作AH等于DM，再过点H作直线HK，使之平行于GL（命题I.3、I.31）。

因为：GL垂直于过BA、AC的平面，所以：HK也垂直于过BA、AC的平面（命题XI.8）。

过点K、N作KC、NF、KB、NE，使它们垂直于直线AC、DF、AB、DE，连接HC、CB、MF、FE（命题I.12）。

因为：HA上的正方形等于HK、KA上的正方形之和，而KC、CA上的正方形之和等于KA上的正方形，所以：HA上的正方形等于HK、KC、CA上的正方形之和（命题I.47）。

又，HC上的正方形等于HK、KC上的正方形之和，所以：HA上的正方形等于HC、

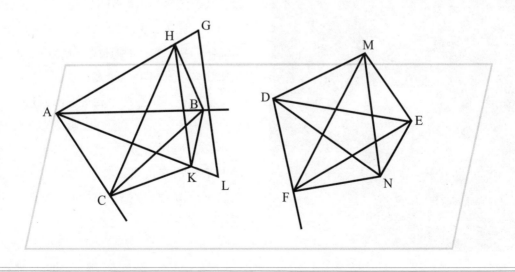

CA上的正方形之和，所以：角HCA是直角。

同理，角DFM也是直角（命题I.47、I.48）。

所以：角ACH等于角DFM，而角HAC等于角MDF。

所以：MDF、HAC是有两个角和一条夹边对应相等的两个三角形，即等角所对的边HA等于MD，所以：它们的余边也对应相等，所以：AC也等于DF（命题I.26）。

同理，我们也可以证明AB等于DE。

因为：AC等于DF，AB等于DE，两边CA、AB等于两边FD、DE。且角CAB也等于角FDE；所以：底BC等于底EF，两个三角形全等，余角等于余角，所以：角ACB等于角DFE（命题I.4）。

又，直角ACK等于直角DFN，所以：余角BCK等于余角EFN。同理，角CBK也等于角FEN。

所以：BCK、EFN是有两角及其夹边对应相等的两个三角形，即BC等于EF，所以：余边也相等，所以：CK等于FN（命题I.26）。

又AC也等于DF，所以：两边AC、CK于两边DF、FN，它们的夹角皆是直角，所以：底AK等于底DN（命题I.4）。

又，因为：AH等于DM，所以：AH上的正方形等于DM上的正方形。

而AK、KH上的正方形之和等于AH上的正方形，因为：角AKH是直角，又，DN、NM上的正方形之和等于DM上的正方形，因为：角DNM是直角，所以：AK、KH上的正方形之和等于DN、NM上的正方形之和。其中，AK上的正方形等于DN上的正方形，所以：KH上的余量等于NM上的正方形，所以：HK等于MN（命题I.47）。

又，因为，两个边HA、AK分别等于两边MD、DN，又，底HK等于底MN，所以：角HAK等于角MDN（命题I.8）。

所以：如果有两个相等的平面角，过其顶点分别在平面外建直线，与原直线分别成等角，在所建二直线上任取一点，从该点向原来角所在的平面作垂线，其垂线与平面的交点和角顶点的连线与面外直线相交成等角。

证完

把握无穷

一直以来，数学家和哲学家对无穷这一概念纠缠不清。希腊人一次又一次表现出对无穷及无穷小数的恐惧。19世纪，无穷级数使用的增加及对其正确性的疑虑促使德国数学家奥尔格·康托尔最终建立了集合论基础。康托尔的研究基于任何可以与自然数集合的某一个子集存在着对应关系的集合都是可数的。他认为可数的集合本身是可数无穷的，并且任何与其对应的无穷集合也是可数无穷的。图中的反射球，中心萌发出半径为其一半的小球，小球又生出更小的球，如此持续下去。这一图形的表面积趋向无穷，而体积保持有界且有限。

推 论

这一命题也同时表明，如果两个相等的平面角，从角顶作与之不在同一平面的相等线段，且此线段与原角两边夹角分别相等，那么，从面外线段端点向角所在的平面所作的垂线相等。

命题XI.36

如果三条线段成比例，那么以这三条线段构成的平行六面体，等于在中项上作的等边且与前面作成的立体等角的平行六面体。

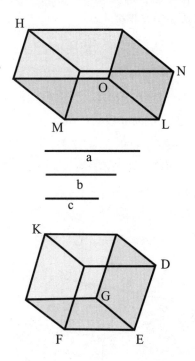

设：a、b、c三条线段成比例，于是a比b等于b比c。

那么我说：a、b、c构成的立体等于在b上作出的等边且与立体等角的立体。

令：在点E的立体角由DEG、GEF、FED构成，线段DE、GE、EF等于b。建平行六面体EK。再作LM等于a。在直线LM上的

L点建立体角等于E点的立体角，即由NLO、OLM和MLN构成的角。再作LO等于b，LN等于c（命题I.3）。

那么，因为：a比b等于b比c，同时a等于LM，b等于线段LO、ED，且c等于LN，所以：LM比EF等于DE比LN。于是：夹两等角NLM、DEF的边成逆比，所以：平行四边形MN等于平行四边形DF（命题VI.4）。

又，因为：角DEF、NLM是两个平面直线角，且平面之外的两条线段LO、EG彼此相等，它们与原平面角两边的夹角相等，所以：从G、O点向经过NL、LM和DE、EF的平面所作的垂线彼此相等，所以：立体LH和EK等高（命题XI.35、推论）。

又，等底等高的平行六面体彼此相等，所以：立体HL等于立体EK（命题XI.31）。

又，LH是由a、b、c构成的立体，而EK是b上的立体，所以：由a、b、c构成的平行六面体等于以b为边且与原立体等角的立体。

所以：如果三条线段成比例，那么以这三条线段构成的平行六面体，等于在中项上作的等边且与前面作成的立体等角的平行六面体。

证完

命题XI.37

如果四条线段成比例，那么，它们上的相似且位置相似的平行六面体也成比例；如果相似且位置相似的平行六面体成比例，那么，构成它们的四线段成比例。

设：AB、CD、EF、GH四条线成比例，即AB比CD等于EF比GH；在AB、CD、EF、GH上作相似且位置相似的平行六面体KA、

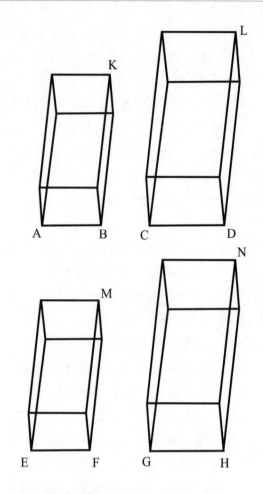

LC、ME、NG。

那么我说：KA比LC等于ME比NG。

因为：平行六面体KA与LC相似，所以：KA比LC等于AB与CD的三次比。

同理，ME比NG是EF与GH的三次比（命题XI.33）。

又，AB比CD等于EF比GH。

所以：AK比LC等于ME比NG。

又，立体ME比立体NG等于立体AK比立体LC。

那么我说：线段AB比CD等于EF比GH。

又，因为，KA比LC是AB与CD的三次比，ME比NG是EF与GH的三次比，又，KA

比LC等于ME比NG，所以：AB比CD等于EF比GH（命题XI.33）。

所以：如果四条线段成比例，那么，它们上的相似且位置相似的平行六面体也成比例；如果相似且位置相似的平行六面体成比例，那么，构成它们的四线段成比例。

证完

命题XI.38

如果一个立方体的相对面的边被平分，过分点作平面，那么这些平面的交线与立方体的对角线相互平分。

设：立体AF的相对面的平面CF、AH被点K、L、M、N、O、Q、P、R所平分，过这些点建平面KN、OR，US为两面的交线，DG是立体AF的对角线。

那么我说：UT等于TS，DT等于TG。

连接DU、UE、BS、SG。

那么：DO平行于PE，所以：内错角DOU、UPE彼此相等（命题I.29）。

因为：DO等于PE，OU等于UP，且两

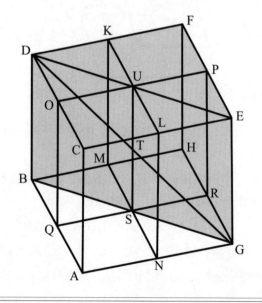

边所夹的角相等，所以：底DU等于底UE，三角形DOU全等于三角形PUE，余角等于余角，所以：角OUD等于角PUE（命题I.4）。所以：DUE是直线。

同理，BSG也是直线，BS等于SG（命题I.14）。

因为：CA等于并平行于DB，同时CA也等于并平行于EG，所以：DB等于并平行于EG（命题XI.9）。

又，连接它们的端点的是线段DE、BG，所以：DE平行于BG（命题I.33）。

所以：角EDT等于角BGT，因为它们是内错角，又角DTU等于角GTS（命题I.29、I.15）。且有对应边相等。

所以：三角形DTU、GTS是两角相等并夹边相等的三角形，即DU等于GS，因为它们分别是DE、BG的一半；所以：余边等于余边，所以：DT等于TG，UT等于TS（命题I.26）。

所以：如果一个立方体的相对面的边被平分，过分点作平面，那么这些平面的交线与立方体的对角线相互平分。

命题XI.39

如果有两个等高的棱柱，分别以平行四边形和三角形为底，且如果平行四边形是三角形的两倍，那么，两棱柱相等。

设：ABCDEF和GHKLMN是两个等高棱柱，其中一个以平行四边形AF为底，另一个以三角形GHK为底，且平行四边形AF是三角形GHK的两倍。

那么我说：棱柱ABCDEF等于棱柱GHKLMN。

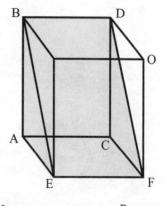

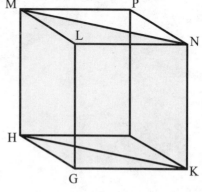

建立体AO和GP。

因为：平行四边形AF是三角形GHK的两倍，平行四边形HK也是三角形GHK的两倍，所以：平行四边形AF等于平行四边形HK（命题I.34）。

而，等高等底的平行六面体彼此相等，所以：立体AO等于立体GP（命题XI.31）。

又，棱柱ABCDEF是立体AO的一半，且棱柱GHKLMN是立体GP的一半，所以：棱柱ABCDEF等于棱柱GHKLMN（命题XI.28）。

所以：如果有两个等高的棱柱，分别以平行四边形和三角形为底，且如果平行四边形是三角形的两倍，那么，两棱柱相等。

证完

第十二卷　立体的测量

　　公元6世纪，印度数学家阿耶波多出版了《阿耶波提亚》一书。这本书由33首诗组成。第一首是祝福词，接着是平方、立方、平方根的计算规则。其中有17首与几何学有关，11首诗与算术和代数有关。他在第10首诗里阐述了圆周率的值：$\pi = 62832/20000 = 3.1416$。这是他之后1000年内最精确的数字。

　　本卷继续论述立体几何。重点在立体的测量。

不可能的世界
　　埃舍尔常常在自己的作品中运用射影几何及平面几何的结构，这是对非欧几里得几何学精髓的集中反映。

本卷提要

※命题XII.2，圆的面与它们直径上的正方形成比例。

※命题XII.6、XII.7，一个三角形棱柱可以分成三个等量的棱锥，等底等高的棱锥是棱柱的三分之一。

※命题XII.10，一个圆锥是等底等高圆柱的三分之一。

※命题XII.11，圆柱与圆锥与它们的高成比例。

※命题XII.18，球的量。

命题XII.1

圆内接相似多边形之比等于该圆直径上的正方形之比。

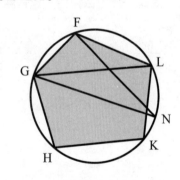

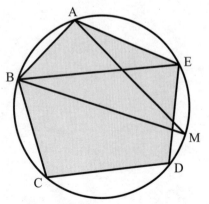

设：ABC、FGH是两个圆，ABCDE 和FGHKL是内接于圆的相似多边形。BM、GN分别为圆的直径。

那么我说：BM上的正方形比GN上的正方形等于多边形ABCDE比FGHKL。

连接BE、AM、GL和FN。

那么因为：多边形ABCDE相似于多边形FGHKL，所以：角BAE等于角GFL，且BA比AE等于GF比FL（定义VI.1）。

于是：三角形BAE、GFL有一个角相等，即角BAE等于角GFL，它们的夹边成比例，所以：三角形ABE与三角形FGL是等角三角形。所以：角AEB等于角FLG（命题VI.6）。

又，角AEB等于角AMB，因为：它们在同一圆周上，且角FLG等于角FNG，所以角AMB等于角FNG。但直角BAM也等于直角GFN，所以：其余的角也相等。

所以：三角形ABM与三角形FGN是等角三角形（命题III.31、I.32）。

所以：它们成比例，BM比GN等于BA比GF（命题VI.4）。

又，BM上的正方形比GN上的正方形是BM与GN的二次比，且多边形ABCDE比FGHKL是BA与GF的二次比（命题VI.20）。

所以：BM上的正方形比GN上的正方形等于多边形ABCDE比多边形FGHKL。

所以：圆内接相似多边形之比等于该圆直径上的正方形之比。

证完

注 解

命题VI.20陈述相似多边形的比是它们对应边的平方比，所以，需要找出对应边与外接圆的直径的比。

这一命题是为下一个命题做的准备，在下一个命题中，证明圆与它们直径为边的正方形之比。其联系是圆可以被认为是多边形的无限靠近，所以如果多边形与正方形成比例，那么圆也与正方形成比例。这一命题的严格性受到质疑。

命题XII.2

圆与圆之比等于直径上的正方形之比。

设：ABCD、EFGH是圆，BD、FH为它们的直径。

那么我说：圆ABCD比EFGH等于BD上的正方形比FH上的正方形。

因为：如果BD上的正方形比FH上的正方形不等于圆ABCD比EFGH，那么，BD上的正方形比FH上的正方形等于圆ABCD比小于圆EFGH的面积或者大于圆EFGH的面积。

首先，令成比例的面积S小于圆EFGH。

令：正方形EFGH内接于圆EFGH，那么，内接正方形大于圆EFGH的一半，因为，如果过点E、F、G、H作圆的切线，那么，正方形EFGH等于圆外切正方形的一半，而圆小于外切正方形，于是：正方形EFGH大于圆EFGH的一半（命题IV.6、III.17）。

过点K、L、M、N二等分圆弧EF、FG、GH、HE。连接EK、KF、FL、LG、GM、MH、HN、NE。

莫佩蒂北极考察成功

17世纪，特别是1730年前，欧洲大陆的学术界被勒内·笛卡儿的物理学支配。笛卡儿断言：地球在赤道地带平坦。但牛顿的物理学却认为：地球在两极处平坦。1736至1737年，法国科学院派出两支考察队，一支到瑞典境内的北极圈，另一支到赤道地带，通过大地测量以确定孰是孰非。莫佩蒂带领的北极考察队在拉普兰地区的大地测量得以探明地球在两极处平坦，这印证了牛顿观点的正确。图为莫佩蒂穿戴着北方服饰，以祝贺北极考察的成功。

于是：三角形EKF、FLG、GMH、HNE的每一个也大于三角形所在的弓形的一半，因为：如果过点K、L、M、N向圆作切线，在线段EF、FG、GH、HE上作平行四边形，那么，三角形EKF、FLG、GMH、HNE的每一个皆是所在平行四边形的一半，同时，包含它的弓形小于它所在的平行四边形，于是：三角形EKF、FLG、GMH、HNE皆大于它们所在弓形的一半（命题III.17）。

于是：平分其余的圆弧，连接弦线，从分点作弦，这样重复作下去，我们将得到一

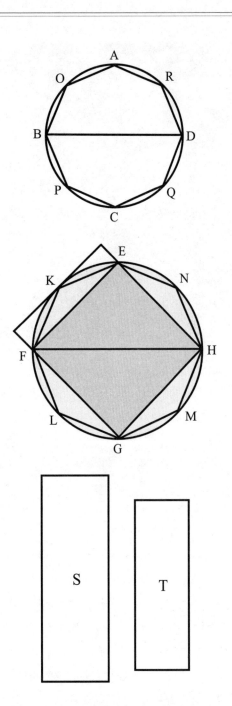

令：圆EFGH的EK、KF、FL、LG、GM、MH、HN、NE上的弓形之和小于圆与面积S的差。

所以余下的多边形EKFLGMHN大于面积S。

令：内接于圆ABCD的多边形AOBPCQDR，相似于多边形EKFLGMHN；

所以BD上的正方形比FH上的正方形，等于多边形AOBPCQDR比多边形EKFLGMHN（命题XII.1）。

但是，BD上的正方形比FH上的正方形如同圆ABCD比面积S；所以，圆ABCD比面积S如同多边形AOBPCQDR比多边形EKFLGMHN（命题V.11）。

所以由更比，圆ABCD比内接多边形如同面积S比多边形EKFLGMHN（命题V.16）。

但是圆ABCD大于内接于它的多边形，所以面积S大于多边形EKFLGMHN。

但是它也小于多边形EKFLGMHN，这是不可能的。

所以，BD上的正方形比FH上的正方形不同于圆ABCD比圆EFGH小的面积；类似地，我们也可以证明EFGH比一个小于圆ABCD的面积，不同于FH上的正方形比BD上的正方形。

其次，可证得圆ABCD比一个大于圆EFGH的面积，也不同于BD上的正方形与FH上的正方形。

假设可能，令成比例的较大的面积是S。

所以，由逆比，FH上的正方形比DB上的正方形，等于面积S比圆ABCD。

但是，面积S比圆ABCD等于圆EFGH比

个弓形的和小于圆EFGH超过面积S的部分。

因为：在第十卷第一定理中已经证明，如果两个不相等量，每次从大量中减去大于一半的量，若干次后，所余的量必小于较小的量（命题X.1）。

小于圆ABCD的一个面积。

所以，FH上的正方形比BD上的正方形等于圆EFGH比小于圆ABCD的某个面积。已经证明了这是不可能的。

所以，BD上的正方形比FH上的正方形不同于圆ABCD比大于圆EFGH的某个面积。又已经证明了：成比例的小于圆EFGH的面积是不存在的，所以，BD上的正方形比FH上的正方形等于圆ABCD比圆EFGH。

所以，圆与圆之比等于直径为边的正方形之比。

证完

注 解

在上一命题中，圆的内接相似多边形与圆的直径上的正方形成比例。根据相似原则，其圆也成比例。

引 理

若面积S大于圆EFGH，那么，可得面积S比圆ABCD同于圆EFGH比小于圆ABCD的某个面积。

设：面积S比圆ABCD同于圆EFGH比面积T。

那么我说，面积T小于圆ABCD。

因为，面积S比圆ABCD同于圆EFGH比面积T，所以由更比，面积S比圆EFGH等于圆ABCD比面积T。

但是，面积S大于圆EFGH，所以圆ABCD大于面积T。

因此，面积S比圆ABCD同于圆EFGH比小于圆ABCD的某个面积。

命题XII.3

任何以三角形为底的棱锥皆可分为两个相等，并与原棱锥相似又以三角形为底的三棱锥；并可分为两个相等的棱柱，两棱柱之和大于原棱锥的一半。

设：棱锥的底为三角形ABC，D为其顶点。

那么我说：棱锥ABCD可分为两个相等且相似的棱锥，它以三角形为底，且与原棱锥相似；且可分为两个相等的棱柱，两棱柱之和大于原棱锥的一半。

闵可夫斯基的论文

拉格朗日对力学研究的特色在于，他把时间表示成与三个空间维相当的另一个维度，这使得物理学家和数学家变得习惯于四维世界。1909年，赫尔曼·闵可夫斯基认为：动力学就是四维世界的几何学，恰如静力学是人们原有的三维世界里的几何学一般。事实上，这是一条纯几何的变分原理，它确定了闵可夫斯基四维空间的造型。

RAUM UND ZEIT

VORTRAG, GEHALTEN AUF DER 80. NATUR-
FORSCHER-VERSAMMLUNG ZU KÖLN
AM 21. SEPTEMBER 1908

VON

HERMANN MINKOWSKI

MIT DEM BILDNIS HERMANN MINKOWSKIS
SOWIE EINEM VORWORT VON A. GUTZMER

LEIPZIG UND BERLIN
DRUCK UND VERLAG VON B. G. TEUBNER
1909

在点E、F、G、H、K、L上平分AB、BC、CA、AD、DB、DC，连接HE、EG、GH、HK、KL、LH、KF、FG。

因为：AE等于EB，而AH等于DH，所以：EH平行于DB。同理，HK也平行于AB。所以：HEBK是一个平行四边形。所以：HK等于EB（命题Ⅵ.2、Ⅰ.34）。

但是，EB等于EA，所以：AE也等于HK。

又，AH也等于HD，所以：两边EA、

四元朱利娅集合

普通几何学研究的对象一般都是具有整数的准数。比如零维的点、一维的线、二维的面、三维的立体乃至四维的时空，但近十几年来，产生了新兴的分形几何学，空间具有不一定是整数的维，而存在一个分数维数。具体地说，就是客观自然界中许多事物，具有自相似的"层次"结构，具有无穷层次适当的放大或缩小几何尺寸，整个结构并不改变复杂的物理现象。电子计算机图形显示协助人们推开分形几何的大门，这座具有无穷层次结构的宏伟建筑每一角落里都存在无限嵌套的回廊，促使数学家们深入研究。图中的四元朱利娅集合是一个四维分形的三维切片，它具有自相似的层次结构，适当放大或缩小几何尺寸，整个结构不变。

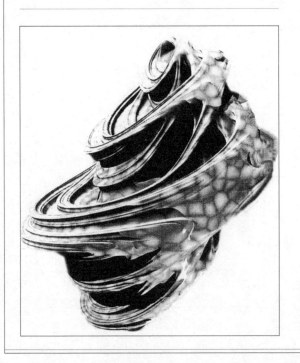

AH分别等于两边KH、HD，角EAH等于角KHD，所以：底EH等于底KD（命题Ⅰ.4）。

所以：三角形AEH相似并等于三角形HKD。同理，三角形AHG也相似并等于三角形HLD。

现在，因为：两线段EH、HG相交，并平行于两相交线段KD、DL。并不在一个平面内，所以：它们所夹的角相等，所以角EHG等于角KDL（命题Ⅺ.10）。

又，因为：两条线EH、HG分别等于KD、DL，且角EHG等于角KDL，所以：底EG等于底KL。所以：三角形EHG相似并等于三角形KDL。同理，三角形AEG也相似并等于三角形HKL（命题Ⅰ.4）。

所以：以三角形AEG为底且H为顶点的棱锥相似并等于以三角形HKL为底且以D为顶点的棱锥（定义Ⅺ.10）。

又，因为，HK平行于三角形ADB的一边AB，于是三角形ADB与三角形DHK是等角三角形，所以：它们的边成比例，所以：三角形ADB相似于三角形DHK。同理，三角形DBC也相似于三角形DKL，三角形ADC也相似于三角形DLH（命题Ⅰ.29、定义Ⅵ.1）。

现在，因为：直线BA、AC彼此相交并分别平行于不在同一平面的相交线段KH和HL，于是：它们所夹的角相等。所以：角BAC等于角KHL（命题Ⅺ.10）。

又，BA比AC等于KH比HL，所以：三角形ABC相似于三角形HKL。

所以：以三角形ABC为底且以D为顶点的棱锥，相似并等于以三角形HKL为底且以D为顶点的三角形。所以：棱锥AEGH和HKLD相似于原棱锥ABCD。

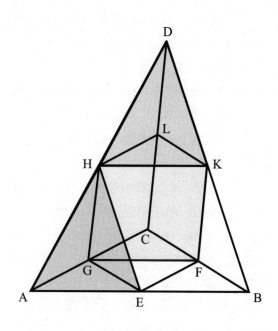

又，因为，BF等于FC，所以：平行四边形EBFG是三角形GFC的两倍。又因为，如果两个等高的棱柱，它们分别以平行四边形和三角形为底，且平行四边形是三角形的两倍，那么，两棱柱相等。所以：包含两个三角形BKF、EHG及三个平行四边形EBFG、EBKH、HKFG所围成的棱柱，等于包含两个三角形GFC、HKL及三个平行四边形KFCL、LCGH、HKFG的棱柱（命题XI.39）。

又，很明显，每个棱柱，即以平行四边形EBFG为底且以线段HK作为对棱的棱柱，与以三角形GFC为底且以三角形HKL为对面的棱柱，大于以三角形AEG、HKL为底且以H、D为顶点的棱柱。

因为，如果我们连接线段EF、EK，以平行四边形EBFG为底、以线段HK作为对棱的棱柱，大于以EBF为底以K为顶点的棱锥。

又，以三角形EBF为底、以K为顶点的棱锥等于以三角形AEG为底、以H为顶点的棱锥，因为：它们由相似且相等的平面构成。

于是：以平行四边形EBFG为底、以线段HK作为对棱的棱柱，大于以三角形AEG为底、以H为顶点的棱锥。而以平行四边形EBFG为底，以线段HK为对棱的棱柱等于以三角形GFC为底，且以三角形HKL为对面的棱柱，又，以三角形AEG为底以H为顶点的棱锥等于以三角形HKL为底、以D为顶点的棱锥。

所以：两个棱柱之和大于分别以三角形AEG、HKL为底，以H和D为顶点的棱锥之和。所以：以三角形ABC为底、以D为顶点的原棱锥被分为了两个彼此相等的棱锥和两个相等的棱柱，且分为了两个棱柱的和大于原棱锥的一半。

所以：任何以三角形为底的棱锥皆可分为两个相等，并与原棱锥相似又以三角形为底的三棱锥；并可分为两个相等的棱柱，两棱柱之和大于原棱锥的一半。

证完

注 解

这一命题及接下来的六个命题处理的是棱锥的量。前两个命题依赖于命题XII.5（棱锥之比等于它们的底之比）。在上一卷里，命题XI.32说等高的平行六面体之比等于它们的底之比，命题XI.28说，三棱柱是平行六面体的一半，这两个命题暗示了本命题可以转移到以三角形为底的棱柱上来，在命题XII.3到命题XII.5已经被证明。

命题XII.4

如果有两个以三角形为底且等高的棱锥，分别被分成两个相似于原棱锥的两个相等棱锥，和两个相等的棱柱，那么，其中一个棱锥的底比另一个棱锥的底，等于一个棱锥中的所有棱柱之和比另一个棱柱内同样个数的棱柱之和。

设：有以三角形ABC、DEF为底且等高的棱锥，G和H分别为顶点；且它们皆分为两个相等并与原棱锥相似的棱锥和两个相等的棱柱（命题XII.3）。

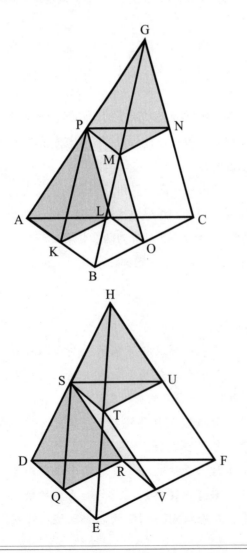

那么我说：底ABC比底DEF等于棱锥ABCG中的棱柱之和比在棱锥DEFH中的同等个数的棱柱之和。

因为：BO等于OC，AL等于LC，所以：LO平行于AB，三角形ABC相似于三角形LOC。同理，三角形DEF也相似于三角形RVF。

又，因为：BC是CO的两倍，且EF是FV的两倍，所以：BC比CO等于EF比FV。

又，在BC、CO上作两个相似且位置相似的直线图形ABC、LOC；再在EF、FV上作两个相似且位置相似的直线图形DEF、RVF；于是：三角形ABC比三角形LOC等于三角形DEF比三角形RVF（命题VI.22）。

于是，由更比可得，三角形ABC比三角形DEF等于三角形LOC比三角形RVF。而三角形LOC比三角形RVF等于以三角形LOC为底且以三角形PMN为对面的棱柱比以三角形RVF为底、以STU为对面的棱柱（命题V.16引理）。

所以：三角形ABC比三角形DEF等于以LOC为底、以PMN为对面的棱柱比以三角形RVF为底、以STU为对面的棱柱。

又，两个棱柱之比，等于以平行四边形KBOL为底、以线段PM为对棱的棱柱比以平行四边形QEVR为底、以线段ST为对棱的棱柱（命题XI.39）。

所以：两个棱柱之比，再以平行四边形KBOL为底、以PM为对面的棱柱，及以三角形LOC为底且以PMN为对面的棱柱之和，与以QEVR为底且以线段ST为对棱的棱柱及以三角形RVF为底、以STU为对面的棱柱之和的比相等（命题V.12）。

所以：底ABC比底DEF等于两个棱柱之和比两个棱柱之和。

又，类似地，如果棱锥PMNG和STUH被分为两个棱柱和两个棱锥，那么，底PMN比底STU等于在棱锥PMNG中的两个棱柱之和比在棱锥STUH内的两个棱柱之和。

又，底PMN比底STU等于底ABC比底DEF，因为：三角形PMN和STU分别等于三角形LOC、RVF。

所以：底ABC比底DEF等于四个棱柱比四个棱柱。又，同理，如果我们分余下的棱锥成两个棱锥和两个棱柱，那么，底ABC比底DEF等于在棱锥ABCG中的棱柱之和比在棱锥DEFH中的相等个数的棱柱之和。

所以：如果有两个以三角形为底且等高的棱锥，分别被分成两个相似于原棱锥的两个相等棱锥，和两个相等的棱柱，那么，其中一个棱锥的底比另一个棱锥的底，等于一个棱锥中的所有棱柱之和比另一个棱柱内同样个数的棱柱之和。

证完

克莱因

1886年，克莱因（1849—1925年）来到哥廷根大学。克莱因巨大的科学威望，加上他非凡的科学组织能力，以及他与希尔伯特的携手合作，使这所曾诞生过高斯、黎曼等伟大数学家的大学终于成为名副其实的国际数学中心。1893年，克莱因在芝加哥国际数学与天文学代表大会的开幕词中号召："全世界数学家，联合起来！"这成为翌年在瑞士苏黎世召开的第一届国际数学家大会和后来成立的"国际数学联盟"的先声。

引理

三角形LOC比三角形RVF等于以三角形LOC为底、以PMN为对面的棱柱比以三角形RVF为底、以STU为对面的棱柱。

证明如下：

在上图中，从G、H点分别向平面ABC、DEF作垂线。这即是说，它们是相等的，因为根据假设，两棱锥是等高的（命题XI.11）。

那么，因为：两条线段GC和从G点所作的线段被平行平面ABC、PMN所截，所以：它们的截线有相等的比（命题XI.17）。

又，GC被平面PMN在N点所平分，所以：从G点向平面ABC所作的垂线也被平面所平分。同理，从H向平面DEF所作的垂线段也被平面STU所平分。

又，从G、H点向平面ABC、DEF所作的垂线相等，所以：从三角形PMN、STU向平面ABC、DEF所作的垂线也相等。

所以：以三角形LOC、RVF为底，以PMN、STU为对面的棱柱是等高的。

于是：由上述两棱柱构成的等高的两个平行六面体之比等于它们的底边之比。所以：它们的一半，即两棱柱的相互比等于底LOC比底RVF（命题XI.32、XI.28）。

证完

注 解

这一命题从属于下一命题XII.5，在下一个命题中，以三角形为底且等高的棱锥与它们的底成比例。

康托尔

康托尔（1845—1918年），德国数学家、集合论的创始者。受魏尔斯特拉斯的影响，他对严格的数学分析理论很有兴趣。他在1872年以柯西序列定义无理数的实数理论，并初步提出以高阶导出集的性质作为对无穷集合的分类准则。1873年，康托尔用一一对应关系作为对无穷集合分类的准则。他巧妙地将一条直线上的点与一个平面甚至几维空间的点一一对应起来。在研究无穷数与超限数理论时，康托尔引进势、基数、序数等概念并定义了基数之间的运算及序的运算法则，从而对有限数集理论作出了重要贡献。

命题XII.5

以三角形为底且等高的棱锥之比等于两底之比。

设：两个以三角形ABC、DEF为底，以点G、H为顶点且等高的棱锥。

那么我说：底ABC比DEF等于棱锥ABCG比棱锥DEFH。

因为：如果棱锥ABCG比棱锥DEFH不等于底ABC比底DEF，那么：底ABC比底DEF也不等于棱锥ABCG比小于或者大于棱锥DEFH的某个立体。

首先，令其属于第一种情况，其中成比例的是一个较小的立体W。

将棱锥DEFH分为两个相等且相似于原棱锥的棱锥，和两个相等的棱柱。

而两个棱柱大于原棱锥的一半（命题XII.3）。

再，类似地两分所得棱锥，依次继续，直到由棱锥DEFH得到某些小于棱锥DEFH与立体W的差的棱锥（命题X.1）。

令：所得棱锥是DQRS和STUH。那么：其余量，即在棱锥DEFH内剩下的棱柱之和大于立体W。

类似地，依照分棱锥DEFH的次数，再分棱锥ABCG，于是：底ABC比底DEF等于在棱锥ABCG中的棱柱之和比棱锥DEFH中的棱柱之和（命题XII.4）。

又，底ABC比底DEF等于棱锥ABCG比立体W；于是：棱锥ABCG比立体W等于在棱锥ABCG中的棱柱之和比在棱锥DEFH中的棱柱之和。所以：由更比可得，棱锥ABCG比在它中的棱柱之和等于立体W比在棱锥

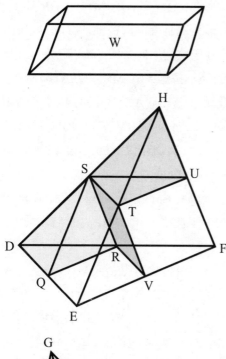

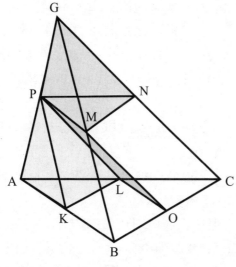

所以：棱柱ABCG比小于棱锥DEFH的任何立体也不等于底ABC比底DEF。

类似地，也可以证明，棱锥DEFH比小于棱锥ABCG的任何立体也不等于底DEF比底ABC。

我进一步说，棱锥ABCG比任何大于棱锥DEFH的立体也不等于底ABC比底DEF。

因为：如果可能，令其比较大的立体W有此比。

于是：由反比可得，底DEF比底ABC等于立体W比棱锥ABCG。

又，以前已经证明，立体W比立体ABCG等于棱锥DEFH比某个小于棱锥ABCG的立体；所以：底DEF比底ABC等于棱锥DEFH比小于棱锥ABCG的某个立体，这已经证明是荒谬的（命题XII.2、引理、V.11）。

所以：棱锥ABCG比任何大于棱锥DEFH的立体不等于底ABC比底DEF。

这点已证明是不合理的。

所以：底ABC比底DEF等于棱锥ABCG比棱锥DEFH。

所以：以三角形为底且等高的棱锥之比等于两底之比。

证完

注 解

下一命题归纳这一命题，棱锥之底可能是任意多边形，不仅仅是三角形。在下一命题中，本命题用来表明棱柱可以被切分为三个相等的棱锥。

DEFH中的棱柱之和（命题V.11、V.16）。

又，棱锥ABCG大于在它中的所有棱柱之和，所以：立体W也大于在棱锥DEFH中的所有棱柱之和。

又，它也小于，这是不可能的。

命题XII.6

以多边形为底且等高的棱锥之比等于两底的比。

设：两个棱锥以多边形ABCDE和FGHKL为底，M、N为顶点且等高。

那么我说：底ABCDE比底FGHKL等于棱锥ABCDEM比棱锥FGHKLN。

连接AC、AD、FH和FK。

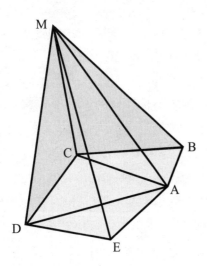

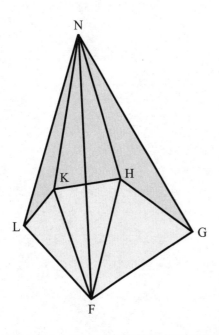

那么，因为：ABCM和ACDM是两个以三角形为底且等高的棱锥，所以：它们的相互比等于它们的底之比。所以：底ABC比ACD等于棱锥ABCM比棱锥ACDM。又，由合比可得，底ABCD比底ACD等于棱锥ABCDM比棱锥ACDM（命题XII.5、V.18）。

又，底ACD比底ADE等于棱锥ACDM比棱锥ADEM（命题XII.5）。

所以：由首末比可得，底ABCD比底ADE等于棱锥ABCDM比棱锥ADEM（命题V.22）。

又，由合比可得，底ABCDE比底ADE等于棱锥ABCDEM比棱锥ADEM。类似地，也可以证明，底FGHKL比底FGH等于棱锥FGHKLN比棱锥FGHN（命题V.18）。

又，因为，ADEM和FGHN是两个以三角形为底且等高的棱锥，所以：底ADE比底FGH等于棱锥ADEM比棱锥FGHN（命题XII.5）。

又，底ADE比底ABCDE等于棱锥ADEM比棱锥ABCDEM。所以：由首末比可得，底ABCDE比底FGH等于棱锥ABCDEM比棱锥FGHN（命题V.22）。

但是，底FGH比底FGHKL等于棱锥FGHN比棱锥FGHKLN。

所以，由首末比得，底ABCDE比底FGHKL等于棱锥ABCDEM比棱锥FGHKLN。

所以：以多边形为底且等高的棱锥之比等于两底的比。

证完

注 解

本命题应用在命题XII.10和XII.11中。

命题XII.7

任何一个以三角形为底的棱柱可以分成三个相等的以三角形为底的棱锥。

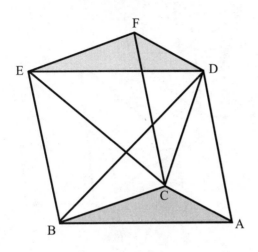

设：以三角形ABC为底的棱柱且DEF为其对面。

那么我说：棱柱ABCDEF可分为三个以三角形为底的彼此相等的棱锥。

连接BD、EC和CD。

因为：ABED是个平行四边形，BD为其对角线，于是：三角形ABD全等于三角形EBD。于是：以三角形ABD为底且C为其顶点的棱锥等于以三角形DEB为底以C为顶点的棱锥（命题I.34、XII.5）。

又，以三角形DEB为底且以C为顶点的棱锥，等于以三角形EBC为底且以D为顶点的棱锥，因为它们由共同的面构成。

所以：以三角形ABD为底且以C为顶点的棱锥也等于以三角形EBC为底且以D为顶点的棱锥。

又，因为，FCBE是平行四边形，CE为其对角线，于是：三角形CEF等于三角形CBE（命题I.34）。

所以：以三角形BCE为底、以D为顶点的棱锥等于以三角形ECF为底、以D为顶点的棱锥（命题XII.5）。

又，以三角形BCE为底、以D为顶点的棱锥也已被证明等于以三角形ABD为底、以C为顶点的棱锥，所以：以三角形CEF为底、以D为顶点的棱锥等于以三角形ABD为底、以C为顶点的棱锥。所以：棱柱ABCDEF被分成三个相互相等的棱锥，且皆以三角形为底。

又因为：以三角形ABD为底、以C为顶点的棱锥等于以三角形CAB为底、以D为顶点的棱锥，因为它们由相等的平面构成，且

对数螺线

这只美丽的鹦鹉螺呈现出对数螺线的迷人形态。自然之造化决不满足于一些简单的图形，它往往包含着错综复杂的数学设计。千姿百态的曲线和曲面与圆锥曲线在尚无解析工具的情况下就为人们所关注。阿基米得深入讨论过螺线，笛卡儿研究过对数螺线。变量数学来临之后，更多的曲线纷至沓来，竞相媲美。在人类创作的艺术作品中，曲线无处不在。

以三角形ABD为底、以C为顶点的棱锥，已经被证明是以三角形ABC为底、DEF为其对面的棱柱的三分之一。所以：以ABC为底、以D为顶点的棱锥等于以相等底ABC为底、以DEF为对面的棱柱的三分之一。

所以：任何一个以三角形为底的棱柱可以分成三个相等的以三角形为底的棱锥。

证完

推 论

这一命题也表明，任何棱锥等于与它同底等高的棱柱的三分之一。

注 解

本命题应用在以下两个命题中。

命题XII.8

以三角形为底的相似棱锥之比是它们对应边的三次比。

设：有以三角形 ABC、DEF 为底，以 G、H 为顶点的两个相似且有相似位置的棱锥。

那么我说：棱锥ABCG比棱锥DEFH等于BC与EF的三次比。

作平行六面体BGML和EHQP。

那么，因为：棱锥ABCG与棱锥DEFH相似，所以：角ABC等于角DEF，角GBC等于角HEF，角ABG等于角DEH；且AB比DE等于BC比EF，又等于BG比EH。

又，因为，AB比DE等于BC比EF，且夹等角的边对应成比例，所以：平行四边形BM相似于平行四边形EQ。同理，BN也相似于ER，BK相似于EO。

所以：三个平行四边形MB、BK、BN

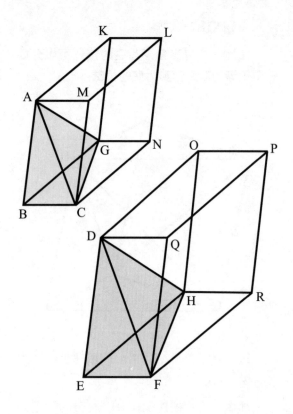

相似于EQ、EO、ER。且三个平行四边形MB、BK、BN相似且相等于它们的对面，EQ、EO、ER也相似且相等于它们的三个对面（命题XI.24）。

所以：立体BGML和EHQP是由同样多的相似面构成的。所以：立体BGML相似于立体EHQP。

又，相似平行六面体之比是它们对应边的三次比，所以：立体BGML比立体EHQP等于它们的对应边BC与EF的三次比（命题XI.33）。

所以：立体BGML比立体EHQP等于棱锥ABCG比棱锥DEFH，棱锥是平行六面体的六分之一，因为，棱柱是平行六面体的一半，且又是棱锥的三倍。所以：棱锥ABCG比棱锥DEFH等于它们的对应边BC与EF的三次比（命题XI.28、XII.7）。

所以：以三角形为底的相似棱锥之比是它们对应边的三次比。

证完

引理

这一命题也表明，以多边形为底的相似棱锥的比，等于它们对应边的三次比。

因为，如果把它们分成以三角形为底的棱锥，把以相似多边形为底的也分为同样个数的彼此相似的三角形，各对应三角形之比等于整体之比。

于是：两棱锥各对应的以三角形为底的棱锥的比，等于两棱锥内以三角形为底的所有棱锥之和的比，即是等于以原多边形为底的棱锥之比。

但是，以三角形为底的棱锥比以三角形为底的棱锥等于它们对应边的三次比；所以也有，以多边形为底的棱锥与相似多边形为底的棱锥的比等于它们对应边的三次比。

注 解

本命题应用在命题XII.12中，表明相似圆锥之比是它们底的直径的三次比，也用在命题XII.17的推论中。

命题XII.9

以三角形为底的相等的棱锥，底与高成逆比例；反之，底与高成逆比例的棱锥是相等棱锥。

设：有以三角形ABC、DEF为底、以G、H为顶点的两个相等的棱锥。

那么我说：在棱锥ABCG和DEFH之中，底与高成逆比例，即底ABC比底DEF等于DEFH之高比棱锥ABCG之高。

作平行六面体BGML和EHQP。

那么，因为：棱锥ABCG等于棱锥DEFH，且立体BGML是棱锥ABCG的六倍，且立体EHQP是棱锥DEFH的六倍，所以：立体BGML等于立体EHQP。

又，在相等平行六面体中，底与高成逆

哥尼斯堡七桥问题

哥尼斯堡是东普鲁士的首都，普莱格尔河横贯其中。河中有一小岛，河上有七座桥，将被河流隔开的三片市区A、C、D和小岛B连接起来。一天，有人提出疑问：能不能每座桥只走一遍，最后又回到原来的位置。1736年，欧拉证明了这样的路线是不可能的。欧拉把两座小岛和河的两岸分别看作四个点，而把七座桥看做是这四个点之间的连线，并且给出了所有能够一笔画出来的图形所应具有的条件。哥尼斯堡七桥问题被看做是拓扑学的先声。

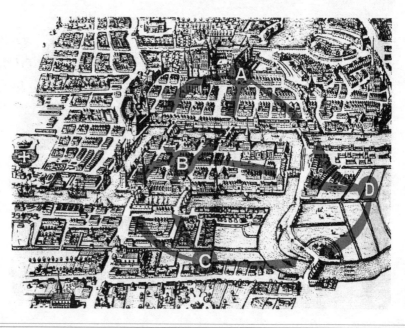

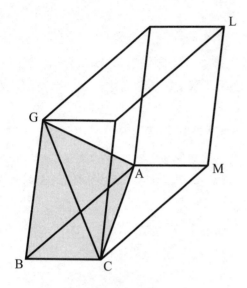

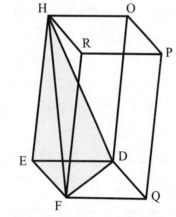

比，所以：底BM比底EQ等于立体EHQP之高比立体BGML之高（命题XI.34）。

又，底BM比EQ等于三角形ABC比三角形DEF，所以：三角形ABC比三角形DEF等于立体EHQP之高比立体BGML之高（命题I.34、V.11）。

又，立体EHQP之高与棱锥DEFH之高相同，且立体BGML之高与棱锥ABCG之高相同，所以：底ABC比底DEF等于棱锥DEFH之高比棱锥ABCG之高。

所以：在棱锥ABCG和DEFH中，它们的底与高成逆比。

进一步，在棱锥ABCG和DEFH中，设它们的底与高成逆比，即底ABC比底DEF等于棱锥DEFH之高比棱锥ABCG之高。

那么我说：棱锥ABCG等于棱锥DEFH。

在相同的图中，因为，底ABC比底DEF等于棱锥DEFH之高比棱锥ABCG之高，同时，底ABC比底DEF等于平行四边形BM比平行四边形EQ，所以：平行四边形BM比平行四边形EQ等于棱锥DEFH之高比棱锥ABCG之高（命题V.11）。

又，棱锥DEFH之高与平行六面体EHQP之高相同，棱锥ABCG之高与平行六面体BGML之高相同，所以：底BM比底EQ等于平行六面体EHQP之高比平行六面体BGML之高。

又，当底与高成逆比时，平行六面体相等（命题XI.34）。

所以平行六面体BGML等于平行六面体EHQP。

又，棱锥ABCG等于BGML的六分之一，棱锥DEFH等于平行六面体EHQP的六分之一，所以：棱锥ABCG等于棱锥DEFH。

所以：以三角形为底的相等的棱锥，底与高成逆比例；反之，底与高成逆比例的棱锥是相等棱锥。

证完

注 解

至本命题，关于棱锥量的理论已经完成，下几个命题是关于圆锥、圆柱的理论。

命题XII.10

任何圆锥是与它同底等高的圆柱的三分之一。

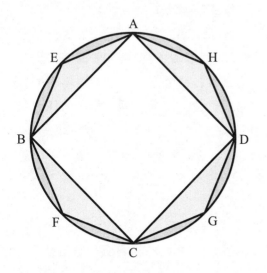

设：一圆柱与圆锥同底，即圆ABCD；它们有相等的高。

那么我说：圆锥是圆柱的三分之一，即圆柱为圆锥的三倍。

因为：如果圆柱不是圆锥的三倍，那么，圆锥要么大于圆柱的三倍，要么小于圆柱的三倍。

首先，令其大于三倍。

令：正方形ABCD内接于圆ABCD，那么，正方形ABCD大于圆ABCD的一半，在正方形ABCD上作一与圆柱等高的棱柱（命题IV.6）。

那么，这样作出的棱柱大于圆柱的一半，因为，如果我们在圆ABCD上也作一个外切正方形，圆ABCD的内接正方形等于圆外切正方形的一半，因为它们上作的平行六面体等高，而等高的平行六面体之比等于它们的底之比；所以：正方形ABCD上的棱柱

是圆ABCD外切正方形上的棱柱的一半（命题IV.7、XI.32、XI.28、XII.6、XII.7推论）。

又，圆柱小于圆ABCD外切正方形上的棱柱，所以，同圆柱等高的正方形ABCD上的棱柱大于圆柱一半。

在E、F、G、H点平分出AB、BC、CD、DA，连接AE、EB、BF、FC、CG、GD、DH、HA，于是：三角形AEB、BFC、CGD、DHA皆大于圆ABCD的弓形的一半，如同前面的证明（命题XII.2）。

在三角形AEB、BFC、CGD、DHA上分别作与圆柱等高的棱柱，那么，每个棱柱大于包含它的弓形圆柱的一半，因为，如果我们过E、F、G、H点作平行于AB、BC、CD、DA的平行线，在它们上完成平行四边

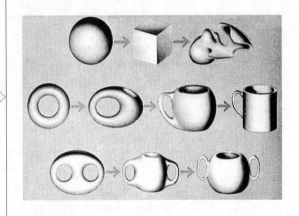

庞加莱猜想

数学家们早已知道，任意一个十二维单连通闭曲面都与二维封面同胚。1904年，庞加莱猜测对于三维情形应有同样的事实成立，即任意一个三维单连通闭流形必与三维球面同胚。这就是庞加莱猜想。以后，它又被推广到几维情形，被称为"广义庞加莱猜想"。作为拓扑学中的一个基本问题，庞加莱猜想吸引了众多数学家的兴趣。

形，且在其上作高等于圆柱的平行六面体，又：在三角形AEB、BFC、CGD、DHA上的棱柱是各个立体的一半，又，弓形圆柱的和小于平行六面体的和。

于是：在三角形AEB、BFC、CGD、DHA上的棱柱的和大于包含它们的弓形圆柱的和的一半（命题I.31）。

于是：二等分余下的弧，连接它们的分点，在每个三角形上作与圆柱等高的棱柱，依次继续下去，就能得到一弓形圆柱的和小于圆柱超过三倍圆锥的部分（命题X.1）。

设：得到一些弓形圆柱，分别是AE、EB、BF、FC、CG、GD、DH、HA。于是：以多边形AEBFCGDH为底并与圆柱等高的棱柱，大于圆锥的三倍。

又，以AEBFCGDH为底且与圆柱等高的棱柱是以多边形AEBFCGDH为底且与圆锥同顶点的棱锥的三倍。所以：以多边形AEBFCGDH为底并与圆锥同顶点的棱锥大于以ABCD为底的圆锥（命题XII.7推论）。

又，它也小于圆锥，因为圆锥包含棱锥，这是不可能的。

所以：圆柱不大于圆锥的三倍。

我进一步说：它也不小于圆锥的三倍。

因为，如果可能，令圆柱小于圆锥的三倍，因此，反之，圆锥大于圆柱的三分之一。

令：正方形ABCD内接于圆ABCD，于是：正方形ABCD大于圆ABCD的一半（命题IV.6）。

现在，在正方形ABCD上作一个顶点与圆锥顶点相同的棱锥，于是：该棱锥大于圆锥的一半。前面已经证明，如果我们作圆的外切正方形，那么，正方形ABCD是外切正方形的一半。如果我们在两正方形上作与圆锥等高的平行六面体，即棱柱，那么，正方形ABCD上的棱柱是圆外切正方形棱柱的一半，因为它们之比等于底与底之比（命题XI.32）。

于是：它们的三分之一相比也等于这个比。所以：以正方形ABCD为底的棱锥是圆外切正方形上棱锥的一半。

又，外切正方形上的棱锥大于圆锥，因为，外切正方形为边的棱锥包含圆锥。

所以：正方形ABCD上的棱锥大于具有同一顶点的圆锥的一半。

过点E、F、G、H作等分弧AB、BC、CD、DA，连接AE、EB、BF、FC、CG、GD、DH、HA，那么，每个三角形AEB、BFC、CGD、DHA大于圆ABCD上包含它的弓形的一半。

现在，在三角形AEB、BFC、CGD、DHA上作与圆锥有同顶点的棱锥。因此：在同种情况下，每个棱锥大于包含它的弓形圆锥的一半。

因此，再平分圆弧，连接分点，在每一个三角形上作与圆锥有同顶点的棱锥。依次继续，那么将得到一些弓形圆锥之和小于圆锥超过圆柱的三分之一的部分（命题X.1）。

令：已经给出了这些弓形圆柱，它们为AE、EB、BF、FC、CG、GD、DH、HA上的弓形圆锥。于是，以多边形AEBFCGDH为底且与圆锥有同顶点的棱锥，大于圆柱的三分之一。

但是，以多边形AEBFCGDH为底且与圆锥同顶点的棱锥是以多边形AEBFCGDH为底且与圆柱等高的棱柱的三分之一。所以：以多边形AEBFCGDH为底且与圆柱等高的棱柱大于以圆ABCD为底的圆柱。

但棱柱又小于圆柱，因为圆柱包含棱柱，这是不可能的。

所以：圆柱不小于圆锥的三倍。

又，已经证明了圆柱不大于圆锥的三倍，所以：圆柱是圆锥的三倍；所以：圆锥是圆柱的三分之一。

所以：任何圆锥是与它同底等高的圆柱的三分之一。

证完

注 解

本命题及下面五个命题解决圆锥和圆柱的理论。本命题解决的是圆锥与圆柱的量的相互转化。

命题XII.11

等高的圆锥和圆柱之比等于它们的底之比。

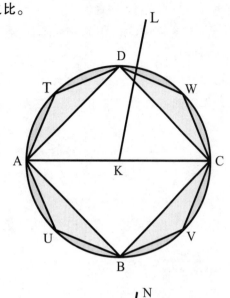

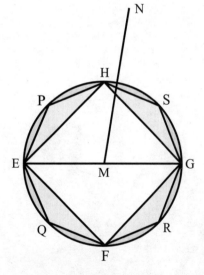

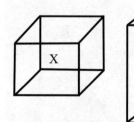

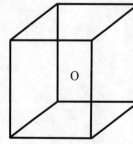

设：有等高的圆锥和圆柱，它们的底分别是圆ABCD和EFGH，KL、MN是它们的轴，AC、EG是它们底的直径。

那么我说：圆ABCD比圆EFGH等于圆锥AL比圆柱EN。

因为，如果不是，那么圆ABCD比圆EFGH等于圆锥AL与小于或是大于圆锥EN的某一立体之比。

首先：令符合此比的是一较小立体O，再令立体X等于圆锥EN与较小的立体O的差。

所以：圆锥EN等于立体O与X之和。

作圆EFGH的内接正方形EFGH。于是：

柏拉图与亚里士多德

希腊人在开启了哲学大门的同时也开启了科学之门，说到底，哲学是科学的纯粹形态。从公元前500年左右开始，希腊出现了一大批才智卓越的哲学家和科学家，他们是后来许多学科的鼻祖。希腊人不仅在科学、哲学和艺术上作出了伟大的成就，而且创造了一种全新的精神，而这种精神恰恰是真正的现代精神，这才是奇迹所在。

正方形大于圆的一半（命题IV.6）。

又，在正方形EFGH上作与圆锥等高的棱锥，于是：该棱锥大于圆锥的一半，因为，如果作圆的外切正方形，且在它之上作与圆锥等高的棱锥，那么，内接棱锥是外切棱锥的一半，因为它们的比等于它们的底之比，同时，该圆锥小于外切棱锥（命题XII.6）。

过点P、Q、R、S等分圆弧EF、FG、GH、HE，连接HP、PE、EQ、QF、FR、RG、GS、SH。

所以：每个三角形HPE、EQF、FRG、GSH大于包含它的弓形的一半。

在每个三角形HPE、EQF、FRG、GSH上作与圆锥等高的棱锥，于是：每个棱锥皆大于包含它相应的弓形上的圆锥的一半。

于是：连接二等分得到的弧，在每个三角形上作与圆锥等高的棱锥。依次这样作下去，就会得到一些弓形圆锥，它们的和小于立体X（命题X.1）。

令：得到的是HP、PE、EQ、QF、FR、RG、GS、SH为边的弓形圆锥，于是，其余量，即以多边形HPEQFRGS为底且与圆锥等高的棱锥大于立体O。

现在，内接于圆ABCD的多边形DTAUBVCW与多边形HPEQFRGS相似且有相似位置。再在它上作与圆锥AL等高的棱锥。

那么，AC上的正方形比EG上的正方形等于多边形DTAUBVCW比多边形HPEQFRGS。同时，AC上的正方形比EG上的正方形等于圆ABCD比圆EFGH。所以：圆ABCD比圆EFGH等于多边形DTAUBVCW比多边形

HPEQFRGS（命题XII.1、XII.2）。

又，圆ABCD比圆EFGH等于圆锥AL比立体O，多边形DTAUBVCW比多边形HPEQFRGS等于以多边形DTAUBVCW为底且以L为顶点的棱锥比以多边形HPEQFRGS为底且以N为顶点的棱锥（命题XII.6）。

所以：圆锥AL比立体O等于以多边形DTAUBVCW为底、以L为顶点的棱锥比以多边形HPEQFRGS为底、以N为顶点的棱锥。

所以：由更比可得，圆锥AL比它内的棱锥等于立体O比圆锥EN里的棱锥（命题V.11、V.16）。

又，圆锥AL大于它内的棱锥，所以：立体O也大于圆锥EN内的棱锥。

而它又小于圆锥EN的棱锥，这是荒谬的。

所以：圆锥AL比小于圆锥EN的任何立体不等于圆ABCD比圆EFGH。

类似地，我们也可证明圆锥EN比任何小于圆锥AL的立体都不等于圆EFGH比圆ABCD。

那么我进一步说：圆锥AL比大于圆锥EN的某个立体，不等于圆ABCD比圆EFGH。

因为，如果可能，令符合该比的较大的立体O；于是：由反比可得，圆EFGH比圆ABCD等于立体O比圆锥AL。

而，立体O比圆锥AL等于圆锥EN比某个小于圆锥AL的立体，所以：圆EFGH比圆ABCD等于圆锥EN比某个小于圆锥AL的立体，这已经证明了是不可能的。

所以，圆锥AL比大于圆锥EN的某一立体不同于圆ABCD比圆EFGH。

又，已经证明了，符合这个比而小于立体EN的立体是不存在的。

所以：圆ABCD比圆EFGH等于圆锥AL比圆锥EN。

又，圆锥比圆锥等于圆柱比圆柱，因为圆柱是圆锥的三倍。所以：圆ABCD比圆EFGH等于它们上的等高的圆柱之比（命题XII.10）。

所以：等高的圆锥和圆柱之比等于它们的底之比。

证完

注 解

本命题应用在命题XII.13、XII.14、XII.15中。

命题XII.12

相似圆锥或相似圆柱之比等于它们底的直径的三次比。

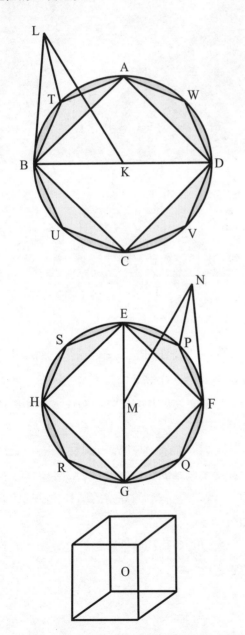

设：有相似圆锥和相似圆柱，它们的底分别是圆ABCD、EFGH，直径分别是BD、FH，轴分别是KL、MN。

那么我说：以圆ABCD为底且以L为顶点的圆锥比以圆EFGH为底且以N为顶点的圆锥等于BD与FH的三次比。

因为，如果，圆锥ABCDL比圆锥EFGHN不等于BD与FH的三次比，那么，圆锥ABCDL与某一小于或大于圆锥EFGHN的一个立体的比等于BD与FH的三次比。

首先，有这个比的是较小的立体O。又令：正方形EFGH内接于圆EFGH；于是：正方形EFGH大于圆EFGH的一半（命题IV.6）。

现在，令正方形EFGH上有一个与圆锥同顶点的棱锥，于是：该棱锥大于圆锥的一半。再令点P、Q、R、S等分圆弧EF、FG、GH、HE；连接EP、PF、FQ、QG、GR、RH、HS、SE。

于是：每个三角形EPF、FQG、GRH、HSE皆大于圆EFGH中包含它的弓形的一半。

又，在每个三角形EPF、FQG、GRH、HSE上作与圆锥同顶点的棱锥。

于是：每个棱锥也大于包含它们的弓形圆锥上的锥体的一半。

于是：二等分得到的圆弧，作弦，在每个三角形上作与圆锥同顶点的棱锥，这样依次作下去，我们将得到一些弓形圆锥，其和小于圆锥EFGHN超过立体O的部分（命题X.1）。

令：这样得到EP、PF、FQ、QG、GR、RH、HS、SE为边的弓形圆锥。于是，余量，即以多边形EPFQGRHS为底以N为顶点的棱锥，大于立体O。

现在，令圆ABCD的内接多边形ATBUCVDW与多边形EPFQGRHS相似且有相似位置。再在多边形ATBUCVDW上作与圆锥同顶点的棱锥。

再以多边形ATBUCVDW为底且以L为顶点，由许多三角形围成一个棱锥，LBT为其中的一个三角形。又以多边形EPFQGRHS为底且以N为顶点，由许多三角形围成一个棱锥，NFP为其中的一个三角形。连接KT和MP。

那么因为，圆锥ABCDL与圆锥EFGHN相似，所以：BD比FH等于轴KL比轴MN（定义XI.24）。

又，BD比FH等于BK比FM，所以：BK比FM等于KL比MN。又，由更比可得，BK比KL等于FM比MN（命题V.16）。

又，夹等角的边成比例，即角BKL等于FMN；所以：三角形BKL相似于三角形FMN（命题VI.6）。

又，因为：BK比KT等于FM比MP，它们夹等角，即角BKT、FMP，因为，无论角BKT在圆心K的四个直角占多少部分，角

《四元玉鉴》书影

朱世杰（1248—1314年），自号松庭，平民数学家、数学教育家。《四元玉鉴》是朱世杰的代表作，亦是宋元数学的绝唱。全书共三卷，分二十四门，共有数学题二百八十八道，它们是用天元术或四元术来解答的。书中讨论了高次方程组的消元法，还有高阶等差级数有项求和问题以及高次差的招差法等重要成就。

贝特朗悖论

1899年，法国学者贝特朗提出：在半径为r的圆内，PL有机选择弦，计算弦长短过圆内接正三角形边长的概率。根据对PL有机选择的不同解，可以得到不同答案：（1）考虑与某确定方向平行的弦，则所求概率为二分之一；（2）考虑从圆上某固定点P引出的弦，所求概率为三分之一；（3）考虑弦的中点落在圆的某个部分的概率与该部分的面积成正比，则所求概率为四分之一。这类悖论的矛头直击概率概念本身，强烈地刺激了概率论基础的严格化。

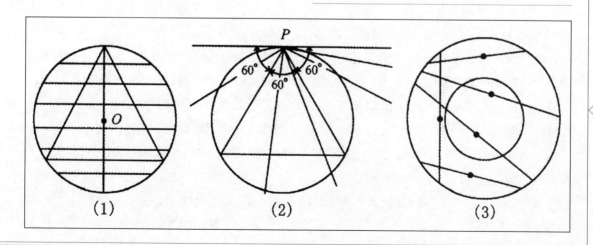

（1） （2） （3）

海岛算经

　　从公元220年东汉分裂到公元581年隋朝建立，这段时期史称魏晋南北朝。这是中国历史上的动荡时期，同时也是思想相对活跃的时期。学术界思辨之风再起，数学上也兴起了论证的趋势。在许多研究以注释《周髀算经》《九章算术》的杰出代表中，首推魏国的刘徽。刘徽的《九章算术注》还有其他许多数学成果，特别是他关于勾股测量的章节，后来更被单独刊行，被称为《海岛算经》。该书是对古代数理天文学中的重差术的进一步发展，成为勾股测量学的典籍。

FMP也在圆心M的四个直角占同样多的部分；因为夹等角的边成比例，所以：三角形BKT与三角形FMP相似（命题VI.6）。

　　又，因为：已经证明了BK比KL等于FM比MN，同时BK等于KT，且FM等于PM，于是：TK比KL等于PM比MN。又，夹等角的边成比例，即角TKL等于PMN，因为：它们是直角，所以：三角形LKT相似于三角形NMP（命题VI.6）。

　　又，因为：三角形LKB与NMF相似，所以：LB比BK等于NF比FM。又因为，三角形BKT和FMP是相似的，所以：KB比BT等于MF比FP。所以：由首末比可得，LB比BT等于NF比FP（命题VI.6）。

　　又因为，三角形LTK与NPM是相似的，所以：LT比TK等于NP比PM，又因为，三角形TKB与PMF是相似的，所以：KT比TB等于MP比PF。所以：由首末比可得，LT比TB等于NP比PF（命题VI.6）。

　　又，已经证明TB比BL等于PF比FN。所以：由首末比可得，TL比LB等于PN比NF（命题V.22）。

　　所以：在三角形LTB、NPF中，它们的边成比例，所以：三角形LTB、NPF是等角的，因此：它们也是相似的（命题VI.5、定义VI.1）。

　　所以：以三角形BKT为底且以L为顶点的棱锥相似于以三角形FMP为底且以N为顶点的棱锥，因为，它们由相似且数量相等的平面构成（定义XI.9）。

　　而，两个以三角形为底的相似棱锥之比等于它们相应边的三次比（命题XII.8）。

　　所以：棱锥BKTL比棱锥FMPN等于BK与FM的三次比。

　　类似地，过A、W、D、V、C、U向K作直线，过E、S、H、R、G、Q向M作直线，在每个三角形上作与圆锥同顶点的棱锥，我们可以证明，每对相似棱锥的比等于对应边BK与FM的三次比，即BD与FH的三次比。

　　又，前项之一比后项之一等于前项之和比后项之和（命题V.12）。

　　所以，棱锥BKTL比棱锥FMPN等于以多边形ATBUCVDW为底、以点L为顶点的整体棱锥比多边形EPFQGRHS为底、以点N为顶点的整体棱锥。

因此也得到以ATBUCVDW为底、以点L为顶点的棱锥比以点EPFQGRHS为底、点N为顶点的棱锥等于BD与FH的三次比。

又，根据假设，以圆ABCD为底且以L为顶点的圆锥比立体O也等于BD与FH的三次比，所以：以圆ABCD为底且以L为顶点的圆锥比立体O也等于以多边形ATBUCVDW为底且以L为顶点的棱锥比以多边形EPFQGRHS为底、以N为顶点的棱锥。所以：由更比可得，以圆ABCD为底、以L为顶点的圆锥比包含在它内的以多边形ATBUCVDW为底、以L为顶点的棱锥等于立体O比以多边形EPFQGRHS为底、以N为顶点的棱锥（命题V.16）。

但是此圆锥大于它内的棱锥，因为圆锥包含棱锥。所以：立体O也大于以多边形EPFQGRHS为底、以N为顶点的棱锥。但它又小于，这是不可能的。

所以：以ABCD为底、以L为顶点的圆锥比任何小于以圆EFGH为底、以N为顶点的圆锥的立体都不等于BD与FH的三次比。

类似地，我们可以证明，圆锥EFGHN与任何小于圆锥ABCDL的立体的比不等于FH与BD的三次比。

那么我进一步说，圆锥ABCDL比任何大于圆锥EFGHN的立体不等于BD与FH的三次比。

因为，如果可能，令有一个较大的立体O满足此比。于是：由反比可得，立体O比圆锥ABCDL等于FH与BD的三次比。而立体O比圆锥ABCDL等于圆锥EFGHN比某个小于圆锥ABCDL的立体。

所以：圆锥EFGHN比某个小于圆锥ABCDL的立体也等于FH与BD的三次比，这已证明是不可能的。

所以：圆锥ABCDL比大于圆锥EFGHN的任何立体不可能等于BD与FH的三次比。

又，已经证明，与一个小于圆锥EFGHN的立体的比不可能是BD与FH的三次比。所以：圆锥ABCDL比圆锥EFGHN等于BD与FH的三次比。

又，圆锥比圆锥等于圆柱比圆柱，因为同底等高的圆柱是圆锥的三倍，所以：圆柱与圆柱之比是BD与FH的三次比（命题XII.10）。

所以：相似圆锥或相似圆柱之比等于它们底的直径的三次比。

证完

DNA双螺旋分子

生物学应用数学研究约始于20世纪。1953年，美国生物化学家沃森和英国物理学家克里克共同发现了脱氧核糖核酸的双螺旋结构。双螺旋模型的发现标志着抽象的拓扑学与生物学相结合。人们采用把DNA的纽结解开，再把它们复制出来的办法去了解DNA的结构，这就使代数拓扑学中的纽结理论有了用武之地。

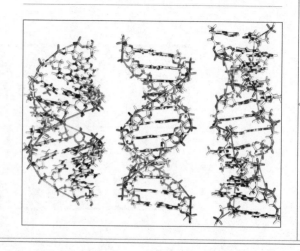

注 解
本命题在其余命题中再未被利用。

命题XII.13
如果一个圆柱被平行于它底面的平面所截，那么，所截圆柱之比等于轴之比。

设：圆柱AD被平行于它的底面AB、CD的平面GH所截，平面GH与轴相交于K。

那么我说：圆柱BG比圆柱GD等于轴EK比轴KF。

在两个方向上延长轴线EF，至点L、M，再任意取轴EN、NL等于轴EK，再取FO、OM等于FK；再令LM为轴的圆柱PW，其底为圆PQ、VW。过点N、O作平行于AB、CD的平面，且平行于圆柱PW的底，再以N、O为圆心作圆RS、TU。

那么，因为：轴LN、NE、EK相互相等，所以：圆柱QR、RB、BG彼此之比等于它们的底之比（命题XII.11）。

又，底是相等的，所以：圆柱QR、RB、BG也彼此相等。

又，因为：轴LN、NE、EK彼此相等，圆柱QR、RB、BG也彼此相等，前者的个数等于后者的个数，所以：轴KL比轴EK是圆柱QG比GB的同倍量。

同理，轴MK比轴KF是圆柱WG比GD的同倍量。

又，如果轴KL等于轴KM，那么，圆柱QG也等于圆柱GW；如果轴KL大于轴KM，那么圆柱QG也大于圆柱GW；如果轴小于，那么圆柱也小于。所以：有四个量，即两个轴EK、KF和两个圆柱BG、GD；已经取定了轴EK和圆柱BG的同倍量，即轴LK及圆柱QG，又取定了KF和圆柱GD的同倍量，即轴KM及圆柱GW；又已经证明：如果轴KL大于轴KM，那么，圆柱QG大于圆柱GW；如果轴KL等于轴KM，那么圆柱QG也等于圆柱GW；如果轴KL小于KM，那么圆柱QG也小于圆柱GW。所以：轴EK比轴KF等于圆柱BG比圆柱GD（定义V.5）。

所以：如果一个圆柱被平行于它底面的平面所截，那么，所截圆柱之比等于轴之比。

证完

注 解
本命题应用在下一个命题中，解决同底的圆柱与它们的高的比例关系。

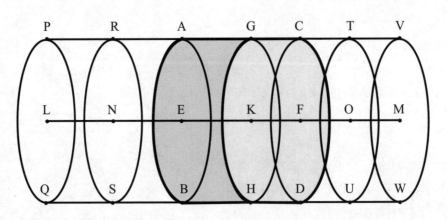

命题XII.14

等底的圆柱或圆锥之比等于它们的高之比。

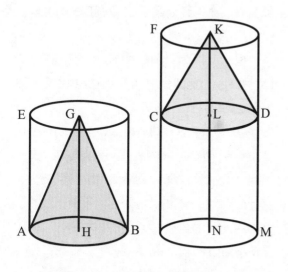

设：EB、FD是两个等底的圆柱，底为圆AB、CD。

那么我说：圆柱EB比FD等于轴GH比轴KL。

延长轴线KL至N点，作LN等于轴GH，设CM是以LN为轴的圆柱（命题I.3）。

那么，因为：圆柱EB和CM是等高的，所以：它们之比等于底之比（命题XII.11）。

又，它们的底彼此相等，所以：圆柱EB和CM也彼此相等。

又，因为：圆柱FM被平行于其底的平面CD所截，所以：圆柱CM比圆柱FD等于轴LN比轴KL（命题XII.13）。

又，圆柱CM等于圆柱EB，且轴LN等于轴GH，所以：圆柱EB比圆柱FD等于轴GH比轴KL。

又，圆柱EB比圆柱FD等于圆锥ABG比圆锥CDK。所以：轴GH比轴KL等于圆锥ABG比圆锥CDK，也等于圆柱EB比圆柱FD（命题XII.10）。

所以：等底的圆柱或圆锥之比等于它们的高之比。

证完

注 解

命题XII.11表明，圆锥或圆柱同它们的底成比例；本命题表明也与它们的高成比例。

对称之美

对称，作为美的艺术标准，是超越时代和地域的。上图为敦煌壁画A444窟"圆兴"；下图为埃舍尔的作品《圆的极限》，二者皆反映出一种非欧对称，是庞加莱非欧几何模型的艺术再现。

命题XII.15

在相等的圆柱或圆锥中，底与高成逆比；反之，在圆柱或圆锥中，凡底与高成逆比，那么它们相等。

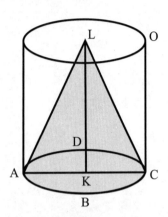

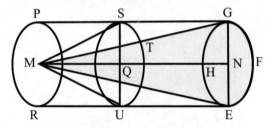

设：有相等圆柱，底为ABCD和EFGH，AC、EG是底的直径，KL、MN是它们的轴，即也为圆柱或圆锥的高。

完成圆柱AO、EP。

那么我说：圆柱AO、EP的底与高成逆比，即底ABCD比底EFGH等于高MN比KL。

因为：高LK要么等于MN，要么不等于。

首先，令其等于。

那么，圆柱AO也等于圆柱EP。而等高的圆柱或圆锥之比等于底之比，所以：底ABCD等于底EFGH（命题XII.11）。

因此：由逆比可得，底ABCD比底EFGH等于高MN比高KL。

又，令高LK不等于MN，MN较大。

从MN上截取QN等于KL，于是：过点Q作平面TUS截圆柱EP而平行于圆EFGH、RP所在的平面，且令圆柱ES以圆EFGH为底、以NQ为高。

现在，因为：圆柱AO等于圆柱EP，所以：圆柱AO比圆柱ES等于圆柱EP比圆柱ES（命题V.7）。

又，圆柱AO比圆柱ES等于底ABCD比底EFGH，因为，圆柱AO、ES有等高。又，圆柱EP比圆柱ES等于高MN比高QN，因为，圆柱EP被平行于相对二底面的平面所截。所以：底ABCD比底EFGH等于高MN比高QN（命题XII.11、XII.13、V.11）。

又，高QN等于高KL，所以：底ABCD比底EFGH等于高MN比高KL。

所以：在圆柱AO、EP中，底与高成逆比。

又，在圆柱AO、EP中，如果底与高成逆比例，即底ABCD比底EFGH等于高MN比KL。

那么我说：圆柱AO与圆柱EP相等。

在这同一个结构的上图中，因为，底ABCD比底EFGH等于高MN比高KL，且高KL等于高QN，所以：底ABCD比底EFGH等于高MN比高QN。

又，底ABCD比底EFGH等于圆柱AO比圆柱ES，因为，它们有等高。又，高MN比QN等于圆柱EP比圆柱ES；所以：圆柱AO比圆柱ES等于圆柱EP比圆柱ES（命题XII.11、XII.13、V.11）。

所以：圆柱AO等于圆柱EP（命题V.9）。

又，圆锥也同理（命题XII.10）。

所以：在相等的圆柱或圆锥中，底与高成逆比；反之，在圆柱或圆锥中，凡底与高成逆比，那么它们相等。

证完

注 解

本命题的证明实际上适应于更广泛的情况，不仅仅适应于圆锥与圆柱，当量x与另两个量y和z成比例时，如y不变，那么x与z也成比例，当x不变，那么，y与z相互成比例。

至本命题，关于圆柱与圆锥的量的理论完成，余下的三道命题解决的是球的量的问题。

命题XII.16

给定两个同心圆，可以作内接于大圆的偶数边等边多边形，使之不切于小圆。

设：ABCD和EFGH是两个给定的同心圆，圆心是K。

现在要求是在大圆ABCD内作一个内

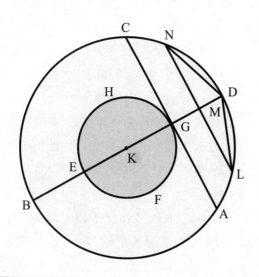

《周髀》中的开方术

关于二次方程的公式解法，中国最早记载于《周髀算经》中的《勾股圆方图》，后见于《九章算术》中的《少广》章，该章同时附有开平方、开立方的法则。近世学者经过详细的研究，确认这是世界上关于多位数开平方、开立方法则的最早记载。除了符号、格式不同和某些步骤稍有差异之外，它和现在的开方方法一样，并且可以推广用于解二次方程，后来更发展为高次方程的数值解法。

切的偶数边等边多边形，与圆EFGH不能相切。

过圆心K作BKD，再过点G作GA，使之与线段BD成直角，且延长至点C（命题I.11）。

于是：AC与圆EFGH相切（命题III.16、推论）。

于是：等分圆弧BAD，再等分它的一半，连续重复进行，我们将得到一个小于AD的圆弧（命题X.1）。

令其为LD。

从L作LM垂直于BD，延长至N，连接LD、DN（命题I.12）。

所以：LD等于DN（命题III.3、I.4）。

现在，因为：LN平行于AC，AC切于

圆EFGH，所以：LN与圆EFGH不相切，所以：LD、DN远不能与圆EFGH相切。

如果在圆ABCD内连续作等于LD的弦，那么将得到内接于ABCD的偶数边的等边多边形，它与小圆EFGH不相切。

所以：给定两个同心圆，可以作内接于大圆的偶数边等边多边形，使之不切于小圆。

证完

龙形图函数

电子计算机的发明使科学家们对更复杂的多变量方程以及非线性方程的研究成为可能，计算机使科学家有了新的数学实验室。也许现在评价计算机的影响还为时过早，但是数学的性质已经发生了变化，这种变化为我们的生活哲理以及宇宙的结构带来了根本的变化，同人一样，数学是不可测的。图中展示的龙形函数图由计算机描绘而成，由函数$F(Z)=Z^2-M$生成。Z是复平面的点，M是原值，黑色表示当迭代次数趋向无穷时，函数值也趋向无穷的Z区域。

注 解

这一命题的目的是根据多边形分离两个同心圆，以便在下一命题中建三维立体图以分割两个同心球。这一结构实际上产生了这样一个多边形，其边数是2的幂，如8、16、32等等。下一命题要求一个多边形其边数不仅仅是偶数，而且是4的倍数。同时也要求不仅仅是内切圆。

命题XII.17

已知两个同心球，可在大球内作内接多面体，与小球不相切。

设：有两个同心球，球心为A。

现在要求的是：在大球内作一个内接多面体与小球面不相切。

令：过球心的平面截该球，那么，所截面为一个圆，因为，球是半圆绕直径旋转而成的；因此，在任何位置我们都能得到半圆，由此经过半圆平面在球面上截出一个圆（定义XI.14）。

又，这也表明，该圆是最大的圆，因为，是球的直径，自然也是半圆和这个圆的直径，它大于所有经过圆内或球内的线段。

令：BCDE是大球内的一个圆，且FGH是小球内的一个圆。在它们内作两条直径BD、CE，并相互垂直（命题I.11）。

于是：已知的两个圆BCDE、FGH是同心圆，在较大圆BCDE内作一个内接的偶数边的等边多边形，它与小圆FGH不相切（命题XII.16）。

令：BK、KL、LM、ME是象限BE内的边，连接KA，并延长至N。再从点A作直线

AO垂直于圆BCDE所在的
平面，且与球面相互交于
O（命题XI.12）。

又，过AO及线段
BD、KN作平面，它们与
球面截出最大圆，这是合
理的。

令已经作出了它们，
在它们中，BOD、KON是
BD、KN上的半圆。

现在，因为：OA与
圆BCDE所在的平面垂
直，所以：过OA的所有
平面也与BCDE所在的
平面垂直，因此：半圆
BOD、KON和圆BCDE
所在平面也垂直（命题
XI.18）。

又，因为：半圆BED、BOD、KON相
等，因为，它们是在相等直径BD、KN上
的，所以：象限BE、BO、KO亦彼此相等。

所以：在象限BO、KO内有多少条弦等
于BK、KL、LM、ME，就在象限BE上有多
少条多边形的边。

令：它们是内接的，是BP、PQ、QR、
RO，也是KS、ST、TU、UO，连接SP、
TQ、UR，从P、S点向BCDE所在的平面作垂
线（命题IV.1、XI.11）。

它们落在平面的公共交线BD、KN上，
因为，BOD、KON所在的平面与圆BCDE所
在的平面成直角（定义XI.4）。

令它们是PV、SW，连接WV。

现在因为，在相等半圆BOD、KON内，

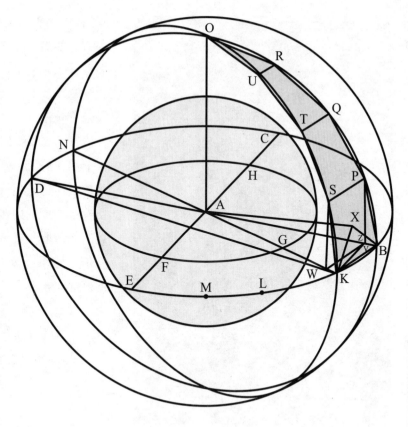

相等弦BP、KS已被截出，并已经作出垂线
PV、SW；所以：PV等于SW，BV等于KW
（命题III.27、I.26）。

又，整体BA也等于整体KA，所以：
余量VA也等于余量WA，所以：BV比VA等
于KW比WA。所以：WV平行于KB（命题
VI.2）。

又，因为：每个弦PV、SW皆与圆BCDE
所在的平面成直角，所以：PV平行于SW
（命题XI.6）。

又，已经证明，它们也相等，所以：
WV、SP相等且平行（命题I.33）。

又，因为，WV平行于SP，且WV平行于
KB，所以：SP也平行于KB（命题XI.9）。

又，连接BP、KS的端点，所以：四边

第谷的观星台

哥白尼的日心说一开始不仅受到教会的敌视，而且也遭到许多天文学家的反对。他们之中最著名的便是第谷·布拉赫（1546—1601年），但第谷的天文观测工作却为日心说的发展开辟了道路。第谷是一个天才的观测家，他的天象记录几乎包罗了望远镜发明之前肉眼所能观测到的全部。1572年，他发现的新恒星对亚里士多德的天空完美不变的观点以有力的驳斥。1577年，第谷观测到一颗巨大的彗星，并证明它比月亮更远。这更沉重地打击了亚里士多德的天界完美观。第谷系统、精确的观测材料为历法改革奠定了基础，此外，他长期而系统的观测资料直接导致了当时最先进的星表出现。

形KBPS在同一平面，因为，如果两条直线平行，在它们每一条上任取一点，连接这些点的线与此二平行线在同一平面上。同理，四边形SPQT、TQRU也在同一平面上（命题XI.7）。

又，三角形URO也在一个平面上。如果

我们从P、S、Q、T、R、U点向A作连线，那么，就作出了在弧BO、KO之间的一个多面体，它包含了四边形KBPS、SPQT、TQRU以及三角形URO为底且以A为顶点的棱锥（命题XI.2）。

又，如果我们在边KL、LM、ME的每一个上像在BK上一样作同样的图，再在其余三个象限内也给出同样的图，于是：得到一个由棱锥构成的内接于球的多面体，它是由前述的四边形和三角形URO以及与它们对应的其他一些四边形和三角形为底且以A为顶点的棱锥构成。

那么我说：可证前述多面体不切于圆FGH生成的球面。

从A点作AX垂直于四边形KBPS所在的平面，且相交于平面的X点，连接XB、XK（命题XI.11）。

那么，因为：AX与KBPS所在的平面成直角，所以：它也和四边形所在平面上所有和它相交的直线成直角。所以：AX与BX、XK皆成直角（定义XI.3）。

又，因为：AB等于AK，所以：AB上的正方形等于AK上的正方形，AX、XB上的正方形之和等于AB上的正方形，因为，在X点的角是直角，AX、XK上的正方形等于AK上的正方形（命题I.47）。

所以：AX、XB上的正方形之和等于AX、XK上正方形之和。

从每个中减去AX上的正方形，于是：余量即BX上的正方形等于余量即XK上的正方形。所以：BX等于XK。

类似地，我们也能证明，连接X到P的线段分别等于线段BX、XK。

所以：以X为圆心且以XB或XK为半径的圆过点P、S，且KBPS是圆内接四边形。

现在，因为：KB大于WV，而WV等于SP，所以：KB大于SP。而KB分别等于线段KS和BP，所以：KS、BP皆大于SP。

又，因为，KBPS是圆内的四边形，且KB、BP、KS相等，且PS小于它们，且BX是圆的半径。所以：KB上的正方形大于BX上的正方形的两倍。

从K点作KZ垂直于BV（命题I.12）。

那么，因为：BD小于两倍DZ，BD比DZ等于DB、BZ构成的矩形比DZ、ZB构成的矩形，如果BZ上的一个正方形，在ZD上的平行四边形，那么，DB、BZ构成的矩形也小于DZ、ZB构成的矩形的两倍。

又，如果连接KD，那么，DB、BZ构成的矩形等于BK上的正方形，且DZ、ZB构成的矩形等于KZ上的正方形。所以：KB上的正方形小于KZ上的正方形的两倍（命题I.46、III.31、VI.18、推论）。

又，KB上的正方形大于BX上的正方形的两倍，所以：KZ上的正方形大于BX上的正方形。又，因为，BA等于KA，所以：BA上的正方形等于AK上的正方形。

又，BX、XA上的正方形之和等于BA上的正方形，且KZ、ZA上的正方形之和等于KA上的正方形，所以：BX、XA上的正方形之和等于KZ、ZA上的正方形之和。在它们中，KZ上的正方形大于BX上的正方形，所以：余量，即ZA上的正方形小于XA上的正方形（命题

I.47）。

所以：AX大于AZ，所以：AX比AG大得多。

又，AX是多面体底上的一条垂线，且AG在小球的球面上，因此：多面体与小球的球面不相切。

所以：已知两个同心球，可在大球内作内接多面体，与小球不相切。

证完

推 论

如果一个在另外一个球里的内接多面体相似于球BCDE的内接多面体，那么，在球BCDE的内接多面体比在另一球的内接多面体等于此二球直径的三次比。

阿基米得的镜子

阿基米得曾率领叙拉古人民手持凹面镜，利用光的反射和凹面镜的聚光作用将阳光聚焦在罗马军队的木制战舰上，使它们燃烧起来。在一连串的打击下，罗马军队早已人心惶惶，草木皆兵，只要有一点响动，他们就惊呼"阿基米得来了"，随之四处逃窜。

因为：此二立体可以依顺序分为相似且数量相等的棱锥。

而，相似棱锥之比等于它们对应边的三次比。所以：以四边形KBPS为底、以A为顶点的棱锥比另一球内按顺序相似棱锥等于对应边与对应边的三次比，即以A为心的球的半径与另一球的半径的三次比（命题XII.18、推论）。

类似地，在以A为心的球中的每个棱锥比另一球中按顺序相似的棱锥等于AB与另一球的半径的三次比。

又，前项之一比后项之一等于所有前项之和比所有后项之和，因此：在以A为球心的球内的整体多面体比另一球内的整体多面体等于AB与另一球半径的三次比，即，直径BD与另一球直径的三次比（命题V.12）。

证完

注 解

本命题及其推论的目的是分离同心的球，以便在下一个命题（XII.18）中证明球之比，是其直径的三次比。

命题XII.18

球之比等于它们直径的三次比。

设：ABC和DEF为球，它们的直径分别为BC、EF。

那么我说：球ABC比球DEF等于直径BC与EF的三次比。

因为：如果球ABC与球DEF之比不等于BC与EF的三次比，那么，球ABC与某个小于或者大于球DEF的球之比，等于BC与EF的三次比。

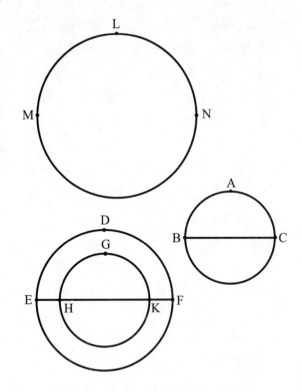

首先，令球GHK等于此比。

令：球DEF与球GHK是同心的，再令在大球DEF内有一个内接多面体，它与小球GHK不相切（命题XII.17）。

又，在球ABC内作内接多面体相似于球DEF内的内接多面体。所以：在ABC内的内接多面体比在DEF内的内接多面体，等于BC与EF的三次比（命题XII.17、推论）。

又，球ABC比球GHK等于BC与EF的三次比，所以：球ABC比球GHK等于球ABC内的多面体比球DEF内的多面体，又，由更比可得，球ABC比在它内的多面体等于球GHK比球DEF内的多面体（命题V.16）。

又，球ABC大于在它内的多面体。所以：球GHK也大于球DEF内的多面体（命题V.14）。

又，它也小于球DEF中的多面体，因

为，它包含它。所以：球ABC比小于球DEF的某个球不等于直径BC与EF的三次比。

类似地，我们也可证明，球DEF比小于球ABC的某个球也不等于EF与BC的三次比。

那么我进一步说：球ABC比任意一个大于球DEF的球不等于BC与EF的三次比。

因为，如果可能，令能有这个比值的是一个较大的球LMN，所以：由反比可得，球LMN比球ABC等于直径EF与BC的三次比。

又，因为，LMN大于DEF，所以：球LMN比球ABC等于球DEF比某个小于球ABC的球，如同前面的证明（命题XII.2、引理）。

所以：球DEF比小于球ABC的某个球，等于EF与BC的三次比，这已证明是不可能的。所以：球ABC比某个大于球DEF的球不等于BC与EF的三次比。

又，也已证明，球ABC比某小于球DEF的球，也不等于BC与EF的三次比。

所以：球ABC比球DEF等于BC与EF的三次比。

所以：球之比等于它们直径的三次比。

证完

注 解

本命题是该卷的结束命题。

本命题是重要的，它是球体研究的开始。欧几里得在命题XII中已证明了同底同高圆锥是其圆柱的三分之一，但他没有发现球与圆柱的比率。在欧几里得以后一个世纪，阿基米德解决了这一问题，同时他也解决了更困难的球的面的问题。球同圆柱的比率为4：3，因为圆柱的体积，同其底与高成比例，于是球、圆柱、圆锥的体积皆可根据圆面积求得。使用代数项表示，即是，设pi代表圆与圆半径上的正方形的比率，那么圆柱的体积是圆柱的半径r和高h的$\pi r^2 h$；圆锥是$\pi r^2 h/3$；以r为半径的球的体积是$4\pi r^3/3$。

第十三卷　建正多面体

　　1623年，伽利略在《分析家》中说道："这是一部关于哲学的著作。这里，我指的就是我们眼前的宇宙。但是，如果没有第一个人像本书那样去理解宇宙的内部性质以及去描述宇宙的特征，那么，我们就不能理解宇宙。本书使用数学的语言，用三角、圆和其他几何图形来描述宇宙的几何特征。只有这样，人类才能理解宇宙。否则，人类就只能像是进入了迷宫一般，左右徘徊。"

　　本卷仍然论述立体几何，重点是正多面体的作图。

黑　网

　　康定斯基摒弃了绘画中一切描绘性元素，纯粹以抽象的线条与色彩来表达内在精神。他认为艺术创作的目的并不在于捕捉对象的外形，而是在于捕捉其内在精神。

本卷提要

※命题XIII.9，建圆内的六面体和十面体。黄金比率。

※命题XIII.10，建六面体和十面体的内切圆。黄金比率。

※命题XIII.11，当五面体、六面体、十面体内接于一圆，五面体的一边上的正方形等于六面体的边上的正方形之和，也等于十面体边上的正方形之和。

※命题XIII.13、XIII.14、XIII.15、XIII.16、XIII.17，建各种正多面体形。

※命题XIII.18，对前面五个正多面体进行比较。

命题XIII.1

如果一条线段被分成中外比，那么，大线段与原线段一半之和上的正方形，等于原线段一半上的正方形的五倍。

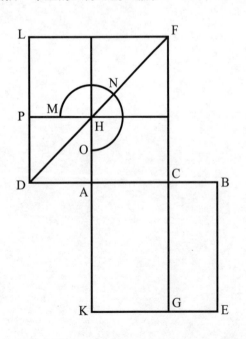

设：线段AB在C点被分为中外比，AC为大线。延长线段CA到D，使AD等于AB的一半。

那么我说：CD上的正方形是AD上的正方形的五倍。

在AB、DC上分别建正方形AE、DF，且设在DF上的图形已作成，令FC过G点（命题I.46）。

那么，因为：AB在C点被分为中外比，所以：由AB、BC构成的矩形等于AC上的正方形。又，CE是由AB、BC构成的矩形，且FH是AC上的正方形；所以：CE等于FH（定义VI.3、命题VI.17）。

又，因为：BA是AD的两倍，同时BA等于KA，且AD等于AH，所以：KA也是AH的两倍。

又，KA比AH同于CK比CH，所以：CK是CH的两倍。又，LH、HC之和也是CH的两倍，所以：KC等于LH、HC之和（命题VI.1）。

又，CE已被证明等于HF，所以：AE上的整体正方形等于折尺形MNO。

又，因为：BA是AD的两倍，所以：BA上的正方形等于AD上的正方形的四倍，即，AE等于DH的四倍。

又，AE等于折尺形MNO，所以：折尺形MNO也是AP的四倍；所以：整体DF是AP的五倍。

又，DF是DC上的正方形，AP是DA上的正方形，所以：CD上的正方形是DA上的正方形的五倍。

所以：如果一条直线被分成中外比，那么，大线段与原线段一半之和上的正方形，等于原线段一半上的正方形的五倍。

证完

注 解

这一命题应用在命题XIII.16 和 XIII.17中建二十面体和十二面体的边。

命题XIII.2

如果一条线段上的正方形是它的部分线段为边的正方形的五倍，那么，这些线段的两倍被分成中外比时，其中较长的线是原线的所余部分。

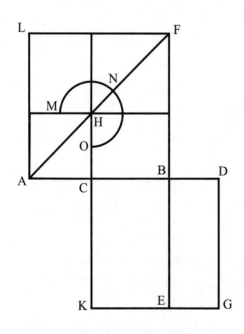

设：线段AB上的正方形是它的部分线段AC上的正方形的五倍，令CD是AC的两倍。

那么我说：当CD被分成中外比时，较大线段是CB。

在AB、CD上分别建正方形AF、CG，在

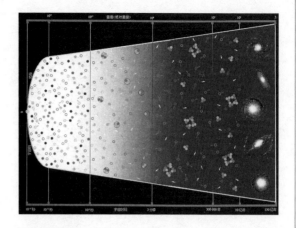

宇宙的范围

基本粒子物理的最新研究成果，已能让天体物理学家勾勒出大爆炸10^{-43}秒后的宇宙历史轮廓。但现有的物理学知识，还是无法让他们推论自大爆炸后至10^{-43}秒的情况。在"膨胀"结束时，空间中的能量产生夸克、电子、中微子、光子和反粒子的"中子汤"。中子和质子在10^{-6}秒时诞生，固定了宇宙的化学组合。接着氢核和氦核在第三分钟出现，从而宇宙中75%的氢及23%的氦形成。30万年后，电子、氢核和氦核组合成氢原子与氦原子。宇宙从此有材料来制造星系和恒星了。

AF上作图形，作出BE（命题I.46）。

现在，因为：BA上的正方形是AC上的正方形的五倍，所以：AF是AH的五倍，所以：折尺形MNO是AH的四倍。

又，因为：DC是CA的两倍，所以：DC上的正方形是CA上的正方形的四倍，即，CG是AH的四倍。而折尺形MNO也是AH的四倍，所以：折尺形MNO等于CG。

又，因为：DC是CA的两倍，同时，DC等于CK，而AC等于CH，所以：KB也等于BH的两倍（命题VI.1）。

又，LH、HB之和也是HB的两倍，所以：KB等于LH、HB之和。

又，总折尺形MNO也被证明等于总CG，所以：余量HF等于BG。

又，BG等于CD、DB构成的矩形，因

为，CD等于DG，且HF是CB上的正方形，所以：CD、DB构成的矩形等于CB上的正方形。

所以：DC比CB同于CB比BD。又，DC大于CB，所以：CB也大于BD。

所以：当线段CD被分成中外比时，CB是较大线段。

所以：如果一条线段上的正方形是它的部分线段为边的正方形的五倍，那么，这些线段的两倍被分成中外比时，其中较长的线是原线的所余部分。

证完

引 理

也可证明出：两倍AC大于BC。

如果不是，设BC是CA的两倍。

于是：BC上的正方形等于CA上的正方形的四倍。

所以：BC、CA上的正方形之和是CA上的正方形的五倍。而，根据假设，BA上的正方形也是CA上的正方形的五倍。

所以：BA上的正方形等于BC、CA上的正方形之和，这是不可能的（命题VI.1）。所以：CB不是AC的两倍。

类似地，我们也可以证明出，线段CA的两倍不小于CB；因为这更不合理了。

所以：AC的两倍大于CB。

证完

注 解

这一命题没有在《原本》中再得以利用，它是前一命题XIII.1的逆命题。

命题XIII.3

如果一条线段被分成中外比，那么，较小线段与大线段的一半之和上的正方形，是大线段一半上的正方形的五倍。

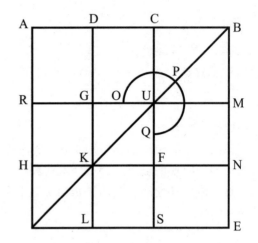

设：点C分线段AB为中外比，AC为较大线段，AC被D点平分。

那么我说：BD上的正方形是DC上的正方形的五倍。

建AE是AB上的正方形，且设已作出图形（命题I.46）。

因为：AC是DC的两倍，所以：AC上的正方形是DC上的正方形的四倍，即RS是FG的四倍。

又，因为：AB、BC构成的矩形等于AC上的正方形，而CE是AB、BC构成的矩形，所以：CE等于RS。

又，RS是FG的四倍，所以：CE也是FG的四倍。

又，因为：AD等于DC，所以：HK也等于KF。

因此：正方形GF等于正方形HL。

所以：GK等于KL，即，MN等于NE，因此：MF等于FE。

而，MF等于CG，所以：CG等于FE。

以上两边与CN相加，所以：折尺形OPQ等于CE。

又，CE已经被证明等于FG的四倍，所以：折尺形OPQ也等于正方形FG的四倍，所以：折尺形OPQ和正方形FG之和等于FG的五倍。

又，折尺形OPQ与正方形FG之和是正方形DN。又，DN是DB上的正方形，且GF是DC上的正方形，所以：DB上的正方形是DC上的正方形的五倍。

所以：如果一条线段被分成中外比，那么，较小线段与大线段的一半之和上的正方形，是大线段一半上的正方形的五倍。

证完

注 解

这一结果用在命题XIII.16 中，证明二十面体是给定球的内接多面体。

命题XIII.4

如果一条线段被分成中外比，那么，整体线上的正方形与较小线段上的正方形之和，是较大线段上的正方形的三倍。

设：AB在C点被分为中外比，AC为较大线。

那么我说：AB、BC上的正方形之和是CA上的正方形的三倍。

在AB上建正方形ADEB，且设图形已作出（命题I.46）。

那么，因为：AB在C点被分成中外比，AC为较大线段，于是：AB、BC构成的矩形等于AC为边的正方形（定义VI.3、命题

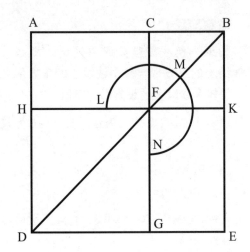

VI.17）。

又，AK是由AC、BC构成的矩形。且HG是AC上的正方形，所以：AK等于HG。

又，因为：AF等于FE，令CK与以上两边相加，于是：整体AK等于整体CE，所以：AK、CE之和等于AK的两倍。而AK、CE之和等于折尺形LMN与正方形CK之和，所以：折尺形LMN与正方形CK之和是AK的两倍。

又，进一步，AK也被证明等于HG，所以：折尺形LMN与正方形CK、HG之和是正方形HG的三倍。

又，折尺形LMN与正方形CK、HG之和是整体正方形AE、CK之和，它也是AB、BC上的正方形之和，同时HG是AC上的正方形。

所以：AB、BC上的正方形之和是AC上的正方形的三倍。

所以：如果一条线段被分成中外比，那么，整体线上的正方形与较小线段上的正方形之和，是较大线段上的正方形的三倍。

证完

注 解

这一命题和下面三个命题皆是为命题XIII.17做的准备，在这一命题中，建十二面体。

命题XIII.5

如果一条线段被分为中外比，且有一条等于较大线段的线段与之相加，那么，整体线段也被分为中外比，原线段为其较大的线段。

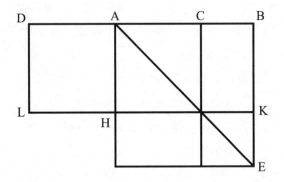

设：线段AB在C点被分为中外比，AC为较大线段，AD等于AC。

那么我说：DB在A点被分为中外比，原线段AB是大线段。

在AB上建正方形AE，且设已作出图形（命题I.46）。

因为：AB在C点被分成中外比，所以：AB、BC构成的矩形等于AC上的正方形（定义VI.3、命题VI.17）。

又，CE是AB、BC构成的矩形，CH是AC上的正方形，所以：CE等于HC。

又，HE等于CE，且DH等于HC，所以：DH也等于HE。

所以：整体DK等于整体AE。

又，DK是由BD、DA构成的矩形，因为：AD等于DL，且AE是AB上的正方形，所以：BD、DA构成的矩形等于AB上的正方形。

所以：DB比BA同于BA比AD，且DB大于BA，所以：BA也大于AD（命题VI.17、V.14）。

所以：DB在A点被分成中外比，AB为大线段。

所以：如果一条线段被分为中外比，且有一条等于较大线段的线段与之相加，那么，整体线段也被分为中外比，原线段为其较大的线段。

证完

注 解

这一命题应用在命题XIII.17中，一个十二面体被建出来。

命题XIII.6

如果一条有理线被分成中外比，那么，两部分线段是无理线段，称为余线。

设：AB在C点被分成中外比，AC为较大线。

那么我说：线段AC、CB是被称为余线的无理线段。

延长BA，使AD等于BA的一半。

那么，因为：线段AB被分为中外比，在大线段AC上加AD，AD是AB的一半，于是：CD上的正方形是DA上的正方形的五倍（命题XIII.1）。

所以：CD上的正方形比DA上的正方形同于一个数比一个数，所以：CD上的正方形与DA上的正方形是可公约的（命题X.6）。

又，DA上的正方形是有理的，因为：DA是有理的，AB的一半是有理的，所以：CD上的正方形也是有理的，所以：CD也是有理的（命题X.4）。

又，因为：CD上的正方形比DA上的正方形不同于一个平方数与一个平方数之比。

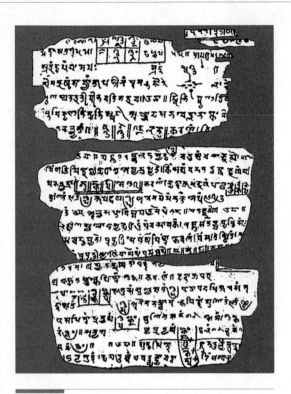

巴克沙手稿

印度有文字可考的历史最早记录发生在吠陀时期，时间跨度从公元前3世纪到公元10世纪。1881年发掘出的巴克沙手稿，成为公元前2世纪至公元3世纪期间印度数学的唯一见证。这些书写在桦树皮上的手稿，记载有丰富的数学内容，涉及到分数、平方根、数列、收支与利润计算。特别值得注意的是，手稿中出现了完整的十进制数码，其中用到"·"来表示数码"0"。

所以：CD与DA是长度不可公约的，所以：CD、DA是仅正方可公约的有理线。所以：AC是余线（命题X.9、X.73）。

又，因为：AB被分成中外比，且AC是大线段，所以：AB、BC构成的矩形等于AC上的正方形（定义VI.3、命题VI.17）。

所以：余线AC上的正方形，如果等于有理线段AB、BC构成的矩形。而余线为边的正方形如果等于一条有理线段和第一余线构成的矩形，于是：CB是第一余线。又，CA也被证明为一个余线（命题X.97）。

所以：如果一条有理线被分成中外比，那么，两部分线段是无理线段，称为余线。

证完

注 解

赫斯认为，本命题是后人伪造插入进来的。

这一命题应用在命题XIII.17的十二面体建造之中，以证明五边形的边是无理线（称为余线）。

命题XIII.7

如果一个等边的五边形，有三个相邻或者不相邻的角相等，那么，它是等角五边形。

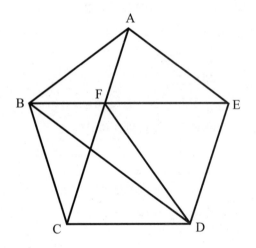

首先，设在等边五边形ABCDE中，相邻角A、B、C相互相等。

那么我说：五边形ABCDE是等角的。

连接AC、BE、FD。

那么，因为：两个边CB、BA分别等于两个边BA、AE，且角CBA等于角BAE，所以：底AC等于底BE，三角形ABC全等于三角形ABE，且余角等于余角，即，它们是对着等边的角，即角BCA等于角BEA，且角ABE等于角CAB（命题I.4）。

因此：边AF也就等于边BF（命题I.6）。

又，整体AC等于整体BE，所以：余量FC等于余量FE。又，CD等于DE。所以：两边FC、CD等于两边FE、ED，且底FD是它们的公共边，所以：角FCD等于角FED（命题I.8）。

又，角BCA也被证明等于角AEB；所以：整体角BCD等于整体角AED。且，根据假设，角BCD等于在A、B点的角。所以：角AED也等于在A点和B点的角。类似地，我们可以证明，角CDE也等于在A点、B点和C点的角，所以：五边形ABCDE是等角的。

再设：已知等角不是相邻角，即A、C、D处的角是相等的。

那么我说：在这一情况下，五边形ABCDE也是等角的。

连接BD。

那么，因为：BA、AE两边等于BC、CD两边，且它们包含等角，所以：底BE等于底BD，三角形ABE等于三角形BCD，且余角等于余角，即等边所对的角，所以：角AEB等于角CDB（命题I.4）。

又，角BED也等于角BDE，因为边BE等于边BD（命题I.5）。

所以：整体角AED也等于整体角CDE。

又，根据假设，角CDE等于在A点和C点的角。所以：角AED也等于在A点和C点的角。

同理，角ABC也等于在A、C、D点的角，所以：五边形ABCDE是等角的。

所以：如果一个等边的五边形有三个相邻或者不相邻的角相等，那么，它是等角五边形。

证完

注 解

本命题被命题XIII.17所用。

命题XIII.8

如果在正五边形中，用线段依次连接相对两角，那么，其连线交成中外比，且大线等于五边形的边。

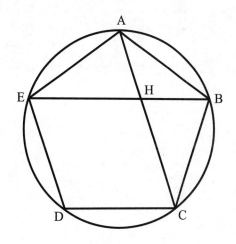

设：在正五边形ABCDE中，对角线AC、BE在H点相交。

那么我说：它们皆在H点被分成中外比，其大线等于五边形的边。

在圆ABCDE上建内接五边形ABCDE（命题IV.14）。

那么，因为：两条线段EA、AB等于两条线段AB、BC，它们所夹的角相等，所以：底BE等于底AC，三角形ABE等于三角形ABC，且，余角分别等于余角，即等边所对的角（命题I.4）。

计算机芯片

在设计制造计算机芯片时，会涉及到斯坦纳问题和相关数学问题的普遍应用。计算机芯片1平方厘米约有800万只晶体管，它们由极细的金属丝构成的精致系统连接。如果要使芯片上填入更多的晶体管以增强芯片的功效，就必须使金属丝系统尽可能地短，即寻找斯坦纳问题中的最短连接线。图为一块现代计算机芯片，以40倍比例放大，可以见到数百万个晶体管以水平线和竖直线的形式相连接，清晰地显示了它的设计情况。

所以：角BAC等于角ABE，所以：角AHE是角BAH的两倍（命题I.32）。

又，角EAC是角BAC的两倍，因为：弧EDC也是弧CB的两倍（命题III.28、VI.33）。

所以：角HAE等于角AHE。

因此：线段HE也等于线段EA，即AB（命题I.6）。

又，因为：线段BA等于AE，所以：角ABE也等于角AEB（命题I.5）。

又，角ABE已经被证明等于角BAH，所以：角BEA也等于角BAH。

又，角ABE是三角形ABE与三角形ABH的公共角，所以：余角BAE等于余角AHB。所以：三角形ABE与三角形ABH是等角三角形（命题I.32）。

所以：成比例地，EB比BA同于AB比BH（命题VI.4）。

又，BA等于EH，所以：BE比EH同于EH比HB。

又，BE大于EH，所以：EH大于HB（命题VI.14）。

所以：BE在H点被分成中外比，且大线段HE等于五边形的边。

类似地，我们可以证明出，AC也在H点被分为中外比，大线CH等于五边形的边。

所以：如果在正五边形中，用线段依次连接相对两角，那么，其连线交成中外比，且大线等于五边形的边。

证完

注 解

这一命题应用在命题XIII.11 的证明中，以作内接于圆（直径为有理线段）的正五边形，该边是无理线段。

命题XIII.9

如果内接于同一个圆内的正六边形的一边和正十边形的一边相加，那么，总线段可分成中外比，且大线段是正六边形的一边。

设：ABC为圆，BC是内接于圆的正十边形的边，CD是内接于圆的正六边形的边，且它们在同一直线上。

那么我说：总线段BD被分成中外比，

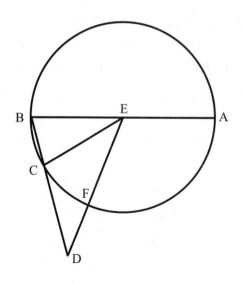

CD是大线段。

令：E为圆心，连接EB、EC、ED，延长EB至A（命题III.1）。

因为：BC是正十边形的边，所以：弧ACB是弧BC的五倍，所以：弧AC是弧CB的四倍。

又，弧AC比弧CB同于角AEC比角CEB，所以：角AEC是角CEB的四倍（命题VI.33）。

又，因为：角EBC等于角ECB，所以：角AEC是角ECB的两倍（命题I.5、I.32）。

又，因为：线段EC等于CD，因为：它们等于内接于圆ABC的正六边形的边，所以：角CED也等于角CDE，所以：角ECB是角EDC的两倍（命题IV.15、推论、I.5、I.32）。

又，角AEC已经证明等于角ECB的两倍，所以：角AEC等于角EDC的四倍。又，角AEC已经被证明等于角BEC的四倍，所以：角EDC等于角EBC。

又，角EBD是两个三角形BEC和BED的公共角，所以：余角BED等于余角ECB。所以：三角形EBD与三角形EBC是等角三角形（命题I.32）。

所以：有比例，DB比BE同于EB比BC（命题VI.4）。

又，EB等于CD，所以：BD比DC同于DC比CB。又，BD大于DC，所以：DC大于CB。

莫斯科纸草书

古埃及的几何学是尼罗河的赠礼，正是为了测量河水泛滥所损坏的良田，古埃及人首先学会了使用几何学，后来又把它传给了希腊人。图中的莫斯科纸草书，又称为戈列尼雪夫草书，于1893年由俄国贵族戈列尼雪夫购得。这部约完成于公元前1890年的纸草书，包含许多几何性质的问题，内容大都与土地面积和谷堆面积的计算有关。

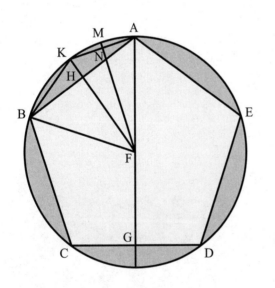

所以：线段BD被分成中外比，且DC是大线段。

所以：如果内接于同一个圆内的正六边形的一边和正十边形的一边相加，那么，总线段可分成中外比，且大线段是正六边形的一边。

证完

注 解

这一结果应用在命题XIII.16和XIII.18中以建正二十面体。

命题XIII.10

一个内接于圆的等边五边形，其一边上的正方形，等于同圆内的内接正六边形一边上的正方形与内接正十边形一边上的正方形之和。

设：ABCDE为圆，等边五边形ABCDE内接于圆ABCDE。

那么我说：五边形ABCDE一边上的正方形等于圆ABCDE的内接正六边形一边上的正

方形和内接正十边形一边上的正方形之和。

令：F为圆心，连接AF延长至G点，连接FB，从F作FH垂直于AB且交圆于K，连接AK、KB，从F作FL垂直于AK且交于M，连接KN（命题III.1、I.12）。

因为：弧ABCG等于弧AEDG，其中，弧ABC等于AED，所以：余量弧CG等于余量弧GD。

而，CD属于一个正五边形，所以：CG属于一个正十边形。

又，因为：FA等于FB，FH是垂线，所以：角AFK等于角KFB（命题I.5、I.26）。

因此：弧AK等于KB，所以：弧AB等于弧BK的两倍。所以：线段AK是正十边形的一边。同理，AK是KM的两倍（命题III.26）。

现在，因为：弧AB是弧BK的两倍，同时，弧CD等于弧AB，所以：弧CD也是弧BK的两倍。

又，弧CD也是CG的两倍，所以：弧CG等于弧BK。而BK是KM的两倍，因为KA也是KM的两倍，所以：CG也是KM的两倍。

再，进一步，弧CB也是弧BK的两倍，因为，弧CB等于BA。所以：总弧GB也是BM的两倍。因此：角GFB是角BFM的两倍（命题VI.33）。

又，角GFB是角FAB的两倍，因为角FAB等于角ABF。所以：角BFN等于角FAB。

又，角ABF是两个三角形ABF、BFN的公共角，所以：余角AFB等于余角BNF。所以三角形ABF与三角形BFN是等角三角形（命题I.32）。

所以：成比例地，线段AB比BF同于FB

比BN。所以：AB与BN构成的矩形等于BF上的正方形（命题Ⅵ.4、Ⅵ.17）。

又，因为：AL等于LK，同时LN是公共的，且是直角，所以：底KN等于底AN。所以：角LKN也等于角LAN（命题Ⅰ.4）。

又，角LAN等于角KBN，所以：角LKN也等于角KBN。又，在A点的角是两个三角形AKB、AKN的公共角，所以：余角AKB等于余角KNA（命题Ⅰ.32）。

所以：三角形KBA与三角形KNA是等角三角形。所以：成比例地，线段BA比AK同于KA比AN（命题Ⅵ.1）。

所以：BA、AN构成的矩形等于AK上的正方形（命题Ⅵ.17）。

又，AB与BN构成的矩形，也被证明了等于BF上的正方形，所以：AB、BN构成的矩形与BA、AN构成的矩形之和，即BA上的正方形，等于BF上的正方形、AK上的正方形之和（命题Ⅱ.2）。

又，BA是正五边形的一边，BF是正六边形的一边，AK是正十边形的一边（命题Ⅳ.15、推论）。

所以：一个内接于圆的等边五边形，其一边上的正方形，等于同圆内的内接正六边形一边上的正方形与正十边形一边上的正方形之和。

证完

原始茅屋

编年史上粗糙的分期无助于解决民族与文化错综复杂的模式，文明原始社会带来的是人类有意识地尝试以全新的尺度把人和环境控制、组织起来。文明以积累起来的精神和技术资源为基石，并以此来驾驭环境，阐释思维模式。图为公元前4000年一个小村庄的主体建筑，高11米、宽10米，属仰韶文化。

注 解

这一结果应用在命题ⅩⅢ.16中。

命题ⅩⅢ.11

如果圆的直径为有理线，那么，这个圆的内接等边五边形的边是被称为次线的无理线。

设：在圆ABCDE中，直径是有理线，内接等边五边形ABCDE被建立。

以F为圆心，连接AF、FB，延长它们至点G、H，再连接AC，作AF的四分之一FK（命题Ⅲ.1、Ⅵ.9）。

现在，因为：AF是有理的，所以：FK也是有理的。而BF也是有理的，所以：整体BK是有理的。

又，因为：弧ACG等于弧ADG，且在它们中，ABC等于AED，所以：余量CG等于余量GD。

又，如果我们连接AD，那么，在点L处

的角是直角，CD是CL的两倍，

同理，在M点的角也是直角，且AC是CM的两倍。

那么，因为：角ALC等于角AMF，且角LAC是两个三角形ACL和AMF的公共角，所以：余角ACL等于余角MFA（命题I.32）。

所以：三角形ACL与三角形AMF是等角三角形。所以：成比例地，LC比CA同于MF比FA。且取两前项的两倍，所以：LC的两倍比CA同于MF的两倍比FA。

又，MF的两倍比FA同于MF比FA的一半，所以：LC的两倍比CA同于MF比FA的一半。

取两后项的一半，所以：LC的两倍比CA的一半，同于MF比FA的四分之一。

曼德尔布罗特集合

美籍法国数学家曼德尔布罗特（1924— ），研究雪花曲线的工作引出了分形几何学，同时也为准确地描述和艺术地再现世间万物的不规则性提供了理论依据。曼德尔布罗特集合自发现以来已显示出与所有动力学过程行为的密切联系。像圆和正多边形等图形一样，它在现代数学中占有特殊和基础的地位，它是分形世界一切神奇美妙的景观之源。

又，DC是LC的两倍，CM是CA的一半，FK是FA的四分之一，所以：DC比CM同于MF比FK。

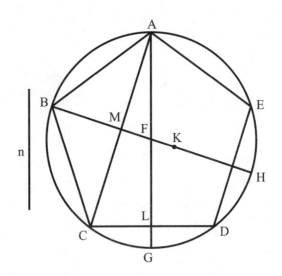

又，由合比可得，DC、CM之和比CM同于MK比KF。所以：DC、CM之和上的正方形比CM上的正方形，等于MK上的正方形比KF上的正方形（命题V.18）。

又，因为：当五边形两相对角的连线AC被分为中外比时，大线段等于五边形的边，即DC，同时，大线段与整体之一半之和上的正方形是整体之一半上的正方形的五倍，而CM是整体AC的一半。所以：CM、DC之和上的正方形是CM上的正方形的五倍（命题XIII.8、XIII.1）。

又，已经证明DC、CM之和上的正方形比CM上的正方形同于MK上的正方形比KF上的正方形，所以：MK上的正方形是KF上的正方形的五倍。

又，KF上的正方形是有理的，因为它的直径是有理的，所以：MK上的正方形也是有理的。所以：MK是有理的。

又，因为：BF是FK的四倍，所以：BK是KF的五倍，所以：BK上的正方形是KF上的正方形的二十五倍。

又，MK上的正方形是KF上的正方形的五倍，所以：BK上的正方形是KM上的正方形的五倍，所以：BK上的正方形比KM上的正方形不同于平方数比平方数。所以：BK与KM是长度不可公约量（命题X.9）。

又，它们皆是有理的。所以：BK、KM是仅正方可公约的有理线段。

又，如果从一条有理线段减去一条与它仅正方可公约的有理线段，那么，余量是无理的，即一条余线，所以：MB是一条余线，而MK是它上面的加线段（命题X.73）。

我进一步说，MB也是一个第四余线。

设：n上的正方形等于BK上的正方形与KM上的正方形之差。所以：BK上的正方形与KM上的正方形之差等于n上的正方形。

又，因为：KF与FB是可公约的，由合比可得，KB与FB可公约，而FB与BH可公约，所以：BK与BH也可公约（命题X.15、X.12）。

又，因为：BK上的正方形是KM上的正方形的五倍，所以：BK上的正方形比KM上的正方形等于5:1。所以：由反比可得，BK上的正方形比n上的正方形等于5:4，而此比不是平方数比平方数。所以：BK与n是不可公约的。所以：BK上的正方形与KM上的正方形的差的正方形的边与BK不可公约（命题V.19、X.9、推论）。

因为：整体BK上的正方形与加线段KM上的正方形的差的正方形的边与BK不可公约，且整体BK与给定的有理线段BH是可

公约的，所以：MB是一个第四余线（命题Ⅲ.4）。

又，由一条有理线和第四余线构成的矩形是无理的，且与此矩形相等的正方形的边是条无理次线（命题X.94）。

又，AB上的正方形等于HB、BM构成的矩形，因为，当连接AH时，三角形ABH与三角形ABM是等角三角形，且HB比BA等于AB比BM。

所以：五边形的边AB是一条无理次线。

数学启蒙

1847年，英国人伟烈亚力（1815—1887年）来到上海学习中国文化。1854年，他用中文写了一本《数学启蒙》，介绍西方数学。他在序中说：西方就是中国的天元术，天元术"穷极奥妙"，不能使闾阎小民习用易晓。现有《数学启蒙》一书，"以授塾中学徒，由浅及深，使其知之易也"。伟烈亚力决意将借根方改译为代数，主要是考虑到早期传入的借根方只是代数学的片断，现在有必要系统地介绍。

所以：如果圆的直径为有理线，那么，这个圆的内接等边五边形的边是被称为次线的无理线。

证完

注 解

本命题应用在命题XIII.16中，以阐释正五边形的边是无理线段，也被称为次线。

命题XIII.12

如果一个等边三角形内接于一圆，那么，三角形一边上的正方形是圆的半径上的正方形的三倍。

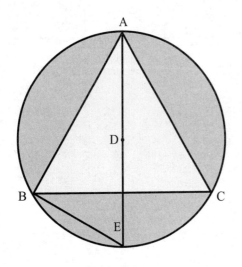

设：ABC为圆，等边三角形ABC内接于圆ABC。

那么我说：三角形ABC一边上的正方形是圆半径上的正方形的三倍。

令：D为圆ABC的圆心，连接AD并延长至E，连接BE（命题III.1）。

那么，因为：三角形ABC是等边三角形，所以：弧BEC是圆周ABC三分之一。所

以：弧BE是圆周的六分之一。所以：线段BE属于正六边形的边。所以：它等于半径DE（命题IV.15、推论）。

又，因为：AE是DE的两倍，所以：AE上的正方形是ED上的正方形的四倍，即是BE上的正方形的四倍。

又，AE上的正方形等于AB、BE上的正方形之和，所以：AB、BE上的正方形之和等于BE上的正方形的四倍（命题III.31、I.47）。

所以：由分比可得，AB上的正方形是BE上的正方形的三倍，而BE等于DE，所以：AB上的正方形是DE上的正方形的三倍。

所以：三角形一边上的正方形是圆半径上的正方形的三倍。

所以：如果一个等边三角形内接于一圆，那么，三角形一边上的正方形是圆的半径上的正方形的三倍。

证完

注 解

本命题应用在下一命题中以建四面体。

命题XIII.13

在给定的球内建一内接棱锥；求证球直径上的正方形是棱锥一边上的正方形的一倍半。

设：已知球的直径是AB，在C点切分为AC和CB，使AC等于两倍CB，在AB上建半圆ADB，从C点作CD与AB成直角，连接DA（命题VI.9、I.11）。

再设：圆EFG的半径等于DC，建内接于圆EFG的等边三角形EFG，H为圆心，连接

EH、HF、HG（命题I.1、IV.2）。

再设：从点H建HK与圆EFG所在的平面成直角，切分HK等于线段AC，连接KE、KF、KG（命题XI.12、I.3）。

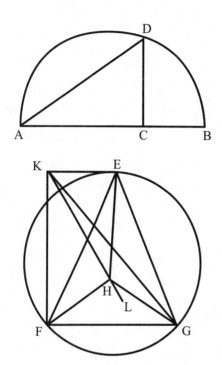

那么，因为：KH与圆EFG所在的平面成直角，所以：它也与圆EFG所在的平面上的一切与它相交的直线成直角，而线段HE、HF、HG皆与它相交，所以：HK与HE、HF、HG皆成直角（定义XI.3）。

又，因为：AC等于HK，CD等于HE，而它们包含直角，所以：底DA等于底KE。同理，线段KF、KG也等于DA。

所以：线段KE、KF、KG彼此相等（命题I.4）。

又，因为：AC是两倍CB，所以：AB是三倍BC。

又，后边将要证明，AB比BC同于AD上

的正方形比DC上的正方形。

所以：AD上的正方形是DC上的正方形的三倍。而FE上的正方形也是EH上的正方形的三倍，DC等于EH，所以：DA也等于EF（命题XIII.12）。

又，已经证明，DA分别等于线段KE、KF、KG，所以：线段EF、FG、GE也分别等于线段KE、KF、KG，所以：四个三角形EFG、KEF、KFG、KEG是等边三角形。

所以：四个等边三角形构成一个棱锥，三角形EFG为其底，K为其顶点。

现在，进一步，要求它内接于已知球，且证明球直径上的正方形是该棱锥一边上正

埃及的僧侣文

约产生于公元前1650年的赖因德纸草书，是现存世界上最古老的数学书，1858年为赖因德所获而得名。上面的文字用埃及的僧侣文书写，这是象形文字的简化，当时只有神职人员才有闲暇和需要来使用这种文字。图中是此书出现的数码，属于十进制的分级符号制。

图2.15
图2.15是此书出现的数码，属于10进的分级符号制。除了1、2、……9各有符号表示外，10,20、……90以及100、200、……900等等都用特殊符号表示。使用这种制度要记住很多符号，这是缺点，但写起来很紧凑，如

＝3052

观天测地

就科学史而言，文艺复兴全面地恢复了希腊自然哲学的整体面貌，并使柏拉图主义重新支配了研究自然的学者们的思想。在这一时期，航海罗盘、钟表、枪炮、印刷术等的出现都为科学革命的兴起奠定了坚实的基础。人们即将从古代的知识范围里走出来，运用科学手段与工具去探索无限的宇宙。

那么，如果固定KL，使半圆从原来的位置旋转到开始位置，它也经过点F、G，因为：如果连接FL、LG，那么在F、G的是直角。且棱锥内接于已知球。因为球的直径KL等于已知球的直径AB，KH等于AC，且HL等于CB。

我进一步说：球直径上的正方形是棱锥一边上正方形的一倍半。

因为：AC是CB的两倍，所以：AB是BC的三倍，又，由反比可得，BA是AC的一倍半。

又，BA比AC同于BA上的正方形比AD上的正方形。所以：BA上的正方形也是AD上的正方形的一倍半。又，BA是给定的球的直径，且AD等于棱锥的边。

所以，这个球的直径上的正方形是棱锥上正方形的一倍半。

所以：在给定的球内建一内接棱锥；该球直径上的正方形是棱锥一边为边的正方形的一倍半。

证完

引 理

也可以证明AB比BC同于AD上的正方形比DC上的正方形。

设：已作出半圆图形，连接DB，在AC上建正方形EC。完成平行四边形FB（命题I.46）。

因为：三角形DAB与三角形DAC是等角三角形，所以：BA比AD同于DA比AC。所以：由AB、AC构成的矩形等于AD上的正方形（命题VI.8、VI.4、VI.17）。

方形的一倍半。

将线段KH延长成HL，且使HL等于CB（命题I.3）。

那么，因为：AC比CD同于CD比CB，同时AC等于KH，CD等于HE，CB等于HL，所以：KH比HE同于EH比HL。所以：KH、HL构成的矩形等于EH上的正方形（命题VI.8、推论、VI.17）。

又，角KHE、EHL皆为直角，所以：KL上的半圆也过E（命题VI.8、III.31）。

又，因为：AB比BC同于EB比BF，而EB是BA、AC构成的矩形，因为，EA等于AC；BF是AC、CB构成的矩形。所以：AB比BC同于BA、AC的矩形比AC、CB构成的矩形（命题Ⅵ.1）。

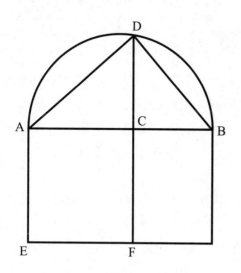

又，BA、AC构成的矩形等于AD上的正方形，且AC、CB构成的矩形等于DC上的正方形，因为，垂线DC是底的线段AC、CB的比例中项，因为，角ADB是直角。所以：AB比BC同于AD上的正方形比DC上的正方形（命题Ⅵ.8、推论）。

证完

注 解

在命题ⅩⅢ.18中，比较了五个正多边形，本命题的正四面体是其中一个。

规矩图

古代中国几何学的起源更多与天文观测相联系。成书于公元前2世纪的中国数学经典《周髀算经》就是一部讨论中国西周初年，即公元前1100年的天文测量而所用的数学方法的著作。不过在此之前，即夏禹治水之初，规矩准绳之用在中国已相当普遍。图为汉代画像石上的规矩作图：女娲（左）执规，伏羲（右）执矩。

命题ⅩⅢ.14

建一个球的内接正八面体，如同上题的情况一样，球直径上的正方形是正八面体一边上的正方形的两倍。

设：直径AB是给定的球的直径，C点将其平分，在AB上建半圆ADB，从C点作CD垂直于AB，连接DB（命题Ⅰ.11）。

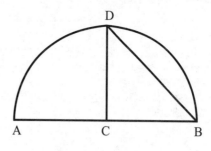

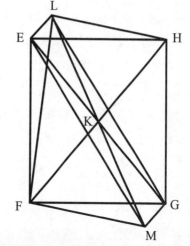

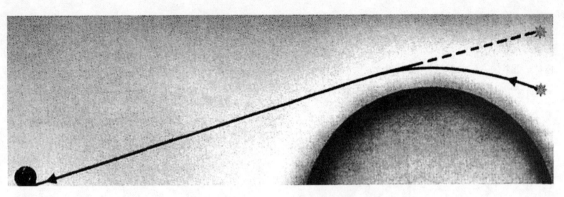

空间弯曲

由于广义相对论，非欧几何第一次获得了现实原型。在广义相对论中，时空整体是不均匀的，空间的弯曲由物质的几何分布决定。爱因斯坦据此预言了恒星发出的光线在从太阳近旁掠过时会发生弯折。这一预言在1919年的一次日全食观测中首次得到证实。

再设：建正方形EFGH的边等于DB，连接HF、EG，从K点作直线KL垂直于正方形EFGH所在的平面，并使它穿过平面到另一端，取线段KM（命题I.46、XI.12）。

在直线KL、KM上取线段KL、KM等于线段EK、FK、GK、HK，连接LE、LF、LG、LH、ME、MF、MG、MH（命题I.3）。

那么，因为：KE等于KH，且角EKH是直角，所以：HE上的正方形是EK上的正方形的两倍，因为LK等于KE，角LKE是直角，所以：EL上的正方形是EK上的正方形的两倍（命题I.47）。

又，HE上的正方形也被证明等于EK上的正方形的两倍，所以：LE上的正方形等于EH上的正方形。所以：LE等于EH。同理，LH也等于HE。

所以：三角形LEH是等边三角形。

类似地，我们也可证明，以正方形EFGH的边为底，以L、M为顶点的其余三角形也皆是等边三角形，于是：由八个等边三角形构成的正八面体被建成（定义XI.26）。

现在要求它内接于已知球，且球的直径上的正方形等于正八面体边上的正方形的两倍。

因为：三条线段LK、KM、KE相等，所以：LM上的半圆也经过E，同理，如果固定LM，旋转半圆到原来位置，它也经过F、G、H，这样，正八面体内接于圆。

我进一步说，它也内接于已知球。

因为，LK等于KM，同时KE是公共的，且它们夹直角，所以：底LE等于底EM（命题I.4）。

又，因为：角LEM是直角，因为它在半圆上，所以：LM上的正方形是LE上的正方形的两倍（命题III.31、I.47）。

又，因为：AC等于CB，所以：AB是BC的两倍，又，AB比BC同于AB上的正方形比BD上的正方形，所以：AB上的正方形是BD上的正方形的两倍。

又，LM上的正方形也被证明是LE上的正方形的两倍。又，DB上的正方形等于LE上的正方形，因为，EH也等于DB。所以：AB上的正方形等于LM上的正方形。所以：AB等于LM。

又，AB是给定球的直径，所以：LM等于给定球的直径。

所以：可建一个球的内接正八面体，如同上题的情况一样，球直径上的正方形是正八面体一边上的正方形的两倍。

证完

注 解

本命题应用在命题XIII.18中，比较多个正多面体。

命题XIII.15

如作棱锥一样，求作一个球的内接正方体；且证明球直径上的正方形是正方体一边上的正方形的三倍。

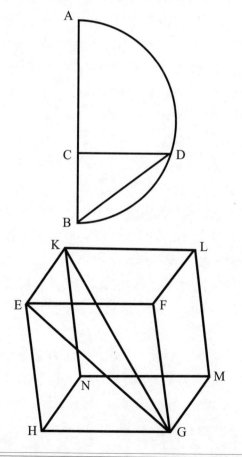

设：给定球的直径为AB，C点切分AB，使AC是CB的两倍。在AB上建半圆ADB，过C作CD垂直于AB，连接DB。又设，正方形EFGH的边等于DB，过E、F、G、H作EK、FL、GM、HN与正方形EFGH所在的平面垂直，从EK、FL、GM、HN中截取EK、FL、GM、HN，分别等于EF、FG、GH、HE。连接KL、LM、MN、NK（命题VI.9、I.11、I.46、XI.12、I.3）。

所以：正方体FN被建成，它由六个相等的正方形构成（定义XI.25）。

现在要求证明，该正方体内接于已知圆，且球的直径上的正方形是正方体一边上的正方形的三倍。

连接KG、EG。

那么，因为：角KEG是直角，因为：KE也与平面EG成直角，当然，它也与直线EG成直角，所以：KG上的半圆过点E（定义XI.3）。

又，GF也与直线FL、FE皆成直角，所以：GF与平面FK也成直角，因此，如果连接FK，那么，GF也将与FK成直角。同理，GK上的半圆也过F。

类似地，它也过正方体其余的顶点。

如果固定KG，使半圆旋转到开始位置，那么，该正方体内接于一个球。

我进一步证明，它也内接于已知球。

因为：GF等于FE，在F点上的角是直角，所以：EG上的正方形是EF上的正方形的两倍，而EF等于EK，所以：EG上的正方形是EK上的正方形的两倍，因此：GE、EK上的正方形之和，即GK上的正方形是EK上的正方形的三倍（命题I.47）。

道尔顿

约翰·道尔顿（1766—1844年），英国化学家、物理学家。道尔顿最大的贡献是在原子理论方面，在对甲烷和乙烯的化学成分的分析试验中，道尔顿发现了倍比定律。倍比定律既可以看做是原子论的一个推论，又可以看做是对原子论的一个证明。1808年，道尔顿的主要化学著作《化学哲学的新体系》出版，原子论正式问世。道尔顿的原子论是一次重大进步，他揭示出一切化学现象的本质都是原子运动，明确了化学的研究对象，使化学成为一门真正的学科。同时，原子论揭示了化学反应现象与本质的关系，这对科学方法论的发展、辩证自然观的形成以及整个哲学认识论的发展具有重要的意义。

又，因为：AB是BC的三倍，同时，AB比BC同于AB上的正方形比BD上的正方形，所以：AB上的正方形是BD上的正方形的三倍。

又，GK上的正方形也已被证明等于KE上的正方形的三倍。且KE等于DB，所以：KG也等于AB，又，AB是已知球的直径，所以：KG也等于已知球的直径。

所以：内接于已知球的正方体被作出，球直径上的正方形是正方体一边上的正方形的三倍。

证完

注 解

本命题应用在命题XIII.18中。

命题XIII.16

与前述命题一样，求作一个内接于球的正二十面体，且证明这个二十面体的边是被称为次线的无理线段。

设：AB为给定球的直径，C点截分AB，使AC是CB的四倍，在AB上建半圆ADB，过C点作CD与AB成直角，连接DB（命题VI.9、I.11）。

再设：圆EFGHK的半径等于DB，且正五边形EFGHK内接于圆EFGHK，点L、M、N、O、P二等分弧EF、FG、GH、HK、KE，连接LM、MN、NO、OP、PL、EP（命题IV.11、I.9）。

于是：五边形LMNOP也是等边的，且线段EP属于十边形的边。

现在，过点E、F、G、H、K作直线EQ、FR、GS、HT、KU垂直于圆所在的平面，且使它们等于圆EFGHK的半径，连接QR、RS、ST、TU、UQ、QL、LR、RM、MS、SN、NT、TO、OU、UP、PQ（命题XI.12、I.3）。

现在，因为：线段EQ、KU垂直于同一平面，于是：EQ平行于KU。

又，它们也相等。又，连接相等且平行线段的端点的线段，在同一方向相等且平行。所以：QU平行且等于EK（命题I.33）。

又，EK属于等边五边形的边，所以：QU也是内接于圆QRSTU的等边五边形的边。

同理，线段QR、RS、ST、TU皆属于内接于圆QRSTU的等边五边形的边。所以五边形QRSTU是等边的。

又，因为：QE属于六边形，EP属于十

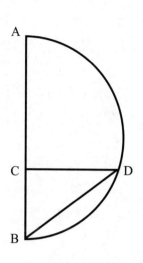

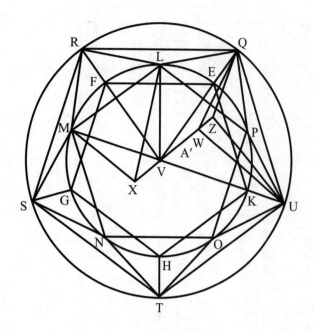

边形，角QEF是直角，所以：QP属于五边形，因为，内接于同一圆的五边形的边上的正方形等于六边形的边上的正方形与十边形边上的正方形之和（命题XIII.10）。

同理，PU也是五边形的边，而QU也属于一个五边形，所以：三角形QPU是等边的。同理，三角形QLR、RMS、SNT、TOU皆是等边的。

又，因为：已经证明了线段QL、QP是五边形的边，LP也是五边形的边，所以：三角形QLP是等边的。

同理，三角形LRM、MSN、NTO、OUP皆是等边的。

令：V为圆EFGHK的圆心，过V建VZ垂直于圆所在的平面，在另一个方向上延长为VX，截取VW，使它成为六边形的一边，且线段VX、WZ的每一边是十边形的一边，连接QZ、QW、UZ、EV、LV、LX、XM（命题III.1、XI.12）。

现在，因为：线段VW、QE垂直于圆所在的平面，所以：VW平行于QE，而它们也相等，所以：EV、QW平行且相等（命题XI.6、I.33）。

又，EV属于一个六边形，所以：QW也属于一个六边形，又因为：QW属于一个六边形，WZ属于一个十边形，且角QWZ是直角，所以：QZ属于一个五边形（命题XIII.10）。

同理，UZ也属于一个五边形，这是因为，如果我们连接VK、WU，那么，它们相等且相对，而VK是半径，属于一个六边形，所以：WU也属于一个六边形。但WZ属于一个十边形，且角UWZ是直角，所以：UZ属于一个五边形（命题IV.15、推论、XIII.10）。

又，QU属于一个五边形，所以：三角形QUZ是等边的。同理，余下的以线段QR、RS、ST、TU为底且以Z为顶点的三角形也是

数书九章卷第一　大衍类

鲁郡　秦九韶

蓍卦发微

问易曰大衍之数五十其用四十有九又曰分而为二以象两掛一以象三揲之以四以象四時三變而成爻十有八變而成卦欲知所衍之術及其數各幾何

答曰衍母一十二　衍法三

一元衍数二十四　二元衍数一十二

三元衍数八　四元衍数六

一揲用数十二　一揲用数二十四

已上四位衍数計五十

《数书九章》书影

中国数学在高次方程数值求解领域的集大成者是南宋数学家秦九韶。其代表作《数书九章》将增乘开方法推广到了高次方程的一般情形。《数书九章》成书于1247年。该书共18卷，81题，分九大类，即大衍、天时、田域、测望、赋役、钱谷、营建、军旅、贸易。仅其中两项重要贡献，即"正负开方术"和"天衍总数术"，就足以使宋代数学在中世纪世界数学史上独放异彩。

等边的。

又，因为：VL属于一个六边形，VX属于一个十边形，且角LVX是直角，所以：LX属于一个五边形（命题XIII.10）。

同理，如果我们连接属于六边形的MV，可以推出，MX也属于一个五边形。

又，LM也属于一个五边形，所以：三角形LMX是等边三角形。

类似地，也可以证明出，以线段MN、NO、OP、PL为底且以X为顶点的三角形皆是等边三角形。所以：一个二十面体已建成，它由二十个等边三角形构成（定义XI.27）。

现在进一步要求证明，该二十面体内接于已知球，且证明二十面体的边是称为次线的无理线段。

因为：VW属于一个六边形，WZ属于十边形，所以：VZ在W点上被切分为中外比，且VW为大，所以：ZV比VW等于VW比WZ（命题XIII.9）。

又，VW等于VE，WZ等于VX，所以：ZV比VE等于EV比VX。

又，角ZVE、EVX是直角，所以：如果我们连接直线EZ、XZ，那么：角XEZ将是直角，因为，三角形XEZ和VEZ是相似三角形。同理，ZV比VW等于VW比WZ，而ZV等于XW，VW等于WQ，所以：XW比WQ等于QW比WZ。

同理，如果连接QX，在Q处的角是直角，所以XZ上的半圆经过Q（命题VII.8、III.31）。

又如果，固定XZ，旋转此半圆到开始位置，它也经过Q，且过二十面体的其余顶点，因此，二十面体内接于一个球。

我进一步说，它也内接于已知球。

在A'点等分VW（命题I.9）。

那么，因为：线段VZ在W点被分成中外比，ZW为小，所以：ZW加大线段的一半，即WA'上的正方形等于大线段一半上的正方形的五倍。所以：ZA'上的正方形是A'W上的正方形的五倍（命题XIII.3）。

又，ZX是ZA'的两倍，VW是A'W的两倍，所以：ZX上的正方形是WV上的正方形的五倍，又因为，AC是CB的四倍，所以：AB是BC的五倍。

又，AB比BC同于AB上的正方形比BD上的正方形，所以：AB上的正方形是BD上的正方形的五倍（命题VI.8、定义V.9）。

又，ZX上的正方形也已经被证明是VW上的正方形的五倍，且DB等于VW，因为，它们皆等于圆EFGHK的半径。所以：AB也等于XZ。又AB是给定的球的直径，所以：XZ也等于给定的球的直径。

所以：该二十面体内接于已知球。

我进一步说，该二十面体的边是被称为次线的无理线段。

因为：球的直径是有理的，且它上的正方形是圆EFGHK的半径上的正方形的五倍，所以：圆EFGHK的半径也是有理的，因此：它的直径也是有理的。但是，如果一个等边五边形内接于一个直径有理的圆，那么，五边形的边是被称为次线的无理线（命题XIII.11）。

又，这个五边形EFGHK是这个二十面体的边。

所以：一个内接于球的正二十面体被建成，二十面体的边是被称为次线的无理线段。

证完

推 论

以上命题也表明，此球直径上的正方形等于内接二十面体得出的圆半径上的正方形的五倍，且球的直径等于内接于该圆内的六边形的一边与十边形两边的和。

命题XIII.17

建球的内接十二面体，如前命题，且求证十二面体的边是被称为余线的无理线段。

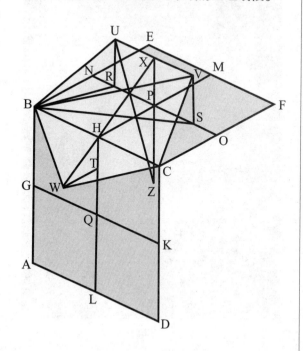

设：ABCD和CBEF是前述立方体的互相垂直的两个面，分别过G、H、K、L、M、N、O等分AB、BC、CD、DA、EF、EB、FC，连接GK、HL、MH、NO，再分别过R、S、T分NP、PO、HQ为中外比，且RP、PS、TQ为其大线段，从点R、S、T作RU、SV、TW与正方体的面成直角，且使它们等于RP、PS、TQ，连接UB、BW、WC、CV、VU（命题XIII.15、I.10、II.11、VI.30、XI.11、I.3）。

那么我说：五边形UBWCV是一个平面内的等边且等角的五边形。

连接RB、SB、VB。

那么，因为：线段NP在R点被分成中外比，RP为大线段，所以：切线PN、NR上的

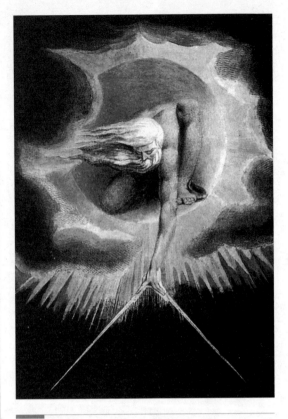

造物主

数学研究始于3000年之前，在整个历史上，数学家们总是追寻与社会相关抑或无关的自身观念，总是醉心于自身发现中的美妙和对数学问题的解答。数学是探索空间理性的学科，是想探索上帝存在的学科，是想找到宇宙"本基"的学科，是为了研究上帝的本性和做法以及上帝安排宇宙的方案的学科，是物质世界甚至精神世界的表述方式。在英国浪漫主义先驱威廉·布莱克的作品中，上帝被表现为手拿工程规测量天地的神话巨人。不管如何看待数学的价值，它始终是人类文化的一个必要部分。

正方形之和是RP上的正方形的三倍（命题XIII.4）。

又，PN等于NB，PR等于RU，所以：BN、NR上的正方形之和是RU上的正方形的三倍。

又，BR上的正方形等于BN、NR上的正方形之和，所以：BR上的正方形之和是RU上的正方形的三倍，因此，BR、RU上的

正方形之和是RU上的正方形的四倍（命题I.47）。

又，BU上的正方形等于BR、RU上的正方形之和，所以：BU上的正方形之和是RU上的正方形的四倍，所以：BU是RU的两倍。

又，VU也是UR的两倍，因为，SR也是PR的两倍，即RU的两倍，所以BU等于UV。

类似地，也可以证明出，线段BW、WC、CV也等于线段BU、UV。所以：五边形BUVCW是等边的。

我进一步说，它也在同一平面内。

从P点向正方体外作PX平行于线段RU、SV，连接XH、HW（命题I.31）。

那么我说，XHW是一条直线。

因为：HQ在T点被分成中外比，且QT为大线段，所以：HQ比QT等于QT比TH。

而HQ等于HP，QT等于线段TW、PX的每一条，所以：HP比PX等于WT比TH。

又，PH平行于TW，因为，它们皆垂直于平面BD，且TH平行于PX，因为，它们皆垂直于平面BF（命题XI.6）。

又，如果两个三角形XPH、HTW，它们的两边对应成比例，将它们的边放在一起，且顶角重合，相应边平行，那么，其余两边在一条直线上，所以：XH与HW在一条直线上（命题VI.32）。

又，每条线段皆在同一平面内，所以：五边形UBWCV在一个平面内（命题XI.1）。

我进一步说，它也是等角的。

因为：线段NP在R点被分成中外比，PR为大线段，同时，PR等于PS，所以：NS也在P点被分为中外比。

又，NP是大线段，所以：NS、SP上的

正方形之和是NP上的正方形的三倍（命题 XIII.5、XIII.4）。

又，NP等于NB，PS等于SV；所以：NS、SV上的正方形之和是NB上的正方形的三倍，因此：VS、SN、NB上的正方形之和是NB上的正方形的四倍。

又，SB上的正方形等于SN、NB上的正方形之和，所以：BS、SV上的正方形之和，即是BV上的正方形，是NB上的正方形的四倍，因为，角VSB是直角。所以：VB是BN的两倍。

又，BC也是BN的两倍，所以：BV等于BC。

又，因为：两边BU、UV等于两边BW、WC，且底BV等于底BC，所以：角BUV等于角BWC（命题I.8）。

类似地，我们可以证明，角UVC也等于角BWC。所以：三个角BWC、BUV、UVC彼此相等。

又，如果在一个等边五边形中，有三个角彼此相等，那么，该五边形是等角五边形（命题XIII.7）。

又，已经证明了它们是等边的，所以：五边形BUVCW是等边等角的，且在立方体的边BC上。

于是：如果在立方体的十二条边的每一条上都同样作图，那么，十二个等边且等角的五边形构成一个立体图，被称为十二面体（定义XI.28）。

现在，再求证它内接于已知球，且十二面体的边是被称为余线的无理线段。

延长XP成直线XZ。

于是：PZ与立方体的对角线相交，且彼此平分，因为，已经在第十一卷的最后的定理中证明了（命题XI.38）。

令：它们相交于Z，所以Z是立方体外接球的球心，而ZP是立方体一边的一半。连接UZ。

现在，因为：线段NS在P点被分成中外比，NP为大线段，所以：NS、SP上的正方形之和是NP上的正方形的三倍（命题XIII.4）。

DVODECEDRON ABSCI SVS VACVVS

又，NS等于XZ，因为，NP也等于PZ，XP等于PS。

而，PS也等于XU，因为，它也等于RP。所以：ZX、XU上的正方形之和是NP上的正方形的三倍。

又，UZ上的正方形等于ZX、XU上的正方形之和，所以：UZ上的正方形是NP上的正方形的三倍。

又，外接于正方体的球的半径上的正方形也是立方体一边的一半上的正方形的三倍，因为，如前所述怎样建球的内接立方体，且证明过，球直径上的正方形等于立方体一边上的正方形的三倍（命题XIII.15）。

又，如果两总量之比同于两半量之比，NP是立方体一边的一半，所以：UZ等于外接于立方体的球的半径。

又，Z为外接立方体的球的球心，所以：点U位于球面上。

类似地，我们可以证明出，十二面体的每个角的顶点也在球的面上，所以：十二面体内接于已知球。

我进一步说：十二面体的边是被称为余线的无理线段。

因为，当NP被分成中外比时，RP是较大线段，并，当PO被分成中外比时，PS是较大线段，当整体NO被分成中外比时，RS是较大线段。

因为：NP比PR同于PR比RN，它们的两倍比也成立，因为，部分之比等于同倍量之比，所以：NO比RS同于RS比NR与SO之和。

而NO大于RS，所以：RS也大于NR与SO之和，所以：NO被分成中外比，且RS是较大线段（命题V.15）。

又，RS等于UV，所以：NO被分成中外比，UV是大线段，又，因为，球的直径是有理线段，且它上的正方形是正方体一边上的正方形的三倍，所以：NO是正方体，是有理的。

又，如果一条有理线段被分成中外比，那么所分的每条线段是被称为余线的无理线段。

所以：UV是十二面体的边，是条余线，是无理线段（命题

中国古代的算盘

古代的计算器械有算盘。十进位制的珠算盘最早出现在中国，明代著作《魁本对相四言杂字》中载有十档算盘图。在明代，珠算已相当普及，程大位的《算法综宗》详述了珠算的制度和方法，标志着珠算的成熟。图中张择端的《清明上河图》（局部）就出现了算盘。

XIII.6）。

证完

推 论

当一个正方体的边被分成中外比时，大线是一个十二面体的边。

注 解

本命题和推论也应用在命题XIII.18中，以比较多个正多边形。

命题XIII.18

给出五种立体图形的边，并将它们加以比较。

设：AB是已知球体的直径，在C点被切分，AC等于CB；又在D点被切分，AD是DB的两倍；在AB上建半圆AEB，从C、D点分别作CE、DF与AB垂直，连接AF、FB、AE、EB（命题I.11）。

那么，因为：AD是DB的两倍，所以：AB是BD的三倍，代换后可得，BA是AD的一倍半。

又，BA比AD同于BA上的正方形比AF上的正方形，因为，三角形AFB与三角形AFD是等角三角形。所以：BA上的正方形是AF上的正方形的一倍半（定义V.9、命题VI.8）。

又，球的直径上的正方形也是棱锥的边上的正方形的一倍半，而AB是球的直径，所以：AF等于棱锥的边（命题XIII.13）。

又，因为：AD是DB的两倍，所以：AB是BD的三倍。

而AB比BD同于AB上的正方形比BF上的

最后的审判

成书于15世纪的《绘画透视学》影响了欧洲文艺复兴时期的许多画家，他们把透视法的规则看成是光学的一部分，而不仅仅是单纯的绘画技术。要使画看上去更自然，关键就在于必须使画符合人类的视觉规律。《绘画透视学》给出了一些实在的规则图形，并研究了各种各样的柱体在投影时棱长的投影效果，还有一系列的各种视点观测到的人体投影图。在《最后的审判》中，米开朗基罗完全运用了透视法原理，他把画的上部画得大了许多，使人们从很远的地方就能看到。在一定程度上，透视法对复杂图形的分析起到了开创性的作用。

正方形，所以：AB上的正方形是BF上的正方形的三倍（命题XIII.13）。

又，球的直径上的正方形也是立方体边上的正方形的三倍，AB是球直径；所以：BF是立方体的边（命题XIII.15）。

又，因为：AC等于CB，所以：AB是BC的两倍，而AB比BC同于AB为边的正方形比BE上的正方形，所以：AB上的正方形是BE上的正方形的两倍。

又，球的直径上的正方形也是八面体

的边上的正方形的两倍，又，AB是已知球的直径，所以：BE是八面体的边（命题XIII.14）。

再，从A点作AG垂直于直线AB，使AG等于AB，连接GC，从H作HK垂直于AB（命题I.11、I.3、I.12）。

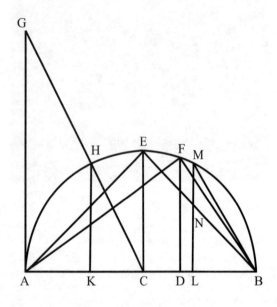

那么，因为：GA是AC的两倍，因为GA等于AB，且GA比AC同于HK比KC，所以：HK也是KC的两倍。

所以：HK上的正方形是KC上的正方形的四倍，所以：HK、KC上的正方形之和，即是HC上的正方形，是KC上正方形的五倍。

又，HC等于CB，所以：BC上的正方形是CK上的正方形的五倍，又，AB是CB的两倍，且在它们中，AD是DB的两倍，所以：余量BD是余量DC的两倍。

所以：BC是CD的三倍，所以：BC上的正方形是CD上的正方形的九倍。

而BC上的正方形是CK上的正方形的五倍，所以：CK上的正方形大于CD上的正方

形。所以：CK大于CD。

作CL等于CK，从L作LM垂直于AB，连接MB（命题I.3、I.11）。

现在，因为：BC上的正方形是CK上的正方形的五倍，且AB是BC的两倍，KL是CK的两倍，所以：AB上的正方形是KL上的正方形的五倍。

又，球的直径上的正方形也是内接二十面体的圆半径上的正方形的五倍。而AB是球的直径，所以：KL是内接二十面体的圆的半径。

所以：KL是圆内接六边形的边（命题XIII.16、IV.15、推论）。

又，因为：球的直径等于同圆中内接六边形一边和内接十边形两边的和。

而AB是球的直径，同时，KL是六边形的边，AK等于LB，所以：AK、LB二线段皆是二十面体的内接于圆的十边形的边（命题XIII.16、推论）。

又，因为：LB属于一个十边形，ML属于一个六边形，因为：ML等于KL，因为：它也等于HK，与圆心同距，HK、KL是KC的两倍，所以：MB属于一个五边形（命题XIII.16、推论）。又，五边形的一边是二十面体的一边，所以：MB属于一个二十面体（命题XIII.16）。

现在，因为：FB是立方体的边，在N点切分它成中外比，NB为大线段。所以：NB是十二面体的边（命题XIII.17、推论）。

又，因为：球的直径上的正方形是棱锥的边AF上的正方形的一倍半，也是八面体的边BE上的正方形的两倍与立方体边FB的三倍。

瓜廖尔石碑

印度数学码中表示零的点号后来逐渐演变为圆圈，也就是现在通用的"0"。这一演变过程完成于公元9世纪。图为印度瓜廖尔石碑上的记载。该石碑上很清楚地记有数字"0"。用圆圈符号表示零是数学史上的一大发明。在数学上，零的意义是多方面的，它既表示"无"的概念，又表示位值记数中的空位，而且作为数域中的基本元素，它也可与其他数一起运算。

于是：球的直径上的正方形包含六个部分，棱锥上的正方形包含四个部分，八面体的边上的正方形包含三个部分，立方体的边上的正方形包含两个部分。

所以：棱锥一边上的正方形是八面体一边上正方形的三分之四，是立方体一边上的正方形的二倍，且八面体一边上的正方形是立方体一边上的正方形的一倍半。

所以：三种图形即棱锥、八面体、立方体的边的相互比是有理的。

但是，还余两种图形，即二十面体和十二面体，二图形的边的互比不是有理的，与前述的边之互比也不是有理的，因为，它们是无理的，一个为次线，另一个为余线（命题XIII.16、XIII.17）。

又，二十面体的边MB大于十二面体的边NB，是已经证明了的。

因为：三角形FDB与三角形FAB是等角三角形，因此边成比例，DB比BF同于BF比AB（命题VI.8、VI.4）。

又因为：三条线段成比例，第一线段比第三线段同于第一线段上的正方形比第二线段上的正方形，所以：DB比BA同于DB上的正方形比BF上的正方形。

所以，由反比可得，AB比BD同于FB上的正方形比BD上的正方形（定义V.9、VI.20、推论）。

又，AB是BD的三倍，所以：FB上的正方形是BD上的正方形的三倍。

又，AD上的正方形也是DB上的正方形的四倍，因为，AD是DB的两倍，所以：AD上的正方形大于FB上的正方形。所以：AD大于FB。所以：AL就更大于FB。

又，当AL被分成中外比时，KL是大线段，因为，LK属于一个六边形，KA属于十边形，且当FB被分成中外比时，NB为大线段，所以：KL大于NB（命题XIII.9）。

又，KL等于LM，所以：LM大于NB。

所以：二十面体的一边MB大于十二面体的一边NB。

证完

评述

我进一步说，除这五种图形以外，不存在其他的由等边及等角且彼此相等的面构成的图形。

因为：一个立体角既不可能由两个三角形建成，也不可能由两个平面建成。

由三个三角形构成棱锥的角，由四个三角形构成八面体的角，由五个三角形构成二十面体的角；但是六个等边等角三角形一个顶点放在一起却不能构成一个立体角，因为：等边三角形的一个角是直角的三分之二，所以：六个角等于四个直角，这是不可能的，因为，一个立体角是由其和小于四直角的角构成的（命题XI.21）。

同理：六个以上平面角不可能构成一个立体角。

由三个正方形构成立方体的角，但是四个正方形不能构成立体角，因为它们的和又是四个直角。

由三个正五边形构成十二面体的角；但是四个这样的角却不能构成任何立体角，因为，一个等边五边形的角是直角的一又五分之一，因此，四个角之和大于四直角，这是不可能的。

同理，不可能由另外的多边形构成立体角。

引理

求证，正五边形的角是一个直角的一又五分之一。

设：ABCDE是等边等角五边形，其外

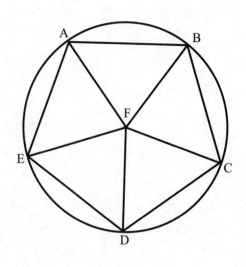

接圆是圆ABCDE，F为圆心，连接FA、FB、FC、FD、FE（命题IV.14）。

所以：它们在A、B、C、D、E点平分五边形各角，又因为：在F点的角的和等于四个直角，且它们相等。

所以：它们的每一个角，比如角AFB，皆是一个直角的五分之四，所以：其余各角FAB、ABF的和是一个直角的一又五分之一。

又，角FAB等于角FBC，所以：五边形的整体角ABC是一个直角的一又五分之一。

证完

■■ 附录：数学的历史年谱 ■■■

公元前

◎约前4000年，中国西安半坡的陶器上出现数字刻符。

◎前3000至前1700年，巴比伦的泥版上出现数学记载。

◎前2700年，大挠发明了甲子。

◎前2500年，据中国战国时尸佼著《尸子》记载："古者，倕（注：传说为黄帝或尧时人）为规、矩、准、绳，使天下仿焉。"这相当于已有"圆、方、平、直"等形的概念。

◎前2100年，中国夏朝出现象征吉祥的《河图洛书纵横图》，即为"九宫算"，这被认为是现代"组合数学"最古老的发现。美索不达米亚已有了乘法表，其中使用六十进位制的算法。

◎前1900至前1600年，古埃及的纸草书上出现数学记载，已有基于十进制的记算法，将加法简化为乘法的算术、分数计算法。并已有三角形及圆的面积、锥台体积的度量法等。

◎前1950年，巴比伦人能解二个变数的一次和二次方程，已经知道"勾股定理"。

◎前1400年，中国殷代甲骨文，卜辞记录已有十进制记数，最大数字是30000。

◎前1050年，中国西周时期，"九数"成为"国子"的必修课程之一。

◎前6世纪，古希腊泰勒斯发展了初等几何学，开始证明几何命题。古希腊毕达哥拉斯学派认为数是万物的本原，宇宙的组织是数及其关系的和谐体系。证明了勾股定理，发现了无理数，引起了所谓第一次数学危机。印度人求出 $\sqrt{2}=1.4142156$。

◎前462年左右，古希腊巴门尼德、芝诺等为代表的埃利亚学派指出了在运动和变化中的各种矛盾，提出了飞矢不动等有关时间、空间和数的芝诺悖论。

◎前5世纪，古希腊丘斯的希波克拉底研究了以直线及圆弧形所围成的平面图形的面积，指出相似弓形的面积与其弦的平方成正比。开始把几何命题按科学方式排列。

◎前4世纪，古希腊欧多克斯把比例论推广到不可公约量上，发现了"穷竭法"。开始在数学上作出以公理为依据的演绎推理。古希腊德谟克利特学派用"原子法"计算面积和体积，一个线段、一个面积或一个体积被设想为由很多不可分的"原子"所组成。提出圆锥曲线，得到了三次方程式的最古老的解法。古希腊亚里士多德等建立了亚里士多德学派，开始对数学、动物学等进行了综合的研究。

◎前400年，中国战国时期的《墨经》中记载了一些几何学的义理。

◎前380年，古希腊柏拉图学派指出数学对训练思维的作用，研究正多面体、不可公约量。

◎前350年，古希腊梅纳克莫斯发现三种圆锥曲线，并用以解立方体问题。古希腊色诺科拉底开始编写几何学的历史。古希腊的塞马力达斯开始设定简单方程组。

◎前335年，古希腊欧德姆斯开始编写数学史。

◎前3世纪，古希腊欧几里得的《几何原本》十三卷发表，把前人和他本人的发现系统化，确立几何学的逻辑体系，为世界上最早的公理化数学著作。

◎前3世纪，古希腊阿基米得研究了曲线图形和曲面体所围成的面积、体积，研究了抛物面、双曲面、椭圆面，讨论了圆柱、圆锥和半球之关系，还研究了螺线。战国时期的中国，筹算成为当时的主要计算方法，出现《庄子》《考工记》记载中的极限概念、分数运算法、特殊角度概念及对策论的例证。

◎前230年，古希腊埃拉托色尼提出素数概念，并发明了寻找素数的筛选法。

◎前3世纪至前2世纪，古希腊阿波罗尼发表了八卷《圆锥曲线学》，这是最早关于椭圆、抛物线和双曲线的论著。

◎前170年，湖北出现竹简算书《算数书》。

◎前150年，古希腊希帕恰斯开始研究球面三角，奠定了三角术的基础。

◎约前1世纪，中国的《周髀算经》发表。其中阐述了"盖天说"和"四分历法"，使用分数算法和开方法等。

公元元年—1000年

◎50至100年，继西汉张苍、耿寿昌删补校订之后，东汉时刘徽等人集注出版了《九章算术》，这是中国最早的数学专著，收集了246个问题的解法。

◎75年，古希腊海伦研究面积、体积计算方法、开方法，提出海伦公式。

◎1世纪左右，古希腊梅内劳发表《球学》，其中包括球的几何学，并附有球面三角形的讨论。古希腊希隆编撰了关于几何学的、计算的和力学科目的百科全书。在其中的《度量论》中，以几何形式推算出三角形面积的"希隆公式"。

◎100年左右，古希腊尼寇马克写了《算术引论》一书，此后算术开始成为独立学科。

◎150年左右，古希腊托勒密著《数学汇编》，求出圆周率为3.14166，并提出透视投影法与球面上经纬度的讨论，这是古代坐标的示例。

◎3世纪时，古希腊丢番图写成代数著作《算术》共十三卷，其中六卷保留至今，解出了许多定和不定方程式。

◎3世纪至4世纪，魏晋时期，中国赵爽在《勾股圆方图注》中列出了关于直角三角形三边之间关系的命题共21条。中国刘徽发明"割圆术"，并算得圆周率为3.1416；著作《海岛算经》，论述了有关测量和计算海岛的距离、高度的方法。

◎4世纪时，古希腊帕普斯的几何学著作《数学集成》问世，这是古希腊数学研究的手册。

◎约463年，中国祖冲之算出了圆周率的近似值到第七位小数，这比西方早了1000多年。

◎466至485年，中国三国时期的《张邱建算经》成书。

◎5世纪，印度阿耶波多著书研究数学和天文学，其中讨论了一次不定方程式的解法、度量术和三角学等，并做正弦表。

◎550年，中国南北朝甄鸾撰《五草算经》《五经算经》《算术记遗》。

◎6世纪，中国六朝时，祖日恒提出祖氏定律：若二立体等高处的截面积相等，则二者体积相等。西方直到17世纪才发现同一定律，称为卡瓦列利原理。隋代《皇极历法》内，已用"内插法"来计算日、月的正确位置（中国 刘焯）。

◎620年，中国唐朝王孝通著《辑古算经》，解决了大规模土方工程中提出的三次方程求正根的问题。

◎628年，印度婆罗摩笈多研究了定方程和不定方程、四边形、圆周率、梯形和序列。给出了方程 $ax+by=c$（a、b、c是整数）的第一个一般解。

◎656年，中国唐代李淳风等奉旨著《"十部算经"注释》，作为国子监算学馆的课本。"十部算经"指：《周髀算经》《九章算术》《海岛算经》《张邱建算经》《五经算经》等。

◎727年，中国唐朝开元年间，僧一行编成《大衍历》，建立了不等距的内插公式。

◎820年，阿拉伯阿尔·花剌子模发表了《印度计数算法》，使西欧熟悉了十进位制。

◎850年，印度摩珂毗罗提出岭的运算法则。

◎约920年，阿拉伯阿尔·巴塔尼提出正切和余切概念，造出从0°到90°的余切表，用sin标记正弦，证明了正弦定理。

公元1000—1700年

◎1000至1019年，中国北宋刘益著《议古根源》，提出了"正负开方术"。

◎1050年，中国宋朝贾宪在《黄帝九章算术细草》中，创造了开任意高次幂的"增乘开方法"，并列出了二项式定理系数表，这是现代"组合数学"的早期发现。后人所称的"杨辉三角"即指此法。

◎1079年，阿拉伯卡牙姆完成了一部系统研究三次方程的书《代数学》，用圆锥曲线解三次方程。

◎1086至1093年，中国宋朝沈括在《梦溪笔谈》中提出"隙积术"和"会圆术"，开始高阶等差级数的研究。

◎11世纪，阿拉伯阿尔·卡尔希第一次解出了二次方程的根。

◎11世纪，埃及阿尔·海赛姆解决了"海赛姆"问题，即要在圆的平面上两点作两条线相交于圆周上一点，并与在该点的法线成等角。

◎12世纪，印度拜斯迦罗著《立刺瓦提》一书，这是东方算术和计算方面的重要著作。

◎1202年，意大利裴波那契发表《计算之书》，把印度—阿拉伯记数法介绍到西方。

◎1220年，意大利裴波那契发表《几何学实习》一书，介绍了许多阿拉伯资料中没有的示例。

◎1247年，中国宋朝秦九韶著《数书九章》共十八卷，推广了"增乘开方法"。书中提出的联立一次同余式的解法，比西方早570余年。

◎1248年，中国宋朝李治著《测圆海镜》十二卷，这是第一部系统论述"天元术"的著作。

◎1261年，中国宋朝杨辉著《详解九章算法》，用"垛积术"求出几类高阶等差级数之和。

◎1274年，中国宋朝杨辉发表《乘除通变本末》，叙述"九归"捷法，介绍了筹算乘除的各种运算法。

◎1280年，中国元朝王恂、郭守敬等在《授时历》中用招差法编制日月的方位表。

◎14世纪中叶前，中国开始应用珠算盘，并逐渐代替了筹算。

◎1303年，中国元朝朱世杰著《四元玉鉴》三卷，把"天元术"推广为"四元术"。

◎1464年，德国约·米勒在《论各种三角形》（1533年出版）中，系统地总结了三角学。

◎1489年，德国魏德曼用"+""－"表示正负。

◎1494年，意大利帕奇欧里发表《算术集成》，反映了当时所知道的关于算术、代数和三角学的知识。

◎1514年，荷兰贺伊克用"+""－"作为加减运算的符号。

◎1535年，意大利塔塔利亚发现三次方程的解法。

◎1540年，英国雷科德用"="表示相等。

◎1545年，意大利卡尔达诺、费尔诺在《大法》中发表了求三次方程一般代数解的公式。

◎1550至1572年，意大利邦别利出版《代数学》，其中引入了虚数，完全解决了三次方程的代数解问题。

◎1585年，荷兰斯蒂文提出分数指数概念与符号；系统导入了十进制分数与十进制小数的意义、计算法及表示法。

◎1591年左右，德国韦达在《美妙的代数》中首次使用字母表示数字系数的一般符号，推进了代数问题的一般讨论。

◎1596年，德国雷蒂卡斯从直角三角形的边角关系上定义了六个三角函数。

◎1596至1613年，德国奥脱、皮提斯库斯完成了六个三角函数的每间隔十秒的十五位小数表。

◎1614年，英国耐普尔制定了对数，做出第一张对数表，只做出圆形计算尺、计算棒。

◎1615年，德国开普勒发表《酒桶的立体几何学》，研究了圆锥曲线旋转体的体积。

◎1635年，意大利卡瓦列利发表《不可分连续量的几何学》，书中避免无穷小量，用不可分量制定了一种简单形式的微积分。

◎1637年，法国笛卡儿出版《几何学》，提出了解析几何，把变量引进数学，成为"数学中的转折点"。

◎1638年，法国费尔玛开始用微分法求极大、极小问题。

意大利伽利略发表《关于两种新科学的数学证明的论说》，研究距离、速度和加速度之间的关系，提出了无穷集合的概念，这本书被认为是伽利略重要的科学成就。

◎1639年，法国迪沙格发表了《企图研究圆锥和平面的相交所发生的事的草案》，这是近世射影几何学的早期工作。

◎1641年，法国帕斯卡发现关于圆锥内接六边形的"帕斯卡定理"。

◎1649年，法国帕斯卡制成帕斯卡计算器，它是近代计算机的先驱。

◎1654年，法国帕斯卡、费尔玛研究了概率论的基础。

◎1655年，英国瓦里斯出版《无穷算术》一书，第一次把代数学扩展到分析学。

◎1657年，荷兰惠更斯发表了关于概率论的早期论文《论机会游戏的演算》。

◎1658年，法国帕斯卡出版《摆线通论》，对"摆线"进行了充分的研究。

◎1665至1666年，英国牛顿发明微积分；

1673至1676年，德国莱布尼茨总述微积分原理。

◎1669年，英国牛顿、雷夫逊发明解非线性方程的牛顿——雷夫逊方法。

◎1670年，法国费尔玛提出"费尔玛大定理"。

◎1673年，荷兰惠更斯发表了《摆动的时钟》，其中研究了平面曲线的渐曲线和渐伸线。

◎1684年，德国莱布尼茨发表了关于微分法的著作《关于极大、极小以及切线的新方法》。

◎1686年，德国莱布尼茨发表了关于积分法的著作。

◎1691年，瑞士约·贝努利出版《微分学初步》，这促进了微积分在物理学和力学上的应用及研究。

◎1696年，法国洛比达发明求不定式极限的"洛比达法则"。

◎1697年，瑞士约·贝努利解决了一些变分问题，发现最速下降线和测地线。

公元1701—1800年

◎1704年，英国牛顿发表《三次曲线枚举》《利用无穷级数求曲线的面积和长度》《流数法》。

◎1711年，英国牛顿发表《使用级数、流数等的分析》。

◎1713年，瑞士雅·贝努利出版了概率论的第一本著作《猜度术》。

◎1715年，英国布·泰勒发表《增量方法及其他》。

◎1731年，法国克雷洛出版《关于双重曲率的曲线的研究》，这是研究空间解析几何和微分几何的最初尝试。

◎1733年，英国德·勒哈佛尔发现正态概率曲线。

◎1734年，英国贝克莱发表《分析学者》，副标题是《致不信神的数学家》，攻击牛顿的《流数法》，引起所谓的第二次数学危机。

◎1736年，英国牛顿发表《流数法和无穷级数》。

◎1736年，瑞士欧拉出版《力学或解析地叙述运动的理论》，这是用分析方法发展牛顿的质点动力学的第一本著作。

◎1742年，英国麦克劳林引进了函数的幂级数展开法。

◎1744年，瑞士欧拉导出了变分法的欧拉方程，发现某些极小曲面。

◎1747年，法国达朗贝尔等由弦振动的研究而开创偏微分方程论。

◎1748年，瑞士欧拉出版了系统研究分析数学的《无穷分析概要》，这是欧拉的主要著作之一。

◎1755至1774年，瑞士欧拉出版了《微分学》和《积分学》三卷。书中包括微分方程论和一些特殊的函数。

◎1760至1761年，法国拉格朗日系统地研究了变分法及其在力学上的应用。

◎1767年，法国的拉格朗日发现分离代数方程实根的方法和求其近似值的方法。

◎1770至1771年，法国拉格朗日把置换群用于代数方程式求解，这是群论的开始。

◎1772年，法国拉格朗日给出三体问题最初的特解。

◎1788年，法国拉格朗日出版了《解析力学》，把新发展的解析法应用于质点、刚体力学。

◎1794年，法国勒让德出版流传很广的初等几何学课本《几何学概要》。德国高斯研究测量误差，提出最小二乘法，于1809年发表。

◎1797年，法国拉格朗日发表《解析函数论》，不用极限的概念而用代数方法建立微分学。

◎1799年，法国蒙日创立画法几何学，在工程技术中应用颇多。德国高斯证明了代数学的一个基本定理：实系数代数方程必有根。

公元1800—1899年

◎1801年，德国高斯出版《算术研究》，开创近代数论。

◎1809年，法国蒙日出版了微分几何学的第一本书《分析在几何学上的应用》。

◎1812年，法国拉普拉斯出版《分析概率论》一书，这是近代概率论的先驱。

◎1816年，德国高斯发现非欧几何，但未发表。

◎1821年，法国柯西出版《分析教程》，用极限严格地定义了函数的连续、导数和积分，研究了无穷级数的收敛性等。

◎1822年，法国彭色列系统研究了几何图形在投影变换下的不变性质，建立了射影几何学。法国傅立叶研究了热传导问题，发明用傅立叶级数求解偏微分方程的边值问题，在理论和应用上都有重大影响。

◎1824年，挪威阿贝尔证明用根式求解五次方程的不可能性。

◎1826年，挪威阿贝尔发现连续函数的级数之和并非连续函数。俄国罗巴切夫斯基和匈牙利的波约改变欧几里得几何学中的平行公理，提出非欧几何学的理论。

◎1827至1829年，德国雅可比、挪威阿贝尔和法国勒阿德尔共同确立了椭圆积分与椭圆函数的理论，在物理、力学中都有应用。

◎1827年，德国高斯建立了微分几何中关于曲面的系统理论。德国莫比乌斯出版《重心演算》，第一次引进齐次坐标。

◎1830年，捷克波尔查诺给出一个连续而没有导数的所谓"病态"函数的例子。法国伽罗华在代数方程可否用根式求解的研究中建立群论。

◎1831年，法国柯西发现解析函数的幂级数收敛定理。德国高斯建立了复数的代数学，用平面上的点来表示复数，破除了复数的神秘性。

◎1835年，法国斯特姆提出确定代数方程式实根位置的方法。

◎1836年，法国柯西证明解析系数微分方程解的存在性。瑞士史坦纳证明具有已知周长的一切封闭曲线中包围最大面积的图形一定是圆。

◎1837年，德国狄利克莱第一次给出了三角级数的一个收敛性定理。

◎1840年，德国狄利克莱把解析函数用于数论，并且引入了"狄利克莱"级数。

◎1841年，德国雅可比建立了行列式的系统理论。

◎1844年，德国格拉斯曼研究多个变元的代数系统，首次提出多维空间的概念。

◎1846年，德国雅克比提出求实对称矩阵特征值的雅可比方法。

◎1847年，英国布尔创立了布尔代数，在后来的电子计算机设计有重要应用。

◎1848年，德国库莫尔研究各种数域中的因子分解问题，引进了理想数。英国斯托克斯发现函数极限的一个重要概念——一致收敛，但未能严格表述。

◎1850年，德国黎曼给出了"黎曼积分"的定义，提出函数可积的概念。

◎1851年，德国黎曼提出共形映照的原理，在力学、工程技术中应用颇多，但未给出证明。

◎1854年，德国黎曼建立了更广泛的一类非欧几何学——黎曼几何学，并提出多维拓扑流形的概念。俄国车比雪夫开始建立函数逼近论，利用初等函数来逼近复杂的函数。20世纪以来，由于电子计算机的应用，使函数逼近论有很大的发展。

◎1856年，德国维尔斯特拉斯确立极限理论中的一致收敛性的概念。

◎1857年，德国黎曼详细地讨论了黎曼面，把多值函数看成黎曼面上的单值函数。

◎1868年，德国普吕克在解析几何中引进一些新的概念，提出可以用直线、平面等作为基本的空间元素。

◎1870年，挪威李发现李群，并用以讨论微分方程的求积问题。德国克朗尼格给出了群论的公理结构，这是后来研究抽象群的出发点。

◎1872年，德国戴特金、康托尔、维尔斯特拉斯推进了数学分析的"算术化"，即以有理数的集合来定义实数。德国克莱因发表了"埃尔朗根纲领"，把每一种几何学都看成是一种特殊变换群的不变量论。

◎1873年，法国埃尔米特证明了e是超越数。

◎1876年，德国维尔斯特拉斯出版《解析函数论》，把复变函数论建立在了幂级数的基础上。

◎1881至1884年，美国吉布斯制定了向量分析。

◎1881至1886年，法国彭加勒连续发表《微分方程所确定的积分曲线》的论文，开创微分方程定性理论。

◎1882年，德国林德曼证明了圆周率是超越数。英国亥维赛制定运算微积，这是求解某些微分方程的简便方法，工程上常有应用。

◎1883年，德国康托尔建立了集合论，发展了超穷基数的理论。

◎1884年，德国弗莱格出版《数论的基础》，这是数理逻辑中量词理论的发端。

◎1887至1896年，德国达布尔出版了四卷《曲面的一般理论的讲义》，总结了一个世纪以来关于曲线和曲面的微分几何学的成就。

◎1892年，俄国李雅普诺夫建立运动稳定性理论，这是微分方程定性理论研究的重要方面。

◎1892至1899年，法国彭加勒创立自守函数论。

◎1895年，法国彭加勒提出同调的概念，开创代数拓扑学。

◎1899年，德国希尔伯特《几何学基础》出版，提出欧几里得几何学的严格公理系统，对数学的公理化思潮有很大影响。瑞利等人最早提出基于统计概念的计算方法—蒙特卡诺方法的思想。20世纪20年代德国柯朗、美国冯·诺伊曼等人发展了这个方法，后在电子计算机上获得广泛应用。

公元1900 — 1960年

◎1900年，德国希尔伯特，提出数学尚未解决的23个问题，引起了20世纪许多数学家的关注。

◎1901年，德国数学家希尔伯特，严格证明了狄利克莱原理，开创了变分学的直接方法，在工程技术的级拴问题中有很多应用。德国舒尔、弗洛伯纽斯，首先提出群的表示理论。此后，各种群的表示理论得到大量研究。意大利里齐、齐维塔，基本上完成张量分析，又名绝对微分学。确立了研究黎曼几何和相对论的分析工具。法国勒贝格，提出勒贝格测度和勒贝格积分，推广了长度、面积积分的概念。

◎1903年，英国罗素，发现集合论中的罗素悖论，引发了第三次数学危机。瑞典弗列特荷姆，建立线性积分方程的基本理论，是解决数学物理问题的数学工具，并为建立泛函分析作出了准备。

◎1906年，意大利赛维里，总结了古典代数几何学的研究。法国弗勒锡、匈牙利里斯，把由函数组成的无限集合作为研究对象，引入函数空间的概念，并开始形成希尔伯特空间。这是泛函分析的发源。德国哈尔托格斯，开始系统研究多个自变量的复变函数理论。俄国马尔可夫，首次提出"马尔可夫链"的数学模型。

◎1907年，德国寇贝，证明复变函数论的一个基本原理——黎曼共形映照定理。美籍荷兰人布劳威尔，反对在数学中使用排中律，提出直观主义数学。

◎1908年德国金弗里斯，建立点集拓扑学。德国策麦罗，提出集合论的公理化系统。

◎1909年，德国希尔伯特，解决了数论中著名的华林问题。

◎1910年，德国施坦尼茨，总结了19世纪末20世纪初的各种代数系统，如群、代数、域等的研究，开创了现代抽象代数。美籍荷兰人路·布劳威尔，发现不动点原理，后来又发现了维数定理、单纯形逼近法，使代数拓扑成为系统理论。

英国罗素、怀特海合著出版《数学原理》三卷，企图把数学归纳到形式逻辑中去，是现代逻辑主义的代表著作。

◎1913年，法国厄·加当、德国韦耳完成了半单纯李代数有限维表示理论，奠定了李群表示理论的基础。这在量子力学和基本粒子理论中有重要应用。德国韦耳研究黎曼面，初步产生了复流形的概念。

◎1914年，德国豪斯道夫提出拓扑空间的公理系统，为一般拓扑学建立了基础。

◎1915年，美籍德国人爱因斯坦、德国卡·施瓦茨西德把黎曼几何用于广义相对论，解出球对称的场方程，从而可以计算水星近日点的移动等问题。

◎1918年，英国哈台、立笃武特应用复变函数论方法来研究数论，建立解析数论。丹麦人爱尔兰为改进自动电话交换台的设计，提出排队论的数学理论。匈牙利里斯促使了希尔伯特空间理论的形成。

◎1919年，德国亨赛尔建立P-adic数论，这在代数数论和代数几何中有重要作用。

◎1922年，德国希尔伯特提出数学要彻底形式化的主张，创立数学基础中的形式主义体系和证明论。

◎1923年，法国厄·加当提出一般联络的微分几何学，将克莱因和黎曼的几何学观点统一起来，是纤维丛概念的发端。法国阿达玛提出偏微分方程适定性，解决二阶双曲型方程的柯西问题。波兰巴拿哈提出更广泛的一类函数空间——巴拿哈空间的理论。美国诺·维纳提出无限维空间的一种测度——维纳测度，这对概率论和泛函分析有一定作用。

◎1925年，丹麦哈·波尔创立概周期函数。英国费希尔以生物、医学试验为背景，开创了"试验设计"（数理统计的一个分支），也确立了统计推断的基本方法。

◎1926年，德国纳脱大体上完成对近世代数有重大影响的理想理论。

◎1927年，美国毕尔霍夫建立动力系统的系统理论，这是微分方程定性理论的一个重要方面。

◎1928年，美籍德国人理·柯朗提出解偏微分方程的差分方法。美国哈特莱首次提出通信中的信息量概念。德国格罗许、芬兰阿尔福斯和苏联拉甫连捷夫提出拟似共形映照理论，这在工程技术上有一定应用。

◎1930年，美国毕尔霍夫建立格论，这是代数学的重要分支，对射影几何、点集论及泛函分析都有应用。美籍匈牙利人冯·诺伊曼提出自伴算子谱分析理论并应用于量子力学。

◎1931年，瑞士德拉姆发现多维流形上的微分型和流形的上同调性质的关系，给拓扑学以分析工具。奥地利哥德尔证明了公理化数学体系的不完备性。苏联柯尔莫哥洛夫和美国费勒发展了马尔可夫过程理论。

◎1932年，法国亨·嘉当解决多元复变函数论的一些基本问题。美国毕尔霍夫、美籍匈牙利人冯·诺伊曼建立各态历经的数学理论。法国赫尔勃兰特、奥地利哥德尔、美国克林建立递归函数理论，这是数理逻辑的一个分支，在自动机和算法语言中有重要应用。

◎1933年，匈牙利奥·哈尔提出拓扑群的不变测度概念。前苏联柯尔莫哥洛夫提出概率论的公理化体系。美国诺·维纳、丕莱制订复平面上的傅立叶变式理论。

◎1934年，美国莫尔斯创建大范围变分学的理论，为微分几何和微分拓扑提供了有效工具。美国道格拉斯等解决极小曲面的基本问题——普拉多问题，即求通过给定边界而面积为最小的曲面。前苏联辛钦提出平稳过程理论。

◎1935年，波兰霍勒维奇等在拓扑学中引入同伦群，成为代数拓扑和微分拓扑的重要工具。法国龚贝尔开始研究产品使用寿命和可靠性的数学理论。

◎1936年，德国寇尼克系统地提出与研究图的理论，美国的贝尔治等对图的理论有很大的发展。50年代以后，由于在博弈论、规划论、信息论等方面的发展，而得到广泛应用。在荷兰范德凡尔登、法国外耳、美国查里斯基、意大利培·塞格勒等的努力下，现代的代数几何学开始形成。英国图灵、美国邱吉、克林等提出理想的通用计算机概念，同时建立了算法理论。美籍匈牙利人冯·诺伊曼建立算子环论，可以表达量子场论数学理论中的一些概念。前苏联索波列夫提出偏微分方程中的泛函分析方法。

◎1937年，美国怀特尼证明微分流形的嵌入定理，这是微分拓扑学的创始。苏联彼得洛夫斯基提出偏微分方程组的分类法，得出某些基本性质。瑞士克拉默开始系统研究随机过程的统计理论。

◎1938年，法国布尔巴基学派编著的布尔巴基丛书《数学原本》开始出版，企图从数学公理结构出发，以非常抽象的方式叙述全部现代数学。

◎1940年，美国哥德尔证明连续统假说在集合论公理系中的无矛盾性。英国绍司威尔提出求数值解的松弛方法。前苏联盖尔方特提出交换群调和分析的理论。

◎1941年，美国霍奇定义了流形上的调和积分，并用于代数流形，成为研究流形同调性质的分析工具。前苏联谢·伯恩斯坦、日本的伊藤清开始建立马尔可夫过程与随机微分方程的联系。前苏联盖尔方特创立赋范环理论，主要用于群上调和分析与算子环论。

◎1942年，美国诺·维纳、苏联的柯尔莫哥洛夫开始研究随机过程的预测，滤过理论及其在火炮自动控制上的应用，由此产生了"统计动力学"。

◎1943年，中国林士谔提出求代数方程数字解的林士谔方法。

◎1944年，美籍匈牙利人冯·诺伊曼等建立了对策论，即博弈论。

◎1945年，法国许瓦茨推广了古典函数概念，创立广义函数论，对微分方程理论和泛函分析有重要作用。美籍华人陈省身建立代数拓扑和微分几何的联系，推进了整体几何学的发展。

◎1946年，美国莫尔电子工程学校和宾夕法尼亚大学埃克特、莫希莱等人试制成功第一台电子计算机ENIAC。法国外耳建立现代代数几何学基础。中国华罗庚发展了三角和法研究解析数论。前苏联盖尔方特、诺依玛克建立罗伦兹群的表示理论。

◎1947年，美国埃·瓦尔特创立统计的序贯分析法。

◎1948年，英国阿希贝造出稳态机，能在各种变化的外界条件下自行组织，以达到稳定状态。鼓吹这是人造大脑的最初雏形、机器能超过人等观点。美国诺·维纳出版《控制论》，首次使用"控制论"一词。美国申农提出通信的数学理论。美籍德国人

弗里得里希斯、理·柯朗总结了非线性微分方程在流体力学方面的应用，推进了这方面的研究。波兰爱伦伯克、美国桑·麦克伦提出范畴论，这是代数中一种抽象的理论，企图将数学统一于某些原理。前苏联康脱洛维奇将泛函分析用于计算数学。

◎1949年，英国剑桥大学制成第一台通用电子管计算机EDSAC。开始确立电子管计算机体系，通称第一代计算机。

◎1950年，英国图灵发表《计算机和智力》一文，提出机器能思维的观点。美国埃·瓦尔特提出统计决策函数的理论。英国大·杨提出解椭圆形方程的超松弛方法，这是目前电子计算机上常用的方法。美国斯丁路特、美籍华人陈省身、法国的艾勒斯曼共同提出纤维丛的理论。

◎1951年，美国霍夫曼、马·霍尔等大力发展"组合数学"，并应用于试验设计、规划理论、网络理论、信息编码等。

◎1952年，美国蒙哥马利等证明连续群的解析性定理，即希尔伯特第五问题。

◎1953年，美国基费等提出优选法，并先后发展了多种求函数极值的方法。

◎1955年，法国亨·嘉当、格洛辛狄克，波兰爱伦伯克制定同调代数理论。美国隆姆贝格提出求数值积分的隆姆贝格方法，这是目前电子计算机上常用的一种方法。瑞典荷尔蒙特等制定线性偏微分算子的一般理论。美国拉斯福特等提出解椭圆形或双线形偏微分方程的交替方向法。英国罗思解决了代数数的有理迫近问题。

◎1956年，提出统筹方法（又名计划评审法），即一种安排计划和组织生产的数学方法。英国邓济希等提出线性规划的单纯形方法。前苏联道洛尼钦提出解双曲型和混合型方程的积分关系法。

◎1957年，苏联庞特里雅金发现最优控制的变分原理。美国贝尔曼创立动态规划理论，它是使整个生产过程达到预期最佳目的的一种数学方法。美国罗

森伯拉特等以美国康纳尔实验室的"感知器"的研究为代表，开始迅速发展图像识别理论。

◎1958年，欧洲GAMM小组、美国ACM小组创立算法语言ALGOL(58)，后经改进又提出ALGOL（60）、ALGOL（68）等算法语言，用于电子计算机程序自动化。中国科学院计算技术研究所成功试制中国第一台通用电子计算机。

◎1959年，美国国际商业机器公司制成第一台晶体管计算机"IBM 7090"，第二代计算机——半导体晶体管计算机开始迅速发展。

◎1959至1960年，法国霍昆亥姆、美国儿·玻色、印度雷·可都利等提出的伽罗华域论在编码问题上开始应用，并发明BCH码。

◎1960年，美国卡尔门提出数字滤波理论，进一步发展了随机过程在制导系统中的应用。前苏联克雷因、美国顿弗特建立非自共轭算子的系统理论。